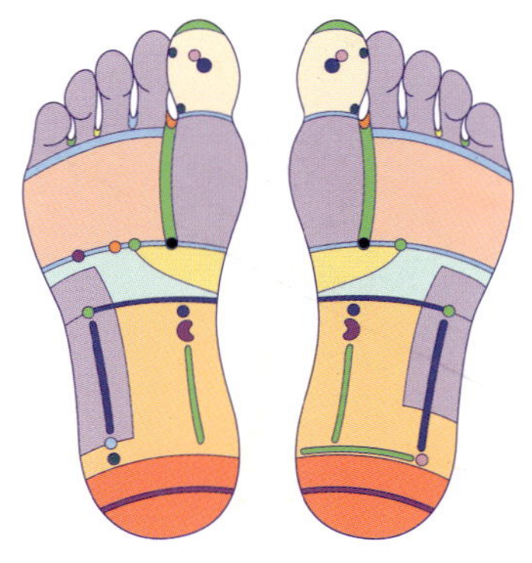

A Bíblia da Reflexologia

A Bíblia da Reflexologia

O Guia Definitivo da Massagem nos Pés e nas Mãos

LOUISE KEET

TRADUÇÃO
Gilson César Cardoso de Sousa

Editora Pensamento
SÃO PAULO

1ª edição 2011.
5ª reimpressão 2025.
Publicado pela primeira vez na Grã-Bretanha em 2006 por Godsfield Books, uma divisão da Octopus Publishing Group Ltd. Carmelite House, 50 Victoria Embankment London EC4Y 0DZ. www.octopusbooks.co.uk

Impresso na Malásia.
Coordenação editorial: Denise de C. Rocha Delela e Roseli de S. Ferraz
Preparação de originais: Lucimara Leal da Silva
Revisão: Claudete Agua de Melo

Dados Internacionais de Catalogação na Publicação (CIP)
(Câmara Brasileira do Livro, SP, Brasil)

Keet, Louise
A Bíblia da reflexologia: o guia definitivo da massagem nos pés e nas mãos / Louise Keet; tradução Gilson César Cardoso de Sousa. – São Paulo: Pensamento, 2010.

Título original: The reflexology bible
ISBN 978-85-315-1691-7
1. Mãos – Massagem 2. Pés – Massagem 3. Reflexologia (Terapia) I. Título.

10-09760 CDD-615.822

Índices para catálogo sistemático:
1. Reflexologia vertical para as mãos e pés: Massagem: Medicina alternativa 615.822

Direitos de tradução para o Brasil
adquiridos com exclusividade pela
EDITORA PENSAMENTO-CULTRIX LTDA.
Rua Dr. Mário Vicente, 368 – 04270-000 – São Paulo, SP
Fone: (11) 2066-9000
E-mail: atendimento@editorapensamento.com.br
http://www.editorapensamento.com.br
que se reserva a propriedade literária desta tradução.
Foi feito o depósito legal.

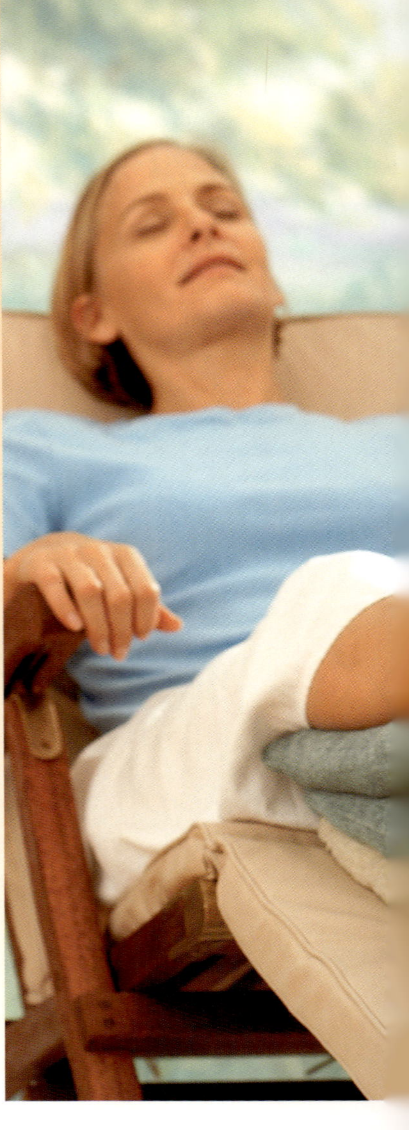

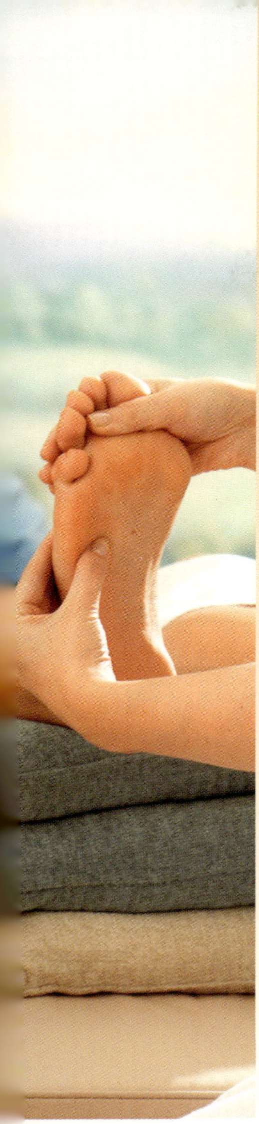

Sumário

PARTE 1 Introdução 6

PARTE 2 Como a Reflexologia Funciona 36

PARTE 3 Preparação para a Reflexologia 82

PARTE 4 Tratamento dos Pés 118

PARTE 5 Reflexologia para Problemas Comuns 168

PARTE 6 Reflexologia Especializada 252

PARTE 7 Tratamento das Mãos 350

Índice 390

Agradecimentos 400

Este livro não pretende substituir as recomendações médicas. Antes de seguir qualquer informação ou conselho apresentado, os leitores devem consultar um médico ou outro profissional de saúde para tratamento de seus males. Embora a autora tenha se esforçado ao máximo para fornecer as informações mais precisas e atualizadas, nem o autor nem o editor podem garantir que erros ou omissões não tenham sido cometidos.

PARTE 1

Introdução

Que é reflexologia?

Reflexologia é a técnica de aplicar pressão suave em áreas reflexas nos pés e nas mãos a fim de promover um estado de relaxamento profundo e estimular os processos curativos do próprio corpo. Terapia natural, pode também estimular o fluxo de energia vital, fortalecendo o sistema imunológico e deixando a mente mais serena num corpo mais forte.

A reflexologia é um tratamento seguro e natural que ajuda você a dar a seu corpo aquilo de que ele precisa – conceber ou levar uma gravidez tranquila, reduzir os sintomas da síndrome do intestino irritável, emagrecer, sentir-se mais jovem e parecer mais saudável. Neste livro, você descobrirá que a reflexologia e a abordagem holística da saúde o ajudarão a atingir seus objetivos emocionais e físicos.

A teoria da reflexologia

A teoria da reflexologia é que os órgãos, nervos, glândulas e outras partes do corpo estão conectados a áreas (ou pontos) reflexas nos pés e nas mãos. Essas áreas se localizam nas solas dos pés e palmas das

Uma melhor saúde emocional e física pode ser conseguida com a ajuda da terapia das mãos e da reflexologia.

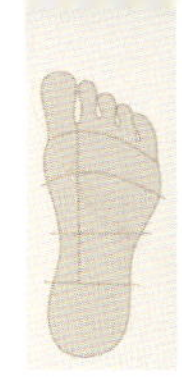

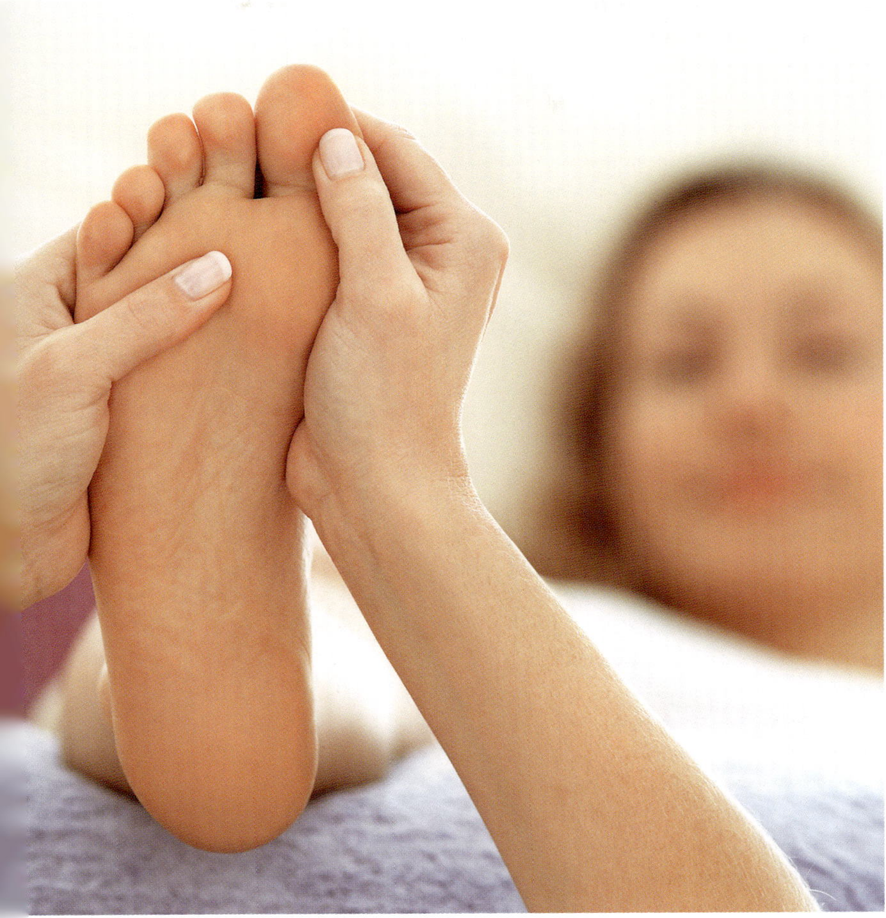

A reflexologia pode torná-lo mais saudável e alegre.

mãos, bem como em suas partes superior e lateral. Estimulando-as por meio de uma técnica de compressão e de massagem com os polegares, dedos e mãos, geramos uma resposta direta numa área relacionada do corpo. Por exemplo, trabalhando o reflexo da cabeça (localizado no dedo grande do pé), ativamos os processos de cura do próprio corpo e ajudamos a aliviar as cefaleias.

A mão e o pé direitos representam o lado direito do corpo; a mão e o pé esquerdos, o lado esquerdo do corpo – e, de acordo com a "terapia zonal" (ver página 16), existem dez diferentes zonas no corpo. Os pés são mais comumente trabalhados na reflexologia porque de um modo geral, segundo os praticantes, respondem melhor à terapia do que as mãos, pois contêm uma área de tratamento maior onde, por isso mesmo, é mais fácil identificar os pontos reflexos. Além disso, como os pés ficam normalmente protegidos por meias e sapatos, são mais sensíveis ao toque. No entanto, as mãos respondem igualmente bem à terapia e são boas de trabalhar, especialmente quando fazemos reflexologia em nós mesmos.

Como criar um estado de equilíbrio

A reflexologia tem por meta restaurar o equilíbrio e a harmonia para proporcionar ao corpo uma sensação de bem-estar. Às vezes, nos sentimos mal-humorados ou "desligados" e nosso corpo precisa de equilíbrio a fim de continuar funcionando devidamente. Mesmo um rápido tratamento de reflexologia pode ajudar a criar esse senso de equilíbrio.

A reflexologia não é uma terapia para diagnosticar doenças nem um tratamento médico. Ela não cura: só o corpo pode fazer isso. A reflexologia apenas facilita sua recuperação. É praticamente impossível determinar um prazo para que a pessoa comece a sentir e gozar os benefícios desse tratamento. Tudo começa por um pequeno passo, mas a persistência levará a um resultado positivo.

Como usar este livro

Este livro foi elaborado como uma abordagem abrangente da reflexologia e uma visão holística da saúde, incluindo dietas e mudanças de estilo de vida. Incorpora inúmeras sequências de tratamento para atender às suas necessidades, de seus amigos e sua família, independentemente da idade. Após a introdução, que explica o funcionamento da reflexologia e as etapas preparatórias essenciais, as Partes 4, 5 e 6 apresentam diversas séries de tratamentos energizantes para os pés, enquanto a Parte 7 oferece algumas sequências para as mãos. Nenhuma apresenta dificuldade e todas são o que você esperaria de um tratamento profissional.

Você poderá aplicar os toques para os pés e as sequências de tratamento especializado todos os dias, em dias alternados, semanalmente ou conforme desejar. A terapia geral para os pés, na Parte 4 (ver páginas 136-167), cobre todos os sistemas e áreas do corpo, podendo aliviar diversos incômodos e reduzir os efeitos do stress. Na Parte 5, o enfoque é em males específicos; você encontrará sequências de tratamentos energizantes que o ajudarão a combater indisposições comuns, desde acne e asma até psoríase e inflamação de garganta. A Parte 6 contém sequências de tratamentos especializados e focaliza, separadamente, humores e emoções, mulheres, homens, gravidez, crianças pequenas, anos dourados e casais. Essas sequências irão ajudá-lo a adaptar o tratamento a seus problemas de saúde.

A reflexologia das mãos é ideal para a autoterapia, o cuidado com os idosos, um tratamento rápido em questão de minutos (por exemplo, quando você estiver fora de casa) e um relaxamento profundo. A sequência terapêutica geral, na Parte 7 (ver páginas 374-389), atende às necessidades de todos e é uma grande experiência a dar e receber. Trabalhar as próprias mãos nos enche de energia.

As raízes da reflexologia

As raízes da reflexologia e sua relação com os cuidados do corpo e a astrologia remontam, pelo que se supõe, ao antigo Egito, onde médicos astrólogos estudavam as estrelas em busca de uma base teórica para tratar seus pacientes.

Antigo Egito

O mais antigo documento que mostra a prática da reflexologia foi descoberto na tumba de um médico egípcio chamado Ankmahor, datando de cerca de 2500 a. C. Ankmahor era considerado a pessoa mais influente de sua época logo depois do faraó. Dentro de seu túmulo foram encontradas pinturas relacionadas à prática da medicina, uma das quais, mostrada aqui, é tida como exemplo mais antigo de reflexologia. Dois pacientes recebem tratamento nas mãos e nos pés. "Não me machuque!", geme um deles na inscrição, e o praticante replica: "Devo merecer sua gratidão".

A reflexologia, sem dúvida, era usada tanto para prevenir doenças quanto para aliviar os males do paciente. De um ou outro modo, é claro que o praticante tudo fazia para atender às necessidades de quem o procurava. Trabalhando com um reflexologista, o médico descobria métodos individuais de tratamento preventivo ou curativo – daí os praticantes desejarem "gratidão".

Com o passar dos anos, várias formas de reflexologia foram desenvolvidas e praticadas na América, na África e no Extremo Oriente. Muitas vezes tomaram caminhos diversos em termos de prazo de tratamento, pressão maior ou menor e mesmo uso de instrumentos como pequenos bastões ou hastes de cachimbo.

Reflexologia moderna: os pioneiros

O dr. William Fitzgerald foi um dos pioneiros da reflexologia moderna. Esse laringologista americano fez seu trabalho mais importante no início do século XX, quando observou que os indígenas de seu país usavam técnicas de pressionar pontos para aliviar a dor. Descobriu também que havia muitas pesquisas em curso na Europa sobre o funcionamento do sistema nervoso e os efeitos da estimulação dos percursos sensoriais no resto do corpo. Inspirado por esses estu-

Esta antiga pintura mostrando a prática da reflexologia foi encontrada na tumba do médico egípcio Ankmahor (c. 2500 a. C.).

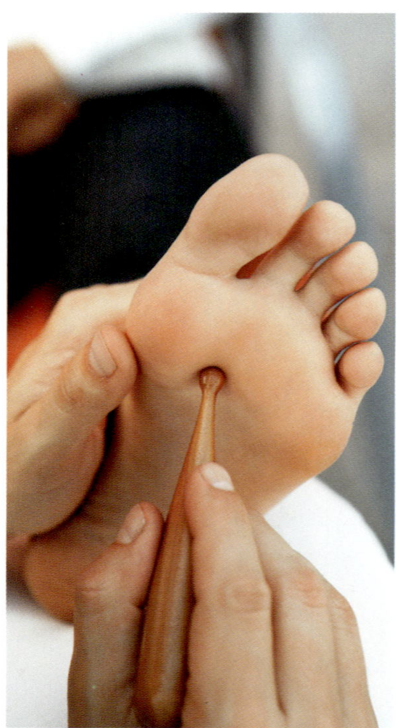

O método asiático Rwo Shur enfatiza mais a revitalização que o relaxamento, com o uso de um pequeno bastão.

dos, o dr. Fitzgerald decidiu averiguar se a técnica aliviava a dor em pacientes submetidos a pequenas cirurgias, e o resultado foi a descoberta da "terapia zonal", que pressupõe linhas de energia ramificando-se pelo corpo (ver página 16). Nisso se baseia a moderna forma de reflexologia.

O método Rwo Shur

Em muitas regiões da Ásia, inclusive Taiwan, China e Singapura, pratica-se o método Rwo Shur de reflexologia. Esse método é um tanto doloroso porque envolve uma combinação de deslizamento dos polegares e técnicas de pressão, além do emprego dos nós dos dedos e às vezes de pequenos bastões de madeira. A pressão deve ser firme e o terapeuta usa creme em vez de talco, o que permite movimentos mais rápidos, fluidos e eficientes. Em geral, a sessão dura cerca de trinta minutos e o enfoque é mais na revitalização do que no relaxamento.

O método Rwo Shur foi desenvolvido em Taiwan pelo padre Joseph Eugster, um missionário suíço. Tendo ele próprio se beneficiado da reflexologia, percebeu que ela poderia ajudar milhares de pessoas necessitadas e começou a tratá-las para depois treinar outros praticantes.

O método Ingham

Essa técnica é a base da reflexologia tal qual geralmente praticada em todo o mundo nos dias atuais. Surgiu e foi aperfeiçoada nos Estados Unidos, no início dos anos 1930, pela falecida Eunice Ingham, que muitos consideram a "mãe da reflexologia". Ela fez dos pés o alvo específico da reflexologia porque são particularmente sensíveis e traçou mapas do corpo inteiro nessas áreas (ver páginas 40-49), com base em sua experiência terapêutica.

Desenvolveu também um método que usa polegares e dedos, conhecido como técnica de compressão Ingham. Nesse método, o polegar ou dedo se curva e se estira mantendo a mesma pressão por toda a área tratada ("*thumb-walking*").

Eunice Ingham apresentou seu trabalho à comunidade leiga por achar que a reflexologia poderia ajudar o público em geral. Suas técnicas eram de aplicação fácil e as pessoas aprenderiam sem dificuldade a aplicá-las em si próprias, sua família e amigos. Ela escreveu dois livros sobre o assunto, *Stories the Feet Can Tell* (1938) e *Stories the Feet Have Told* (1963).

O reflexologista que pratica o método de Ingham usa talco em vez de creme e a sessão dura geralmente 60 minutos, embora isso dependa muito da saúde do paciente. O enfoque é no relaxamento e equilíbrio dos sistemas do corpo, com o terapeuta ajustando constantemente a pressão para evitar desconforto. A perspectiva é holística e o reflexologista leva em conta o impacto que o estilo de vida do cliente exerce em sua saúde. Assim, adequará a sequência de toques a cada pessoa e, embora trabalhe todos os reflexos, uns receberão mais atenção que outros.

Talco, toalhas e água devem estar à mão antes que o cliente chegue e o tratamento comece.

Terapia zonal

A terapia zonal é a base da moderna reflexologia. Consiste em pressionar (ou massagear) áreas específicas dos pés e das mãos, estimulando a circulação e os impulsos nervosos para promover a saúde nas diversas "zonas" do corpo.

O princípio das zonas energéticas e da recuperação dos percursos de energia danificados é conhecido há séculos. Harry Bond Bressler, que estudou a possibilidade de tratar órgãos mediante pontos de pressão, declarou em seu livro *Zone Therapy* (1955) que "a terapia de pressão, bem conhecida nos países da Europa central, era praticada pelas classes trabalhadoras locais e também por aqueles que tratavam as doenças da realeza e dos estratos superiores". Essa forma de reflexologia parece remontar ao século XIV.

Dr. William Fitzgerald

O americano dr. William Fitzgerald é considerado o criador da terapia zonal. Com base em sua pesquisa sobre alívio da dor, ele estabeleceu que a pressão aplicada numa parte do corpo pode ter efeito anestésico em outra, longe do ponto pressionado. Por exemplo, colocar prendedores de roupa nos dedos gerava um efeito anestésico na orelha, nariz, face, mandíbula, ombro, braço e mão, permitindo-lhe fazer pequenas cirurgias usando apenas a terapia zonal, sem anestésicos.

O dr. Fitzgerald, por fim, publicou um livro sobre terapia zonal em 1917, em que dividia o corpo em dez seções longitudinais, cinco de cada lado, e mapeava-as (ver página 18). A reflexologia moderna baseia-se nesse conceito de terapia zonal. Aplicando pressão aos dedos dos pés, por exemplo, os praticantes conseguem aliviar a dor associada à sinusite, drenar os seios da face e fortalecê-los a fim de evitar novos episódios. A pressão, aplicada em qualquer das dez zonas, emite um sinal ao longo do sistema nervoso até o cérebro que, por sua vez, estimula os órgãos internos a regular e otimizar seu funcionamento.

Aplicar pressão numa área pode contribuir para o alívio da dor. As origens dessa forma de tratamento datam da Idade Média.

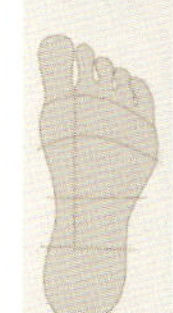

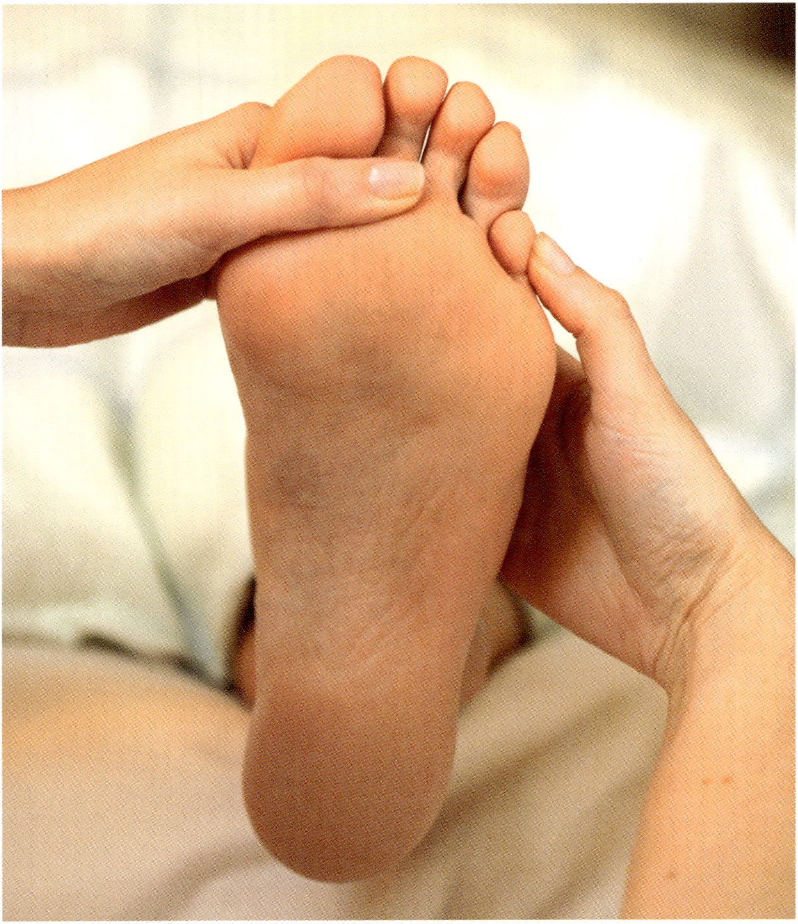

O mapeamento da terapia zonal

O corpo se divide em dez zonas longitudinais, dispostas numa sequência numérica simples. Cada dedo incide numa zona, havendo cinco delas em cada pé: o dedo grande é a zona um e o dedo mínimo, a zona cinco. Os dedos das mãos se associam às zonas da mesma maneira. Estas se distribuem pelo corpo à maneira de fatias e, quando trabalhamos os pés, trabalhamos também, automaticamente, o corpo inteiro.

O princípio é este: dentro das zonas, a energia flui para cima e para baixo entre todas as partes do corpo. Essa conexão energética tem de permanecer aberta para que todas as partes do corpo – órgãos, músculos, nervos, glândulas e suprimento sanguíneo – funcionem em harmonia e no nível ideal para assegurar uma boa saúde. Se a energia natural do corpo for bloqueada, isso afetará qualquer órgão ou parte do corpo localizados nessa zona.

Equilíbrio das zonas

Quando o reflexologista depara com um ponto sensível nos pés ou mãos, sabe que isso significa desequilíbrio em todo o comprimento dessa zona. Por exemplo, se a pessoa sofre de conjuntivite no olho direito, a terapia zonal dirá que esse incômodo gera desequilíbrio energético no rim direito e em qualquer outra estrutura localizada nessa zona, impedindo seu correto funcionamento.

Cada órgão ou parte do corpo estão representados nas mãos e nos pés. Massagear ou pressionar uma área encaminha o fluxo de energia, sangue, nutrientes e impulsos nervosos para a zona correspondente do corpo, aliviando assim o incômodo local. Os reflexos nos pés e mãos são mais sensíveis do que em outras partes do corpo porque ocorrem nas extremidades dessas zonas.

ZONAS ENERGÉTICAS

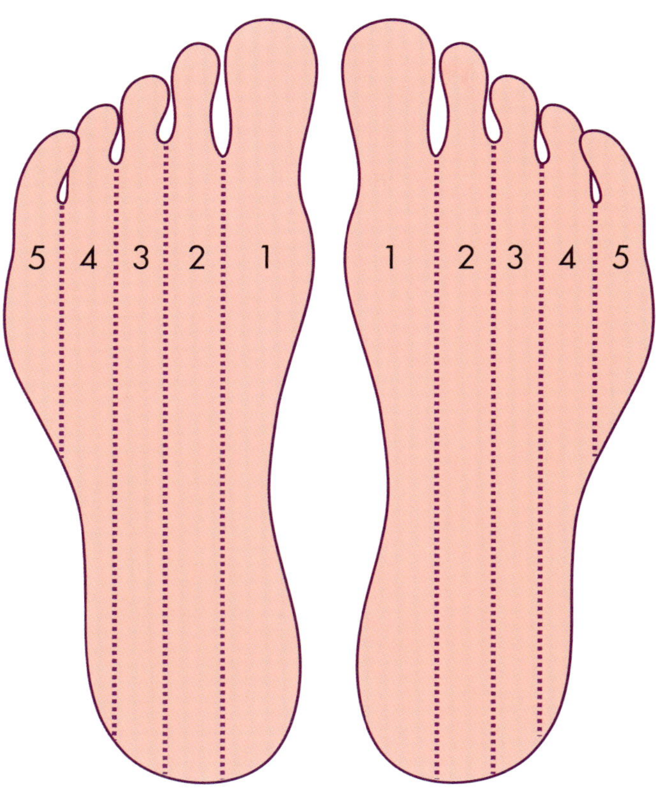

Zona 1 – dedão
Zona 2 – segundo dedo
Zona 3 – terceiro dedo
Zona 4 – quarto dedo
Zona 5 – dedo mínimo

Reflexologia e energia

Como vimos, a reflexologia se baseia em energias positivas que a terapia zonal libera no corpo. Não notamos a energia passeando por nosso corpo, mas isso não significa que não exista. Percebemos o efeito da energia positiva quando abraçamos um filho ou um ente amado.

Convém, no entanto, entender os efeitos da energia negativa nas estruturas fundamentais de nosso corpo, por onde correm livremente percursos de energia, criando a homeostase, que é o estado natural de equilíbrio do organismo. Bloqueios energéticos são atribuídos a áreas que não funcionam bem ou estão prestes a contrair uma doença.

Campos eletromagnéticos

Uma ideia desenvolvida pelo dr. Jean-Claude Mainguy postula que todos os sistemas vitais são governados por campos eletromagnéticos existentes tanto dentro

Os campos eletromagnéticos projetados por telefones celulares ou telas de computador podem ter efeitos prejudiciais em sua saúde.

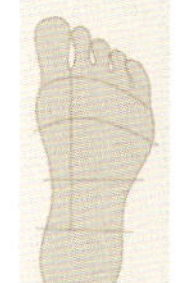

REORGANIZAÇÃO DAS ENERGIAS DO CORPO

Existe um campo eletromagnético especial em volta de todo ser humano. Possuímos um corpo energético além do físico e absorvemos essa força de vida do alimento fresco, da respiração profunda, por meio do tato e das solas dos pés – a força vital é um esboço invisível do corpo inteiro. O paciente deve receber um tratamento reflexológico que lhe assegure uma cura profunda e ter sua energia reorganizada pela intenção terapêutica do reflexologista. Reorganizar as energias do corpo aplicando a reflexologia com a intenção de curar é um recurso terapêutico dos mais poderosos.

quanto fora das células. Imaginemo-nos como um rádio que recebe e transmite ondas, podendo ser afetado por campos eletromagnéticos de baixa energia. Vivemos expostos a energias eletromagnéticas, que afetam o fluxo energético de nosso corpo, a ponto de algumas pessoas apresentarem sintomas de sensibilidade ao eletromagnetismo, como náusea, perturbação do sono, vertigem, tensão, fadiga, cefaleia e dor muscular.

A UK's Health Protection Agency vai aos poucos reconhecendo que as pessoas podem sofrer de eletrossensibilidade quando expostas a campos eletromagnéticos emitidos por telefones celulares, postes elétricos e telas de computador. A terapia zonal e a reflexologia preceituam o desbloqueio dos percursos energéticos a fim de restaurar o equilíbrio natural do corpo.

Ter saúde é equilibrar uma série de fatores em nossa vida. Somos afetados por aquilo a que expomos nosso corpo, colocamos sobre ele ou dentro dele. Este livro pretende mostrar-lhe como a reflexologia e a abordagem holística podem criar a melhor ecologia para o corpo e fazê-lo gozar de plena saúde.

Rejuvenescimento através dos pés

Os pés ficam bem longe do coração, de modo que a circulação tende a estagnar-se nessas extremidades, sobretudo quando os músculos da perna não bombeiam devidamente o sangue pelo corpo acima. Detritos orgânicos como cristais de ácido úrico e de cálcio podem também acumular-se nas solas dos pés porque a gravidade puxa essas toxinas para baixo. O objetivo da reflexologia é, além de melhorar a circulação, dispersar esses cristais.

A reflexologia gera uma sensação de equilíbrio e bem-estar.

Como reduzir os níveis de stress

Sabe-se que 75% das doenças têm algo a ver com o stress. Este se infiltra em nossas vidas e causa problemas quando não conseguimos combatê-lo – comprometendo nosso sistema imunológico e tornando-nos mais suscetíveis à indisposição e à doença.

A reflexologia reduz o stress porque gera um relaxamento profundo, uma sensação de equilíbrio e bem-estar. Ela ajuda o sistema nervoso a acalmar-se e funcionar normalmente. A aplicação da reflexologia estimula mais de sete mil nervos nos pés, o que abre e desobstrui os trajetos neurais, ajudando o corpo a voltar ao ritmo normal.

Como gerar bem-estar

O termo "homeostase" alude ao estado de equilíbrio no corpo e na mente. Nossa saúde depende do funcionamento harmônico das incontáveis partes do corpo e da mente. A sobrecarga numa determinada área pode abalar todo o nosso sistema. Ninguém sabe o que fazer quando está "para baixo", desequilibrado ou adoentado; a reflexologia, porém, ajuda a gerar o necessário senso de equilíbrio e bem-estar.

OS BENEFÍCIOS DA REFLEXOLOGIA

- Ajuda o corpo a restabelecer-se de quaisquer distúrbios a que esteja sujeito.
- Diminui os efeitos do stress.
- Estimula o sistema imunológico.
- Alivia a dor.
- Melhora a circulação.
- Agiliza o trânsito intestinal.
- Elimina os detritos orgânicos.
- Livra o corpo de toxinas.
- Estimula os nervos.
- Promove o relaxamento geral.
- Cria vínculos mais sólidos com as crianças.
- Facilita o convívio entre as pessoas.
- Ajuda na recuperação pós-cirúrgica diminuindo a dor e acelerando a cura.

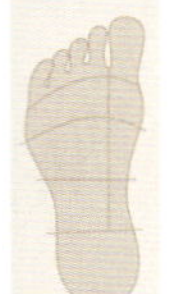

A eficácia da reflexologia

Há vários estudos interessantes sobre a reflexologia e sua eficácia para uma série de problemas clínicos. De um modo geral, os resultados foram muito positivos, mostrando que ela realmente funciona tanto no nível físico quanto no emocional. Eis alguns resultados que chamam a atenção.

A pesquisa mostrou que a reflexologia é bastante eficaz no alívio das dores de cabeça e enxaquecas provocadas pela tensão.

VOCÊ SABIA QUE...?

- 220 pacientes de dores de cabeça (enxaqueca ou tensão) como problema primário foram tratados por 78 reflexologistas num período de três meses. Resultado: 16% relataram que se sentiam curados, 65% disseram que a reflexologia ajudara e 18% não constataram alteração. (National Board of Health Council, Dinamarca, 1995).
- 50 mulheres (de 20 a 51 anos) com dismenorreia, histeromioma, inflamação pélvica, cistos e caroços, endometriose, distúrbio menstrual, infertilidade e cisto de ovário foram tratadas com reflexoterapia em períodos de dez sessões por dois anos. Resultado: 84% declararam que seus sintomas desapareceram totalmente e 16% que eles foram eliminados em grande parte. (Relatório da Beijing International Reflexology Conference, China, 1996).
- 42 mulheres (de 20 a 60 anos) participaram de um estudo para determinar o impacto da reflexologia na constipação crônica. Resultado: o número de dias entre evacuações foi reduzido de 4,4 para 1,8. (FDZ-Danish Reflexology Association, 1992).
- 32 casos de diabetes tipo 2 foram aleatoriamente divididos em dois grupos. Um recebeu tratamento convencional, com agente hipoglicêmico e reflexologia; o outro, apenas com agente hipoglicêmico. Resultado: após 30 dias de tratamento diário, o grupo de reflexologia apresentou diminuição do nível de glicose no sangue, agrupamento de plaquetas, duração e outros fatores; o grupo tratado apenas com o fármaco não apresentou nenhuma mudança significativa. (First Teaching Hospital, Beijing Medical University, China, 1993).

A abordagem holística da saúde

Abordar holisticamente a saúde significa considerar como um todo a vida ou o estilo de vida de uma pessoa (incluindo alimentação e exercício), de modo que não apenas se constatem os sintomas da doença, mas se descubram suas causas. Pergunte-se, por exemplo: "Que preocupações e problemas tenho no momento e até onde eles afetam minha saúde?". Depois, considere o seguinte: sua alimentação é saudável? Tem boa digestão? Faz exercícios regularmente? Sente dores e incômodos? Seu sono é tranquilo? Sua atitude geral perante a vida é positiva? Todos esses fatores podem estar afetando você e agravando seu problema.

Beber água faz bem a todos nós. Recomendam-se até dois litros por dia.

Cuide de seu fígado

O fígado desempenha um papel vital na abordagem holística da saúde porque desintoxica o corpo e ajuda a fragmentar as gorduras, além de produzir energia e calor. Quando ele não trabalha bem, põe você em risco de contrair doença cardíaca, aumentando os níveis de colesterol e afetando com seu mau funcionamento a saúde geral.

Evite alimentos processados, com aditivos e excesso de açúcar, que diminuem a capacidade do fígado de metabolizar os hormônios. O fígado ajuda a manter o correto funcionamento da tireoide, o que é importante, pois a baixa atividade dessa glândula tem sido associada a depressão, ganho de peso, cansaço e sensação de frio o tempo todo. O fígado também desativa e elimina os hormônios velhos, para que não retornem à corrente sanguínea.

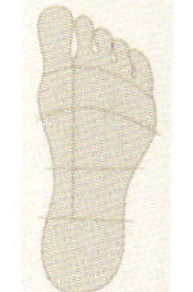

VOCÊ É ALÉRGICO A ALGUM ALIMENTO?

Para descobrir se você é alérgico a algum alimento, o que pode agravar seu problema, tome o pulso por 30 segundos e dobre o resultado obtido, que deve chegar a 52-70 batidas por minuto. Ingira o alimento ao qual pensa ser alérgico e tome o pulso de novo. Se o resultado for 20 ou mais batidas acima do anteriormente obtido, você provavelmente tem alergia a esse alimento.

Fuja da má saúde

Faça exercícios regularmente – e isso não significa frequentar uma academia. Correr 1,6 km por dia aumentará os níveis de oxigênio no corpo, o que facilita a absorção de nutrientes e a eliminação de toxinas. Isso, por seu turno, fortalece o sistema imunológico, tornando o corpo menos suscetível a resfriados e problemas de estômago.

O exercício melhora também os níveis de energia, induzindo uma atitude mais positiva perante a vida, reduzindo o peso corporal e mantendo em equilíbrio a taxa de açúcar no sangue, além de diminuir o desejo de petiscar que nos deixa tão culpados depois de ceder a ele. O exercício reduz em muito o risco de osteoporose (enfraquecimento dos ossos) e doenças cardíacas.

Escolha exercícios adequados à sua condição e não subestime os benefícios de uma boa caminhada diária.

Como ter um corpo mais saudável

Conhecimento é poder – e manter-se bem-informado pode ajudar você a escolher um estilo de vida mais saudável. A base da reflexologia holística e da medicina natural é a busca das raízes do problema. Se você se der conta do impacto do estilo de vida em seu corpo, poderá fazer escolhas acertadas. O objetivo deste livro é ajudá-lo a criar o meio adequado para se tornar mais saudável e feliz.

O que seu alimento contém?

Aquilo que você escolhe para colocar dentro de seu corpo afeta cada célula dele e o desenvolvimento de todas. Relembrando o que comeu na última semana, faça-se estas perguntas:

- Que valores nutricionais esses alimentos e bebidas acrescentaram ao meu corpo?
- Estarei me nutrindo de maneira adequada e criando um meio saudável em que meu corpo possa adquirir a saúde perfeita?

O impacto do alimento

Consideremos agora o impacto, em nosso corpo, de alguns alimentos do dia a dia e de um produto que usamos comumente.

- **Margarina**: contém ácidos graxos "trans", conhecidos como "gorduras hidrogenadas", que podem baixar os níveis do bom colesterol e impedir o corpo de usar adequadamente as gorduras essenciais de que precisamos para manter saudável nosso sistema nervoso.
- **Açúcar**: as formas mais concentradas não têm vitaminas nem nutrientes. Podem reduzir

Boa alimentação é fonte de boa saúde. Escolha com critério e inteire-se dos valores nutricionais dos alimentos para saber o que está comendo.

> *Que o alimento seja teu remédio e que o remédio seja teu alimento.*
> HIPÓCRATES (468–377 AC)

em 50% a capacidade de combater infecções. Todos os tipos de açúcar aumentam o nível de glicose no sangue, rompendo o equilíbrio hormonal e agravando moléstias relacionadas à produção de hormônios.

- **Cafeína**: tem sido associada a altos níveis de colesterol, osteoporose, infertilidade e aborto. A cafeína pode piorar as inflamações de pele, aumentar a temperatura do corpo e agravar a incidência de cefaleias, além de provocar insônia, palpitações e ansiedade. Para algumas pessoas, suspender o uso de cafeína e produtos a ela relacionados (como chá e refrigerantes à base de cola) pode fazer enorme diferença em termos de saúde.
- **Anti-histaminas**: evite-as quando quiser engravidar. Anti-histaminas e descongestionantes nasais drenam secreções por todo o corpo e não apenas nos lugares onde devem agir. Podem abalar o delicado equilíbrio do corpo, necessário para garantir um ambiente no qual o espermatozoide consiga alcançar o óvulo e fertilizá-lo. A vitamina C é uma alternativa natural de anti-histamina, ela acalma a inflamação no organismo, bem como impulsiona o sistema imune.

Razões para consumir produtos orgânicos

Sempre que puder, compre produtos orgânicos. O motivo é simples: os alimentos não orgânicos contêm níveis elevados de antibióticos e hormônios do crescimento. Os antibióticos eliminam as bactérias intestinais benéficas que ajudam na produção de vitaminas do complexo B, importantes para o suprimento de energia; então, as bactérias ruins proliferam, aumentando o risco de infecção e comprometendo o sistema imunológico. Os hormônios do crescimento podem abalar o equilíbrio hormonal. O leite, por exemplo, contém altos níveis de hormônios, particularmente estrogênio; a níveis elevados deste estão associados infertilidade, câncer de mama, fibrose, câncer de ovário, próstata e testículos, baixa contagem espermática e endometriose.

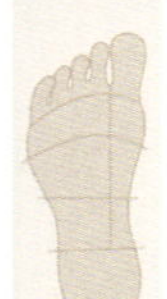

Evite pesticidas e produtos químicos

Os pesticidas são substâncias químicas ou biológicas aplicadas às plantações para protegê-las da agressão de roedores, insetos, ervas daninhas, bactérias, etc. Os produtos químicos são usados para controle de pragas em nossas casas e nas imediações (nas lavouras, por exemplo, quando moramos no campo).

Sabe-se que os pesticidas afetam os níveis de testosterona, o que explica, nos homens, o aumento de problemas genitais congênitos como criptorquidia e infertilidade. Parece também que eles contribuem para o aparecimento de inúmeras doenças como cefaleia, câncer, depressão, dermatites, asma, fadiga, problemas oculares e distúrbios do sistema imunológico. Não

Escolhendo alimentos orgânicos, você equilibra os hormônios de seu corpo e evita a absorção de substâncias químicas prejudiciais.

SEJA CARINHOSO COM SUA PELE

A pele é o maior órgão do corpo e um grande promotor da desintoxicação. Essa membrana de mão dupla permite que as toxinas entrem ou saiam por suas camadas. Jamais ponha na pele aquilo que não poria na boca.

- Evite desodorantes para as axilas que contenham ésteres do ácido para-hidroxibenzoico, absorvíveis pela pele. Os especialistas presumem uma ligação entre o uso desses produtos e o aparecimento de câncer em determinadas áreas da parte superior do peito.
- Não deixe de ler os rótulos dos antiperspirantes, pois alguns contêm alumínio, associado à demência precoce e ao mal de Alzheimer. Existem à venda produtos naturais para a pele, inclusive antiperspirantes.
- Alguns estudos revelam que o uso de tinturas para cabelos pretos tem relação com o câncer, pois os pigmentos penetram no sangue e passam a circular pelo corpo. Convém então evitar essas tinturas.
- Lojas de produtos naturais são o melhor lugar para se obter orientação quanto às opções mais saudáveis.

bastasse isso, os pesticidas são responsáveis por dificuldade de engravidar, desequilíbrio hormonal associado, aborto, parto de natimortos e defeitos de nascença. Mais vale prevenir que curar; e adquirir produtos orgânicos é uma ótima maneira de reduzir a carga de pesticidas em nosso corpo.

A importância das fibras

Acrescente boa quantidade de fibras à sua alimentação porque elas dificultam a absorção de substâncias químicas pelo sangue. Ótimas fontes de fibras são cereais integrais orgânicos, lentilha, ameixa seca, feijão, nozes, germes de cereais, frutas frescas e legumes. Grande parte dos nutrientes das frutas e legumes está logo abaixo da casca; portanto, a fim de aproveitá-los ao máximo, lave-os bem, mas não os descasque. Os legumes devem ser consumidos de preferência crus, pois o cozimento destrói boa parte das fibras. Evite arroz branco, pães e massas – e nunca cozinhe demais os alimentos.

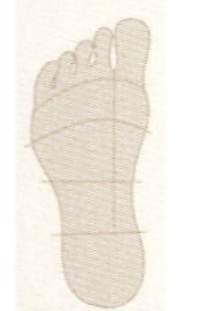

Como combater o stress

O stress é uma interferência que perturba nosso bem-estar físico e psicológico, comprometendo o equilíbrio natural do corpo e da mente. Consiste na resposta fisiológica do corpo a uma ameaça ou perigo: ele se prepara para a ação rápida, de fuga ou luta.

Em períodos de stress, o corpo passa por uma série de mudanças destinadas a gerar força e velocidade – mas com efeitos devastadores se você não estiver fisicamente ativo. Nesses períodos, é bom caminhar, correr, passear ou dançar para

Encontre formas positivas de lidar com o stress, para que ele não assuma o controle de sua vida. Seja ativo e enérgico.

OS DEZ PRINCIPAIS EFEITOS DO STRESS

O stress provoca uma série de efeitos negativos no corpo e os piores são os seguintes:

1 O corpo recorre às reservas de gordura para obter energia. Esses depósitos gordurosos permanecem nos vasos sanguíneos e provocam arteriosclerose (engrossamento das paredes das artérias). Isso estreita os vasos sanguíneos e aumenta o risco de ataque cardíaco.

2 O coração bate mais depressa, intensificando o fluxo sanguíneo pelo corpo, o que pode provocar pressão alta e dor de cabeça. Isso exige demais dos vasos sanguíneos.

3 O fígado segrega glicose para que os músculos a usem como energia. A glicose permanece no fluxo sanguíneo quando não é gasta, podendo provocar diabetes.

4 As glândulas suprarrenais segregam o hormônio esteroide cortisona. Em doses elevadas, ele é tóxico para o cérebro, causando depressão e perda de memória.

5 O sangue se desvia da bexiga; e quando a bexiga não é esvaziada continuamente, pode ocorrer a cistite.

6 O stress deprime o sistema imunológico, dificultando o combate às infecções, de modo que as bactérias se instalam mais facilmente.

7 A tensão nos músculos do pescoço e ombros provoca dor, limitando os impulsos nervosos enviados às diferentes partes do corpo. Por exemplo, o zumbido nos ouvidos é comum em períodos de stress por causa da compressão das raízes nervosas.

8 O sangue se desvia do sistema digestivo porque é considerado desnecessário ali em momentos de perigo, de modo que esse sistema não funciona adequadamente. Assim, qualquer distúrbio digestivo piora.

9 O stress afeta diretamente o sistema hormonal, desequilibrando o funcionamento das glândulas e hormônios.

10 A respiração fica restrita durante o stress, e menor quantidade de oxigênio abastece as células, havendo consequentemente maior acúmulo de detritos orgânicos.

MECANISMOS PRÁTICOS DE AJUDA

Quando você sentir os sintomas do stress – como palpitações, intestino irritável, insônia, cefaleia ou perda de apetite –, faça algo de positivo. Pode recorrer à reflexologia dos pés ou das mãos com mais frequência e adotar as seguintes medidas:

- Estabeleça limites e aprenda a dizer "não" quando se sentir sobrecarregado.
- Se você trabalha em escritório ou leva vida sedentária, levante-se e faça algum exercício regularmente: caminhe ou suba e desça escadas em vez de tomar o elevador. Assim, os depósitos de gordura serão gastos pelo movimento físico. Se fizer 30 minutos de exercício aeróbico três vezes por semana, seu risco de acidente cardiovascular diminuirá em 40%.
- Adote técnicas de respiração profunda ao longo do dia para acalmar o corpo. Por exemplo: inspire por cinco segundos, retenha o ar por outros tantos e expire em tempo igual. Imagine o ar preenchendo cada parte de seu corpo.

gastar as gorduras, os hormônios e os açúcares que o corpo liberou.

Técnicas de respiração

Você poderá praticar a respiração profunda durante o tratamento de reflexologia. Poderá fazer o mesmo diante de qualquer situação difícil – em casa, no trabalho, no avião, no carro ou ônibus, no teatro, em qualquer lugar, sob pressão ou quando precisar assumir o controle das emoções. Reter o fôlego também é bom para aliviar o stress: inspire profundamente pelo nariz, com a boca fechada; retenha o ar por alguns segundos e expire devagar, pela boca. Relaxe a língua ao inspirar e expirar, deixando-a em repouso perto das gengivas.

Para combater sentimentos negativos, faça afirmações positivas durante a respiração. A afirmação é uma forma de autossugestão graças à qual você visualiza um resultado positivo concentrando-se em algo que deseja ver acontecer a seu corpo, seus relacionamentos ou sua vida. Eis um bom exemplo: "Estou reservando mais tempo para mim e meus entes queridos". Crie uma imagem mental da condição desejada e repita a afirmação diariamente diante do espelho. O stress desmoraliza o eu, e todos temos a obrigação de tratar bem a nós mesmos e à nossa família, com amor e respeito. Ser positivos em relação a todos os aspectos de nossa vida pode mudar as coisas não só fora, mas também dentro de nós. Você poderá repetir essas afirmações ao longo do dia juntamente com os exercícios de respiração profunda.

Comece o dia com uma afirmação positiva para prevenir os efeitos negativos e destrutivos do stress.

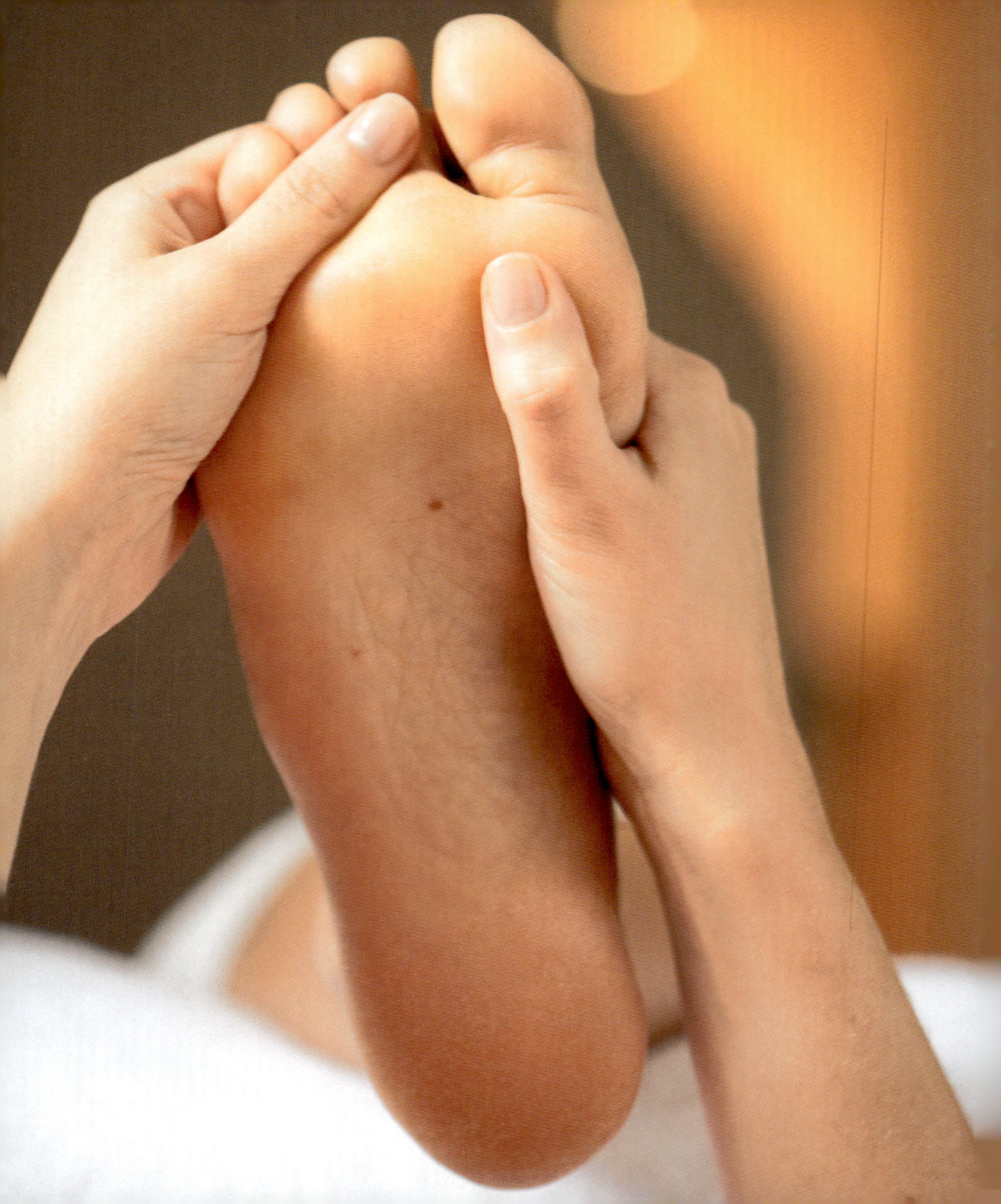

PARTE 2

Como a reflexologia funciona

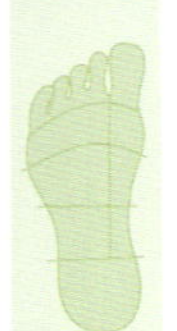

Mapeamento dos pés

A reflexologia é um tratamento não invasivo e relaxante que aciona todos os mecanismos curativos do corpo. É uma das terapias complementares mais inteligentes à nossa disposição porque, quando entendemos seu funcionamento, podemos identificar áreas que não estão funcionando bem e ajudar a melhorar a saúde física e mental geral.

Os primeiros mapas de reflexologia dos pés foram desenhados por Eunice Ingham (ver página 14) com base em informações obtidas de seu trabalho nesse campo. Os mapas não são uma representação anatômica do corpo e diferem ligeiramente uns dos outros, dependendo do autor.

Posições relativas

É importante saber que existe uma relação concreta entre os reflexos nos pés e as partes do corpo às quais eles correspondem. Nisso, os mapas de reflexologia podem ajudar. A localização dos reflexos nas solas dos pés em geral repro-

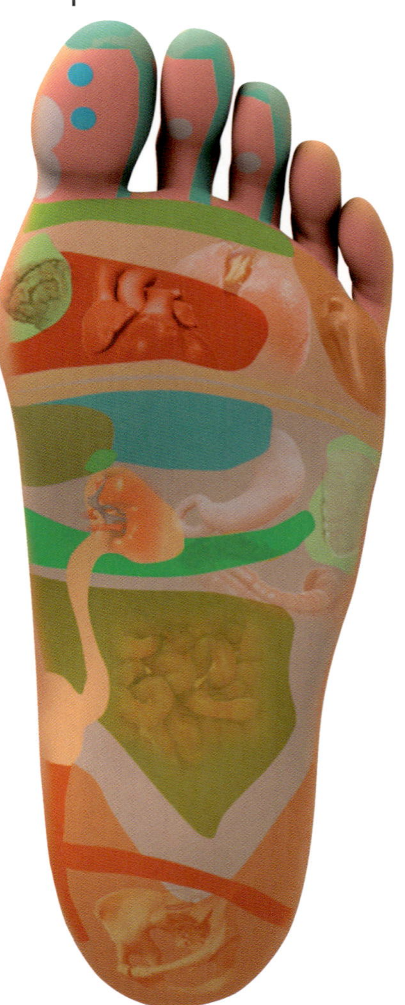

Na reflexologia, todos os órgãos vitais e as diferentes partes do corpo estão mapeados nos pés.

duz a posição correspondente dos diversos órgãos e partes do corpo. Assim, a parte superior do dedão do pé representa a cabeça e é nela que você aplicará técnicas de reflexologia para ajudar uma pessoa com cefaleia. De igual modo, o reflexo espinhal é encontrado ao longo da borda interna de cada pé, também chamada de aspecto medial do pé. Você logo descobrirá que essa parte é muito sensível. Ela corresponde também aos órgãos reprodutores.

O pé direito mapeia o lado direito do corpo; o pé esquerdo, o lado esquerdo do corpo. A melhor maneira de usar esses mapas é familiarizar-se com os sistemas orgânicos e suas áreas reflexas examinando, por exemplo, seus próprios pés. Quando estiver pronto para ministrar tratamento, poderá recorrer às sequências fáceis descritas adiante no livro. Escolha aquela que seja adequada a você, um amigo ou um parente e sinta, ao tratar, o mesmo prazer que a pessoa sente ao ser tratada.

LEITURA DOS REFLEXOS

Por várias razões, um determinado reflexo poderá se mostrar demasiado sensível ou instável, o que implica desequilíbrio energético na área ou congestão de energia na zona correlata do corpo. Muitas vezes, indica um problema físico crônico, que a pessoa conhece e do qual quer se livrar por meio da reflexologia. A reflexologia pode também detectar efeitos de medicação em diferentes áreas do corpo, como fígado e rins. Você só precisará aprender a "ler" os reflexos para identificar o problema.

Os pés: espelho do corpo

De um modo geral, todos os órgãos e partes do corpo estão dispostos na mesma ordem nos diferentes mapas de reflexologia. Linhas mestras, cruzando os pés, ajudam-nos a associar áreas específicas do corpo com as correlatas nos pés: você encontrará, por exemplo, os órgãos respiratórios entre a linha do ombro e a do diafragma. Todos os pontos reflexológicos, que são muitos, se localizam dentro das linhas mestras. As principais são:

ZONAS TRANSVERSAIS: ASPECTO PLANTAR

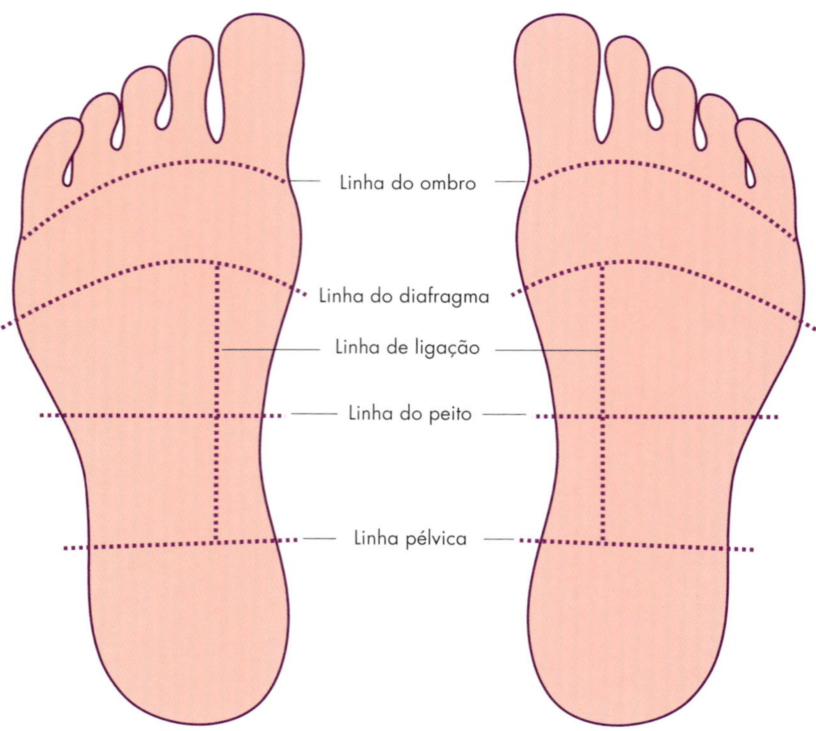

• **Linha do ombro**: essa zona transversal está logo abaixo da base dos dedos; acima dessa linha, você encontra a cabeça, o osso occipital, a glândula pituitária, o ouvido interno, os dentes, a mandíbula, os seios da face, os olhos, a trompa de Eustáquio, o ouvido externo, a garganta e os reflexos do ombro.

• **Linha do diafragma (plexo solar)**: encontra-se sob a base dos metatarsos. Um traço característico é a alteração de cor dessa área – a pele se apresenta mais escura em volta dos metatarsos e mais clara embaixo. Entre as linhas do ombro e do diafragma, temos os pulmões, tireoide, esôfago, hérnia de hiato, pâncreas e reflexos da vesícula biliar.

• **Linha do peito**: descobrimo-la deslizando o dedo pela parte lateral do pé até encontrar uma pequena protuberância óssea, mas ou menos no meio. Em seguida, traçamos uma linha de lado a lado (essa área é em geral a mais estreita do pé). Entre as linhas do diafragma e do peito, temos o rim/suprarrenal, o estômago, o fígado, o baço, o cólon transverso, os reflexos do fígado e da dobra do baço, e uma parte do intestino delgado.

• **Linha pélvica (ou do calcanhar)**: encontramo-la traçando uma linha imaginária entre os ossos do tornozelo de cada lado do pé, acima da base do calcanhar. Entre as linhas do peito e pélvica, estão o cólon ascendente e descendente, parte do intestino delgado e a bexiga. A área ciática se estende transversalmente pelo meio da linha pélvica.

• **Linha de ligação**: é a única que corre da parte de cima à de baixo do pé e não transversalmente.

Aspectos do pé

Ao longo deste livro, as diferentes visões ou "aspectos" do pé são citados da seguinte maneira:

• **Aspecto dorsal**: a visão da parte superior do pé olhado de cima.

• **Aspecto plantar**: a visão da sola ou parte inferior do pé que pousa no chão.

• **Aspecto medial**: a borda interna do pé, que corre do dedão ao calcanhar.

• **Aspecto lateral**: a borda externa do pé, que corre entre o dedo mínimo e o calcanhar.

Familiarizar-se com os diversos aspectos dos pés ajudará você a aplicar as técnicas aprendidas nas Partes 4, 5 e 6, quando às vezes terá de trabalhar primeiro um aspecto, depois outro – por exemplo, o medial e em seguida o lateral.

Mapa plantar do pé

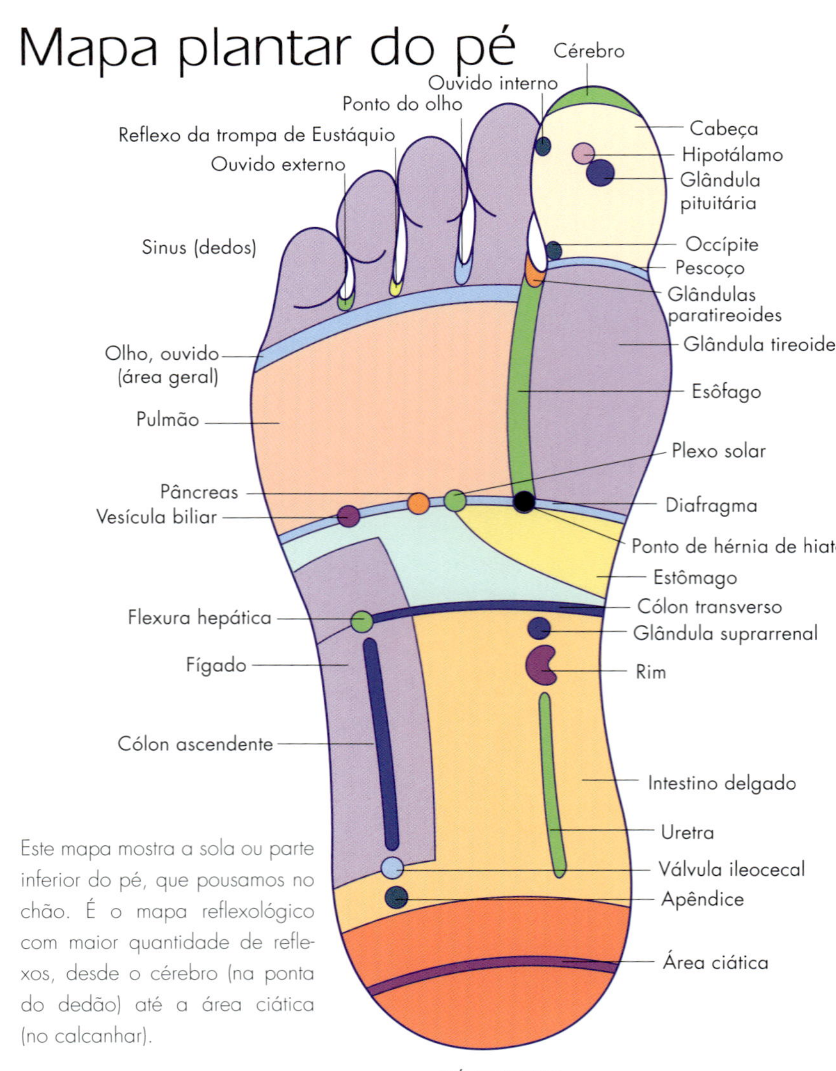

Este mapa mostra a sola ou parte inferior do pé, que pousamos no chão. É o mapa reflexológico com maior quantidade de reflexos, desde o cérebro (na ponta do dedão) até a área ciática (no calcanhar).

PÉ DIREITO

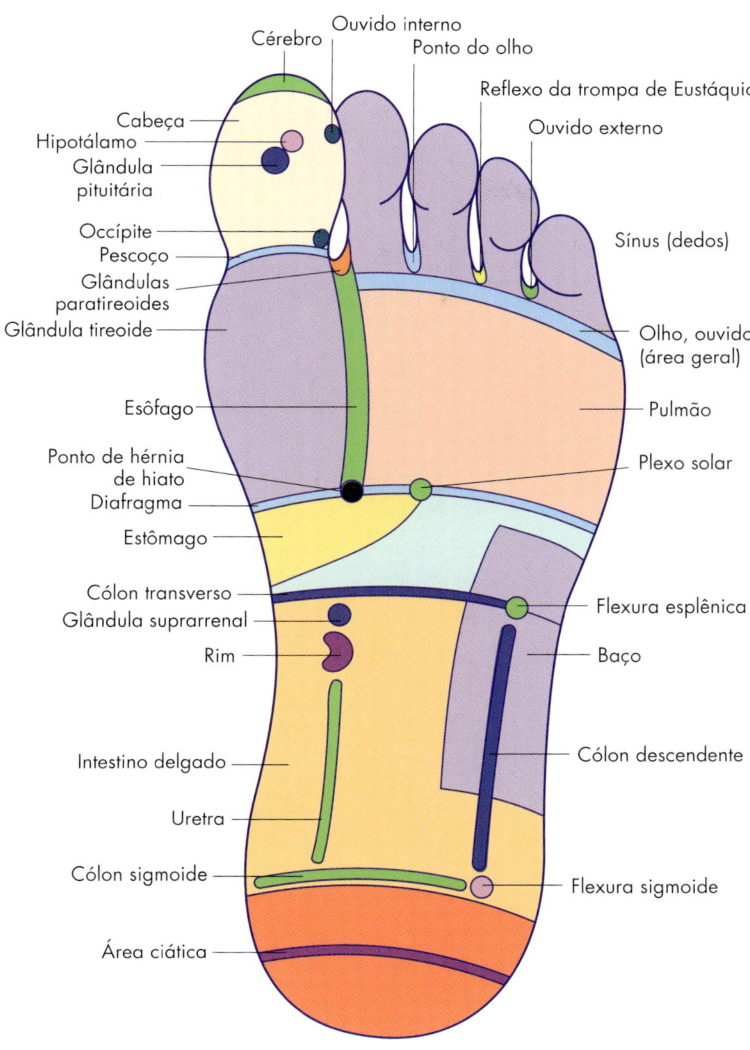
Cérebro
Ouvido interno
Ponto do olho
Reflexo da trompa de Eustáquio
Ouvido externo
Cabeça
Hipotálamo
Glândula pituitária
Occípite
Pescoço
Glândulas paratireoides
Glândula tireoide
Sínus (dedos)
Olho, ouvido (área geral)
Esôfago
Pulmão
Ponto de hérnia de hiato
Plexo solar
Diafragma
Estômago
Cólon transverso
Flexura esplênica
Glândula suprarrenal
Rim
Baço
Intestino delgado
Cólon descendente
Uretra
Cólon sigmoide
Flexura sigmoide
Área ciática

PÉ ESQUERDO

Mapa dorsal do pé

Este mapa mostra o pé olhado de cima. Inclui os reflexos dos dentes, mandíbula, garganta e vasos linfáticos superiores (nos dedos ou entre eles), bem como do peito e ombros (na frente do dedo mínimo, sobre o pé).

Dentes

Mandíbula

Garganta

Vasos linfáticos superiores

Ombro

Peito

PÉ ESQUERDO

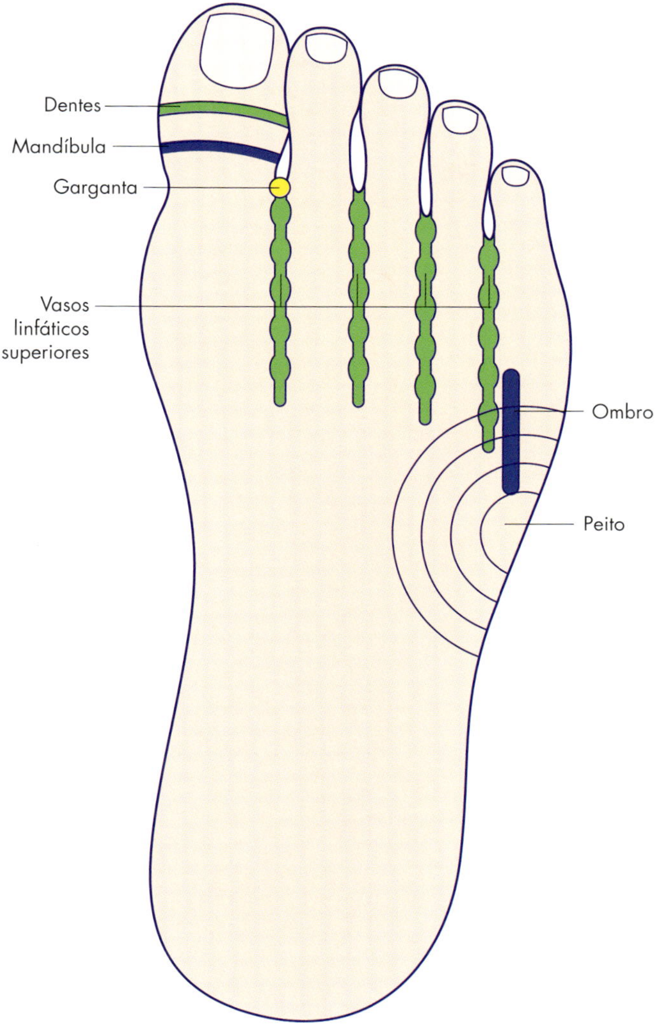

Dentes

Mandíbula

Garganta

Vasos linfáticos superiores

Ombro

Peito

PÉ DIREITO

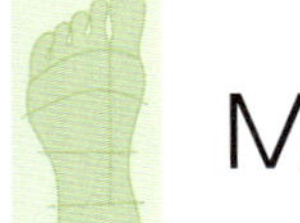

Mapa medial do pé

Este mapa mostra a borda interna do pé, entre o dedão e o calcanhar. Contém os reflexos das vértebras cervicais, torácicas e lombares, bexiga e útero (nas mulheres) e próstata (nos homens).

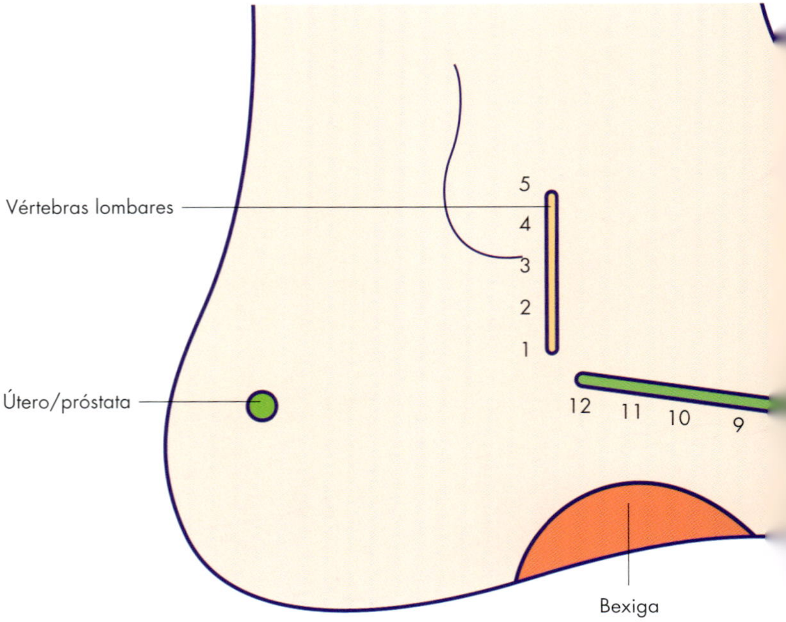

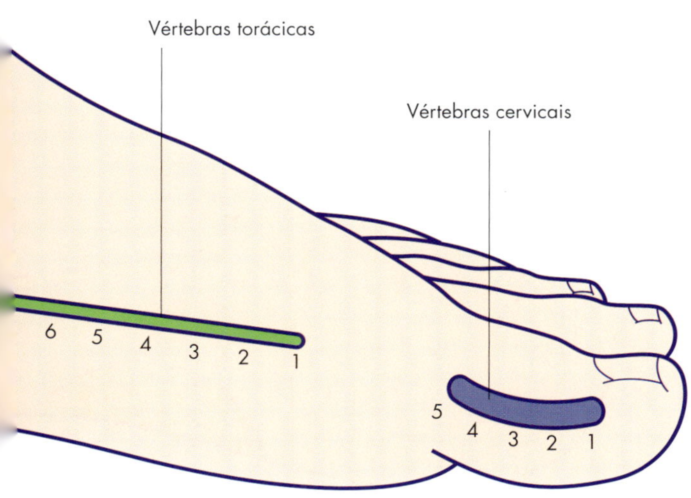
Vértebras torácicas
Vértebras cervicais
6 5 4 3 2 1
5 4 3 2 1

Mapa lateral do pé

Este mapa mostra a borda externa do pé, entre o dedo mínimo e o calcanhar. Contém os reflexos do pulso, cotovelo e ombro, joelho, quadril e sacro, ovários (nas mulheres) e testículos (nos homens).

PÉ DIREITO

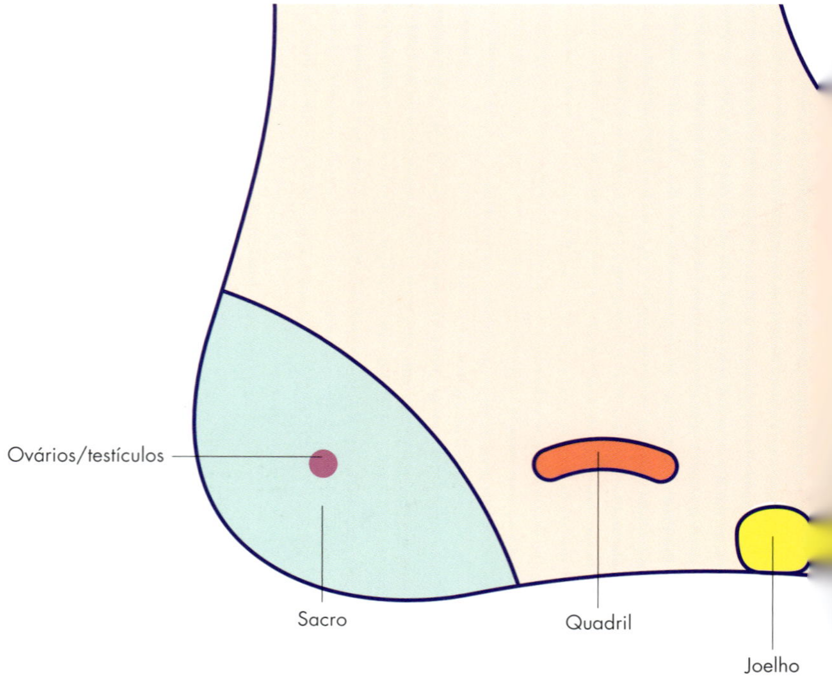

Ovários/testículos

Sacro

Quadril

Joelho

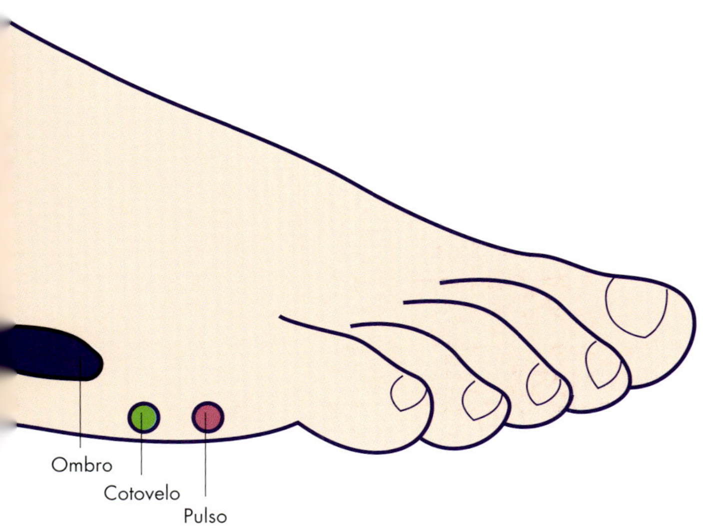
Ombro
Cotovelo
Pulso

Reflexologia para leitura dos pés

O profissional experiente usará uma sequência de reflexologia nos pés para detectar pontos ou áreas reflexas sensíveis ou instáveis, que correspondem a partes específicas do corpo com problemas.

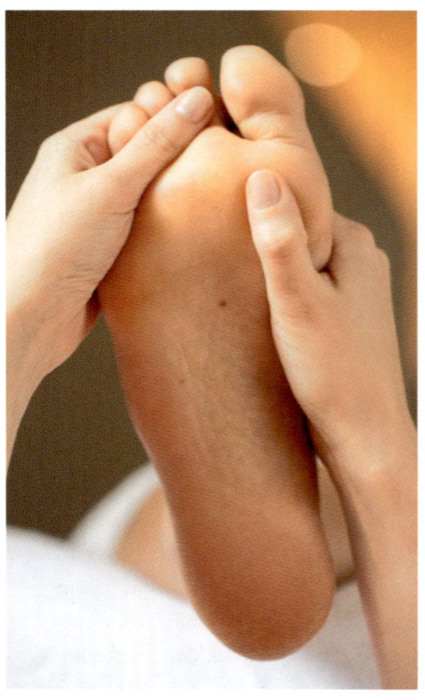

Use a reflexologia nos pés para avaliar o estado de saúde do paciente.

Cristais nos reflexos

O reflexologista descobre áreas congestionadas ao encontrar cristais nos pés. Esses cristais são constituídos de ácido úrico ou cálcio e acumulam-se nas extremidades nervosas dos pés. Se, por exemplo, os pulmões enfraquecem, sua atividade muscular normal diminui e as extremidades de seus nervos ficam bloqueadas. Tais bloqueios, ainda que pequenos, bastam para reduzir a circulação nos pulmões, que assim não recebem o suprimento necessário de sangue, oxigênio e nutrientes, mas acumulam suas toxinas.

Pressionando esses cristais, o reflexologista os fragmenta e eles se dissolvem, sendo levados dali pelo sangue. Quanto maior a quantidade de cristais, mais tempo se deve trabalhá-los para que se pulverizem. Excesso de sensibilidade num reflexo pode significar uma área fraca no corpo; mas, se o desequilíbrio for tratado e corrigido pela reflexologia, a doença será evitada.

Empregar a pressão certa (ver página 95) é importante porque, se muito forte, causará dor e dará uma falsa leitura. Recorra aos mapas (ver páginas 40-49) para determinar a que parte do corpo uma área reflexa sensível se correlaciona.

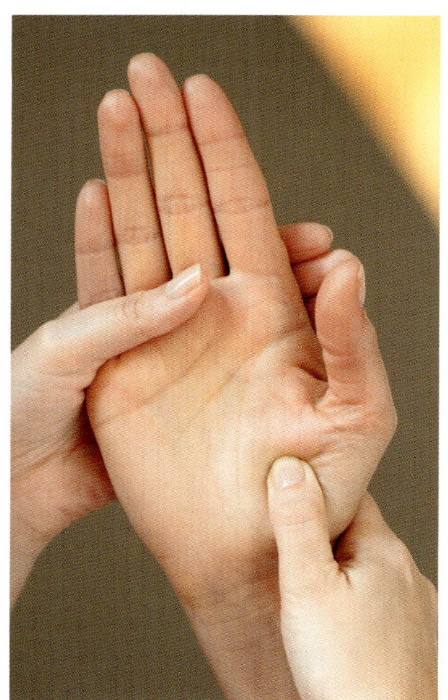

A reflexologia na mão pode detectar problemas passados e futuros.

Trabalhe-a então várias vezes, percorrendo a área com toques curtos e fazendo o percurso inverso ao final do tratamento. Dessa maneira, fragmentará o maior número possível de cristais.

PROBLEMAS PASSADOS, PRESENTES E FUTUROS

A reflexologia pode detectar tanto um incômodo atual quanto os resquícios de um problema antigo, há muito superado. Você sabia que, se alguém se submeteu a uma histerectomia há vinte anos, o reflexo ainda pode ser sensível hoje? Isso ocorre porque o corpo se lembra de ferimentos e operações, assim como a mente. Você poderá também detectar uma condição anterior já suprimida ou resolvida, como asma infantil. Finalmente, os reflexos nos pés e mãos podem indicar quaisquer áreas de fraqueza ou vulnerabilidade capazes de gerar problemas futuros. Assim, você usará a reflexologia como tratamento preventivo que enfatiza os cuidados, a alimentação, o estilo de vida e o bem-estar emocional para garantir a plena saúde.

Reflexos cruzados

Quando os pés estão inchados, feridos ou sensíveis demais para receber tratamento, o melhor é recorrer ao reflexo cruzado. Os reflexos cruzados obedecem à teoria da "terapia zonal" do dr. William Fitzgerald (ver página 16). Existem zonas energéticas que se estendem para cima e para baixo do corpo, com percursos correspondentes partindo dos dedos dos pés e das pernas, e dos dedos das mãos e dos braços, para a cabeça. Os reflexos cruzados têm um efeito especular no corpo, de modo que o tratamento nos pés pode afetar a mão e o braço, e vice-versa.

Bom exemplo seria alguém que tivesse deslocado um tornozelo e sentisse a pressão aumentar na área afetada. Naturalmente, o tornozelo estaria machucado demais para receber tratamento direto, então se faria a massagem reflexológica no pulso, a fim de prevenir dor, inchaço e outras possíveis complicações. No caso de uma perna quebrada, trabalha-se a área correspondente no braço, para melhorar a circulação no membro afetado e apressar o processo de cura.

Principais reflexos cruzados

Após dominar a teoria dos reflexos cruzados, você poderá tratar áreas do corpo que normalmente ignoraria. Além disso, trabalhará suas próprias mãos como medida terapêutica eficiente ou como tarefa de casa entre as sessões de reflexologia. Os principais reflexos cruzados são:

- Dedos das mãos/dos pés
- Pé/mão
- Sola do pé/palma da mão
- Dorso do pé/dorso da mão
- Calcanhar/pulso
- Panturrilha/parte interna do antebraço
- Perna/parte externa do antebraço
- Joelho/cotovelo
- Coxa/braço
- Quadril/ombro

Se você estiver tratando alguém que fraturou uma perna, opte pelo reflexo cruzado no antebraço. Apoiando o braço, massageie suavemente a área de sua parte correspondente à fratura.

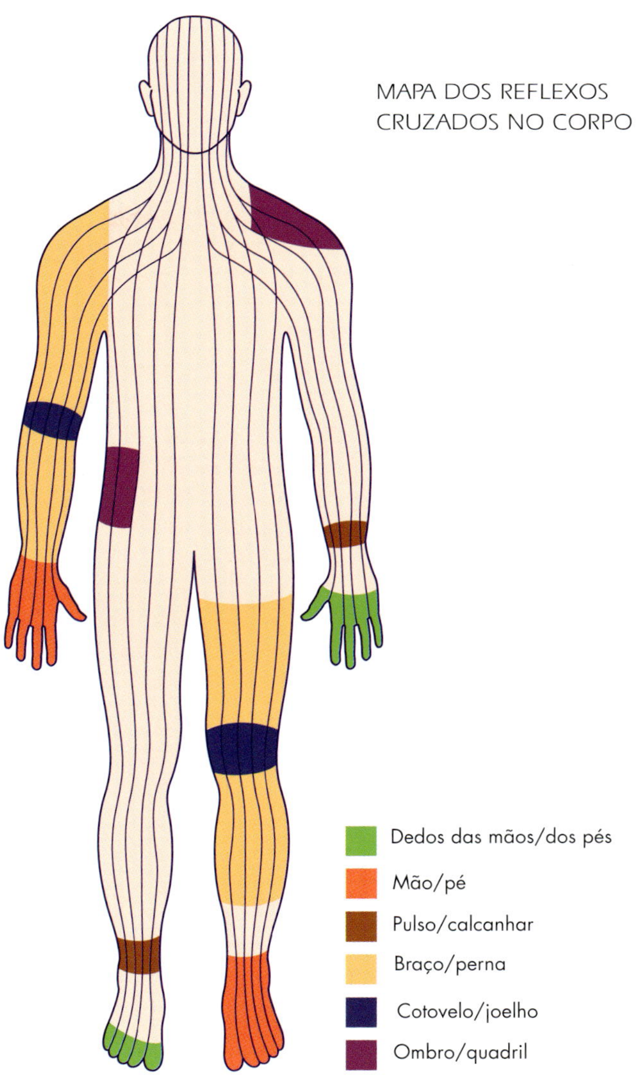
MAPA DOS REFLEXOS
CRUZADOS NO CORPO
Dedos das mãos/dos pés
Mão/pé
Pulso/calcanhar
Braço/perna
Cotovelo/joelho
Ombro/quadril

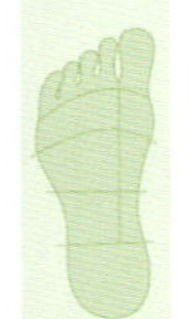

Anatomia do pé

Para o reflexologista, os pés podem contar muitas histórias. Sua estrutura, tanto quanto os reflexos, revelam debilidades físicas ou emocionais, mas também vigor. Os pés suportam o peso de nosso corpo e, se os músculos deste estiverem fracos, os tecidos dos músculos dos pés também serão afetados. Qualquer falha ou mudança nas funções orgânicas pode deslocar nosso centro de gravidade. Bom exemplo é o fato de as costas, os joelhos e os pés apresentarem problemas durante a gravidez, à medida que o centro de gravidade do corpo e a disposição do peso vão mudando ao longo da gestação.

Em média, o pé contém 26 ossos, 100 ligamentos e 20 músculos, além de uma intricada rede de nervos e vasos sanguíneos. Tecido conectivo, veias e nervos unem os ossos, cobertos por camadas de pele. O pé tem duas funções importantes – sustentação e propulsão – que requerem um alto grau de estabilidade. Além disso, ele precisa ser flexível para se adaptar a superfícies desiguais. Os problemas que afetam a estrutura do pé também afetam nossa postura.

REFLEXOLOGIA E CIRCULAÇÃO NO PÉ

No nível mais básico, a reflexologia melhora a circulação. Estresse, tensão, má postura e sapatos inadequados limitam o fluxo sanguíneo, tornando lentos os sistemas circulatório e linfático. Isso significa que uma infecção como o pé de atleta ou a úlcera de perna podem levar semanas para se curar. Quando o fluxo sanguíneo ou a circulação linfática ficam lentos, o sangue oxigenado, os nutrientes e os glóbulos brancos encontram dificuldade para alcançar certas áreas do pé onde combateriam infecções, devorariam germes e removeriam toxinas ou detritos orgânicos. A reflexologia, aplicada regularmente, pode proporcionar pés saudáveis e melhorar a circulação no corpo inteiro.

Ossos dos pés

A parte dianteira do pé inclui cinco ossos metatársicos e as falanges (os dedos).

- **O primeiro osso metatársico** arca com o maior peso e desempenha o papel mais importante na propulsão do corpo. O segundo, terceiro e quarto são os mais estáveis.
- **Os sesamoides** são dois ossinhos de forma oval perto da ponta do primeiro metatársico, na superfície plantar do pé. Desenvolvem-se dentro de um tendão, cobrindo uma proeminência óssea. São mantidos no lugar por tendões e suportados por ligamentos.
- **Cinco dos sete ossos társicos** estão localizados no meio do pé: o navicular, o cuboide e os três cuneiformes. Ligam-se à parte dianteira do pé pelas cinco juntas tarsometatársicas.
- **O tálus e o calcâneo** constituem a parte traseira do pé. O calcâneo é o maior osso társico e forma o calcanhar. O tálus fica por cima e funciona como o eixo do calcanhar.

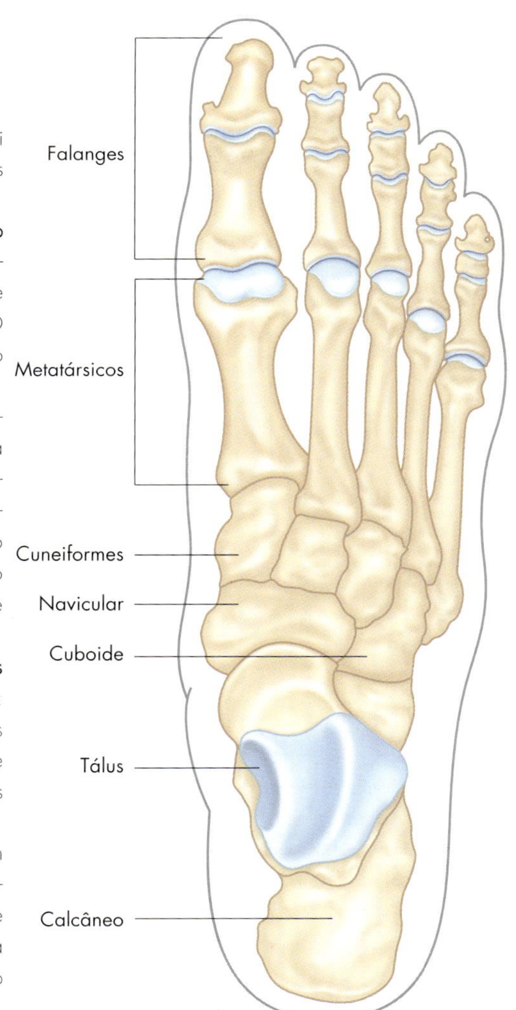

Arcos do pé

Os três arcos do pé são delineados pela forma dos ossos, músculos, tendões e ligamentos.

- **O arco transversal**, por baixo do pé, é composto pelos cuneiformes, o cuboide e os cinco metatársicos. Ele nos ajuda a manter o equilíbrio.
- **O arco longitudinal lateral** é menos acentuado e mais achatado que o medial; compõe-se do calcâneo, do cuboide e do quarto e quinto metatársicos.
- **O arco longitudinal medial** é o mais acentuado e o mais importante; compõe-se do calcâneo, do tálus, do navicular, dos cuneiformes e dos três primeiros metatársicos.

ARCOS DO PÉ

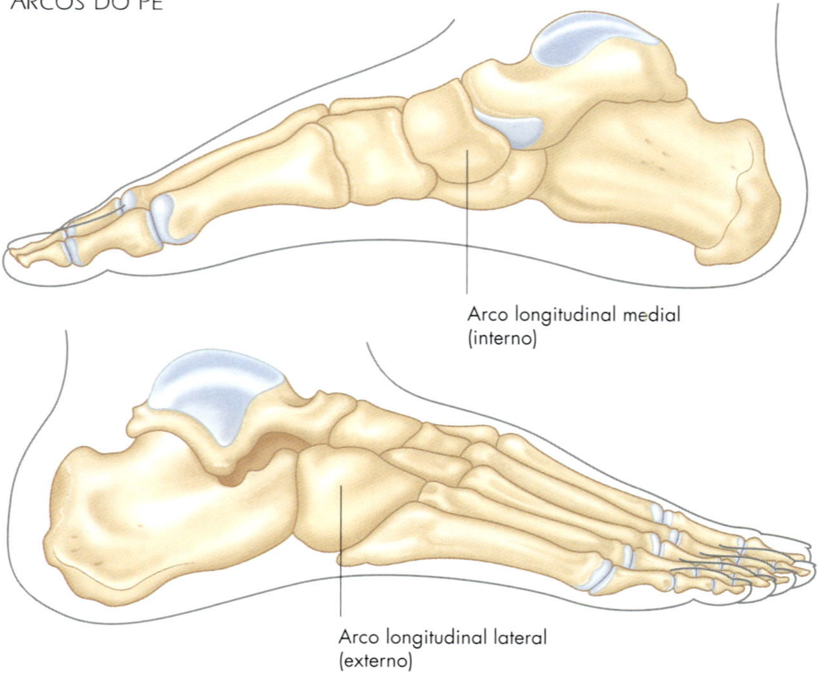

Arco longitudinal medial (interno)

Arco longitudinal lateral (externo)

Arcos saudáveis

Problemas nos pés costumam deslocar o centro de gravidade do corpo, afetando toda a espinha. Distúrbios como o joanete não apenas comprometem os quadris, joelhos e tornozelos (devido à dificuldade de andar) como provocam dores de cabeça e zumbidos nos ouvidos, devido ao esforço para adequar a postura. Um pé bem estruturado sustenta e alinha a espinha, mantendo-a em perfeito funcionamento. Um pé saudável tem arcos saudáveis. Eles desempenham um papel importante no corpo:

- Sustentam o peso do corpo e o distribuem pelos pés.
- Absorvem impactos quando estamos correndo ou fazendo exercícios.
- Funcionam como uma alavanca para imprimir movimento ao corpo.
- Equilibram o corpo e mantêm todas as vértebras alinhadas.

Arcos acentuados

Os arcos acentuados são normalmente hereditários. Portanto, caso seu pai ou sua mãe os tenha, você talvez haja nascido com eles; algumas pessoas com espinha bífida também apresentam arcos acentuados. Isso significa que os dedos não fazem bom contato com o chão quando a pessoa está em posição ereta, podendo levar ao pé cavo; e, de um modo geral, falta-lhe maleabilidade, o que às vezes acarreta rigidez. Calos e asperezas são um problema comum em virtude da pressão exercida em certas áreas dos dedos e na parte dianteira dos pés. No entanto, essa condição pode ser corrigida cirurgicamente.

Pé chato

Algumas pessoas nascem com pés chatos, ou seja, sem arcos. Outras desenvolvem essa condição em consequência de ferimentos, andar incorreto ou obesidade. Os problemas que daí advêm podem afetar o corpo todo: os ligamentos dos pés ficam sobrecarregados e afrouxam, comprometendo os ossos tanto dos pés propriamente ditos quanto dos tornozelos; as solas não conseguem mais absorver os choques, provocando dores, sensação de queimadura local, fadiga geral e incômodo na espinha. Os arcos normalmente protegem os sete mil nervos dos pés e também os vasos sanguíneos, sobre os quais incide todo o peso do corpo. O melhor a fazer quando se tem pés chatos é procurar um podologista, que desenhará uma palmilha sob medida para ser usada dentro dos sapatos e indicará exercícios para fortalecer os músculos.

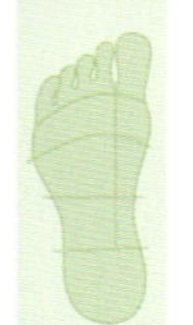

Anatomia do corpo

Esta seção do livro lhe proporcionará uma compreensão básica do funcionamento do corpo. Para bem avaliar os benefícios da reflexologia, é necessário conhecer a estrutura corporal e o modo como atuam os sistemas fisiológicos. Você precisa ser um detetive da saúde. Faça-se perguntas como: que aconteceu antes de meu organismo reagir dessa maneira? O que fiz recentemente para ser assim afetado? O que costumo comer e beber? Com que substâncias entrei em contato e que produtos usei em meu corpo?

Visão geral do corpo

O corpo humano consiste de vários níveis estruturais associados entre si:

- **O nível químico** é o mais baixo e inclui todas as substâncias químicas essenciais à manutenção da vida; essas substâncias se unem para formar o próximo nível de organização.
- **O nível celular** compreende as unidades estruturais e funcionais básicas do corpo.
- **O nível dos tecidos** é formado por grupos de células similares e o material intercelular, que desempenha uma função específica; quando as células individuais se juntam, formam um tecido (exemplos: tecido muscular, conetivo e nervoso); cada célula, no tecido, tem uma função específica.
- **O nível orgânico** se estende por todo o corpo, onde diferentes tipos de tecidos se unem para formar um nível superior de organização e desempenhar uma função específica; os órgãos, em geral, apresentam formato reconhecível – por exemplo, o coração, o fígado, o rim, o cérebro e o estômago são órgãos.
- **O nível sistêmico** consiste num conjunto de órgãos com funções comuns; por exemplo, o sistema digestivo – que dissolve e digere o alimento – é composto pela boca, glândulas salivares, faringe (garganta), esôfago, estômago, intestino delgado, intestino grosso e reto, além do fígado, vesícula biliar e pâncreas.
- **O organismo total** compreende todas as partes do corpo que funcionam em conjunto para formar um indivíduo vivo.

A sua aparência e o que você sente, bem como seu estado de saúde, dependem do que coloca sobre o corpo e dentro dele – mas nem sempre existe uma causa óbvia para determinado problema. Por exemplo, se alguém tem uma grave alergia a amendoim, haverá reação imediata e os níveis químicos do corpo serão afetados em contato com o alergênio.

O detetive da saúde adotará uma postura holística para cuidar de você.

Entretanto, a queda de cabelos pode ser provocada por uma reação menos óbvia ao cloro das piscinas. Convém, pois, tentar descobrir o que está afetando todos os níveis do corpo. Conhecer a anatomia e a fisiologia do corpo o ajudará a tomar decisões que recuperarão e manterão sua saúde.

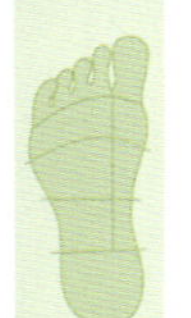

As células do corpo

As células são os constituintes essenciais da vida. O corpo humano é feito de células, que tomam a forma de fluidos, tecidos e órgãos. O sangue se compõe de tecido conectivo fluido, que contém plasma e diferentes tipos de células.

UMA CÉLULA SIMPLES

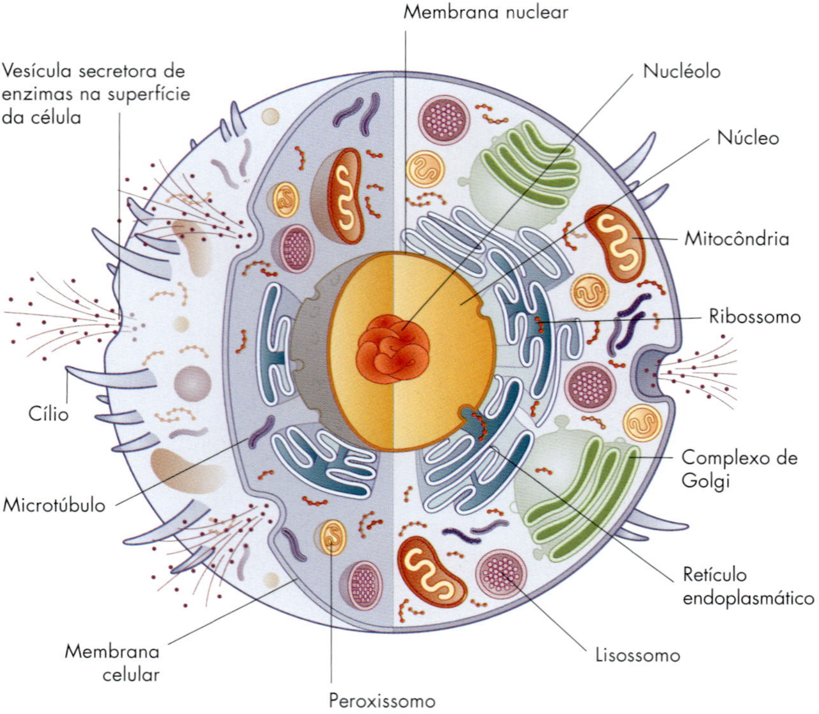

Membrana nuclear

Vesícula secretora de enzimas na superfície da célula

Nucléolo

Núcleo

Mitocôndria

Ribossomo

Cílio

Complexo de Golgi

Microtúbulo

Retículo endoplasmático

Lisossomo

Membrana celular

Peroxissomo

As células levam vida independente umas das outras e podem reproduzir-se. Cada qual tem uma estrutura e uma função – por exemplo, a célula do esperma possui uma cauda em forma de chicote que a propele pelo colo do útero. O DNA (ácido desoxirribonucleico) é o material de que são formados os cromossomos do núcleo de uma célula, da qual governa o crescimento e a hereditariedade. Algumas doenças são transmitidas de geração em geração dentro das células; portanto, examinar o histórico de sua família lhe dará uma ideia das doenças a que você está predisposto.

A REFLEXOLOGIA E AS CÉLULAS

A reflexologia pode ajudar acelerando o envio de energia para as células e removendo os detritos do corpo, o que previne doenças. Lembre-se: tudo o que você fizer na vida terá efeito em suas células.

Estrutura da célula

Todos os organismos vivos da Terra se compõem de células. Estas são feitas de pedaços minúsculos, inclusive proteínas e organelas, e partes maiores, chamadas tecidos e sistemas. As células são cubículos que encerram todo o equipamento biológico necessário para manter um organismo vivo em nosso planeta.

Toda célula é rodeada por uma membrana semelhante a um filtro, que deixa entrar e sair algumas substâncias, mas impede que outras penetrem. A membrana celular permite, por exemplo, que oxigênio e nutrientes do sangue entrem a fim de prover a célula de energia e depois abre caminho para que os detritos e o dióxido de carbono voltem à corrente sanguínea, de onde serão expelidos do corpo. O núcleo da célula controla todas as suas funções, enquanto o citoplasma é o material celular em que as organelas ficam suspensas.

As mitocôndrias são a usina de força das células: nelas, os nutrientes se dissolvem para gerar a energia que irá reparar as células, acionar os mecanismos de defesa e conduzir outros processos que mantêm o corpo vivo.

A pele

A pele cobre e protege o corpo, além de manter unidas suas partes. Recolhe informações sensoriais do ambiente por meio de extremidades nervosas próximas à superfície e desempenha um papel ativo na proteção contra as doenças. Não bastasse isso, ajuda o corpo a conservar a temperatura certa.

A pele pode desenvolver tumores ou ser afetada por um suprimento insuficiente de sangue. Pode padecer infecções por bactérias, parasitas, vírus e fungos ou irritações por produtos químicos e outras substâncias com que tiver contato. Assim, não coloque na pele nada que não colocaria na boca!

Estrutura da pele

A epiderme é a camada externa da pele e compreende, por sua vez, camadas de células, das quais a mais funda está sempre produzindo células novas por meio da divisão celular. Essas células novas se deslocam para a superfície (o que leva de um a dois meses), onde substituem as células mortas da camada externa. A espessura da epiderme varia, sendo mais grossa nas solas dos pés e nas palmas das mãos (1,5 mm) e mais fina nas pálpebras (0,05 mm).

A derme é a camada interna, composta apenas de células vivas. Formada por feixes de fibras resistentes, proporciona elasticidade e firmeza à pele. Sua função principal é a respiração. Há ali também vasos sanguíneos que levam nutrientes vitais para a área. Os terminais nervosos da derme nos protegem alertando o cérebro quando estamos em contato com excesso de calor, frio, pressão ou dor.

A REFLEXOLOGIA E A PELE

A reflexologia pode ajudar a revitalizar a pele enviando um suprimento sanguíneo e nervoso adequado a todas as suas partes. Pode também reduzir a incidência de problemas locais como acne ao estabilizar a produção de secreção sebácea e manter sob controle a proliferação de bactérias.

A pele contém glândulas sebáceas que produzem uma substância gordurosa, chamada sebo, cuja função é impermeabilizar a superfície e impedir seu ressecamento. O invólucro ácido da superfície da pele compõe-se de sebo e suor, que formam uma camada protetora contra as bactérias para prevenir doenças e infecções.

Divisão celular

As células do corpo conhecem bem o seu número – a chamada densidade celular. Quando a densidade diminui, ocorre a divisão celular, que produz novas células; quando aumenta, a taxa de divisão decresce. Esse processo, em geral, é rigidamente controlado pelo corpo, mas às vezes o mecanismo de controle falha e a divisão celular prossegue em ritmo anormalmente acelerado, dando origem a tumores cancerosos.

A divisão celular é importante para a pele se regenerar após um corte ou ferimento. Ela se intensifica na superfície da lesão e logo novas células preenchem o espaço.

A PELE

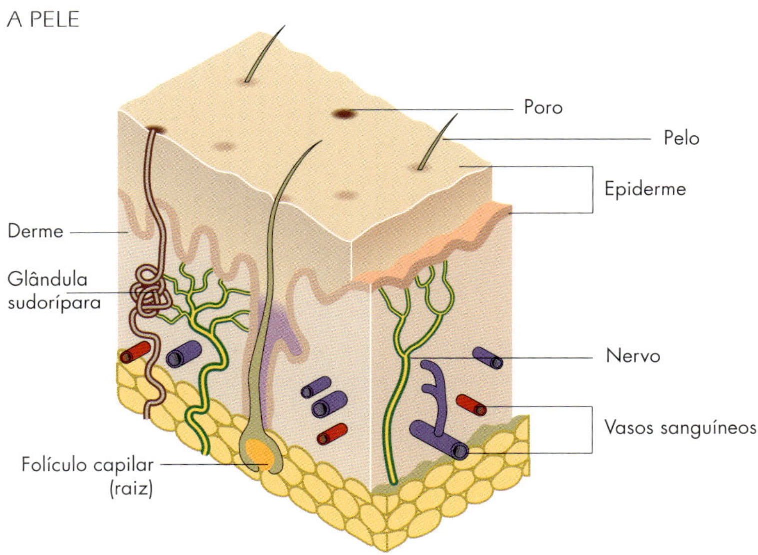

O esqueleto

Os ossos que formam o esqueleto são ao mesmo tempo muito fortes e leves. Estão sujeitos a fraturas e deformidades posturais, causadas por fatores externos ou congênitos e por doenças. Os ossos protegem os órgãos internos e dão apoio à estrutura do corpo. Também armazenam boa quantidade de cálcio, magnésio, fósforo e outros minerais de que o organismo precisa. Os ossos do esqueleto estão bem vivos, crescendo e se transformando o tempo todo, tal como qualquer outra parte de nosso corpo.

A estrutura do esqueleto

O corpo humano tem cerca de 300 ossos ao nascer e, à medida que o bebê cresce, eles se tornam maiores e, por fim, se fundem para formar 206 ossos adultos. A cartilagem, um material especial de textura macia e flexível, vai sendo aos poucos substituída por ossos com a ajuda do cálcio absorvido a partir dos intestinos. O processo se completa por volta dos 22 anos de idade e, depois disso, os ossos não crescem mais no sentido do comprimento.

Mais de 50% dos ossos do esqueleto humano se encontram nas mãos e nos pés (cada mão tem 27). Enquanto alguns (como o fêmur, ou osso da coxa) são bem grandes, o menor (o estribo, no ouvido) tem a metade de um grão de arroz. O tamanho e a resistência de um osso dependem de sua função.

O esqueleto é constituído de duas partes:

- **O esqueleto axial**, que inclui o crânio, a coluna vertebral, o esterno e as costelas, sustenta a cabeça, o pescoço e o torso.
- **O esqueleto apendicular**, que inclui a cintura escapular, os membros superiores e inferiores, e a cintura pélvica, sustentam e ligam os membros ao resto do corpo.

A REFLEXOLOGIA E O ESQUELETO

A reflexologia pode ajudar na distribuição e absorção da vitamina D e minerais pelos ossos, promovendo a saúde do esqueleto. Pode também aliviar as dores articulares associadas à artrite, o que facilita a mobilidade e acelera a reparação de ossos fraturados.

A espinha

A espinha dorsal ou coluna vertebral permite que o corpo se incline, gire e fique ereto. Também protege a medula espinhal, um grosso feixe de nervos que envia informação do cérebro para o resto do corpo. É o suporte central do corpo e consiste de ossos irregulares separados: as vértebras. Estas são formadas de material ósseo esponjoso rodeado por uma camada de osso compacto. Entre as vértebras insere-se uma camada de cartilagem (o "disco"), que impede o atrito de uma contra a outra.

Há 26 vértebras na espinha: 7 cervicais no pescoço, 12 torácicas na caixa torácica e 5 lombares, grandes o suficiente para arcar com o peso do corpo. Há também 5 ossos fundidos na pelve, chamados vértebras sacrais ou sacro, bem como as vértebras coccígeas, com quatro ossos que formam o cóccix. Embora cada vértebra só possa mover-se um pouquinho, a espinha como um todo é muito flexível. Uma espinha saudável é curva, para permitir que o corpo se equilibre em apenas duas pernas.

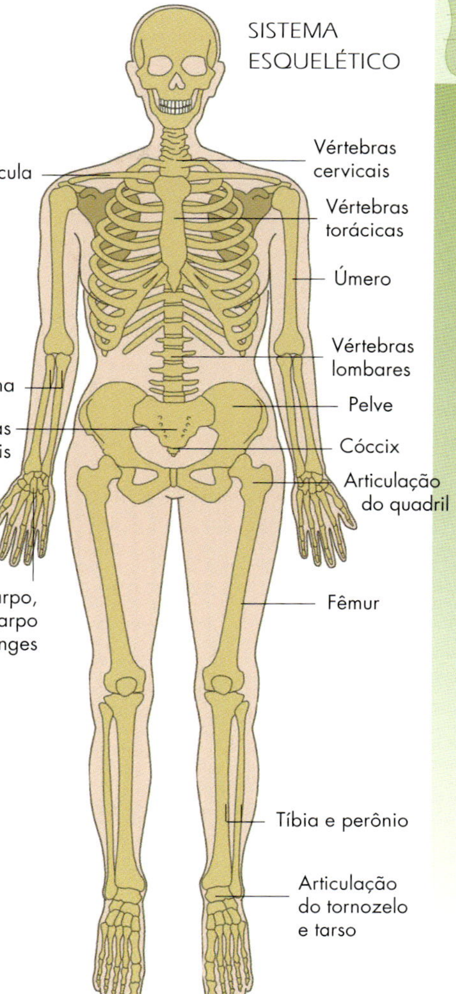

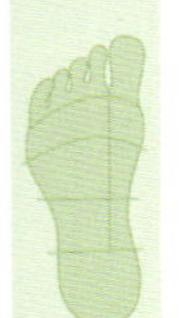

O sistema circulatório

O sistema circulatório é responsável pelo transporte de materiais ao longo do corpo. Ele leva nutrientes, água e oxigênio aos bilhões de células, enquanto elimina detritos como o dióxido de carbono. O sangue é o combustível do organismo, acionado pelo sistema circulatório – que faz as vezes de correio no corpo, entregando nutrientes e oxigênio para ativar as células e levando embora os resíduos.

Componentes

O sistema circulatório é composto por músculos e vasos que ajudam a controlar o fluxo de sangue por todo o corpo. As partes principais do sistema são o coração, as artérias, as veias e os capilares.

O coração é, na verdade, um músculo especial, o motor do sistema circulatório que bombeia o sangue para o corpo. Em geral, localiza-se na parte central do peito, um pouco para a esquerda, e tem mais ou menos o tamanho de um punho. O lado direito do coração recebe o sangue do corpo e envia-o aos pulmões, processo conhecido como circulação pulmonar. O lado esquerdo faz exatamente o oposto: recebe o sangue dos pulmões e envia-o ao corpo, processo conhecido como circulação sistêmica ou grande circulação.

Artérias e veias são tubos do sistema circulatório que transportam sangue pelo corpo. As artérias são vasos sanguíneos que transportam o sangue rico em oxigênio para longe do coração, enquanto as veias trazem-no de volta. Os capilares são vasos minúsculos, mais finos que um fio de cabelo humano, que ligam as artérias às veias. Oxigênio, nutrientes e resíduos transitam para dentro e para fora do sangue através das paredes dos capilares.

A REFLEXOLOGIA E A CIRCULAÇÃO

A reflexologia estimula a circulação, evitando assim um fluxo sanguíneo lento, que pode estimular a formação de coágulos. O relaxamento promovido pela reflexologia ajuda também a evitar a pressão alta, a angina, o infarto e o derrame cerebral.

Batimentos cardíacos e pulsação

Na juventude, nossos batimentos cardíacos são rápidos; mas, à medida que envelhecemos, eles vão ficando mais lentos. Você sabe como o sangue volta das pernas ao coração, para se reoxigenar? Volta graças aos músculos das panturrilhas, que entram em ação quando você anda e estimulam o fluxo sanguíneo. Portanto, o exercício mantém o sangue circulando pelo corpo, das pontas dos dedos das mãos ou dos pés até o coração – e em sentido inverso.

Sinta sua pulsação pousando dois dedos em pontos de pulsação, no pescoço ou pulso. A pulsação é provocada pelo sangue que para e recomeça seu caminho ao longo das artérias. Na infância, nossa pulsação em repouso pode ir de 90 a 120 batidas por minuto; quando adultos saudáveis, ela baixa para uma média de 72. Cerca de 5,6 litros de sangue circulam pelo corpo três vezes por minuto. Num dia, o sangue viaja um total de 19,3 km.

PRINCIPAIS VASOS SANGUÍNEOS

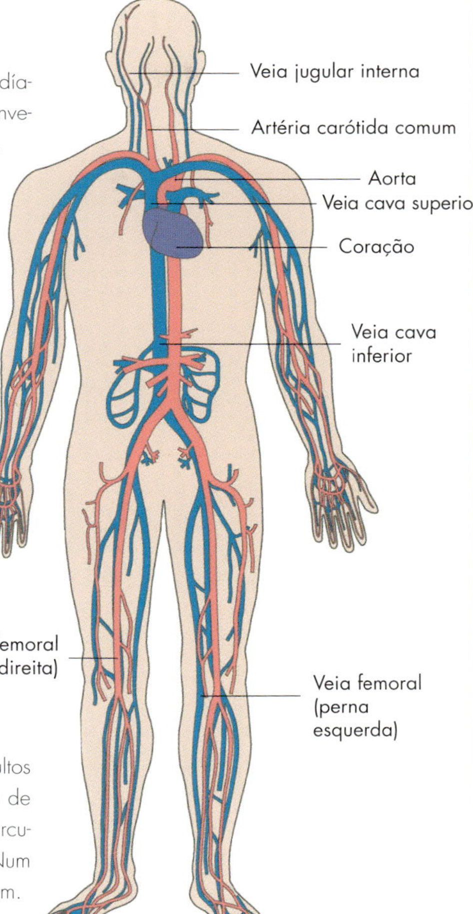

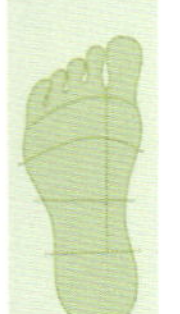

O sistema digestório

O sistema digestório é uma série de órgãos ocos que formam um tubo comprido e espiralado entre a boca e o ânus. Suas funções são comer, digerir e excretar. A digestão é o processo pelo qual a comida e a bebida são fragmentadas em suas menores partes a fim de que o corpo as use tanto para produzir e nutrir as células quanto para gerar energia.

Quando comemos, a maioria dos alimentos não está na forma que o corpo possa absorver como nutrição. Alimento e líquidos precisam ser reduzidos a pequeninas moléculas antes de poder chegar ao sangue e dali às células espalhadas por todo o corpo. O sistema digestório contém vários órgãos responsáveis pela transformação química do alimento, que permite sua absorção pelos tecidos. O processo envolve reduzir o alimento a substâncias solúveis simples, mas facilmente absorvíveis. Pergunte-se toda vez que estiver comendo: "Que valor nutricional este alimento tem para meu corpo?".

A REFLEXOLOGIA E A DIGESTÃO

Depois de uma sessão de terapia reflexológica, é comum os intestinos entrarem em movimento para limpar o cólon. Às vezes, os detritos ali acumulados elevam as taxas de colesterol e estrogênio no corpo. A eliminação total dos resíduos garante uma saúde melhor e uma sensação mais intensa de bem-estar, além do pleno aproveitamento das substâncias nutritivas contidas nos alimentos.

Componentes

As estruturas que transformam o alimento em substâncias a serem usadas pelo corpo nos processos de crescimento, regeneração celular e produção de energia incluem a boca, as glândulas salivares, o esôfago, o estômago, o fígado, a vesícula biliar, o pâncreas, os intestinos delgado e grosso, e o ânus. Após a digestão, as paredes intestinais absorvem as moléculas dos nutrientes, que passam então a circular pelo corpo. O alimento não digerido torna-se matéria residual e é excretado na forma de fezes.

Na digestão, intervêm processos tanto físicos quanto químicos. Os físicos incluem a mastigação para reduzir o alimento a partí-

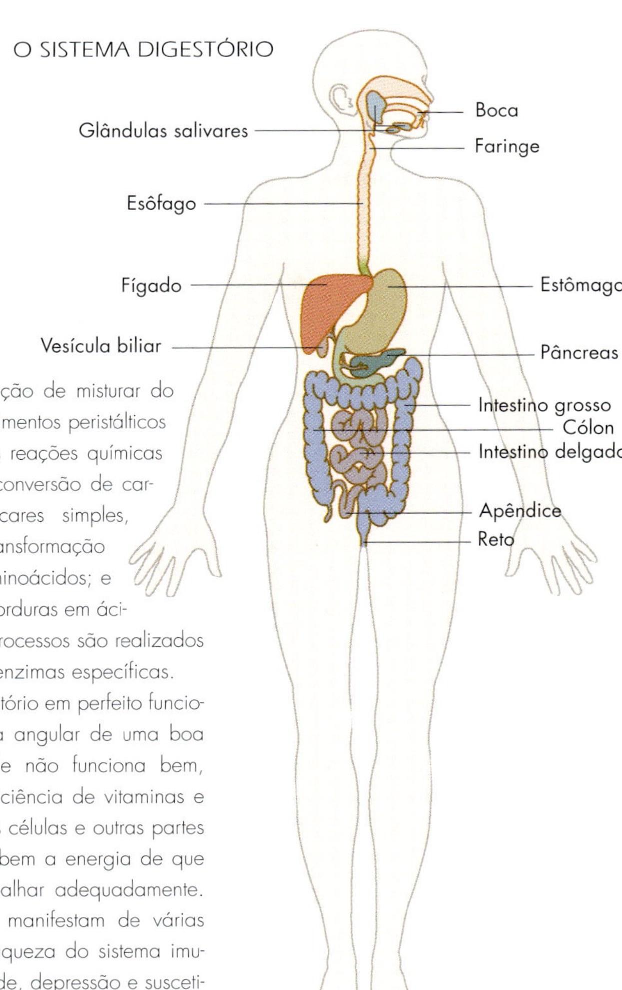

culas menores, a ação de misturar do estômago e os movimentos peristálticos do intestino. As três reações químicas que ocorrem são: conversão de carboidratos em açúcares simples, como a glicose; transformação de proteínas em aminoácidos; e transformação de gorduras em ácidos graxos. Esses processos são realizados graças à ação de enzimas específicas.

Um sistema digestório em perfeito funcionamento é a pedra angular de uma boa saúde. Quando ele não funciona bem, pode provocar deficiência de vitaminas e nutrientes porque as células e outras partes do corpo não recebem a energia de que precisam para trabalhar adequadamente. As deficiências se manifestam de várias maneiras, como fraqueza do sistema imunológico, infertilidade, depressão e suscetibilidade a várias doenças.

O sistema nervoso

O sistema nervoso coordena as atividades dos músculos do corpo inteiro, monitora os órgãos, troca informações com os sentidos e dá início às ações. A comunicação entre os bilhões de células nervosas ocorre por intermédio de sinais químicos e elétricos, motivo pelo qual as drogas, o álcool e as frequências eletromagnéticas podem afetar-nos. O sistema nervoso troca mensagens com o cérebro e, desse modo, o corpo reage aos estímulos e se protege.

Componentes

Há, no corpo humano, duas partes principais do sistema nervoso chamadas sistema nervoso central e sistema nervoso periférico. O sistema nervoso central é constituído pelo cérebro e a medula espinhal, ligando-se ao resto do corpo pelos nervos periféricos. O sistema nervoso periférico apresenta as seguintes divisões:

- **O sistema somático ou divisão sensorial**, que consiste de fibras nervosas sensoriais encarregadas de transmitir informação sobre sensações internas e acontecimentos do mundo exterior.
- **O sistema autônomo**, responsável por atividades inconscientes no corpo como a digestão e a respiração; é constituído pelos sistemas parassimpático e simpático.

A divisão simpática prepara o corpo para enfrentar o stress, que é a primitiva resposta do "lutar ou fugir". Quando ela é ativada, o coração e a respiração se aceleram, enquanto o sistema digestório se descontrola. A divisão parassimpática ocupa-se de gerar e manter a homeostase, que é o estado de equilíbrio natural do corpo. A reflexologia procura apressar a resposta do sistema nervoso parassimpático.

A área do hipotálamo, na base do cérebro, conecta os sistemas autônomo e endócrino (ver página 72). Ela utiliza a glândula pituitária para ajudar a regular a temperatura do corpo, o consumo de alimento, o equilíbrio água/sal, a pressão sanguínea, o fluxo sanguíneo, o ciclo sono/vigília, o comportamento sexual e a atividade dos hormônios.

A REFLEXOLOGIA E OS NERVOS

A reflexologia ajuda a desobstruir os percursos neurais e a controlar os níveis de stress, além de reduzir a dor pela liberação de endorfinas (um analgésico natural) no sistema.

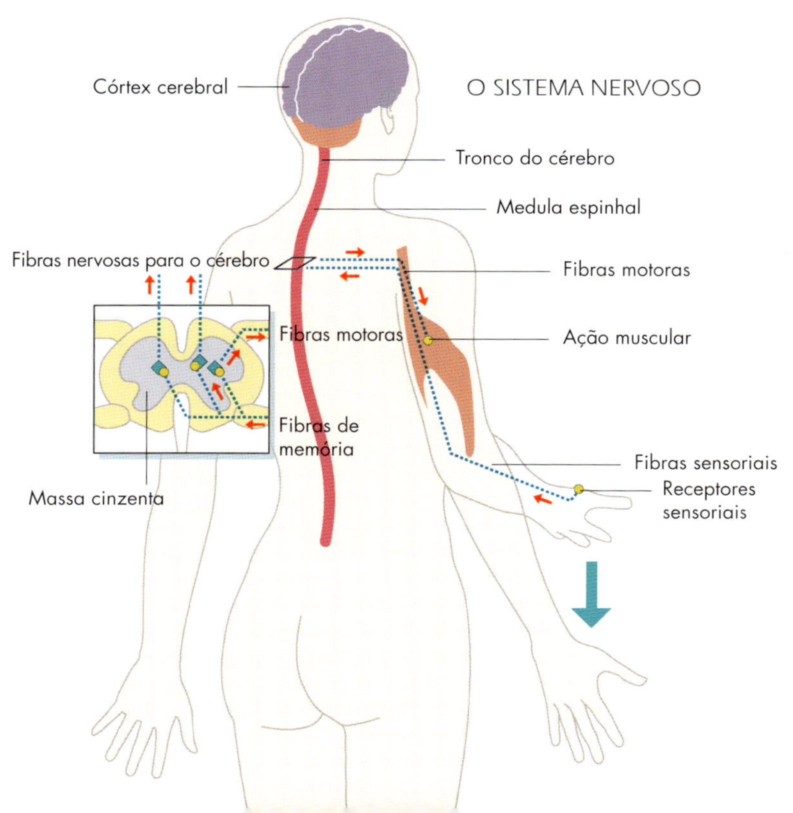

O sistema endócrino

O sistema endócrino é constituído por glândulas de secreção interna que lançam hormônios diretamente no sangue. Os hormônios são os mensageiros químicos que, dentro do corpo, transmitem informações para controlar o nível de atividade do organismo e o modo como as glândulas e os órgãos funcionam. Eles controlam também nosso comportamento.

Cada glândula produz um hormônio específico que desempenha determinada tarefa – por exemplo, regular o metabolismo, os níveis de açúcar no sangue, a resposta ao stress e a época da ovulação.

Componentes

São as seguintes as principais glândulas e funções do sistema endócrino:

- **Glândula pituitária**: ligada ao hipotálamo (ver página 71); suas funções incluem regular e controlar o crescimento e a altura, o córtex suprarrenal, a pressão sanguínea, o amadurecimento sexual, a ovulação, a produção de esperma e a secreção de estrogênio ou testosterona; regula também a produção do leite materno e inicia os trabalhos de parto.
- **Glândula tireoide**: controla os níveis de energia, o peso e a absorção de cálcio em nossos ossos.
- **Glândulas paratireoides**: preservam a saúde dos ossos.
- **Glândulas suprarrenais**: regulam a pressão sanguínea e o nível de sais no corpo, especialmente cloreto de sódio e potássio; fornecem também a hidrocortisona, que ajuda a reduzir a dor e a inflamação, e o hormônio androgênio, que estimula o desenvolvimento das características mascu-

A REFLEXOLOGIA E OS HORMÔNIOS

A reflexologia pode ajudar na distribuição e no equilíbrio dos hormônios no corpo. O tratamento atua de modo não invasivo nas glândulas endócrinas, ajudando a regular a produção de hormônios. Um tratamento efetivo pode aumentar os níveis de energia, estabilizar o humor, regular os hábitos alimentares e aliviar os problemas da menstruação e da menopausa.

GLÂNDULAS ENDÓCRINAS

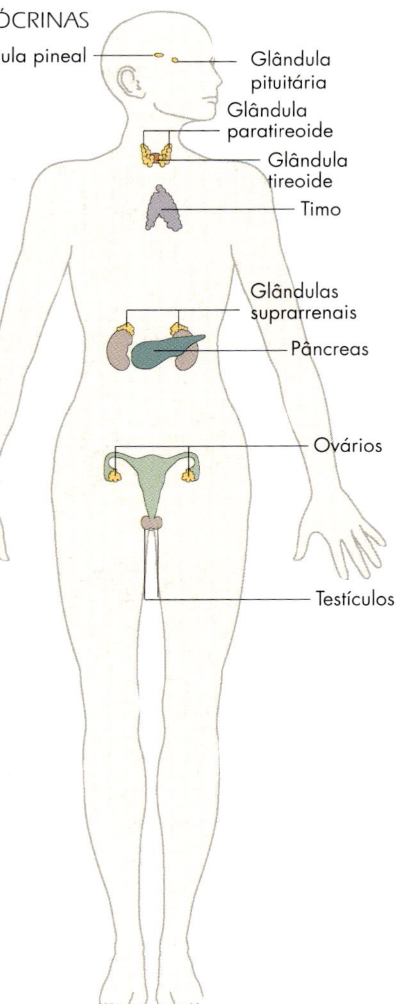

linas; a adrenalina é secretada em resposta ao stress físico e emocional.

- **Pâncreas**: contém as ilhotas de Langerhans, produtoras da insulina que controla o uso da glicose pelo corpo, a qual, por seu turno, controla os níveis de açúcar no sangue.
- **Ovários**: secretam o estrogênio e a progesterona, que controlam o desenvolvimento sexual e a reprodução na mulher.
- **Testículos**: produzem a testosterona, responsável pelas características sexuais e a reprodução no homem.

Para entender bem o sistema endócrino, é preciso ter em mente que todas as glândulas trabalham em conjunto. Quando uma não funciona corretamente, afeta as demais. Por exemplo, uma alimentação irregular pode provocar flutuações extremas nos níveis de açúcar no sangue, problema associado a diabetes, instabilidade de humor e disfunção da tireoide.

Cuide de seu sistema endócrino fazendo exercícios regulares, comendo corretamente e usando a reflexologia ou outro recurso terapêutico para combater o stress.

O sistema linfático

O sistema linfático está associado à circulação do sangue e é constituído por vasos que levam um líquido incolor, chamado linfa, de todas as partes do corpo para a corrente sanguínea. Desempenha um papel importante no sistema imunológico, defendendo-nos contra doenças e infecções: é, portanto, o sistema de segurança do corpo, sempre alerta.

Componentes

O sistema linfático consiste de finos tubos que se estendem pelo corpo e conduzem a linfa. Esta, em geral, se movimenta em consequência do exercício e da respiração profunda, sendo que a obstrução do fluxo linfático resulta em edema – inchaço dos tecidos em virtude do excesso de fluido acumulado. A linfa circula pelo corpo e contém bom número de leucócitos (células brancas do sangue). O plasma, saindo dos capilares (ver página 66), banha os tecidos do corpo, penetra nos vasos linfáticos e volta para a circulação sanguínea.

Nódulos linfáticos espalham-se por todo o corpo e contêm células brancas que, como abutres, devoram bactérias, substâncias estranhas e detritos. Esses nódulos filtram a linfa, destruindo microrganismos daninhos, células tumorais, tecidos danificados ou mortos e toxinas. A linfa, partindo da maioria dos tecidos e órgãos, é filtrada pelos nódulos linfáticos antes de penetrar no fluxo sanguíneo. Nódulos linfáticos inchados são em geral indício de doença. Eles se localizam nas axilas, pescoço, virilhas, abdome, pelve e peito.

O sistema linfático inclui ainda o baço, as amídalas, os adenoides e o timo. A função do baço é filtrar o sangue para remover células velhas e gastas do sangue, destruindo-as em seguida; elas são logo substituídas por outras novas, fabricadas na medula óssea. O baço também filtra

A REFLEXOLOGIA E A LINFA

O tratamento reflexológico regular pode fortalecer o sistema linfático, e com isso o corpo terá maior capacidade para combater doenças e infecções. A reflexologia reduz a frequência de resfriados e mantém nosso corpo saudável por mais tempo.

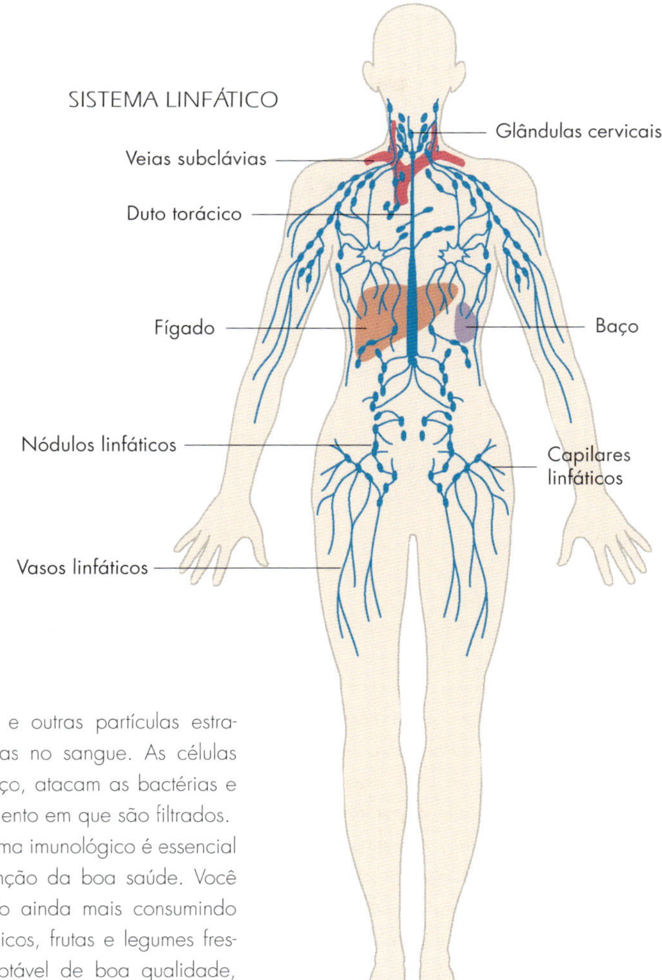

bactérias, vírus e outras partículas estranhas encontradas no sangue. As células brancas, no baço, atacam as bactérias e os vírus no momento em que são filtrados.

Um forte sistema imunológico é essencial para a manutenção da boa saúde. Você pode fortalecê-lo ainda mais consumindo alimentos orgânicos, frutas e legumes frescos, e água potável de boa qualidade, sem se esquecer de exercícios leves.

O sistema respiratório

As células do corpo precisam de oxigênio para funcionar adequadamente – e o sistema respiratório é o equipamento de respiração do corpo. Compõe-se dos pulmões, vias aéreas, vasos pulmonares e músculos respiratórios. A hemoglobina (um composto transportador de oxigênio), encontrada nas células vermelhas, remove continuamente do sangue o oxigênio dissolvido e, juntando-se a ele, transporta-o pelo corpo todo. O dióxido de carbono é eliminado pelo sistema respiratório, por ser um detrito dos tecidos.

Componentes

A respiração externa começa no nariz e na boca. O nariz umedece e esquenta o ar que entra pelas narinas. Esse aquecimento é muito importante para as pessoas que sofrem de asma, sujeitas a crises quando saem de casa em dias frios. Respirando pelo nariz e não pela boca, elas conseguem evitar esses tipos de crise porque, como o nariz aquece o ar, não ocorre uma irrupção súbita de ar frio nos pulmões.

A traqueia estende-se do pescoço ao tórax (cavidade peitoral), onde se divide em dois feixes de brônquios, à direita e à esquerda, que penetram nos pulmões. O pulmão esquerdo é menor porque tem de

A REFLEXOLOGIA E OS PULMÕES

A reflexologia pode ajudar a melhorar a função do diafragma e dos pulmões aumentando a quantidade de ar absorvida e de resíduos eliminados. Também colabora na distribuição do oxigênio pelo corpo. Pode ajudar, igualmente, na recuperação de distúrbios respiratórios como asma, bronquite, enfisema, gripe e resfriado. Isso acontece porque uma pessoa calma respira mais profundamente, ao contrário da nervosa. Você se sentirá mais relaxado se respirar profundamente enquanto trabalha o reflexo do plexo solar na mão.

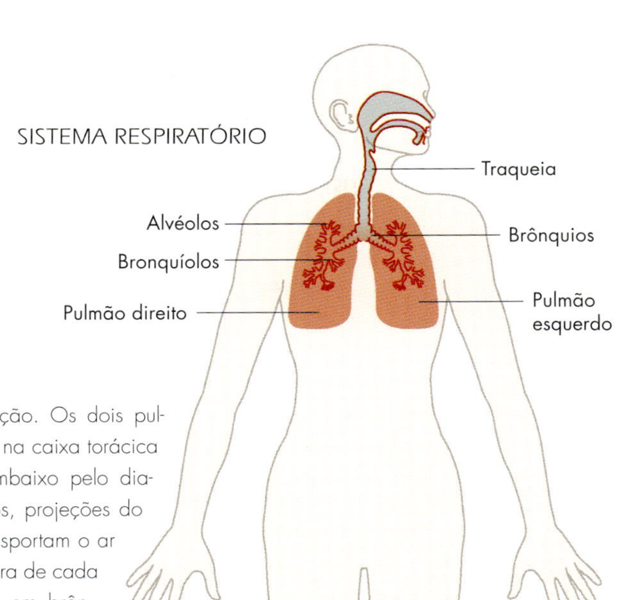

dar espaço ao coração. Os dois pulmões estão fechados na caixa torácica e são suportados embaixo pelo diafragma. Os brônquios, projeções do tubo respiratório, transportam o ar para dentro e para fora de cada pulmão; ramificam-se em brônquios menores, os bronquíolos (extremidades tubulares muito finas), e terminam nos minúsculos alvéolos (sacos de ar), onde ocorrem as trocas gasosas.

As trocas gasosas ocorrem por simples difusão, proporcionando quantidade suficiente de oxigênio e eliminando o excesso de dióxido de carbono. A respiração ocorre pelo dilatamento da caixa torácica: as camadas da pleura, que envolvem os pulmões, deslizam uma sobre a outra e a pressão local diminui, provocando a sucção do ar. Quando expiramos, dá-se o inverso. O principal músculo respiratório é o diafragma.

O sistema urinário

Nosso corpo contém cerca de 65% de água – que, por isso mesmo, é nosso nutriente mais importante. Alguns tecidos – como os glóbulos brancos, os músculos esqueléticos e a pele – são constituídos em sua maior parte de água. Perdemos cerca de 1,5 litro de água por dia através dos intestinos, pele, respiração, transpiração e urina.

A água é a solução de que muitas reações químicas necessitam para completar-se. Ela também ajuda a assegurar o suprimento de nutrientes e hormônios entre as células e distribui o calor pelo corpo. Em nossas atividades diárias, ficamos expostos a substâncias prejudiciais, e os rins usam água para diluí-las e manter-nos saudáveis. Precisamos beber cerca de 2 litros de água por dia a fim de preservar o bom funcionamento dos rins.

Componentes

O sistema urinário consiste dos rins, onde se forma a urina que transportará resíduos e sangue; dos ureteres, por onde a urina sai dos rins; da bexiga, onde a urina fica armazenada até ser expelida; e da uretra, pela qual a bexiga lança fora seu conteúdo. O sistema emprega uma combinação de filtragem e excreção para livrar nosso corpo de resíduos prejudiciais como o álcool e a ureia.

Graças à ação dos hormônios, os dois rins produzem urina e mantêm em equilíbrio a química interna do corpo. Excretam o excesso de sódio, associado ao aumento da pressão sanguínea; quando os níveis de sódio se elevam, os fluidos ficam menos concentrados por conterem mais água, o que provoca retenção de líquidos e edema.

A REFLEXOLOGIA E OS RINS

A reflexologia colabora com o sistema urinário distribuindo melhor a água pelo corpo, pois incrementa sua circulação. O tratamento pode ajudar também o trabalho dos rins, além de apressar a remoção de sódio e resíduos. A reflexologia é eficaz contra a retenção de líquidos e combate infecções do trato urinário.

Os ureteres levam a urina dos rins para a bexiga. A uretrite é uma inflamação do ureter, que pode ficar bloqueado por um cálculo ou por uma infecção proveniente da bexiga. Esta é um órgão feito de músculos, oco, que coleta e armazena a urina. A uretra é um tubo fino que leva a urina da bexiga para fora do corpo. No homem, é mais comprida que na mulher (pois percorre todo o comprimento do pênis) e atravessa a próstata.

Remédios naturais

O chá de camomila é um diurético natural, que ajuda a diminuir a retenção de líquidos. O de dente-de-leão purifica o sangue e também é diurético, motivo pelo qual se deve tomá-lo durante um programa de desintoxicação. O excesso de sal na alimentação está associado à pressão alta; uma boa alternativa é o sal marinho, que contém 46% menos sódio que o sal comum.

SISTEMA URINÁRIO

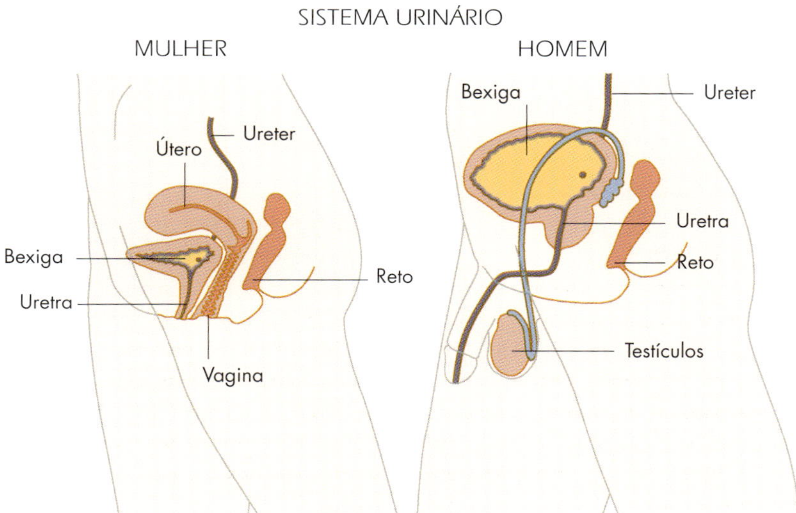

O sistema reprodutor

A função biológica primária dos seres humanos é se reproduzir para a continuidade da espécie. Isso ocorre pela união do espermatozoide masculino com o óvulo feminino. A união pode resultar da cópula, da concepção assistida ou da FIV (fertilização *in vitro*), conhecida como fertilização.

O sistema reprodutor masculino

Os órgãos do sistema reprodutor do homem são, em essência, aqueles que permitem ao espermatozoide reproduzir-se em conjunção com o óvulo. Os espermatozoides e os hormônios sexuais masculinos são produzidos nos testículos, um par de glândulas ovoides suspensas numa bolsa chamada escroto. Durante a ereção, o espermatozoide desliza pelo vaso deferente até a vesícula seminal. A glândula prostática localiza-se sob a bexiga e rodeia a uretra, lembrando no formato uma rosquinha. A função da próstata é produzir secreções leitosas que fazem parte do líquido seminal. Essas secreções aumentam o volume do sêmen, que é ejaculado do pênis ereto.

O sistema reprodutor feminino

Esse sistema inclui todos os órgãos que permitem à mulher ovular, ter relações sexuais, nutrir e desenvolver um óvulo fertilizado, retê-lo até que ele ganhe contornos de um feto plenamente constituído e, por fim, dá-lo à luz. Os órgãos reprodutores femininos encontram-se na cavidade pélvica, com exceção da vulva, que constitui a genitália externa. Os ovários são duas

A REFLEXOLOGIA E O SISTEMA REPRODUTOR

O processo de reprodução humana é bastante complexo, mas fascinante. Para que se chegue à gravidez, a ovulação e a fertilização têm de estar em equilíbrio – mas, para muitos casais que desejam ter filhos, algo pode dar errado. A reflexologia e a abordagem holística ajudam a equilibrar os hormônios, produzir um esperma mais saudável e regularizar a ovulação.

glândulas ovoides que secretam hormônios sexuais femininos, inclusive o estrogênio e a progesterona, responsáveis pelo ciclo de reprodução da mulher. Todo mês, a mulher ainda na fase fértil libera um óvulo de um dos ovários, que passa pela trompa de Falópio até o útero. Este é um órgão feito de músculos, oco, localizado na cavidade pélvica atrás e em cima da bexiga, bem diante do reto; ele proporciona o ambiente adequado ao crescimento do feto. Se fertilizado por um espermatozoide, o óvulo começa a dividir-se e adere ao revestimento do útero, onde se transforma em embrião. Ao nascer, o bebê é impelido para fora do colo do útero, a estreita passagem que forma o canal uterino. A função do sistema reprodutor feminino inicia-se na puberdade com o começo da menstruação e termina na menopausa.

FEMININO SISTEMA REPRODUTOR MASCULINO

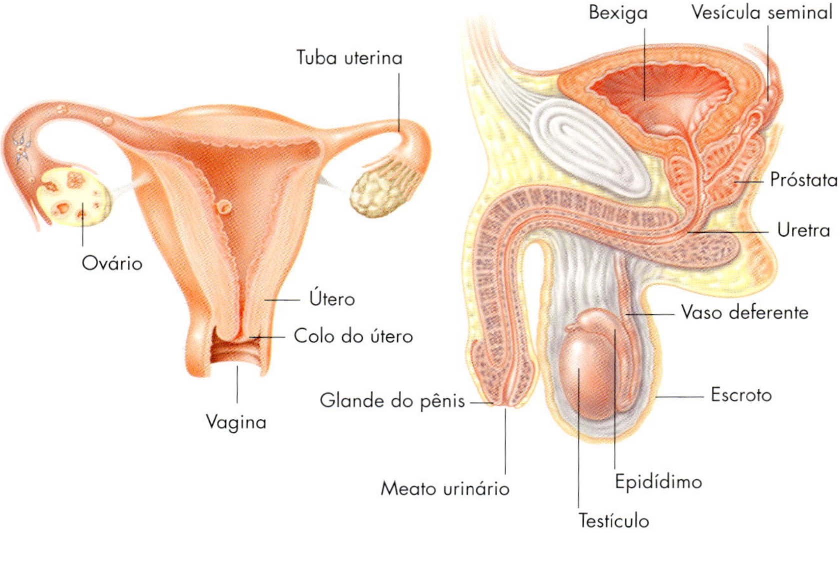

Tuba uterina
Ovário
Útero
Colo do útero
Vagina

Bexiga
Vesícula seminal
Próstata
Uretra
Vaso deferente
Escroto
Glande do pênis
Meato urinário
Epidídimo
Testículo

PARTE 3

Preparação para a reflexologia

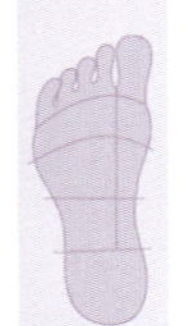

O que os pés revelam

Os pés revelam nosso estado de saúde e, muitas vezes, os problemas que eles apresentam relacionam-se a outros em diferentes partes do corpo. O modo de conduzir nossa vida, aquilo que comemos e bebemos, os exercícios que praticamos e como nos sentimos, tudo isso o reflexologista pode encontrar refletido nos pés. Por exemplo, pés rígidos costumam indicar tensão no corpo, e pés flácidos, baixo tônus muscular. Pés frios, arroxeados ou avermelhados são um sinal de má circulação. Pés que suam muito (sobretudo quando apresentam também mau odor) indicam frequentemente um problema hormonal. Inchaço e intumescência nos tornozelos podem relacionar-se a diversas condições internas e devem ser examinados por um médico.

Não cuidar dos pés pode resultar em calosidades, bolhas, unhas encravadas e joanetes, que afetam a postura e o metabolismo. Inversamente, segundo alguns reflexologistas, um metabolismo desregulado e uma má postura podem dar origem a essas condições. Cerca de dois terços da população mundial sofrem com problemas nos pés. Convém você ficar atento aos mais comuns, para encaminhar o paciente a um quiropodista.

Os pés podem refletir nosso estado de saúde e revelar problemas físicos em outras partes do corpo.

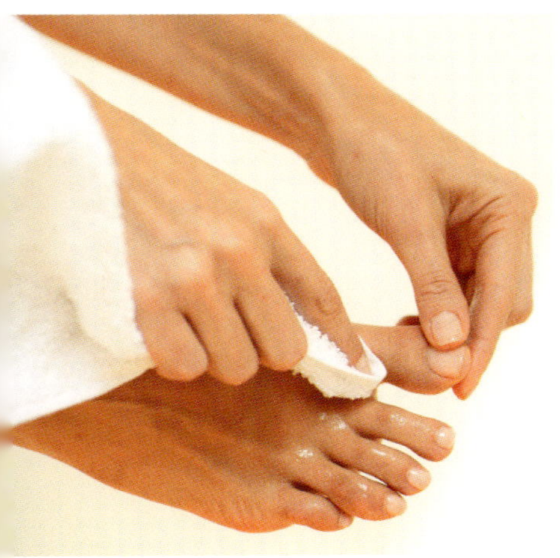

Secar bem as áreas entre os dedos é uma maneira prática de evitar o pé de atleta.

Pé de atleta

Essa infecção por fungos afeta a pele da base e da parte interna dos dedos. A área apresenta comichão e se torna dolorida, áspera, ressecada e coberta de escamas, principalmente entre o quarto e o quinto dedos. Podem aparecer ainda áreas esbranquiçadas e úmidas, que emitem um cheiro característico, desagradável. As causas são: não ventilar adequadamente os pés; ficar descalço em saunas e banheiros públicos; e não enxugar bem entre os dedos.

O pé de atleta às vezes se cura sem medicação e, na maioria dos casos, responde bem às drogas antifúngicas prescritas por um médico. Os cuidados adicionais incluem trocar frequentemente as meias, enxugar bem entre os dedos, evitar compartilhar o uso de toalhas e calçar sapatos bem ventilados. Ao aplicar o tratamento reflexológico, evite tocar as áreas de contágio ou, se estas estiverem em muito má condição, trate de preferência as mãos.

Verruga

A verruga é uma área protuberante da pele, em virtude do crescimento das células de que o tecido epidérmico se compõe.

Para tratar a verruga de forma natural, esfregue-a com alho e cubra-a com esparadrapo a fim de impedir a entrada de oxigênio. Pode-se também cobri-la com um pedacinho do revestimento interno de uma casca de banana, fixando-o bem com esparadrapo para que não se desloque durante o sono; repita todas as noites por duas ou três semanas para obter melhores resultados. A fim de evitar o contágio quando estiver tratando alguém com verruga, cubra a área infectada com um emplastro ou evite-a de todo, encaminhando o paciente a um quiropodista.

Joanete

O joanete é uma bolsa endurecida, cheia de líquido, que recobre a junta na base do dedão do pé (ou, às vezes, do dedinho). Essa inflamação pode ser muito dolorosa. A causa é quase sempre pressão ou fricção contínua exercida por agente externo, deslocamento do pé devido ao uso de saltos altos, fraqueza hereditária da articulação ou ferimento na junta.

A terapia inclui o uso de sapatos bem-ajustados, a aplicação de uma almofada protetora para aliviar o incômodo e, como último recurso, a cirurgia de remoção.

Sapatos de saltos altos podem fazer encurtar os músculos da panturrilha, tornando doloroso o uso de calçados de saltos baixos.

Unha encravada

Muitos jovens, na adolescência e na casa dos 20 anos, são afetados por essa dolorosa condição no dedão do pé, que ocorre quando uma ou ambas as extremidades da unha penetram na pele adjacente. A unha fica encravada no tecido macio da pele, provocando sangramento, infecção e inflamação. Isso resulta em geral do corte muito rente das laterais da unha. Sapatos apertados e mal-ajustados, hereditariedade e descuido com a higiene pessoal também podem provocar essa condição.

Se o problema for crônico, o quiropodista cortará uma pequena seção da unha para aliviar a pressão do encrave. Se for agudo (isto é, se o local estiver avermelhado, inchado ou possivelmente infectado), recomenda-se procurar um médico.

Aspereza

É uma área de pele dura e grossa, o problema mais comum dos pés. Apresenta a forma de cone e não tem raiz. Desenvolve-se, quase sempre, como um meio de proteção: no ponto onde é pressionada, a pele enrijece e se torna espessa. Essa área de pele endurecida localiza-se usualmente na parte superior dos dedos e na sola dos pés, sobretudo a protuberância, indicando que o local está sendo friccionado e pressionado demais. Uma forma mais branda de aspere-

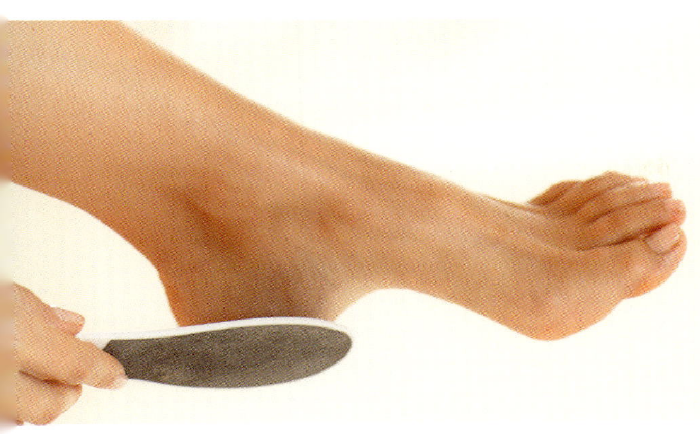

Lixar a pele endurecida deve ser uma rotina na hora do banho diário.

za ocorre entre os dedos e, às vezes, embaixo das unhas; provocada pelo excesso de pressão e suor, pode ser dolorosa.

Evita-se a aspereza com o uso de sapatos folgados. O pedicuro a remove com facilidade, prescrevendo uma almofada ou palmilha para aliviar a pressão e impedir o reaparecimento do problema. O tratamento para a forma mais branda de aspereza inclui enxugar bem os dedos ou aplicar pomada diariamente. Havendo dor, a aspereza será removida cirurgicamente ou protegida por uma pequena almofada removível.

Calo

O calo é uma área de pele endurecida, às vezes de consistência córnea, de cor amarelada ou castanho-escura, quando não esbranquiçada. Quase sempre aparece no dedão do pé, parte superior dos dedos, calcanhar ou protuberância da sola, devido ao peso do corpo. Quando agravado por pressão contínua, torna-se doloroso. Os calos são comuns porque submetemos nossos pés a muita pressão diariamente.

As causas são sapatos apertados ou largos, pressão ou fricção prolongada ao correr, ficar muito tempo de pé ou distribuir mal o peso do corpo. O tratamento inclui o uso de calçados de número certo, palmilha ou a remoção da pele endurecida. Friccionar com pedra-pomes ou umedecer o pé duas vezes por dia pode ajudar a eliminar calos. Aproveite a hora do banho para umedecer bem os pés.

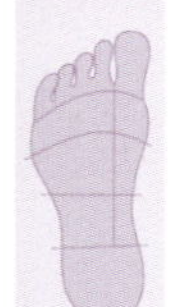

O que as unhas revelam

Você sabia que as unhas crescem mais rápido quando os níveis de hormônio flutuam, como na gravidez e na fase pré-menstrual? Em média, elas crescem cerca de 3 mm por mês, mas esse crescimento pode ser retardado e até interrompido em caso de doença grave. Se isso acontece, a unha fica mais fina e apresenta uma linha transversa, a linha de Beau, causada por uma interrupção da produção de proteína na placa ungueal.

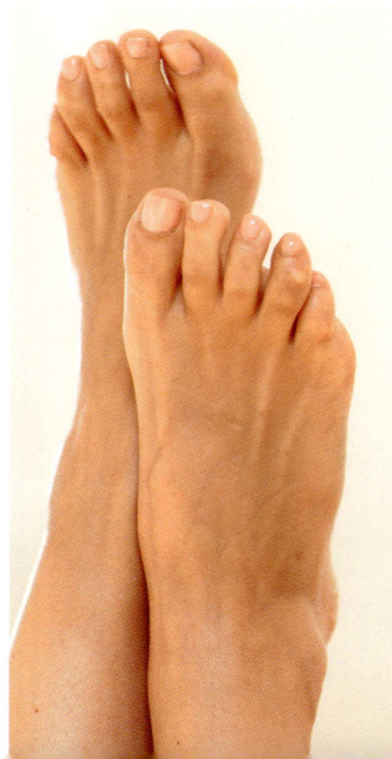

As unhas são formadas principalmente por uma proteína fibrosa chamada queratina, também encontrada no cabelo. Muitas vezes, as pessoas que sofrem de alopecia (queda de cabelo) descobrem que seu cabelo está mais fino e cai com mais facilidade. As moléculas de gordura e água entre as camadas de queratina é que tornam as unhas flexíveis e brilhantes.

Cuidados com as unhas

A higiene das unhas é importante. Assim, quando você for a um pedicuro, escolha um salão confiável, com instrumentos bem limpos. Infecções virais como as hepatites B e C ou as verrugas podem ser transmitidas por instrumentos não esterilizados.

Antes de aplicar o esmalte, recomenda-se o uso de uma base clara para evitar o amarelecimento das unhas. O suco de limão é uma ótima maneira natural de remover as manchas das unhas: simplesmente misture o suco de um limão com meio copo de água quente e deixe-as de molho por vinte minutos.

Manchas brancas nas unhas podem significar que você está consumindo muito açúcar.

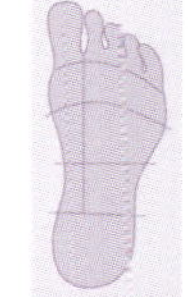

UNHAS E ALIMENTAÇÃO

As unhas refletem a nutrição que o corpo absorve:

- Ranhuras e rachaduras nas unhas podem indicar que você precisa ingerir mais líquidos. Tente beber pelo menos oito copos de água por dia.
- Unhas ressecadas e ásperas podem indicar carência de vitamina A e cálcio no organismo. A vitamina A encontra-se no fígado de vaca, queijo, ovos e peixes gordos, como a sardinha e o arenque. O cálcio é abundante no leite, iogurte, sardinha, salmão em conserva, brócolis e queijo.
- Extremidades muito arredondadas e curvas, ressecamento excessivo e manchas escuras nas unhas podem ser sinal de carência de vitamina B_{12}. Os vegetarianos rígidos correm perigo porque a vitamina B_{12} só se encontra em produtos de origem animal, como carne, peixe e ovos.
- O dorso da unha esbranquiçado pode significar anemia, ou seja, diminuição de glóbulos vermelhos no sangue (a deficiência de ferro é a causa mais comum). Aumente o consumo de carnes magras, sardinha, fígado de vaca, peixe gordo, damasco seco e verduras.
- Unhas em formato de colher, côncavas ou com sulcos denunciam uma alimentação pobre em ferro. Esse problema tem o nome de celoniquia, e o médico deve prescrever um teste de hemoglobina para confirmar os níveis de ferro. Boas fontes de ferro são o fígado de vaca, o peixe gordo, o damasco seco e as verduras.

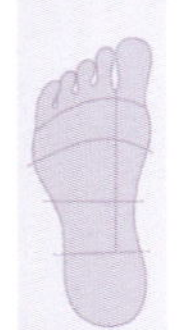

Fundamentos da terapia

Os efeitos do tratamento reflexológico são muitas vezes sentidos logo após a sessão. Por exemplo, o cliente pode notar que sua dor de cabeça desapareceu ou que seu ombro rígido se tornou bem mais flexível. Em certos casos, porém, são necessárias de três a cinco sessões para obter uma completa (ou pelo menos considerável) recuperação da doença ou incômodo do paciente.

De um modo geral, distúrbios que a pessoa vem padecendo há anos levam mais tempo para melhorar. Isso significa que o reflexologista e o paciente devem aceder num plano de tratamento para alguns meses. Infelizmente, vivemos numa sociedade apressada. A maioria das pessoas exige resultados imediatos, mas um único tratamento talvez não resolva um problema que persiste há muito tempo. Um prazo maior é recomendado para todas as condições, indo de duas vezes por semana a uma vez por mês.

A reflexologia é uma terapia poderosa que pode restaurar os padrões de sono.

Entenda a doença

A reflexologia estimula os processos de cura do próprio corpo, podendo às vezes perturbar o equilíbrio do organismo porque altera seu ambiente interno. Como consequência do tratamento, podem ocorrer então mudanças no corpo e na mente. Quase sempre, as pessoas constatam que após a reflexologia passam a dormir melhor e a encarar com mais disposição os desafios da vida, além de perceber uma redução nos sintomas que as atormentavam.

As reações ao tratamento diferem conforme a pessoa. Tipo de vida, alimentação, exercício, emoções e estado de saúde determinam essas reações. Regra geral, pode-se tratar quase todas as pessoas com o método reflexológico; mas é aconselhável não o fazer com as que apresentarem as seguintes contraindicações à reflexologia dos pés:

- Doença contagiosa
- Febre alta
- Gangrena
- Primeiro trimestre de gravidez
- Trombose venosa profunda

Qualquer distúrbio que tenhamos vive conosco e apresenta seu próprio padrão diário. A doença depende daquilo que fazemos – por exemplo, da xícara de café que provoca dor de cabeça; do desjejum que não tomamos, causa da síndrome do intestino irritável; do novo creme para as mãos que agrava uma dermatite, etc. No entanto, a chave para você entender a doença é relembrar o que fez antes de se dar conta da doença ou de perceber que ela piorou.

A reflexologia trabalha tanto nos níveis emocional e mental quanto no físico. Muitas vezes ela gera um bloqueio emocional ao revolver sentimentos reprimidos. Essas emoções, porém, são quase sempre passageiras.

ADVERTÊNCIA

- Evite trabalhar partes dos pés, calcanhares e pernas onde apareçam veias varicosas, pois poderá agravar o problema.
- Sempre trabalhe em volta das áreas que apresentem dermatite ou eczema; clientes com esses problemas geralmente preferem que você use óleo em lugar de talco.

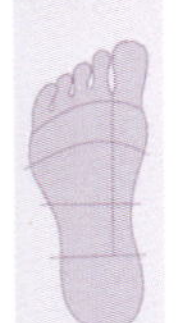

Reações à reflexologia

Os primeiros tratamentos reflexológicos devem ser ministrados sempre com toque leve, pois isso reduz possíveis reações ao processo de cura, desconfortáveis para muitas pessoas.

Reação ao processo de cura

A reflexologia estimula os mecanismos curativos do próprio corpo, de modo que uma ou outra resposta deve ser esperada. Muitas pessoas experimentam uma sensação de bem-estar, revigoramento, rejuvenescimento ou relaxamento profundo. Às vezes, porém, pode ocorrer uma "reação ao processo de cura" em que os sintomas parecem piorar antes de melhorar. Trata-se de um processo de limpeza pelo qual o corpo se livra de toxinas. Devemos ver isso de maneira positiva, pois é uma modificação importante no padrão da doença.

Clientes com muita impureza em seu sistema ou em plena crise emocional estão mais sujeitos a essa reação – que, no entanto, quase sempre passa em 24 horas e pode ser amenizada ingerindo-se dois litros de água um dia antes e um depois do tratamento. A água ajuda a expelir as toxinas do organismo e reduz a intensidade da reação. Esses clientes também podem achar dolorosa a terapia em certas áreas; em casos assim, basta reduzir a pressão para evitar o incômodo.

Um tratamento com toques suaves poderá evitar a reação ao processo de cura.

Respostas hipersensíveis

As reações menos corriqueiras durante o tratamento são conhecidas como "respostas hipersensíveis" e incluem transpiração súbita, sensação incomum de frio intenso, náuseas, desfalecimento e afli-

POSSÍVEIS REAÇÕES AO TRATAMENTO

Esta lista mostra as reações que algumas pessoas poderão ter ao tratamento reflexológico:

- Agravamento temporário dos sintomas
- Sensação de completo relaxamento
- Sono mais pesado que o usual
- Sensação de frio
- Maior necessidade de sono
- Sensação de vigor crescente
- Sensação de calor
- Aumento de frequência na micção e na evacuação
- Diarreia leve
- Intensificação das emoções/preocupações
- Reações na pele
- Irritabilidade/impaciência
- Aumento da secreção nasal
- Sensação de euforia
- Excesso de suor nas palmas das mãos e solas dos pés
- Náuseas/vertigens
- Sede excessiva

Você notará que, às vezes, o cliente começa a sentir frio enquanto recebe o tratamento reflexológico. Convém então cobri-lo com um lençol antes de prosseguir. E não se surpreenda se ele adormecer durante a sessão – isso é perfeitamente natural.

ção. Se necessário, você deverá interromper o tratamento a qualquer instante, abrir a janela, dar um pouco de água ao cliente e atender a qualquer outra de suas necessidades.

Normalmente, porém, as pessoas respondem de modo muito favorável ao tratamento e não raro se espantam com os efeitos positivos da reflexologia em sua saúde, bem-estar emocional e relacionamentos. Qualquer que seja a reação de seu cliente, ela é parte necessária do processo curativo e, como dissemos, geralmente desaparece em 24 horas.

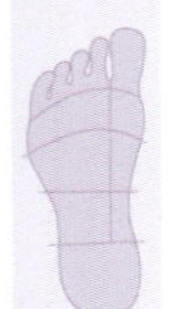

Adaptação do tratamento

A reflexologia é cumulativa, ou seja, quanto maior a frequência do tratamento, maiores os efeitos no corpo do cliente. Muitas pessoas se submetem a tratamentos variados, de modo que a pressão aplicada durante as sessões deve ser ora leve, ora mais firme, dependendo das condições que estejam sendo trabalhadas. Há casos, porém, em que você deve adaptar o toque conforme a idade ou os problemas de

Tratar seu filho com reflexologia poderá reforçar os laços entre vocês.

saúde. Às vezes, será necessário adotar um método "conta-gotas" e trabalhar mais suavemente por um período maior de tempo, pois, para algumas pessoas, convém evitar o incômodo da reação ao processo de cura (ver página 92).

Tratamento de crianças

Os efeitos da reflexologia em crianças são bastante soporíficos e o tratamento pode ajudar a reorganizar os horários de sono dos bebês, caso necessário. A energia das crianças costuma ser mais ágil e por isso elas reagem mais rapidamente ao tratamento. Sempre recomendo um toque bem leve para jovens com menos de 16 anos (e nunca se esqueça de obter o consentimento dos pais antes de tratar um menor).

Preparar o ambiente antes da sessão é importante. Atente bem para a música e a luminosidade a ser usada: música clássica ligeira quase sempre deixa a criança descontraída. Tenha à mão livros e brinquedos ou peça aos pais que já tragam um brinquedo favorito do filho. Você talvez precise ajustar o equipamento, com mais almofadas para que o paciente se sinta bem confortável. Um bom recurso é usar óleo nos pés da criança. Os movimentos devem ser lentos e relaxantes – e que tal, enquanto isso, contar-lhe uma historinha? Por exemplo, ao aplicar a técnica da marcha (ver página 130) com o polegar e os dedos, fale-lhe de uma pequena lagarta que vai rastejando pelo jardim. Procure nas páginas 322-335 mais informações sobre o tratamento reflexológico para problemas específicos em crianças pequenas.

Tratamento de idosos

A reflexologia procura dar ao corpo aquilo de que ele precisa – mais energia, um sistema orgânico mais eficiente, uma memória melhor ou um estado de espírito mais jovial. À medida que envelhecemos, nossas energias internas vão sendo afetadas pela má postura, a alimentação inadequada, a poluição, as enfermidades, os pensamentos negativos, as preocupações e o stress. Isso tudo bloqueia o fluxo energético pelo corpo, produzindo ainda mais toxinas. A reflexologia procura justamente livrar o corpo desses detritos. Quanto mais toxinas ele armazenar, mais chance terá a pessoa de sofrer uma reação ao processo de cura.

Em pessoas idosas, aplique uma pressão leve em ritmo lento, suave. Não trabalhe demais nenhum dos reflexos, mas concentre-se em cada um deles por cerca

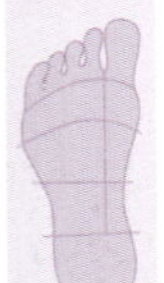

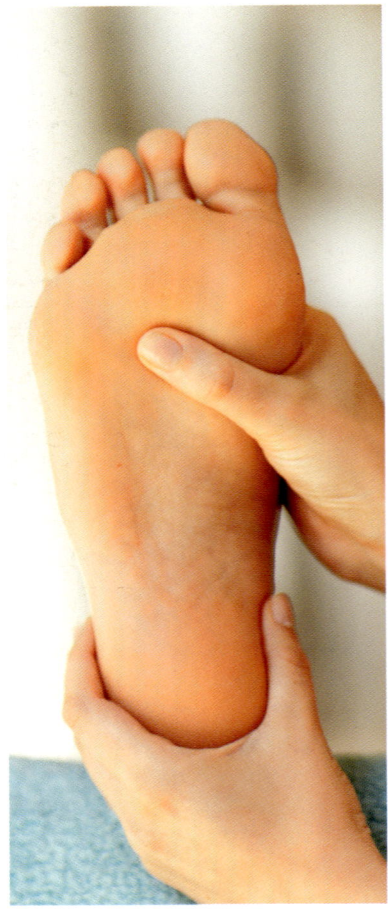

Se necessário, você tratará um cliente duas vezes por dia com pressão suave.

de cinco segundos apenas e passe para a próxima etapa da sequência. Empregue mais tempo nas técnicas de relaxamento no começo e no fim da sessão (cerca de dez minutos do tratamento todo). Para mais informações sobre reflexologia dos anos dourados, ver páginas 336-345.

Redução da dor

Se alguém está sofrendo de uma condição dolorosa, a reflexologia pode ajudar a reduzir a sensação de dor estimulando a produção de endorfinas, que são os analgésicos naturais do corpo. Essas substâncias, segregadas pela glândula pituitária (ver página 72), chegam a ser dez vezes mais eficientes que a morfina. O toque leve induz o cérebro a produzi-las em maior abundância, ao mesmo tempo que minimiza a possibilidade de agravamento da dor. Você deve dar atenção especial ao reflexo pituitário (ver página 42) e voltar a esse ponto por mais vinte segundos antes de encerrar o trabalho de rotação do dedo.

Tratamento de doentes terminais

No caso de doenças terminais, a reflexologia procura tornar a dor suportável e fazer com que o cliente se sinta mais à vontade. Tente aliviar o stress que acompanha a doença, os problemas relacionados ao sono e os efeitos colaterais da medicação.

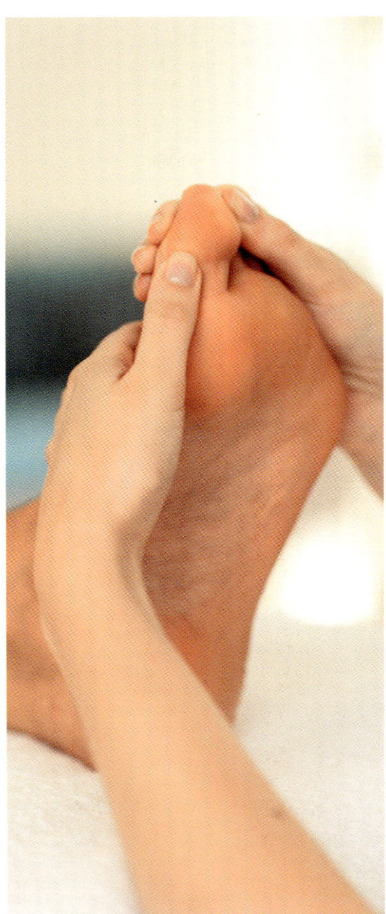

Sempre use pressão leve em clientes sob medicação, uma vez que esta pode retardar suas respostas.

Muitos doentes terminais relatam que a reflexologia os ajuda a respirar com mais facilidade, a ter mais controle sobre os intestinos e a bexiga. É muitíssimo gratificante constatar quanto eles se beneficiam do tratamento, tanto física quanto emocionalmente. Inicie a sessão com dois minutos de respiração profunda enquanto trabalha o reflexo do plexo solar (ver página 42). Sempre reserve alguns minutos para conversar com o cliente antes ou depois do tratamento: isso lhes dá tempo para discutir suas necessidades espirituais.

Tratamento de clientes sob medicação

Se o cliente está tomando remédios, aplique sempre pressão leve por medida de segurança, já que a medicação pode embotar e retardar suas respostas aos pontos reflexos. Mantenha um ritmo regular e constante. Em geral, os remédios provocam efeitos colaterais, desde dor nos tornozelos até aumento de pressão, a partir do instante em que começam a ser tomados. Caso seu cliente esteja apresentando esses efeitos, concentre o tratamento nas condições atuais e peça-lhe que comunique o fato ao médico.

No nível básico, a reflexologia estimula a circulação e pode, em alguns casos, aumentar a eficácia dos remédios – haven-

Inteire-se sempre dos remédios que o cliente esteja tomando e de seus efeitos colaterais.

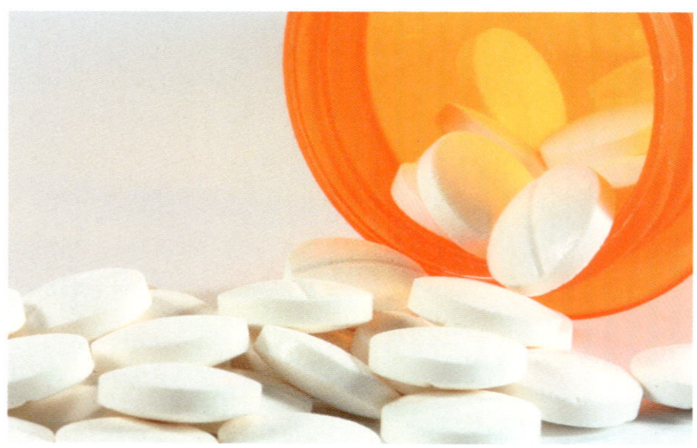

do alterações, o médico deve ser notificado. Segundo alguns teóricos, a reflexologia pode eliminar a necessidade de drogas, mas isso não está provado. Dê muita atenção aos reflexos do fígado e dos rins (ver página 42), que às vezes precisam de ajuda para desintoxicar o corpo. Durante o tratamento, volte sempre a esses pontos reflexos.

Tratamento de clientes no pré e pós-operatório

Algumas fascinantes pesquisas realizadas nos departamentos de ortopedia de hospitais na Grã-Bretanha procuraram descobrir de que modo o tratamento reflexológico pode apressar a recuperação pós-cirúrgica. Vários estudos mostram que esse tratamento diminui o prazo de cura no pós-operatório, alivia a dor e encurta o tempo de internação. E uma vez que seu objetivo é fortalecer o sistema imunológico, ajuda a reduzir o risco de infecções hospitalares.

Inicie o tratamento cerca de dez semanas antes da operação e concentre-se em equilibrar os níveis emocionais do cliente. Isso é importante porque, como se sabe, ter uma atitude otimista quanto ao resultado de uma cirurgia estimula a capacidade que o corpo tem de curar-se. Ao aplicar o tratamento, antes da cirurgia, dê atenção especial às áreas que sofrerão a intervenção. Ele deve ser ministrado pelo menos de duas a três vezes por semana no mês em que a operação for marcada. Depois, reinicie-o o mais cedo possível, todos os dias na primeira semana e, em seguida, duas vezes por semana.

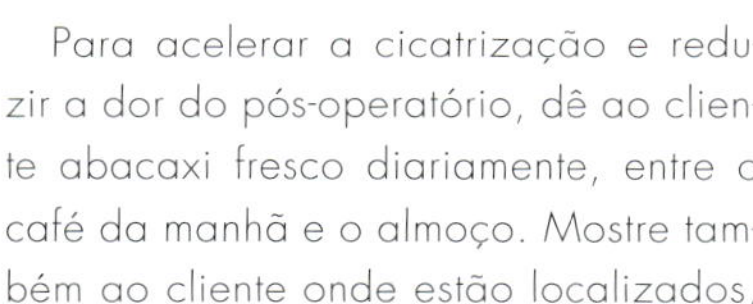

Para acelerar a cicatrização e reduzir a dor do pós-operatório, dê ao cliente abacaxi fresco diariamente, entre o café da manhã e o almoço. Mostre também ao cliente onde estão localizados, na mão, os reflexos da glândula suprarrenal (ver p. 357), pedindo-lhe que massageie e estimule esses reflexos ao longo do dia. Isso ajuda a reduzir a dor e a inflamação.

A bromelina, enzima encontrada no abacaxi, ajuda a reduzir inflamações e a cicatrizar ferimentos.

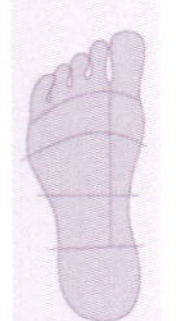

Onde ministrar o tratamento

O reflexologista profissional geralmente trabalha numa clínica, em sua casa ou em domicílio. Usa uma mesa de massagem ou uma poltrona reclinável. Todavia, não é necessário investir em nenhum desses equipamentos. Um orçamento limitado não impedirá você de fazer um trabalho bom e profissional em reflexologia. Receber o reflexologista em casa é ótimo para o cliente, pois isso significa que poderá ficar à vontade após a sessão.

Sentar-se confortavelmente

Certifique-se sempre de que você e o cliente permaneçam sentados de maneira confortável durante todo o tratamento e de que o acesso aos pés dele seja fácil. Estas são as quatro posições básicas que você poderá adotar nos cuidados com o cliente:

Receber tratamento numa cama é bem relaxante. Além disso, o cliente pode adormecer logo depois.

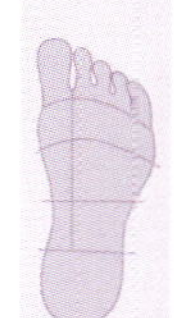

Os tratamentos podem ser relaxantes em qualquer ambiente, desde que reflexologista e cliente estejam em posição cômoda.

1 Usando uma cama

Você poderá usar tanto uma mesa de massagem quanto uma cama com um banquinho na extremidade para ter fácil acesso aos pés. Coloque dois travesseiros sob a cabeça do cliente, para maior conforto e para você observar suas expressões faciais durante a sessão. O contato visual é importante porque cada pessoa reage de uma maneira quando um reflexo dolorido é trabalhado. Coloque outro travesseiro sob os joelhos, em apoio da parte inferior das costas, e mais dois sob os pés, para ficarem numa altura em que você possa trabalhar com maior comodidade. Pode também estender uma toalha sob os pés do cliente, por razões de higiene, e cobri-los quando não estiver trabalhando neles.

2 Usando uma cadeira de jardim

Se você não tiver uma cadeira de piscina ou reclinável, uma boa alternativa é uma cadei-

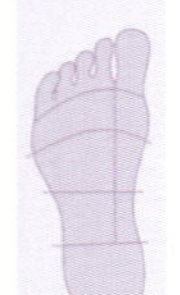

ra comum de jardim, coberta com um lençol branco. Coloque um banquinho baixo na extremidade da cadeira para apoiar os pés do cliente e travesseiros sob eles.

3 Usando uma poltrona

Uma boa maneira de tratar idosos e pessoas com pouca mobilidade é usar um banquinho na extremidade de uma poltrona. Assegure-se de que os pés do cliente estejam bem apoiados e em posição confortável. Se precisar, sente-se de pernas cruzadas no chão, mas nesse caso procure manter as costas bem retas durante todo o tratamento.

4 Usando um sofá

Aplicar o tratamento com o cliente deitado num sofá é muito relaxante para ele. É uma ótima maneira de trabalhar, principalmente numa sessão de improviso, pois você só precisará de um minuto para organizar tudo. Use um travesseiro para apoiar a cabeça do cliente, alguns sob os joelhos e mais um sob os pés. Ponha uma cadeira na extremidade do sofá e assegure-se de que os pés do cliente estejam na altura ideal para o tratamento.

É importante, para o reflexologista, manter uma boa postura durante o tratamento, para evitar dores nas costas.

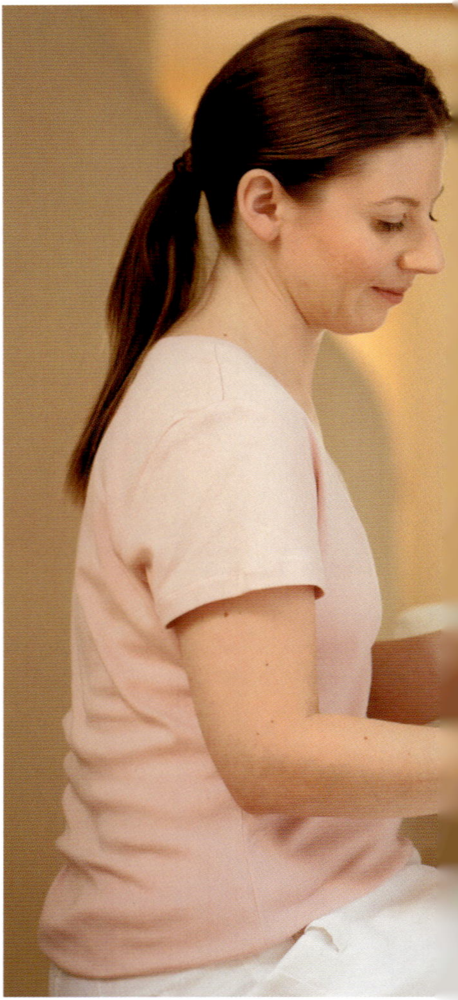

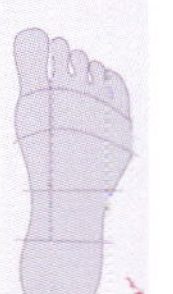

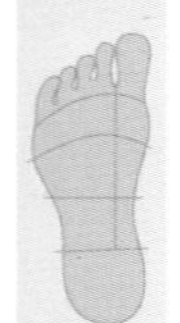

Preparação do ambiente

Preparar o ambiente de um modo inteligente e profissional ajuda a conquistar a confiança do cliente para o tratamento. O ambiente que você cria para trabalhar é chamado de "espaço de cura".

Música

Muitas vezes, uma música suave ajuda a criar um ambiente relaxante; portanto, escolha uma melodia agradável, que você já ouviu inteira com antecedência – não uma que possa surpreendê-lo com uma súbita mudança de ritmo. A "música ambiental" nem sempre é uma boa escolha, pois pode agravar fobias. Pense em como reagirá um cliente com medo de afogar-se ao ouvir sons de água; ou outro, com febre do feno, ao escutar uma música que evoca uma campina em pleno verão.

Aromatização

Uma boa maneira de aromatizar o ambiente é usar um difusor de óleos essenciais relaxantes ou acender velas aromáticas 30 minutos antes da sessão. Não se esqueça de apagá-los cinco minutos antes do início do tratamento, pois um ar saturado de perfume poderá agravar alguma condição respiratória.

Se o cliente tiver asma, não aromatize o recinto mas ventile-o antes de começar. Evite flores no local, já que o pólen pode provocar febre do feno ou alergias.

Iluminação

O controle da luz é da máxima importância: mantenha os níveis de luminosidade baixos para criar um ambiente relaxante, profissional. Pode-se usar iluminação indireta, que não incomoda o cliente. Evite a incidência direta de luz nos olhos de pacientes com epilepsia – doença comum, que afeta uma em cada duas mil pessoas e ocorre em consequência de um curto-circuito no cérebro, e a luz está associada à apreensão.

Água

Tenha sempre ao alcance um copo de água, para oferecê-lo ao cliente depois da sessão. A água ajuda a expelir do corpo as toxinas liberadas pelo tratamento. Muitas pessoas sentem sede após a terapia.

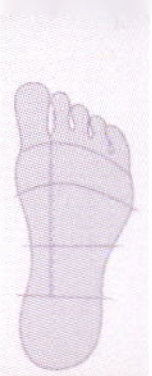

Velas aromáticas são uma maneira excelente de criar uma atmosfera relaxante antes do tratamento reflexológico.

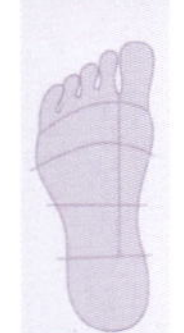

Prepare-se

A imagem que você passa pode indicar o tipo de tratamento que aplicará. Se quiser ter uma atitude profissional, precisará atentar para os detalhes. Vista sempre uma camiseta ou camisa branca e calça ou vestido discreto para dar a impressão de profissionalismo e provocar uma reação favorável no cliente.

Higiene

Mantenha as unhas limpas e aparadas, para não arranhar a pele do cliente durante o tratamento. Lave sempre as mãos antes e depois da sessão, para que estejam limpas e frescas. Se você tem cabelos compridos, prenda-os, do contrário cairão sobre os pés do cliente. Tire anéis e pulseiras antes de começar.

Padrões profissionais na roupa e na higiene, bem como a segurança e os cuidados com o cliente, são muito importantes.

Respiração e postura

Respire profundamente durante toda a sessão para oxigenar os músculos e, assim, poder aplicar um bom tratamento, com a mente concentrada nos reflexos. O melhor da reflexologia é que você também se beneficia dela. Se tiver uma boa postura, respirar ritmicamente e concentrar-se ao longo de todo o tratamento, essas técnicas lhe proporcionarão um ótimo estímulo físico e emocional.

Tranquilidade

Garanta a tranquilidade do tratamento desligando celulares e televisores, e evitando quaisquer distrações. Concentre-se inteiramente na pessoa que está sendo tratada, sem nunca falar de você mesmo, suas preocupações e seu dia a dia. Atitude, imagem, ambiente e intenções são igualmente importantes antes e durante a sessão porque você pode afetar o cliente de muitas maneiras.

LISTA DE PREPARATIVOS

- O ambiente está aquecido e bem ventilado?
- A iluminação é tranquilizante?
- Você desligou celulares e televisores?
- O local é confortável para o cliente?
- Avaliou a adequação do móvel que usará para o tratamento deitando-se ou sentando-se nele antes do cliente?
- Por razões de higiene, toalhas e travesseiros estão limpos?
- Está vestido de modo a inspirar confiança no tratamento?
- Suas unhas estão limpas e aparadas?
- Removeu todas as joias que possam interferir no tratamento?
- Seus cabelos compridos estão presos, para que não caiam sobre os pés do cliente?
- Tem esparadrapo antialérgico para cobrir verrugas, se necessário?
- Tem um cobertor para aquecer o cliente durante o tratamento?
- Tem música adequada para tocar durante o tratamento?
- Tem talco e óleo à mão? (Ver p. 109.)
- Sabe de cor o plano de tratamento (ver p. 113) para, junto ao cliente, saber em detalhe tudo o que irá fazer?
- Tem ao alcance um copo de água para dar ao cliente após a sessão?
- Tem um copo de água para você mesmo?

A preparação do cliente

Lavar os pés do cliente antes do tratamento é uma experiência agradável para ele, pois relaxa todos os músculos da área e facilita o acesso aos pontos reflexos. Você poderá também amaciar os pés esfregando-os com uma toalha quente para que o calor penetre nos tecidos. O banho é um ritual importante em muitas culturas e a lavagem dos pés, para perfumá-los, será uma mostra de carinho antes do tratamento.

Lavagem dos pés com pedras

Coloque algumas pedras grandes na bacia e cubra-as com água quente. Espere cinco minutos para que elas absorvam o calor e a água esfrie um pouco. Teste a temperatura com a ponta do cotovelo e

Um banho para os pés com pedras quentes e cravo pode aliviar os sintomas da artrite.

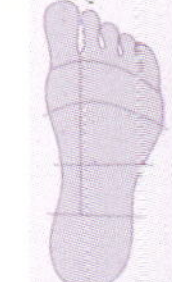

peça ao cliente que mergulhe os pés na água por dois minutos.

Acrescente, se quiser, ervas aromáticas ou flores que possam ser do gosto do cliente: ponha-as num saquinho de musselina, amarre-o e mergulhe-o na água quente para liberar seu efeito suavizante. Ou então faça uma combinação de ervas e flores que agradem ao cliente. Esparzir flores ou pétalas de rosa na superfície da água cria uma bonita imagem. Experimente as seguintes sugestões:

- **Gengibre**. Bom para estimular a circulação, descontrair os músculos e descansar os pés.
- **Jasmim**. Benéfico devido às suas muitas propriedades relaxantes. Excelente para aliviar a depressão, o stress, a fadiga, a tensão pré-menstrual e a irritabilidade; também ajuda a reduzir pruridos na pele.
- **Citronela**. Tradicionalmente usada como remédio para problemas de pele, costuma-se queimá-la para matar germes e afugentar insetos. Tem propriedades que aliviam dores de cabeça, melhoram a circulação e aceleram o processo de cura.
- **Cravo**. Tem propriedades bactericidas e aquece a pele; ajuda a reduzir o inchaço e proporciona alívio temporário em casos de artrite, reumatismo, torcicolo e queimadura.
- **Limão-galego**. Bom para varizes, má circulação, celulite, problemas respiratórios e infecções; fatias colocadas na água do banho para os pés dão uma bela imagem e um aroma de frescor.

Após a lavagem, seque bem os pés do cliente e aplique-lhes pó. Isso fará com que seus dedos deslizem melhor pela superfície dos pés enquanto você alterna a pressão nos vários reflexos.

PRODUTOS PARA MASSAGEM

Há no mercado inúmeros produtos para massagem, de talcos a cremes e óleos. É preferível substituir o talco pelo amido de milho, pois o tratamento flui melhor, podendo-se aplicar pressão forte com o polegar sem o risco de que ele deslize. Já se aventou que o talco talvez possa causar câncer, de modo que o amido de milho é uma alternativa segura.

PÓ PERFUMADO PARA REFLEXOLOGIA

Ótima ideia é criar você mesmo seu pó perfumado para reflexologia. É simples, divertido e fácil de fazer. Escolha os aromas de que gosta, com as imagens que evocam, e use-os para perfumar seu pó. Você precisará de: um recipiente de tamanho pequeno ou médio; amido de milho; matéria-prima seca para produzir o aroma; balança; papel e caneta; um pedaço quadrado e grande de musselina; e barbante para amarrar a trouxa de musselina.

1 Coloque a porção de amido de milho no recipiente.

2 Misture a matéria-prima escolhida: frutas secas, grãos de cacau, casca seca de laranja, flores secas, ervas e especiarias. Seja criativo e use diferentes quantidades de cada produto para criar seu próprio pó perfumado.

3 Anote as combinações e pesos para repetir mais tarde a operação.

4 Envolva os ingredientes numa pequena trouxa de musselina e amarre-a com barbante. Mergulhe-a no amido de milho e espere 48 horas, até que o perfume passe para o pó.

5 Dê um nome característico ao seu pó aromático.

Em seguida, ponha um pouco de pó nas mãos e esfregue-o diretamente nos pés do cliente. Poderá, então, iniciar o tratamento. Outra sugestão: coloque uma vagem de baunilha e um ramo de erva-doce num recipiente cheio de amido de milho e deixe em infusão por 48 horas.

Divirta-se criando seu próprio pó perfumado para reflexologia.

Óleos e cremes

Algumas pessoas têm alergia a pós, que também podem fazê-las espirrar ou tossir durante o tratamento. Se o cliente tiver eczema nos pés, é melhor usar óleo para que essas áreas não fiquem muito ressecadas.

Não convém usar óleos de nozes, como o de amêndoa, por causa de alergias de que talvez nem se suspeite. O de semente de uva, porém, tem uma boa textura e é facilmente absorvido pela pele. Se precisar de um óleo hidratante para pele envelhecida ou seca, use o de prímula diluído a 20% com o de semente de uva. Os reflexologistas profissionais não aplicam óleos essenciais nos pés porque não têm formação em aromaterapia e esses óleos, muito fortes, talvez sejam contraindicados para a condição do cliente.

Toalhas e cobertores

Durante o tratamento, você precisará de duas toalhas limpas e secas. Coloque uma debaixo dos pés do cliente, sobre um travesseiro de apoio, por motivo de higiene. A outra será para cobrir os pés e mantê-los aquecidos. Afaste-os 30 cm antes de começar, cobrindo-os e removendo a toalha quando iniciar as técnicas de relaxamento. Ponha a toalha sobre o pé esquerdo para conservá-lo aquecido enquanto trabalha o direito, e vice-versa.

Antes de iniciar o tratamento, envolva os pés do cliente em toalhas quentes para que eles fiquem aquecidos e relaxados.

Ao concluir o tratamento, cubra de novo ambos os pés com a toalha, num toque aconchegante, e aguarde vinte segundos.

Durante o tratamento, o cliente às vezes apresenta queda de temperatura e sente muito frio, pois toda a energia do corpo se concentra na cura. Antes de iniciar a sessão, cubra-lhe o corpo com um cobertor, mesmo no verão, para prevenir o resfriamento. Uma boa dica é estender as toalhas sobre um aquecedor ligado antes de iniciar o trabalho – isso mostra que você se preocupa com o cliente. Não raro, esses pequenos detalhes criam uma atmosfera especial. A sensação de frio pode também ser indício de baixa energia nos níveis emocional e físico.

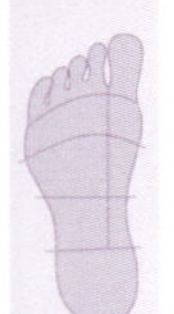

A sessão de reflexologia

Muitos clientes já terão ouvido falar dos maravilhosos benefícios para a saúde que a reflexologia proporciona. No entanto, convém definir essa técnica antes de iniciar o tratamento. Você poderá recorrer às ilustrações deste livro para mostrar como trabalhará os pés e explicar que certos reflexos correspondem a determinadas áreas do corpo.

Informe ao cliente quanto tempo durará a sessão, esclarecendo que irá assinalar-lhe quais reflexos estiverem porventura fora de equilíbrio. Mostre-lhe, nas mãos, as técnicas que aplicará nos pés. Assegure-lhe que suspenderá a pressão em qualquer área muito sensível e que será ótimo se ele adormecer durante o trabalho.

Ficha médica

Inteirar-se da ficha médica do cliente é tão importante quanto saber os motivos pelos quais ele procurou tratamento, pois esses dados podem esclarecer sua condição atual. Toda doença apresenta um padrão sintomático; isso quer dizer que certas coisas que o paciente faz agravam o mal e outras o aliviam. Por exemplo, o café piora inflamações de pele como o eczema. Informado disso, você adaptará o tratamento para dar mais atenção aos reflexos do fígado e dos rins, enquanto aconselha o cliente a evitar o café para descobrir se aos poucos o eczema vai melhorando.

Os antecedentes clínicos também permitirão a você averiguar se existem contraindicações para o tratamento. Este não deve ser ministrado nos três primeiros meses de gravidez e nos casos de febre alta, gangrena ou doenças infecciosas como tuberculose. Às vezes, é necessário um tratamento muito leve, que mesmo assim pode provocar uma reação de crise de cura (ver p. 92), uma esfoladura ou incômodo posterior.

A IMPORTÂNCIA DO SIGILO

Quer você trate clientes, amigos ou familiares, ficará inteirado de seus antecedentes clínicos. Estes lhe serão passados em confiança e você deve garantir logo de início que não a desmentirá, para criar um relacionamento baseado na discrição e no profissionalismo.

Plano de tratamento

Use as informações da ficha médica do cliente como base para elaborar um plano de tratamento. Determine quantas sessões serão necessárias: todos os dias, três dias por semana ou semanalmente. Concentre a terapia nas áreas de maior stress do corpo e assinale quais reflexos se relacionam com elas.

Pressão

Aqueça sempre as mãos antes de pousá-las nos pés do cliente. A pressão deve ir de suave a firme, dependendo de quem esteja sendo tratado. Um aperto não muito forte nos pés será reconfortante. Se a pressão for

Inteirar-se dos sintomas do paciente ajudará você a descobrir a causa do problema.

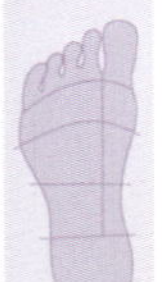

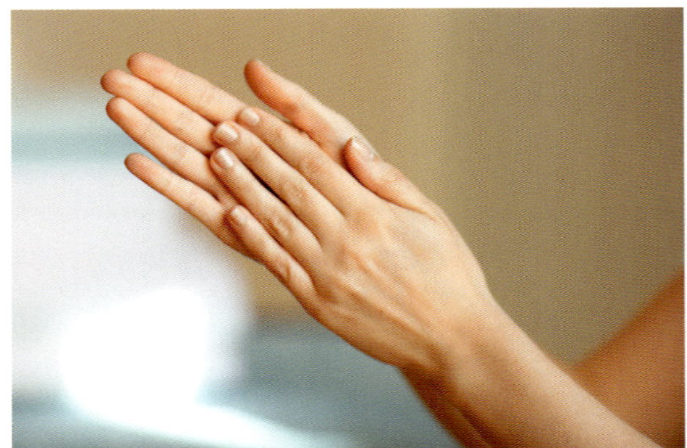

É importante aquecer as mãos antes de iniciar o tratamento.

excessiva, você poderá machucar seus próprios dedos ou provocar dor no cliente. Ao longo do tratamento, vá ajustando a pressão para evitar quaisquer incômodos.

Observe as reações do cliente, pois uma área dolorosa pode indicar que a parte correspondente do corpo não está funcionando bem. Se ele relatar algum incômodo, reduza a pressão imediatamente e continue estimulando, com suavidade, o ponto ou área reflexa durante dez segundos, tempo após o qual o desconforto já terá desaparecido.

Quando você tratar uma pessoa que não esteja bem, idoso ou jovem, use pressão suave. Se ela já teve antes uma reação de crise de cura, pressione com muita leveza na sessão seguinte. Se estiver tomando analgésicos ou estimulantes, saiba que essas drogas podem reduzir os reflexos nos pés, motivo pelo qual não será conveniente aplicar uma pressão forte demais. Uma boa maneira de manter suas próprias mãos fortes e saudáveis é aproximar o polegar o máximo possível da mão durante o tratamento. Isso diminui o risco de danos ao pulso e aos músculos.

Sensações táteis

As sensações que você despertará no cliente durante o tratamento dependerão da saúde dele na ocasião. Se uma parte de seu corpo não estiver funcionando bem, a área reflexa se mostrará bastante sensível. As reações do cliente poderão variar de um entorpecimento dolorido ou um simples incômodo à sensação de que algo pontiagudo foi pressionado contra seu pé, significando isso que cristais estão sendo dispersos (ver a seguir). As sensações que seu cliente experimentar se tornarão menos dolorosas no decorrer do tratamento, à medida que a área afetada for se fortalecendo.

Quando uma área se mostrar sensível, concentre-se nela e descreva pequenos círculos com o polegar até o incômodo desaparecer. Se notar a presença de cristais, continue trabalhando a área até dissolver a maior parte possível deles. No entanto, às vezes são necessárias várias sessões para dissolver todos os cristais detectados. Veja a lista das sensações que poderá ter:

- Áreas que parecem borbulhar ou estalar ao toque.
- Cristais semelhantes a açúcar ou areia quando se fragmentam.
- Áreas fofas e esponjosas.
- Áreas que parecem vazias.
- Superfícies onduladas.
- Superfícies granuladas.
- Áreas endurecidas.

Visualizar para curar

Você está prestes a iniciar o tratamento. Concentre-se de corpo e alma naquilo que fizer. É importante que vivamos felizes, com forte espírito de otimismo, capazes de manter nossa mente num rumo luminoso, positivo e benéfico para ajudar os que estão à nossa volta a fazer o mesmo. Devemos nos esforçar para ter uma condição de vida em que nos sintamos sempre alegres, não importa o que aconteça.

Feche os olhos e emita uma luz brilhante, positiva, do centro de seu corpo. Faça com que essa energia se projete de seus braços, pernas, dedos dos pés e das mãos. Agora, sim, está pronto para começar o tratamento.

PASSOS RECOMENDADOS PARA A SESSÃO

Preparar o ambiente	5-10 minutos
Inteirar-se da ficha médica do cliente	5-20 minutos
Técnicas de relaxamento	5 minutos
Tratamento básico de reflexologia nos pés	15-30 minutos
Técnicas de relaxamento no final da sessão	5 minutos
Informações do cliente após o tratamento	5-10 minutos

Cuidados depois do tratamento

Durante o tratamento, alguns reflexos podem ter se revelado dolorosos para seu cliente ou então você percebeu a presença de cristais nos pés dele. Isso significa que houve, há ou poderá haver algum desequilíbrio na parte correspondente do corpo, indicando um reflexo problemático.

Às vezes, sabe-se de antemão que será detectada certa sensibilidade num reflexo. Por exemplo, se o cliente sofreu de dores de cabeça, então os reflexos do crânio, occipital e pescoço estarão em desequilíbrio. Mas, se você ignorar a causa, precisará investigá-la usando uma abordagem holística. Que aspectos do estilo de vida do cliente afetaram seu bem-estar, sua saúde ou o funcionamento de uma parte de seu corpo?

Como investigar problemas

Comece explicando ao cliente que você espera encontrar alguns reflexos em desequilíbrio, com base nos problemas que ele lhe relatou. Por exemplo, se ele sofre de azia, o reflexo do esôfago estará sensível. Certos reflexos se mostrarão sensíveis dependendo dos antecedentes clínicos da pessoa a ser tratada. No caso de reflexos em desequilíbrio por razões desconhecidas, faça ao cliente as seguintes perguntas:

Durante o tratamento, observou-se muita sensibilidade neste reflexo em particular – você faz ideia do motivo?

Já teve ou costuma ter algum problema nesta área?

Está tomando algum medicamento que se esqueceu de mencionar?

Pratica esportes ou há alguma coisa em seu estilo de vida que possa comprometer de algum modo esta área?

Obtidas respostas a essas perguntas, você poderá dar sugestões simples sobre o modo de vida do cliente que o ajudarão a aumentar seus níveis de energia, reduzir seu stress ou racionalizar sua dieta – o que inclui exercícios, banhos quentes antes de se recolher ou consumo de mais frutas e legumes. No entanto, você não conseguirá controlar tudo e alguns pontos ficarão sem resposta. Peça ao cliente que preste bastante atenção à área comprometida e que não faça nada para agravar o problema. Lembre-se sempre de encaminhá-lo, quando necessário, a um médico ou terapeuta complementar.

Ao encerrar a sessão, cubra os pés do cliente com uma toalha, lave as mãos e ofereça-lhe um copo de água para eliminar de seu organismo as toxinas liberadas durante o tratamento reflexológico.

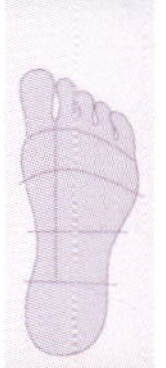

Um banho quente antes de ir para a cama pode aliviar a insônia.

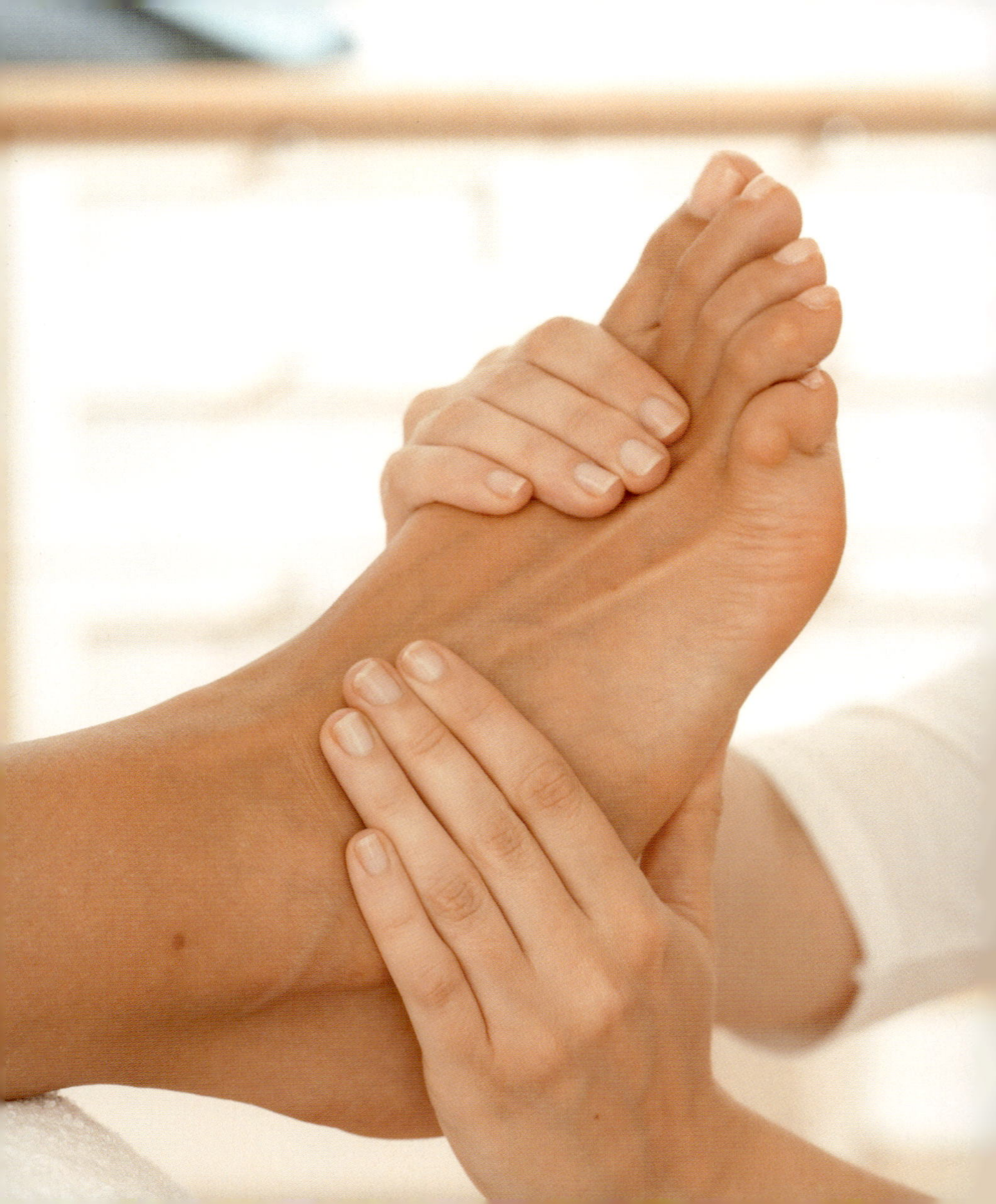

PARTE 4

O tratamento dos pés

Como trabalhar os pés

Esta parte do livro mostrará como aplicar um tratamento de reflexologia nos pés realmente eficaz. Ele deverá ser o mais agradável possível, tanto para o cliente quanto para você. Não será necessário, contudo, planejá-lo com antecedência, pois tratamentos de improviso em amigos e familiares também podem funcionar muito bem. A duração variará de dez minutos (com uma criança) a uma hora (com um adulto).

Aplicar o tratamento com boa intenção costuma dar tranquilidade, equilíbrio e energia vital a você. "Boa intenção" é simplesmente querer curar a pessoa a quem você está tratando. A fim de alcançar esse estado de mente, corpo e alma, inicie o tratamento com a respiração para gerar energia interior (ver p. 123) e respire junto com o cliente por algum tempo. Enquanto isso, sinta as energias atuando sobre você e envolvendo seu corpo numa aura curativa.

Dispersão de cristais

A reflexologia é uma das terapias complementares mais inteligentes porque, com o tratamento, você descobre pistas sobre o estado de saúde de seu cliente. Essas pistas aparecem sob a forma de cristais nas áreas ou pontos reflexos e nos locais onde o cliente sente algum incômodo. Elas revelam que há, houve ou poderá haver um problema na área correspondente do corpo. Isso já é esperado quando você está a par do estado de saúde do cliente, mas às vezes poderá surpreendê-lo descobrindo problemas dos quais ele não o inteirou.

Sua tarefa consistirá em dispersar os cristais encontrados nos pés durante o tratamento, com o uso dos dedos e polegares. Isso ativa os poderes de cura do próprio corpo, que procurarão restabelecer a boa saúde. Após o tratamento, você talvez precise encaminhar o cliente a um médico ou especialista indicado para o caso, que ajudará com conselhos sobre alimentação, postura etc. Lembre-se: a reflexologia não diagnostica nem cura.

Inicie o tratamento com total confiança em suas próprias habilidades, pois, para ser bom numa coisa, terá de começar aos poucos e acreditar em si mesmo.

A intenção de curar a pessoa com quem você está trabalhando constitui um aspecto importante do processo.

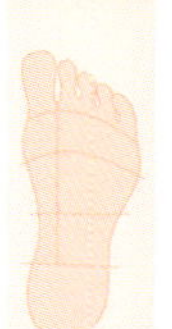

Relaxamento dos pés

Nesta e nas páginas seguintes mostramos uma série de movimentos destinados a proporcionar conforto e aliviar a tensão – não apenas nos pés, mas também no resto do corpo.

Eles podem ser usados tanto no começo quanto no fim do tratamento. Alguns clientes, principalmente idosos, preferirão que você empregue mais tempo nesses movimentos, pois eles ajudam a reduzir a dor e o desconforto, ao mesmo tempo em que estimulam a circulação. Essas técnicas de relaxamento também podem ser usadas isoladamente em crianças, como parte de uma rotina antes da hora de dormir, para que seu sono seja melhor. Você poderá empregar mais ou menos tempo com elas. Apele para sua intuição e procure atender às necessidades imediatas da pessoa que estiver tratando.

Primeiro, trabalhe o pé direito e em seguida passe para o esquerdo. Empregue um toque suave e confiante, numa sequência fluida de movimentos. Sugeriremos a seguir a duração das sessões para garantir sua eficácia.

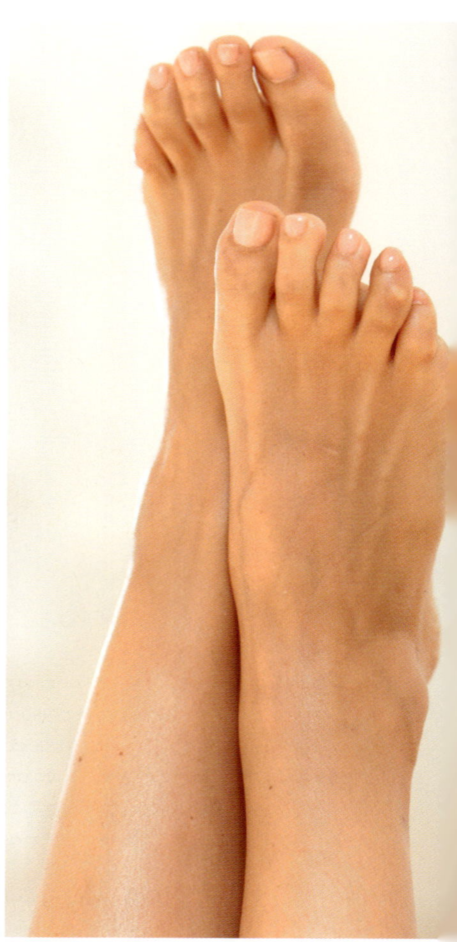

Ao tratar uma pessoa, concentre-se primeiro no relaxamento dos pés.

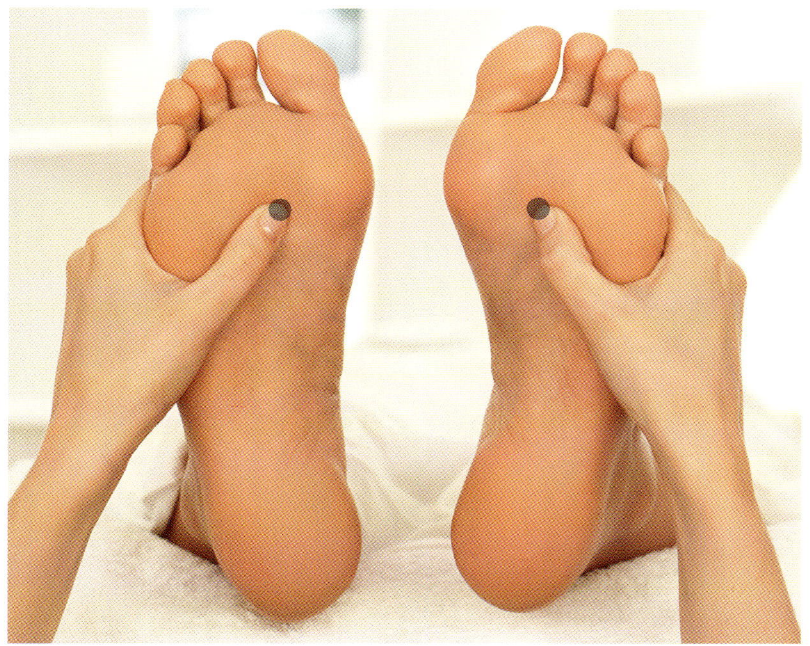

RESPIRAÇÃO PARA GERAR ENERGIA INTERIOR

Pouse o polegar esquerdo no ponto reflexo do plexo solar do pé direito e o polegar direito no ponto reflexo do plexo solar do pé esquerdo. Concentre-se por um instante, fechando os olhos, e procure sentir as energias que fluem da cabeça para os dedos das mãos e pés.

Peça ao cliente que inspire profundamente por cinco segundos, enquanto você descreve pequenos círculos no reflexo do plexo solar. Ele deverá reter o fôlego por outros cinco segundos, e você continuará trabalhando o reflexo. Em seguida, peça que o cliente expire por cinco segundos e reduza a pressão no reflexo. Acompanhe o cliente enquanto ele inspira e expira. Inspire calmamente para gerar energia e firmar a intenção de aplicar o tratamento. Repita quatro vezes.

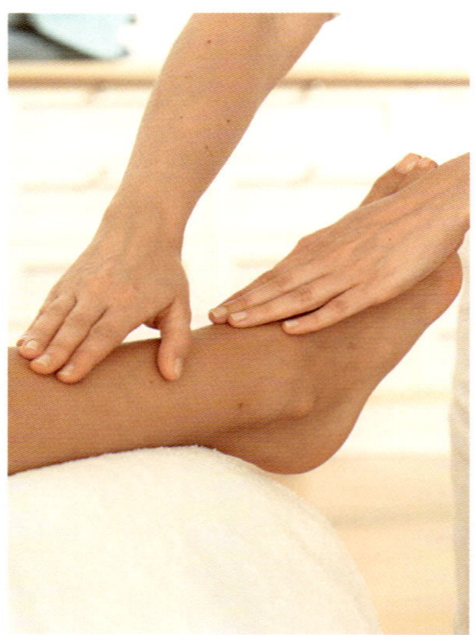

TOQUE DE ANJO

Pouse as duas palmas no pé direito e, suavemente, deslize-as para cima e para baixo da perna. As mãos devem trabalhar juntas, com pressão média. Em seguida, passe para o pé esquerdo. Faça o movimento por um minuto em cada pé.

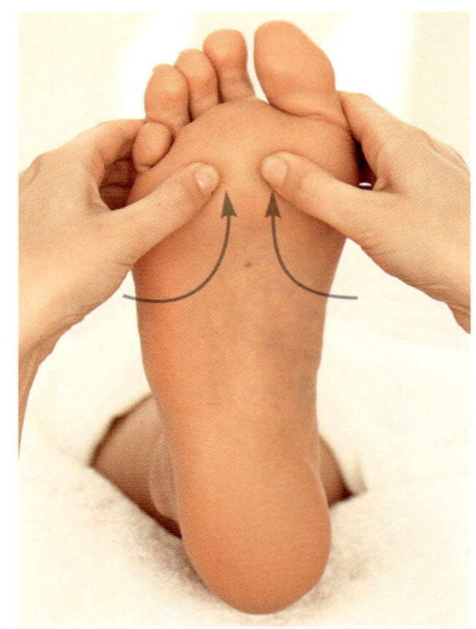

RESPIRAÇÃO DE APOLO

Coloque ambas as mãos no pé direito. Pouse os dedos no aspecto dorsal e os polegares no aspecto plantar. Estes devem ficar na área do pulmão, separados cerca de 2,5 cm. Suavemente, deslize os dedos em sua direção enquanto pressiona um pouco mais com os polegares. Peça ao cliente que, ao inspirar, visualize o ar atingindo e curando a área do corpo necessitada de ajuda. Repita o movimento cinco vezes. Agora, passe para o pé esquerdo. Trabalhe trinta segundos cada pé.

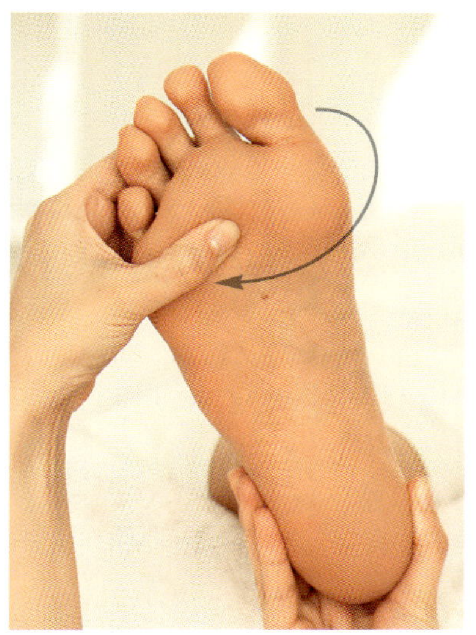

GLOBO DE ATLAS

Sustente o pé direito com uma das mãos, pelo calcanhar. Com a outra, segure-o logo abaixo dos dedos e gire-o suavemente, primeiro em sentido horário, depois anti-horário, descrevendo grandes círculos. Passe para o pé esquerdo. Trabalhe trinta segundos cada pé.

TRAÇÃO DE POSEIDON

Pouse o indicador no aspecto dorsal e o polegar no aspecto plantar do pé direito, entre o dedão e o segundo dedo. Deslize o indicador para cima o máximo possível, no sulco entre os dedos. Pare ao atingir o limite máximo. Em seguida, aplique uma leve pressão e volte à base do dedão e do segundo dedo. Passe para o pé esquerdo. Trabalhe trinta segundos cada pé.

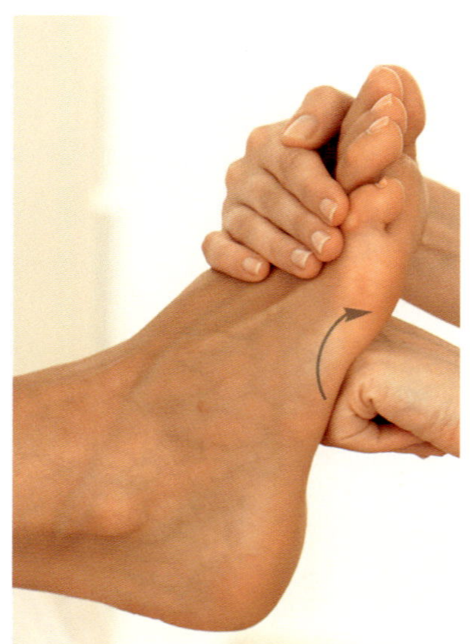

FURACÃO TERAPÊUTICO

Sustente o pé direito com uma das mãos e, com a outra, descreva pequenos círculos no meio do aspecto dorsal do pé. Aos poucos, vá aumentando o diâmetro dos círculos para cobrir o pé inteiro. Repita essa técnica com pressão média cinco vezes e, ao mesmo tempo, visualize a energia curativa apossando-se de suas mãos e capacitando-o para o tratamento. Suas mãos poderão ficar quentes. Agora passe para o pé esquerdo. Trabalhe trinta segundos cada pé.

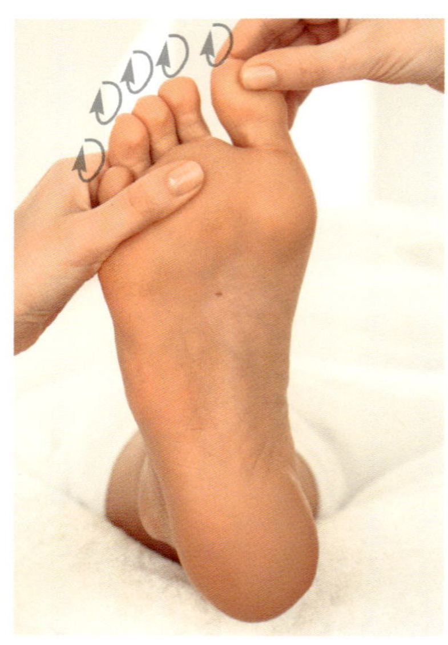

ROTAÇÃO DOS DEDOS

Sustente o pé direito. Com seu indicador e polegar, descreva círculos em sentido horário e anti-horário com os dedos do pé do cliente, a começar pelo dedão. Repita com todos os dedos. Passe para o pé esquerdo. Trabalhe trinta segundos cada pé.

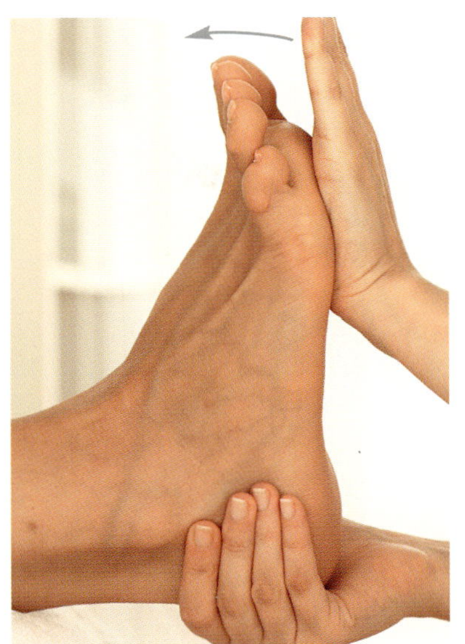

ESTIRAMENTO DE HERMES

Sustente o pé direito com uma das mãos. Com a outra, empurre-o suavemente para trás, estirando o tendão de aquiles. Aguarde dez segundos. Passe para o pé esquerdo. Trabalhe este movimento em cada pé por trinta segundos.

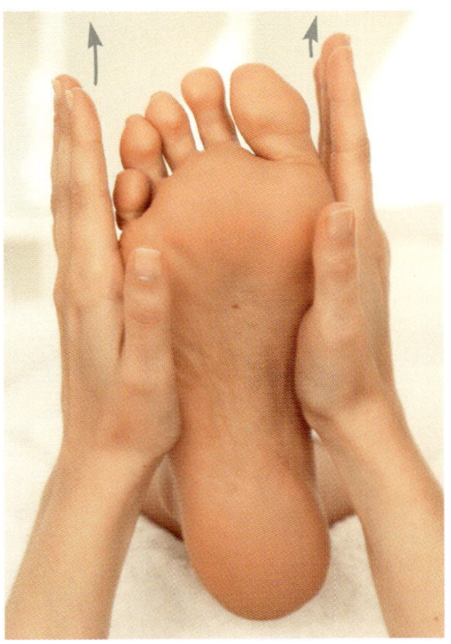

RESSURREIÇÃO DA FÊNIX

Coloque as palmas uma de cada lado do pé direito. Suavemente, deslize-as do alto do pé até o calcanhar, descrevendo em seguida o caminho inverso. Repita esse vigoroso movimento cinco vezes. Passe para o pé esquerdo. Trabalhe trinta segundos cada pé.

Técnicas básicas

Nas páginas seguintes, apresentamos quatro técnicas reflexológicas muito eficazes que ajudarão você a encontrar os pontos de reflexo. Quanto mais você as praticar, mais facilmente fluirá a sequência – e promover um fluxo regular é importante para o relaxamento do cliente.

A correta aplicação de pressão se aprende com o tempo e deve sempre variar durante a sequência da terapia. Em geral, quando a pessoa não está bem, é idosa ou muito jovem, a pressão deve ser leve, pois isso evita a reação de crise de cura (ver p. 92). A velocidade, porém, não pode variar ao longo da sessão.

Apoio do pé

É importante apoiar bem o pé para que o cliente fique à vontade durante o tratamento. Se você fizer isso com calma e firmeza, ele se sentirá seguro e descontraído, sabendo que seu pé está adequadamente apoiado. Use pressão leve ou média.

O segredo de um bom apoio é usar uma das mãos para a pressão e a outra para a sustentação: uma trabalha, a outra segura. A que segura deve ficar em oposição ao dedo, polegar ou mão que trabalha. Assim, você garantirá sempre a comodidade do pé do cliente.

Se você usar demais seus dedos, correrá o risco de contrair lesão por esforço repetitivo (LER) ou a síndrome do túnel carpal. O melhor a fazer é conservar o polegar junto à mão pela maior parte possível do tratamento. Se sua mão ou polegar começar a doer, apenas reduza a pressão. Alguns dos melhores tratamentos aplicados são com toques leves, o mais das vezes com o intuito de buscar a causa de um sintoma – e essa causa, não raro, era o stress.

Se você usar a parte inferior do polegar em vez da ponta durante o tratamento, verá que este pode ser bem mais relaxante.

Aprender a usar a pressão certa em cada caso é fruto da experiência: procure sempre adequá-la à situação e às necessidades do cliente.

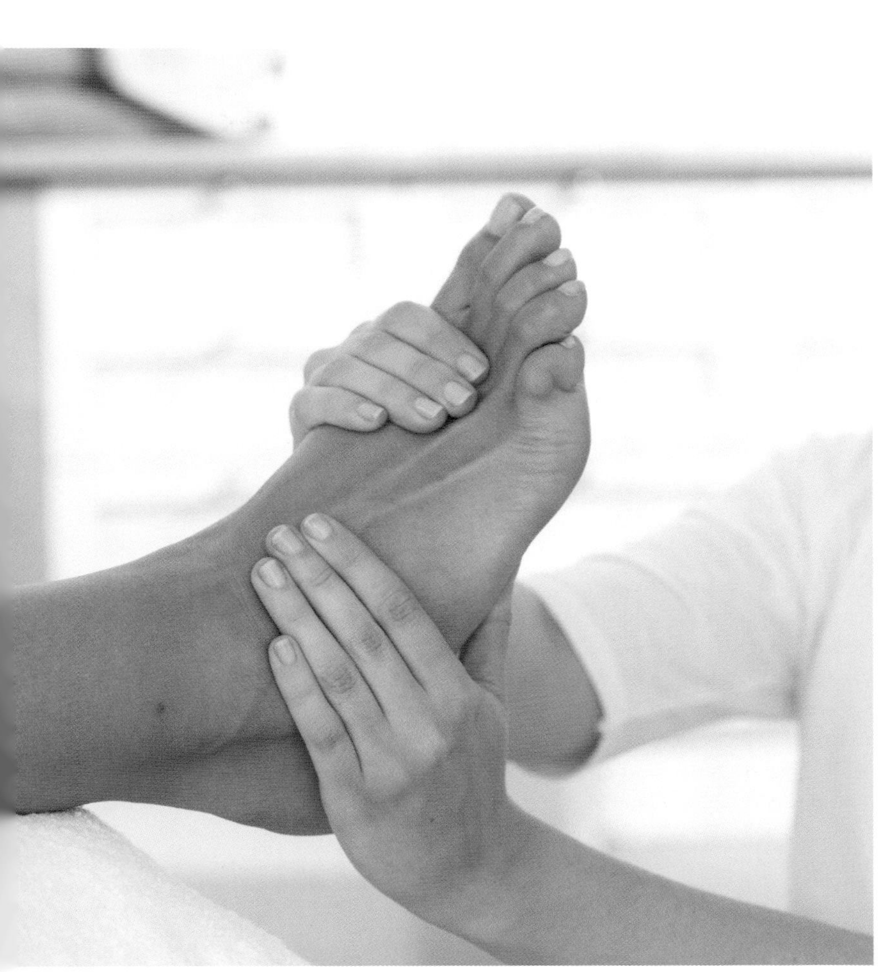

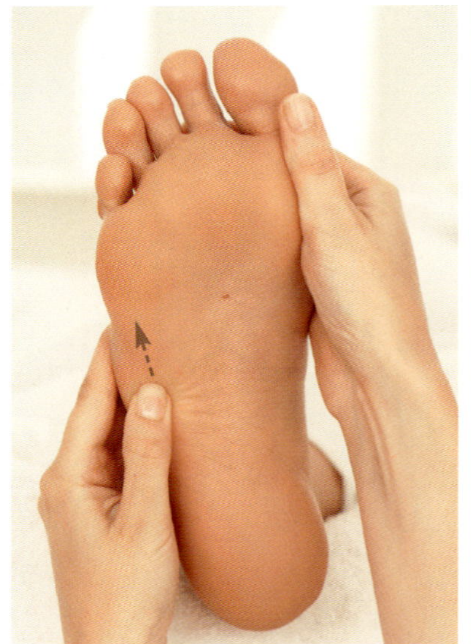

CAMINHADA

Com o polegar ou um dedo, apenas "caminhe" para diante, passo a passo. O melhor é usar a parte inferior do polegar. O dedo ou polegar deve avançar em passos curtos, para a frente (nunca para trás). O objetivo é encontrar os cristais numa área reflexa e desfazê-los. Use de preferência pressão média nesta técnica.

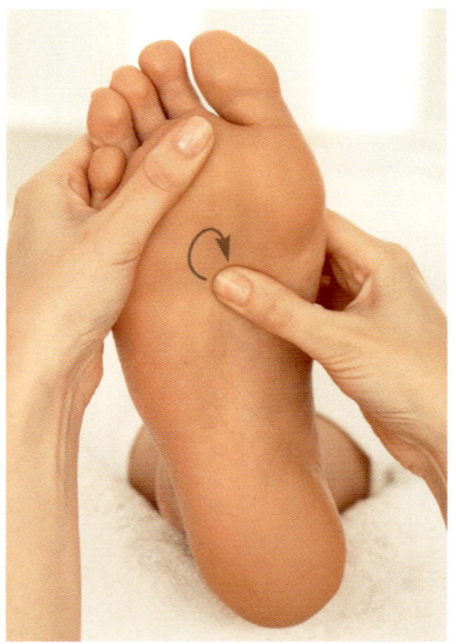

CÍRCULOS

Ao trabalhar um ponto reflexo, faça círculos com o polegar ou outro dedo. Isso não apenas estimula o ponto como aciona os mecanismos de autodefesa do organismo, que ajudarão outras partes do corpo a funcionar no nível ideal. Se encontrar cristais, faça círculos para pulverizá-los e abrir os canais de energia. Use de preferência pressão média e concentre-se num ponto de seis a vinte segundos.

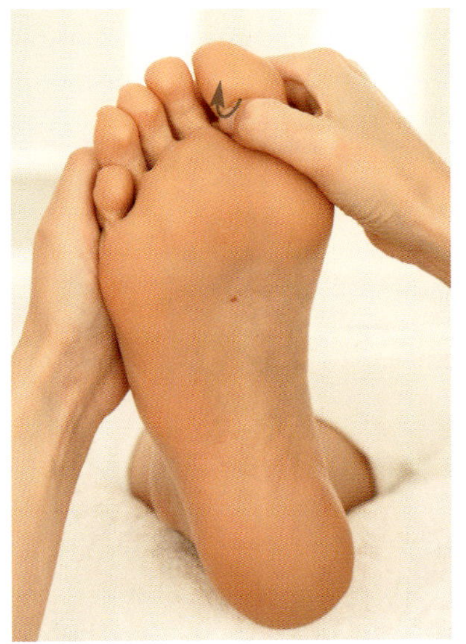

GANCHO

Empregue essa técnica para ter acesso aos pontos reflexos ocultos sob tecidos e músculos. Forme um gancho dobrando o polegar e pouse a parte inferior deste num ponto reflexo, usando o gancho para comprimi-lo. Trabalhe o ponto movendo suavemente o polegar a fim de pulverizar os depósitos de ácido úrico e cálcio. Use de preferência pressão média.

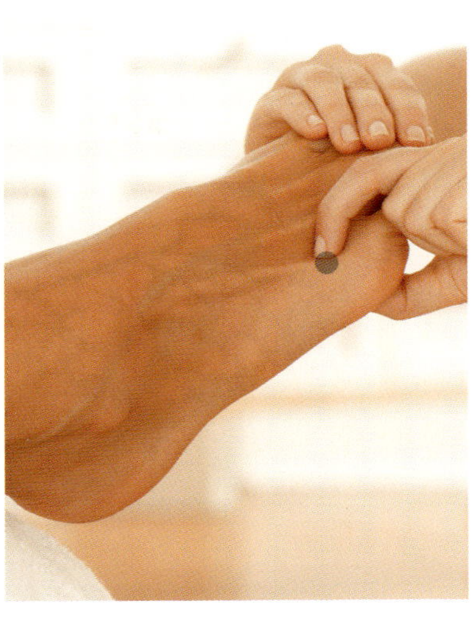

VAIVÉM

Essa técnica o ajudará a ter acesso a um ponto reflexo localizado em nível profundo e poupará esforço ao polegar. Pouse o indicador no aspecto dorsal do pé e o polegar no aspecto plantar. Com o indicador e o polegar, percorra em vaivém uma área para cima e para baixo. Essa técnica é bastante útil quando, por alguma razão, você não puder usar os polegares. De preferência, aplique pressão média e concentre-se num ponto de seis a vinte segundos.

Consulta rápida

Estas páginas apresentam gráficos de consulta rápida com os quais você deve se familiarizar antes de iniciar o tratamento. A consulta facilitará a aplicação da terapia geral dos pés (ver páginas 136-167). Além disso, volte às páginas 40-49 para rememorar os vários gráficos de reflexologia dos pés.

As zonas do corpo

Veja como é fácil encontrar as zonas de 1 a 5 em cada pé. A zona 1 começa no dedão e a 5 termina no dedo mínimo. Eis uma dica que você achará útil durante o tratamento: a zona 1 é a mais importante do corpo, pois inclui o sistema nervoso central, a glândula pituitária, a coluna, o cérebro e os órgãos reprodutores. Em geral, ela é a mais sensível.

Os ossos do pé

Antes de iniciar o tratamento, dê uma olhada nas páginas 54-57 para lembrar-se dos ossos dos pés, de modo que, quando for necessário trabalhar com os metatarsos, você saiba exatamente onde eles estão.

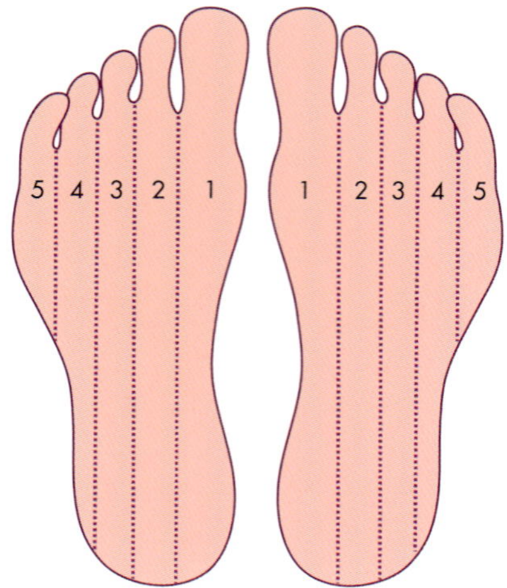

Zona 1 – dedão
Zona 2 – segundo dedo
Zona 3 – terceiro dedo
Zona 4 – quarto dedo
Zona 5 – dedo mínimo

ASPECTO PLANTAR – PÉ DIREITO   ASPECTO PLANTAR – PÉ ESQUERDO

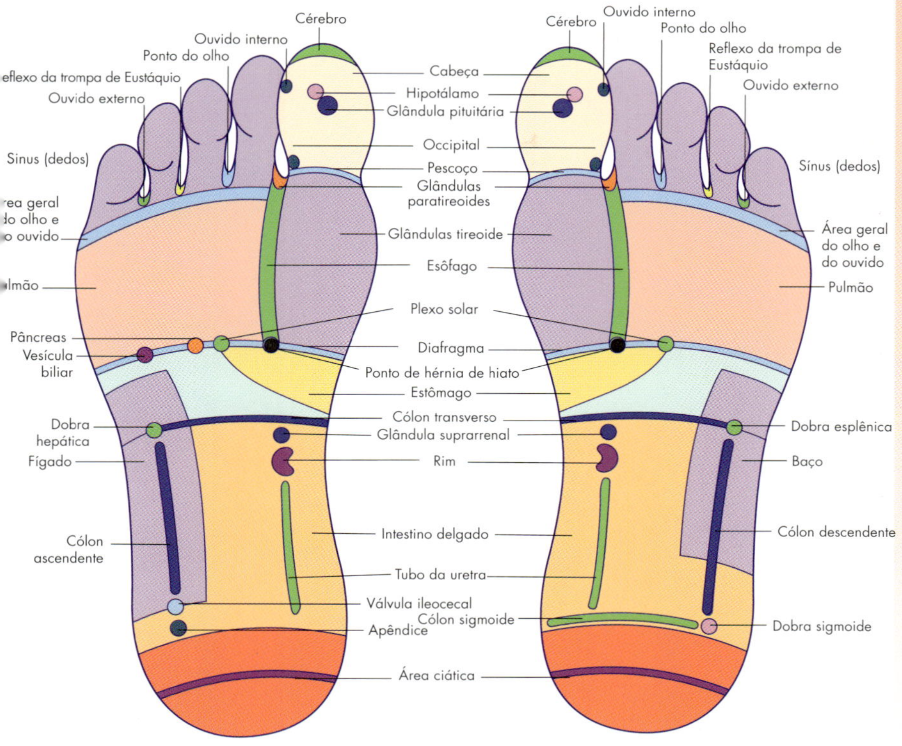

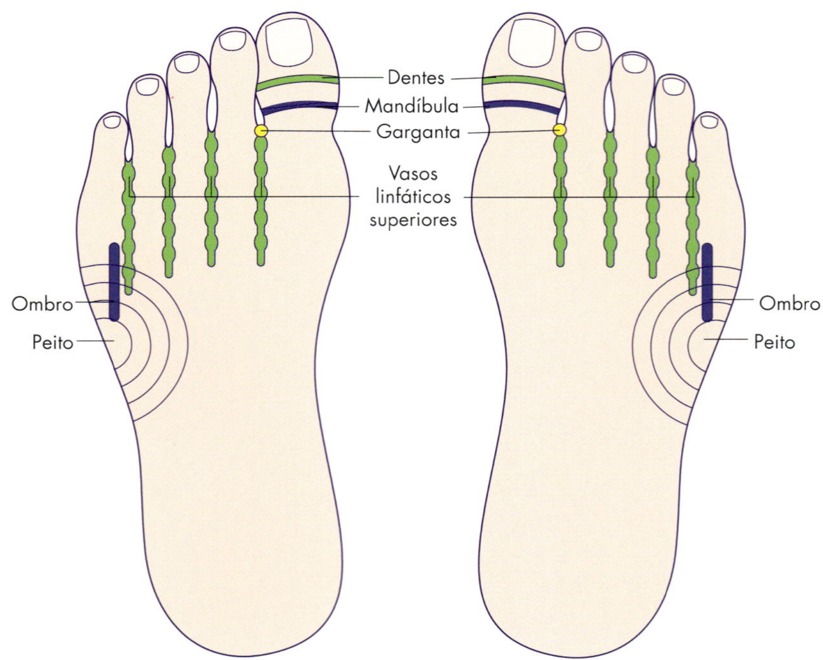

DIREÇÃO DA PRESSÃO

Nas ilustrações deste livro relacionadas ao tratamento reflexológico, a direção da pressão é mostrada por uma linha pontilhada. A pressão deve variar de acordo com a pessoa que você estiver tratando. Use sempre pressão leve em crianças, idosos e doentes.

GRÁFICO DA PORÇÃO MEDIAL DO PÉ

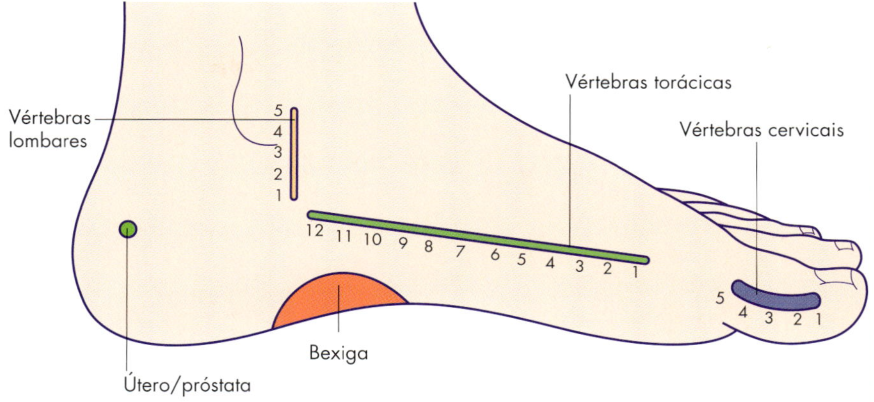

GRÁFICO DA PORÇÃO LATERAL DO PÉ

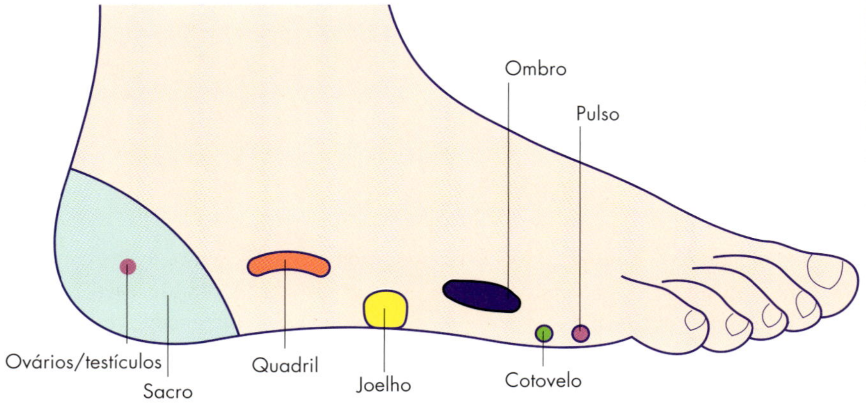

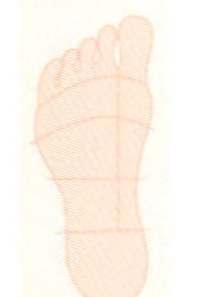

Tratamento geral do pé

Inicie e encerre o tratamento com as técnicas de relaxamento descritas nas páginas 122-127. Use a sequência a seguir primeiro no pé direito e depois no esquerdo, com movimentos lentos e firmes. Terminado o trabalho no pé direito, cubra-o com uma toalha para mantê-lo aquecido e confortável, enquanto passa ao esquerdo.

O tratamento geral do pé tem por objetivo criar uma sensação de relaxamento completo, bem como aliviar os sintomas das condições mais comuns. Use a sequência de uma a três vezes por semana para fortalecer o sistema imunológico do corpo e, assim, combater infecções ou doenças. O tratamento inteiro deve levar cerca de trinta minutos. Aplique pressão média em todos os reflexos e nunca se esqueça das contraindicações.

Cristais e ecologia do corpo

Lembre-se: quando encontrar cristais, procure fragmentá-los. Se o cliente sentir dor, reduza a pressão para não causar mais incômodo, trabalhando suavemente a área. Cristais e dor indicam um reflexo em desequilíbrio, ou seja, que houve, há ou poderá haver um problema na área correspondente do corpo.

Às vezes, porém, você está apenas às voltas com a ecologia do corpo e isso significa que alguma coisa no ambiente da pessoa em tratamento alterou a fisiologia de seu organismo – por exemplo, uma mudança na alimentação, mais ou menos exercício ou stress acumulado no decorrer da semana.

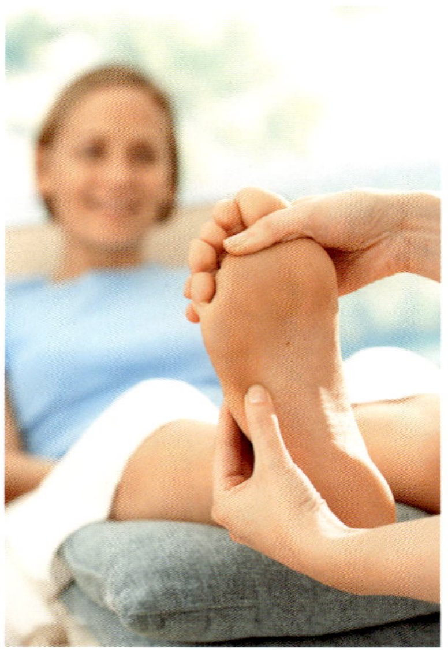

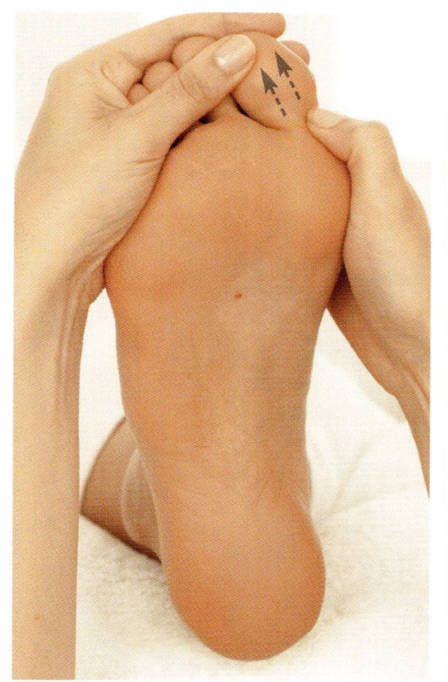

ÁREA REFLEXA DA CABEÇA

Sustente o dedão com os dedos de uma das mãos. Use o outro polegar para ir da linha do pescoço à ponta do dedo grande. Repita várias vezes, variando o trajeto até a ponta. Trabalhar esse importante ponto reflexo ajuda a aliviar dores de cabeça ou outros problemas que afetam a área.

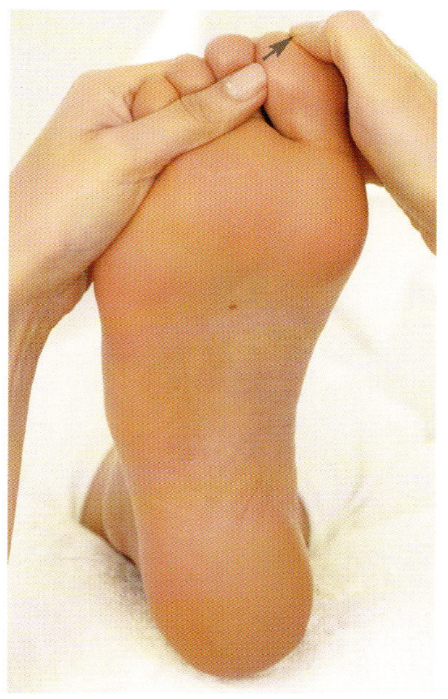

ÁREA REFLEXA DO CÉREBRO

Sustente o dedão com os dedos de uma das mãos. Com o polegar da mão funcional, percorra a ponta do dedão. Repita o movimento seis vezes. Isso dá às pessoas uma sensação de bem-estar e equilíbrio, além de aliviar dores de cabeça e stress. O trabalho na área reflexa do cérebro também ajuda a combater a depressão e a criar uma atitude positiva frente à vida.

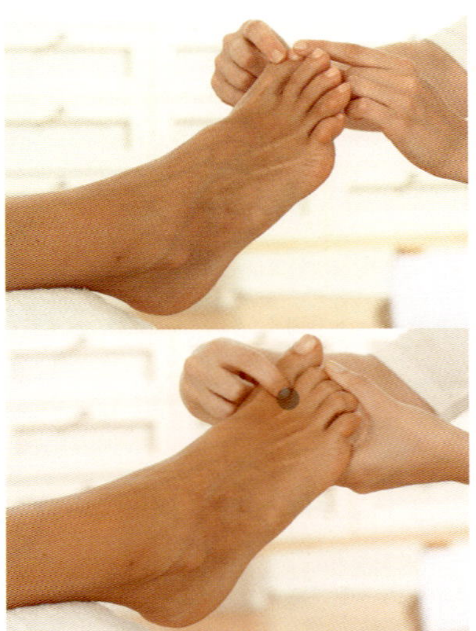

ÁREAS REFLEXAS DOS DENTES E DA MANDÍBULA/PONTO REFLEXO DA GARGANTA

Sustente o pé com uma das mãos. No caso do reflexo dos dentes, começando logo abaixo da unha, use o indicador para percorrer horizontalmente o dedão. Repita três vezes. No caso do reflexo da mandíbula, começando embaixo da articulação do dedão, percorra horizontalmente, com o indicador, o dedão. Repita três vezes. Pressione o reflexo da garganta e descreva pequenos círculos nesse ponto. Trabalhar esse ponto reflexo melhora qualquer condição que afete a garganta.

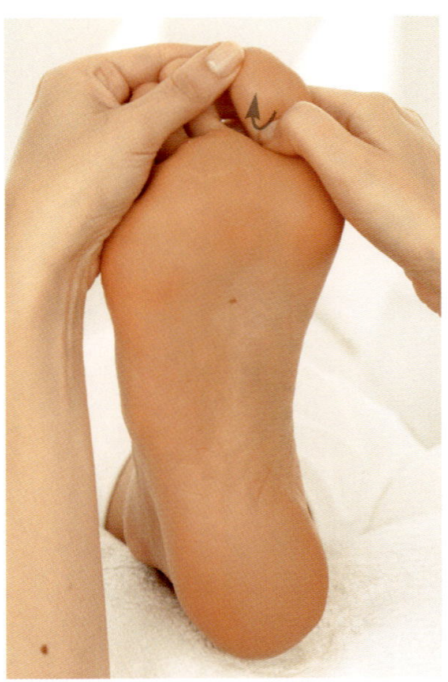

PONTO REFLEXO DO OCCIPITAL

Sustente o pé direito e percorra a base do dedão com o polegar direito, encurvando-o na depressão entre o dedão e o segundo dedo. Sentirá ali a protuberância de um osso: pouse o polegar encurvado sobre ele e pressione o ponto reflexo por dez segundos. Essa área é sensível na maioria das pessoas porque o stress diário afeta a base do crânio.

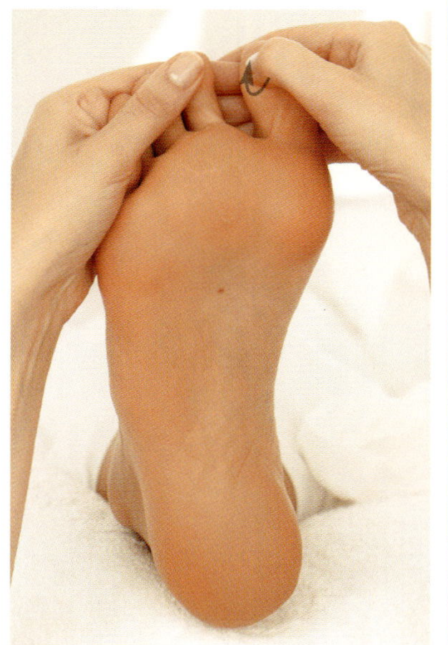

PONTO REFLEXO DO OUVIDO INTERNO

Partindo do ponto reflexo do occipital, avance em grandes etapas até a ponta do dedo. Pouse o polegar encurvado no ponto reflexo do ouvido interno e pressione-o por dez segundos a fim de trabalhar a área toda.

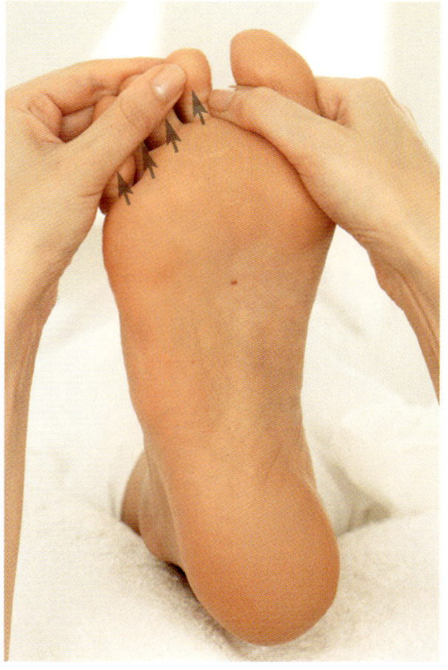

ÁREA REFLEXA DOS SÍNUS

Sustente os dedos com uma das mãos. Use o outro polegar para percorrer, em sentido ascendente, o aspecto medial dos dedos e depois o lateral, começando pelo segundo dedo e indo até o quinto. Avance em etapas curtas para cobrir o máximo possível da área. Prossiga da mesma maneira em todos os dedos, completando a sequência duas vezes. Trabalhar os reflexos dos sínus dá bons resultados na drenagem e fortalecimento dessas áreas.

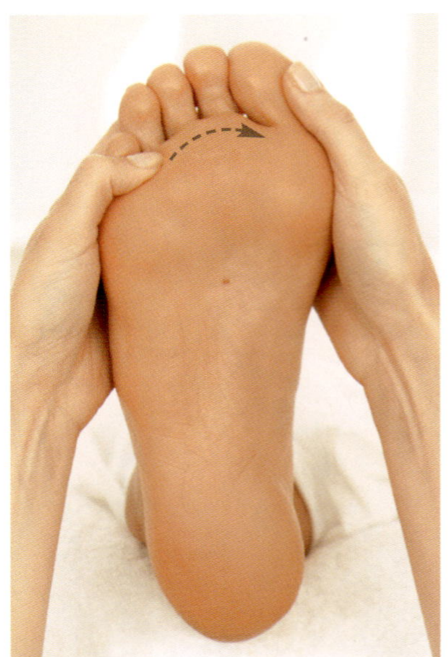

ÁREA GERAL REFLEXA DOS OLHOS/OUVIDOS

Avance o polegar da base do segundo dedo até a do quinto. Esse trajeto corresponde à área geral reflexa do olho/ouvido. Repita o movimento quatro vezes. Isso alivia os problemas que afetam os olhos e os ouvidos.

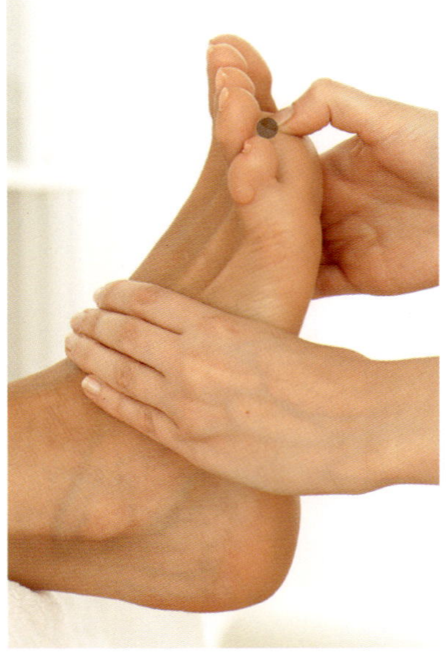

PONTO REFLEXO DOS OLHOS

Coloque o polegar entre o segundo e o terceiro dedo. Pressione-o para baixo e encurve-o na direção do dedão, trabalhando o ponto por seis segundos. O ponto reflexo do olho, no pé direito, representa o olho direito; no pé esquerdo, o olho esquerdo. Esse movimento pode ajudar a resolver todos os problemas relacionados aos olhos.

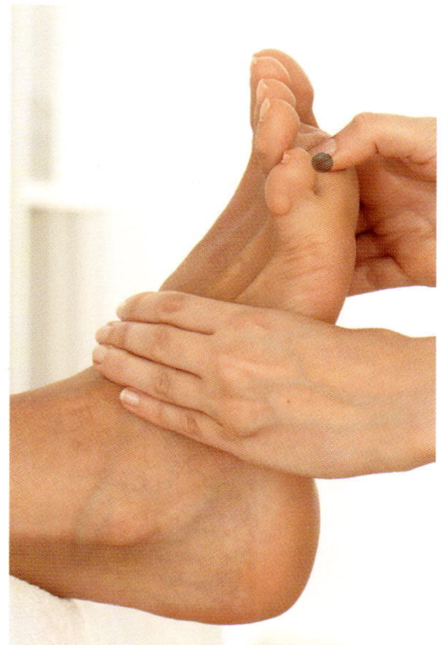

PONTO REFLEXO DA TROMPA DE EUSTÁQUIO

Coloque o polegar entre o terceiro e o quarto dedo. Pressione-o para baixo e encurve-o na direção do dedão, trabalhando o ponto por seis segundos. Trabalhar esse ponto ajuda a amenizar distúrbios, dores e infecções do ouvido interno. Também faz com que o ouvido interno se adapte melhor às diferentes altitudes – por exemplo, quando você está num avião ou praticando mergulho.

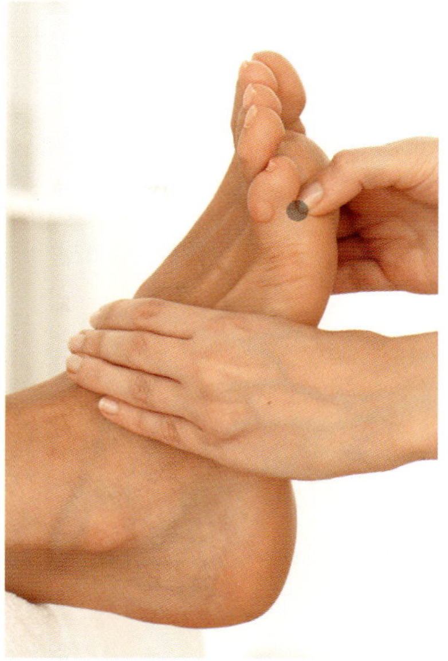

PONTO REFLEXO DO OUVIDO EXTERNO

Coloque o polegar entre o quarto e o quinto dedo. Pressione-o para baixo e encurve-o na direção do dedão, trabalhando o ponto por seis segundos. Desse modo, poderá identificar problemas como eczema no ouvido externo.

PONTO REFLEXO DO OMBRO

Este ponto reflexo situa-se no aspecto dorsal do pé, entre o quarto e o quinto metatarso. A maneira mais simples de encontrá-lo é colocar o indicador e o polegar na base do quarto e quinto dedo. Lentamente, desça quatro etapas, acompanhando a borda do pé. Chegando ao ponto reflexo do ombro, pare e use a técnica de vaivém por seis segundos. Trabalhar esse ponto pode resolver inúmeros problemas que afetam o ombro, além de aliviar a tensão e melhorar a mobilidade da área.

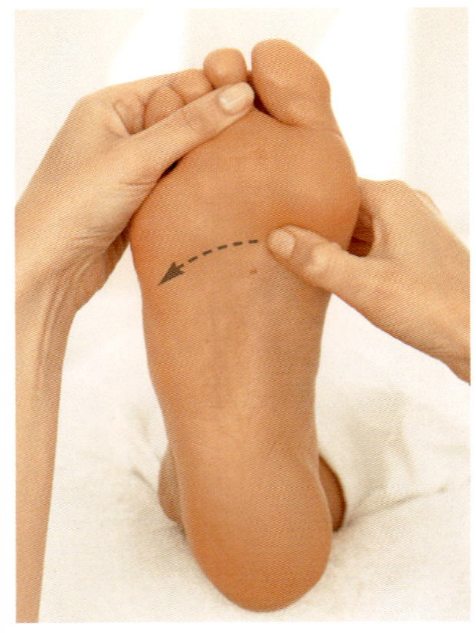

ÁREA REFLEXA DO DIAFRAGMA

Sustente o pé com uma das mãos e use o polegar da outra para trabalhar horizontalmente a base dos metatarsos, da parte medial à lateral do aspecto plantar. Percorra etapas curtas e repita o movimento quatro vezes. Trabalhar o reflexo do diafragma ajuda a combater as crises de ansiedade, o stress geral e os problemas respiratórios.

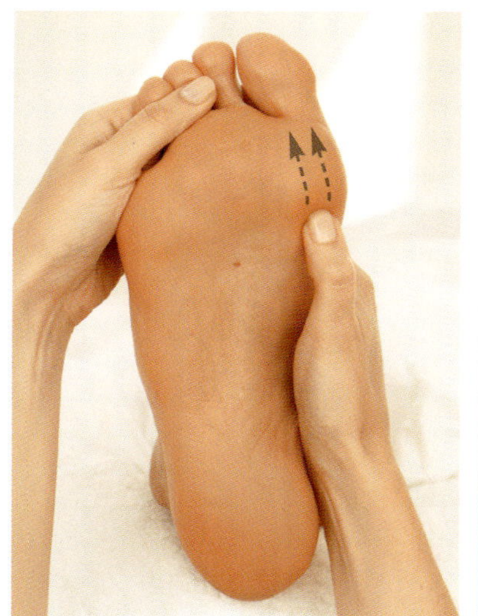

ÁREA REFLEXA DA TIREOIDE

Com uma das mãos, empurre os dedos do pé do cliente para trás, pois assim encontrará os cristais com mais facilidade. Use o polegar da outra mão para trabalhar a saliência da sola, subindo da linha do diafragma até a do pescoço. Repita esse movimento, lentamente, seis vezes por trinta segundos. Trabalhar o reflexo da tireoide ajuda a regular os níveis de energia do corpo e a manter o peso corporal.

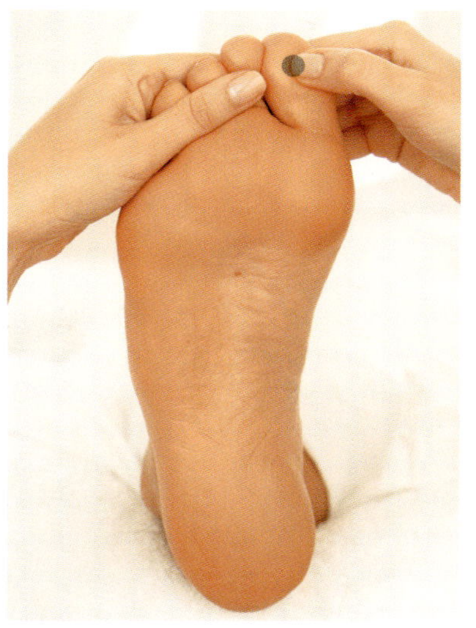

PONTO REFLEXO DA GLÂNDULA PITUITÁRIA

Esse ponto se localiza no meio do aspecto plantar do dedão. Sustente os dedos com uma das mãos e, com o polegar da outra, encontre o centro do dedão. Pouse o polegar bem no meio e encurve-o com pressão média por dez segundos. Trabalhar esse ponto ajuda a equilibrar todos os hormônios, regulando e controlando suas atividades, além de normalizar os processos orgânicos. É um importante ponto reflexo relacionado a problemas e queixas do sistema endócrino tanto do homem quanto da mulher.

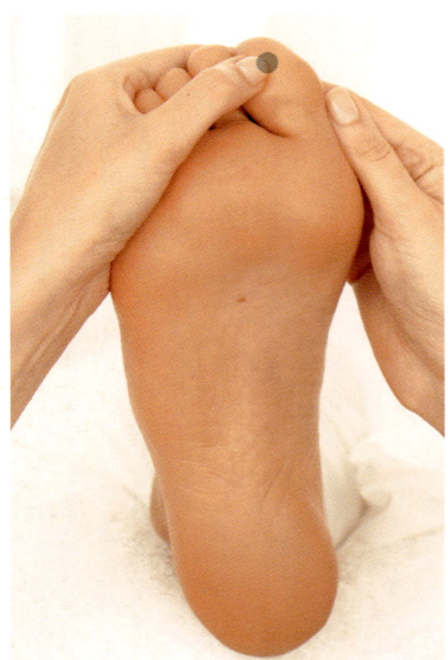

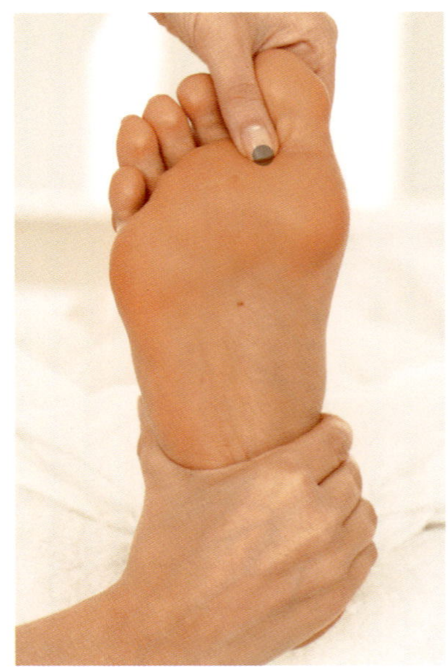

PONTO REFLEXO DO HIPOTÁLAMO

Movimente o polegar uma etapa para cima, na direção da ponta do dedão, e percorra lateralmente uma etapa curta. Encurve o polegar e pressione por dez segundos. Junto com a glândula pituitária, o hipotálamo regula a temperatura do corpo e os ciclos de sono/vigília, ajudando também as pessoas a lidar com o stress.

PONTO REFLEXO DA PARATIREOIDE

Esse ponto se encontra entre o dedão e o segundo dedo. Use seu indicador e polegar para pinçar a seção de pele entre o primeiro e o segundo dedo. Mantenha a pressão e, delicadamente, faça círculos por seis segundos. Trabalhar esse ponto reflexo ajuda a controlar os níveis de cálcio no sangue, que regulam a densidade dos ossos e músculos, além da função nervosa. Também ameniza distúrbios relacionados às glândulas paratireoides.

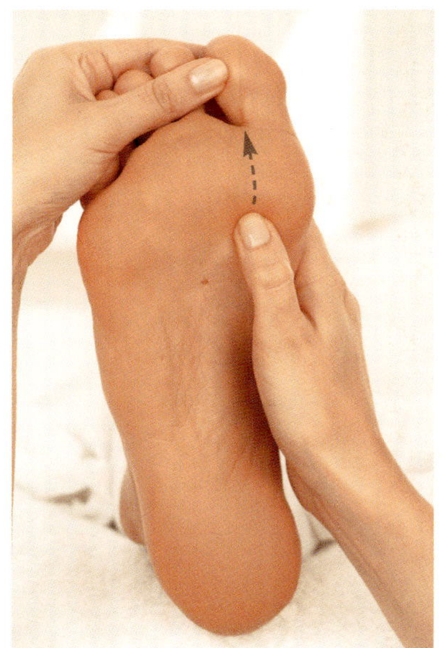

ÁREA REFLEXA DO ESÔFAGO

Sustente o pé com uma das mãos e coloque o polegar da outra na linha do diafragma, entre as zonas 1 e 2. Suba o polegar por entre os metatarsos, da linha do diafragma à área geral reflexa do olho e do ouvido (ver p. 140). Repita o processo quatro vezes. Trabalhar essa área pode aliviar distúrbios do esôfago, mau hálito, problemas de deglutição e azia.

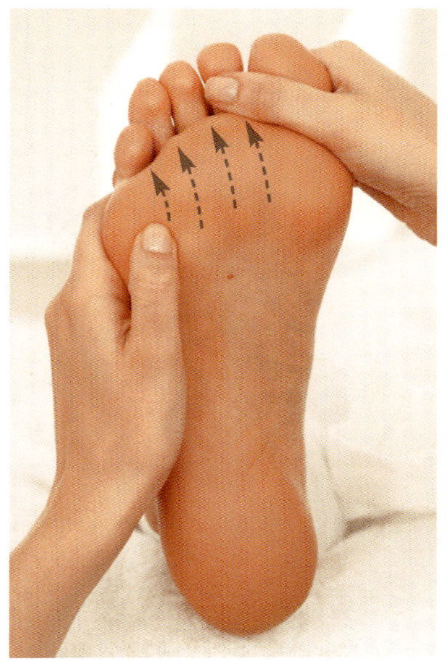

ÁREA REFLEXA DO PULMÃO

Sustente o pé com uma das mãos e deslize o polegar da outra da linha do diafragma à área geral reflexa do olho/ouvido (ver p. 140). Você deverá trabalhar entre os metatarsos para estimular adequadamente o pulmão. Repita o processo duas vezes, assegurando-se de que percorreu a área entre todos os metatarsos. Trabalhar esse local pode aliviar os males do pulmão e fortalecer suas funções.

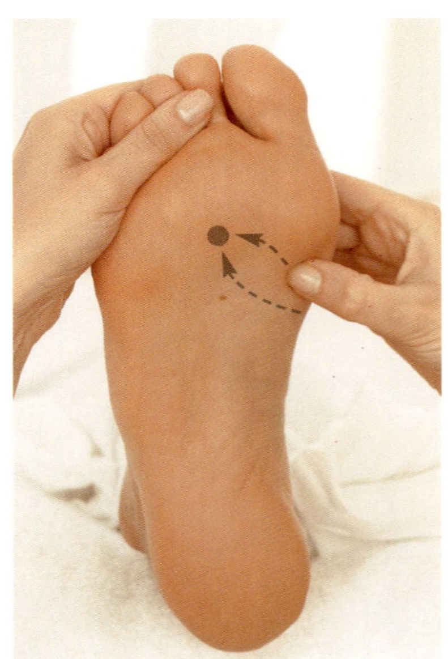

ÁREA REFLEXA DO ESTÔMAGO

Essa área se localiza bem embaixo da saliência da sola. Sustente o pé com uma das mãos e pouse o polegar da outra sob a área reflexa da tireoide (ver p. 143). Suavemente, suba na direção da área do plexo solar de três a quatro vezes. Pessoas com distúrbios de estômago poderão achar o local muito sensível e você talvez encontre cristais nele. Trabalhe essa área para aliviar problemas de estômago como úlceras e equilibrar a produção de suco gástrico.

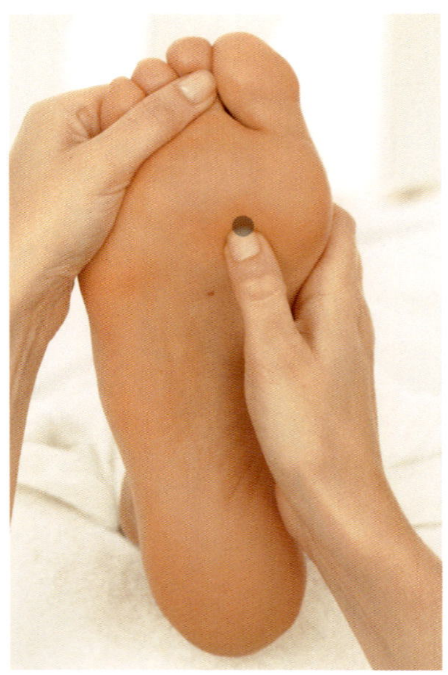

PONTO REFLEXO DA HÉRNIA DE HIATO

Esse ponto se localiza ao longo da linha do diafragma, entre as zonas 1 e 2. Flexione o pé para trás com uma das mãos e pouse o polegar da outra no ponto reflexo da hérnia de hiato. Concentre-se aí, descrevendo pequenos círculos por doze segundos. A hérnia de hiato é um problema comum – a protrusão de parte do estômago por uma área enfraquecida do diafragma. Trabalhar esse ponto reflexo ajuda a combater sintomas associados como refluxo ácido, azia e dor.

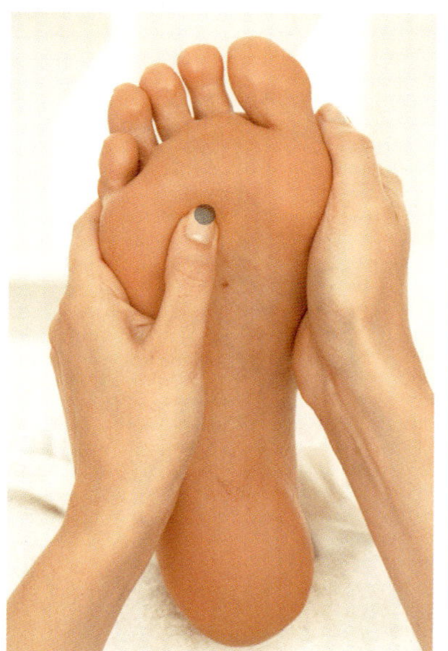

PONTO REFLEXO DO PÂNCREAS

Esse ponto reflexo só é encontrado no pé direito. Pouse o polegar no terceiro dedo, traçando uma linha até a parte inferior da linha do diafragma. Suba até a articulação e encurve o polegar, pressionando o local por seis segundos. Trabalhar o ponto reflexo do pâncreas assegura uma boa digestão, pois acelera a secreção de enzimas digestivas que dissolvem as gorduras e equilibra os níveis de açúcar no sangue graças à produção de insulina.

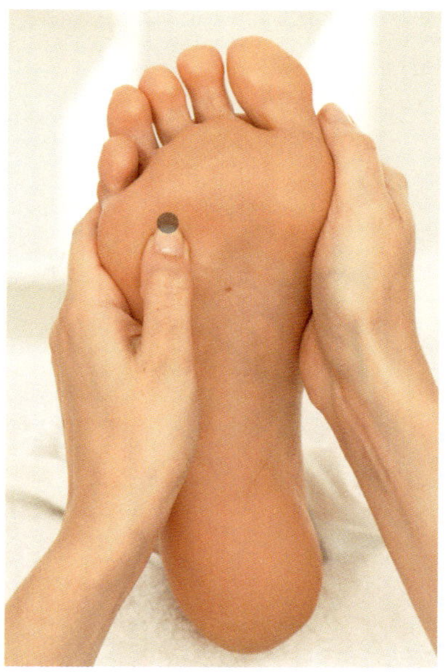

PONTO REFLEXO DA VESÍCULA BILIAR

Esse ponto reflexo só é encontrado no pé direito. Pouse o polegar no quarto dedo, traçando uma linha até a parte inferior da linha do diafragma. Suba até a articulação e encurve o polegar, pressionando o local por seis segundos. A vesícula biliar é o "detergente" do corpo: ela expele a bile, que purifica as gorduras ingeridas. Trabalhar esse ponto ajuda a aliviar problemas relacionados à vesícula.

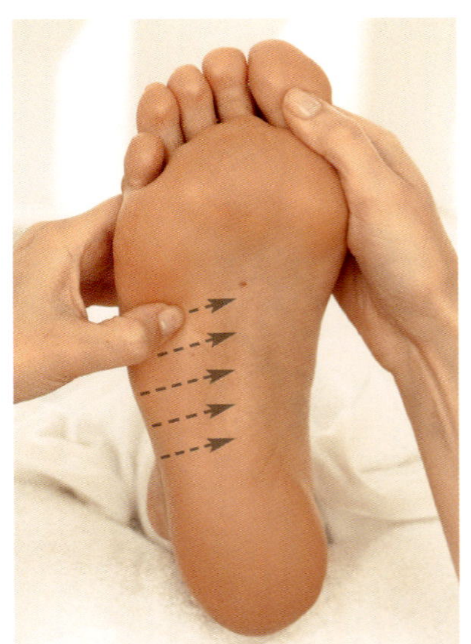

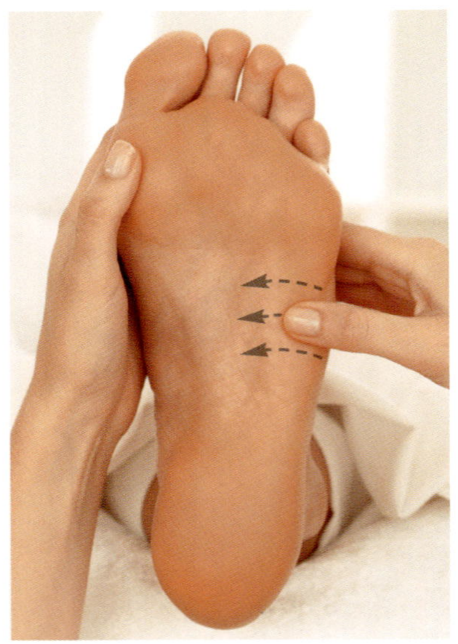

ÁREA REFLEXA DO FÍGADO

Essa área reflexa só é encontrada no pé direito. Sustente o pé com a mão direita e coloque o polegar esquerdo bem embaixo da linha do diafragma. Trabalhe lentamente, com precisão, percorrendo uma linha horizontal da zona 5 a 3 numa única direção. Prossiga até chegar quase ao calcanhar. Faça esse movimento duas vezes. Ele ajuda a regular os níveis de várias substâncias químicas e da glicose no sangue, elimina resíduos hormonais e limpa o sangue de toxinas e outras substâncias.

ÁREA REFLEXA DO BAÇO

Essa área reflexa só é encontrada no pé esquerdo. Sustente o pé esquerdo com a mão esquerda e coloque o polegar direito bem embaixo da linha do diafragma. Trabalhe lentamente, com precisão, percorrendo uma linha horizontal nas zonas 5 e 4 até a 3, numa única direção. Descreva assim quatro linhas horizontais. Faça esse movimento duas vezes. Ele ajuda a combater infecções e destrói células velhas do sangue.

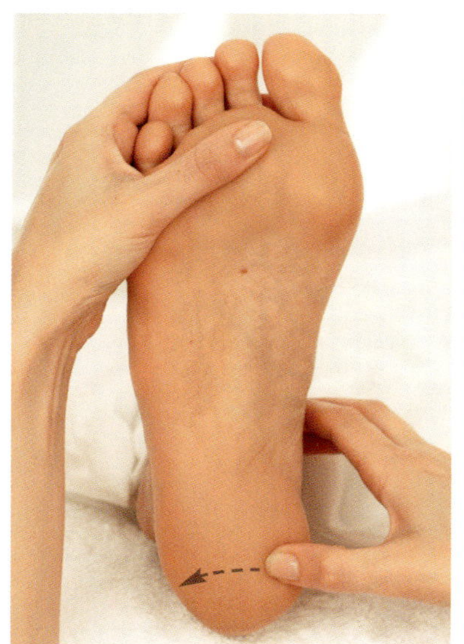

ÁREA REFLEXA CIÁTICA

Essa área cruza horizontalmente a protuberância do calcanhar. Sustente o pé com uma das mãos e pouse o polegar da outra a meio caminho acima da protuberância. Percorra o aspecto plantar da porção medial à lateral, em seguida troque de mão e volte. Trabalhar essa área reflexa alivia principalmente as dores que se irradiam do nervo ciático, descendo pelas pernas até os pés. Repita o movimento cinco vezes.

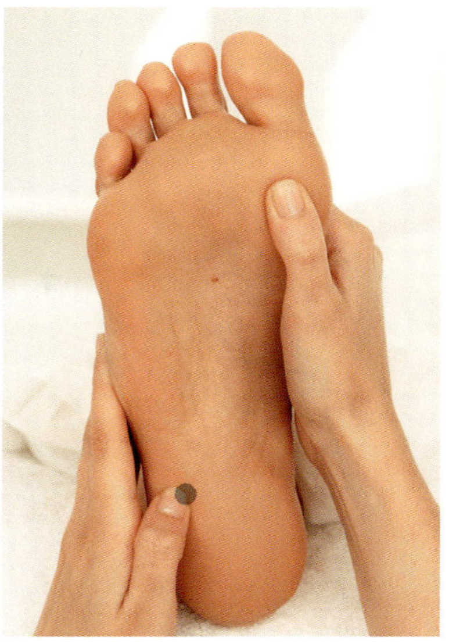

PONTO REFLEXO DO APÊNDICE

Esse ponto reflexo só é encontrado no pé direito. Pouse o polegar esquerdo no quarto dedo e vá descendo até a protuberância do calcanhar. Pressione e descreva círculos por seis segundos. Uma vez que o apêndice contém grande quantidade de tecido linfático, trabalhar esse ponto fortalece o sistema imunológico contra infecções locais.

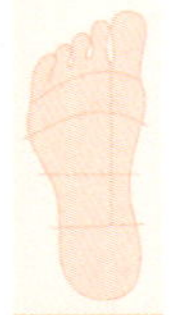

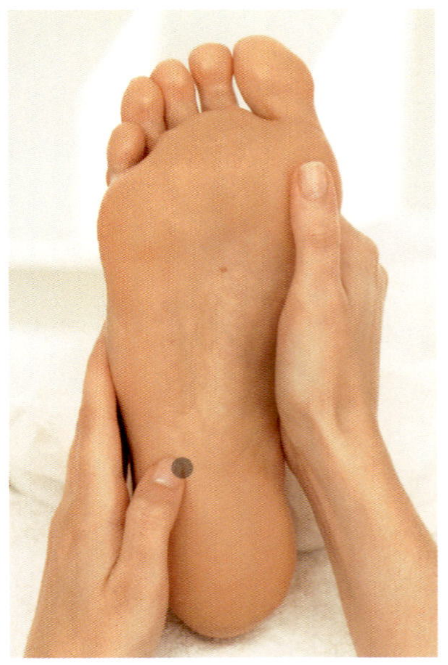

PONTO REFLEXO DA VÁLVULA ILEOCECAL

Esse ponto reflexo só é encontrado no pé direito. Pouse o polegar esquerdo no ponto reflexo do apêndice (ver p. 149) e suba cerca um centímetro na direção do quarto dedo. Pressione e descreva círculos por seis segundos. A válvula ileocecal impede o refluxo de detritos do intestino grosso para o delgado, acelera a digestão e equilibra o muco no organismo.

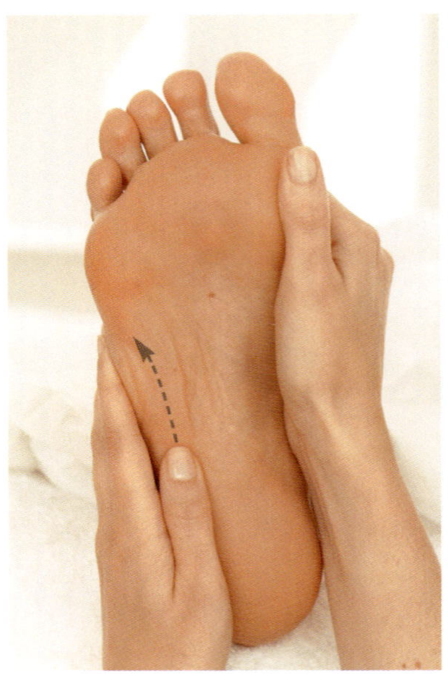

ÁREA REFLEXA DO CÓLON ASCENDENTE

Essa área reflexa só é encontrada no pé direito. Use o polegar esquerdo para subir até a zona 4 a partir do ponto da válvula ileocecal (ver à esquerda) a fim de trabalhar essa primeira porção do cólon. Continue até chegar ao ponto da dobra hepática (ver lado oposto), mais ou menos no meio do pé. Trabalhe a área reflexa do cólon ascendente duas vezes, com movimentos suaves, para estimular a ação muscular peristáltica do cólon.

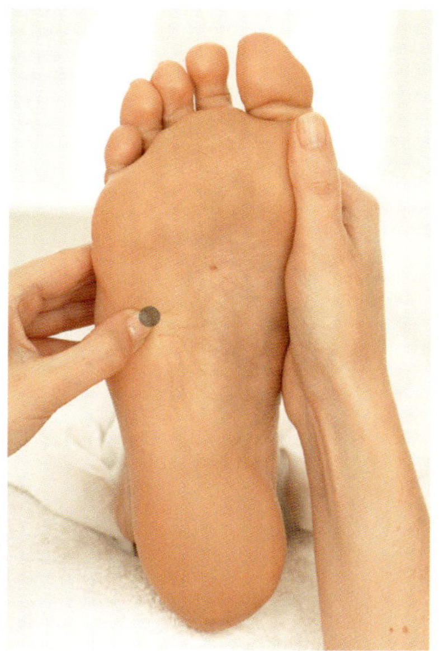

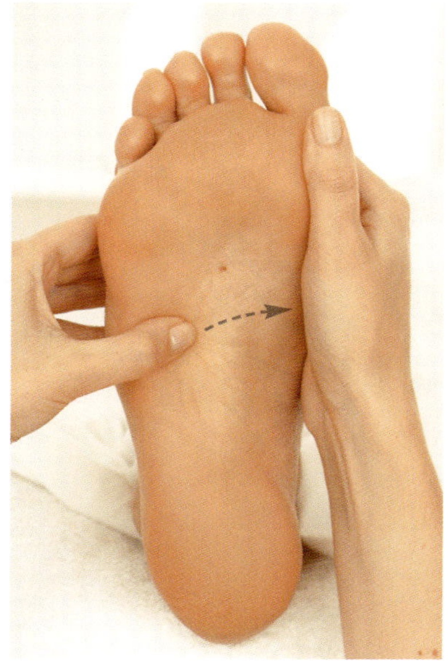

PONTO REFLEXO DA DOBRA HEPÁTICA

Esse ponto reflexo só é encontrado no pé direito. Subindo da área do cólon ascendente, pare a meio caminho, no ponto da dobra hepática. Encurve o polegar e pressione por seis segundos. Trabalhando esse reflexo, você corrigirá o funcionamento do cólon, que por seu turno ajudará o fígado a funcionar melhor.

ÁREA REFLEXA DO CÓLON TRANSVERSO

Essa área reflexa está situada horizontalmente no aspecto plantar do pé, da porção lateral à medial. Trabalhe-a começando do ponto da dobra hepática, parando bem embaixo do reflexo do estômago (ver p. 146). Percorra a área reflexa do cólon transverso duas vezes, para acelerar os movimentos intestinais.

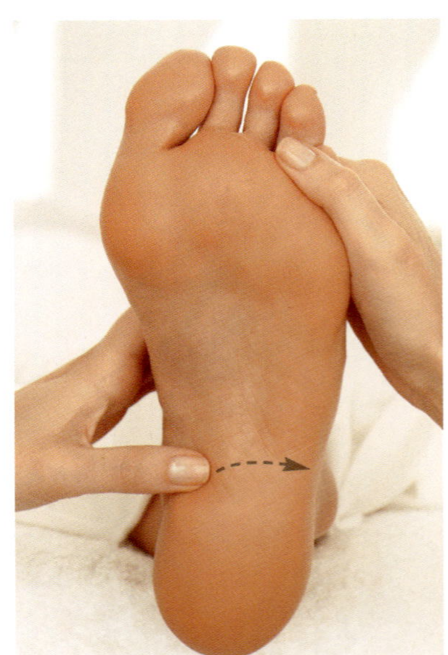

ÁREA REFLEXA DO CÓLON SIGMOIDE

Essa área reflexa só é encontrada no pé esquerdo. Pouse o polegar esquerdo no aspecto medial do pé, logo acima da saliência do calcanhar. Avance até a zona 4. O cólon sigmoide desempenha a função especializada de se contrair fortemente para manter uma alta pressão e regular a passagem das fezes pelo reto. Trabalhar essa área reflexa alivia prisão de ventre, hemorroidas e diverticulite.

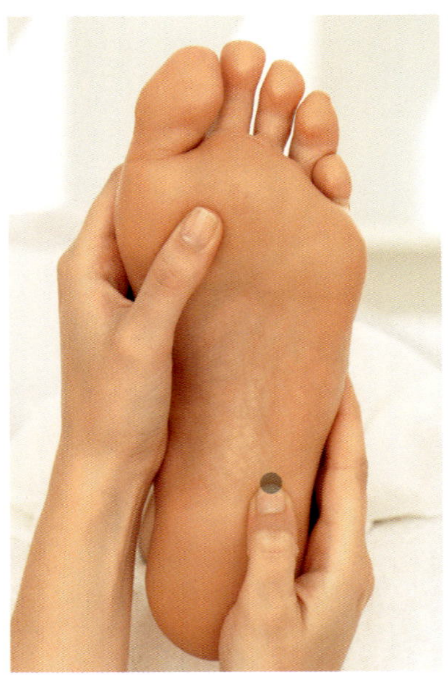

PONTO REFLEXO DA DOBRA SIGMOIDE

Esse ponto reflexo só é encontrado no pé esquerdo. Troque de polegar na zona 4, pousando o direito no ponto reflexo da dobra sigmoide. Encurve-o e pressione o local por seis segundos. Isso ajuda o cólon a funcionar mais eficientemente.

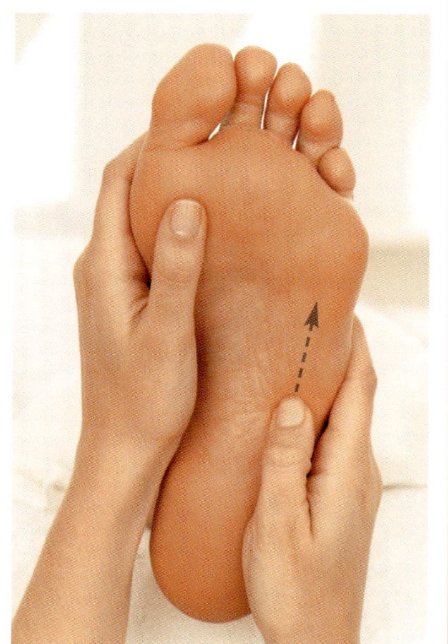

ÁREA REFLEXA DO CÓLON DESCENDENTE

Essa área reflexa só é encontrada no pé esquerdo. Com o polegar direito, a partir do ponto reflexo da dobra sigmoide, suba até a zona 4 para trabalhar essa parte do cólon. Continue até chegar ao meio do pé. Trabalhe a área duas vezes. Assim, promoverá uma adequada atividade enzimática no cólon, necessária para todo o trato gastrointestinal.

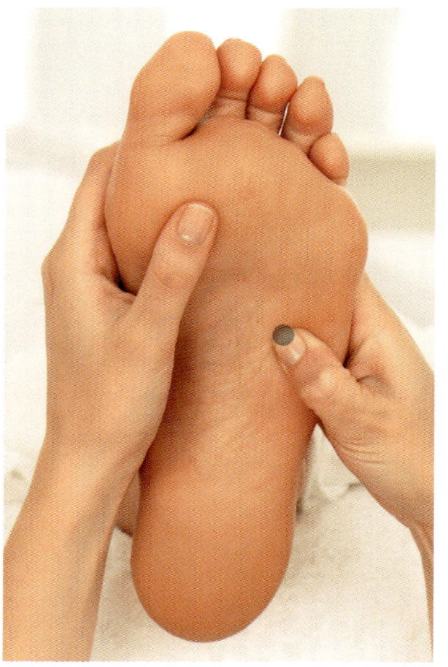

PONTO REFLEXO DA DOBRA ESPLÊNICA

Esse ponto reflexo só é encontrado no pé esquerdo. Subindo a partir da área reflexa do cólon descendente, pare no meio do pé no ponto da dobra esplênica. Encurve o polegar e pressione o local por seis segundos. Trabalhando esse ponto, você aliviará a síndrome da dobra esplênica, que é a retenção de gases numa dobra do cólon, causadora de distensão e intumescência.

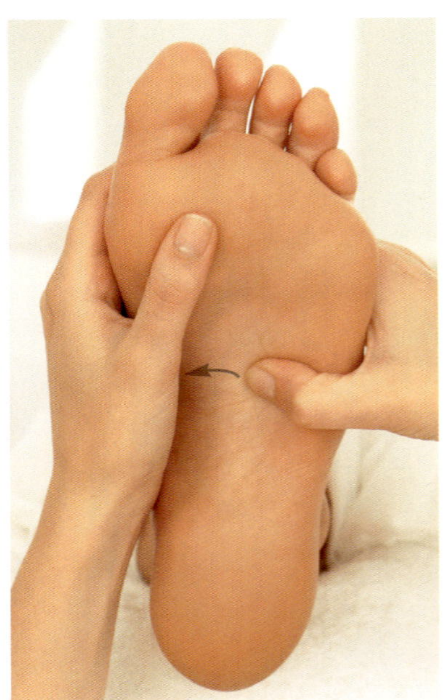

ÁREA REFLEXA DO CÓLON TRANSVERSO

Essa área reflexa se estende horizontalmente pelo aspecto plantar do pé, da porção lateral à medial. Avance do ponto reflexo da dobra esplênica até abaixo do reflexo do estômago (ver p. 146). Trabalhe a área duas vezes, para estimular os movimentos do intestino. Esse movimento, praticado em ambos os pés, assegura melhores resultados.

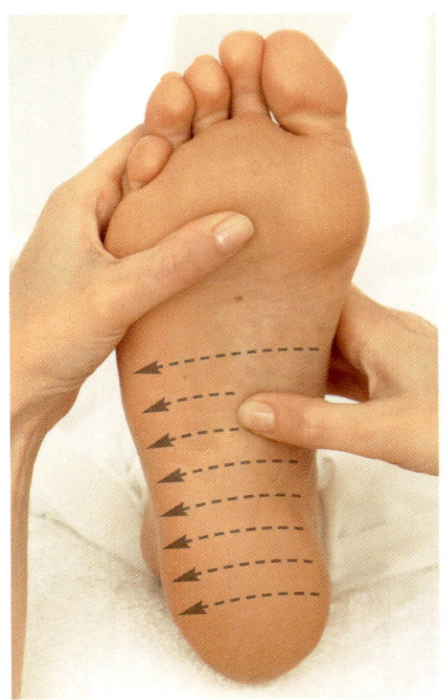

ÁREA REFLEXA DO INTESTINO DELGADO

Com qualquer dos polegares, percorra o pé horizontalmente. Comece logo abaixo da área reflexa do cólon transverso (ver à esquerda) e vá até a base do calcanhar. É no intestino delgado que ocorre a maior parte da digestão. Muitas substâncias alimentares são absorvidas ali, de sorte que trabalhar essa área pode estimular a assimilação de vitaminas essenciais.

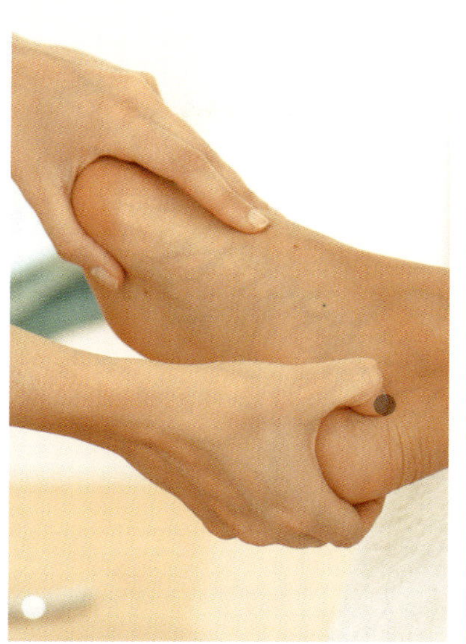

PONTO REFLEXO DO ÚTERO E DA PRÓSTATA

Trabalhe a parte medial do pé. Pouse o indicador mais ou menos a meio caminho entre a parte posterior do calcanhar e o osso do tornozelo. Pressione suavemente e faça círculos por dez segundos. Trabalhando os pontos reflexos do útero e da próstata, você garantirá a boa saúde geral do aparelho reprodutor.

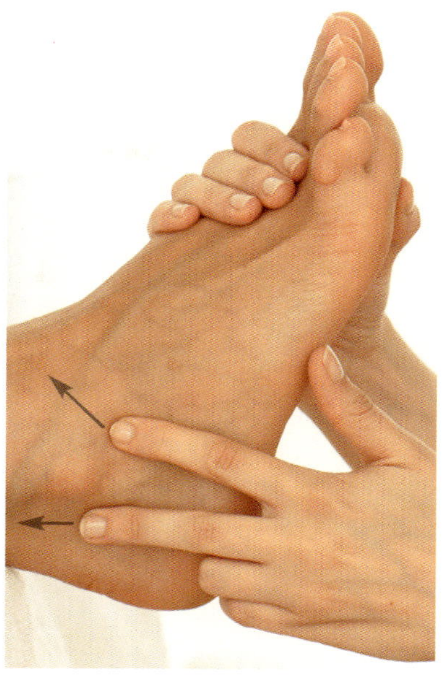

ÁREA DE REFLEXO DOS VASOS LINFÁTICOS DA VIRILHA

Essa área se localiza dos dois lados do osso do tornozelo. Com o indicador, fricione-a suavemente por dez segundos. Trabalhar essa área reflexa reforça as defesas do corpo contra infecções e câncer na parte inferior do corpo. O local pode ficar sensível caso a cliente esteja menstruada.

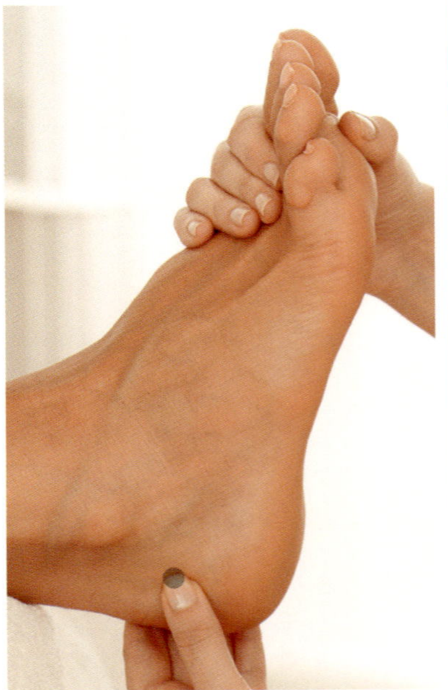

PONTO REFLEXO DOS OVÁRIOS E DOS TESTÍCULOS

Trabalhe a parte lateral do pé. Pouse o indicador mais ou menos a meio caminho entre a parte posterior do calcanhar e o osso do tornozelo. Pressione suavemente, fazendo círculos por dez segundos. Trabalhando os pontos reflexos dos ovários e dos testículos, você estimulará a secreção de hormônios sexuais, além de regular a ovulação e a produção saudável de esperma.

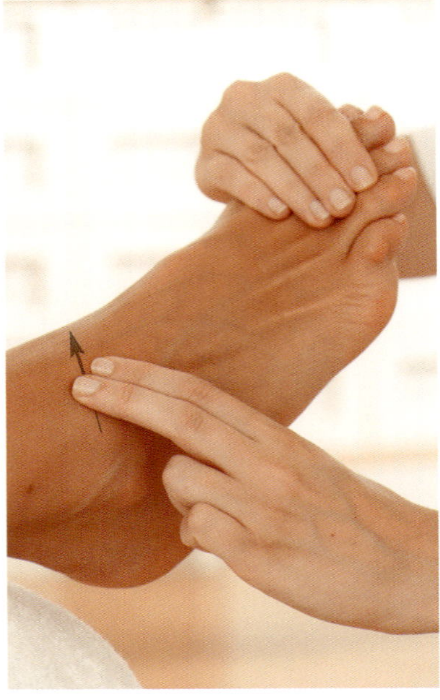

ÁREA REFLEXA DA TUBA UTERINA/VASOS DEFERENTES

Essa área reflexa se localiza transversalmente ao peito do pé. Use os dedos indicador e médio para avançar do aspecto lateral ao medial, entre as duas saliências do tornozelo, e descreva o movimento inverso. Prossiga por seis segundos. Trabalhar essa área é muito bom para estimular a fertilidade.

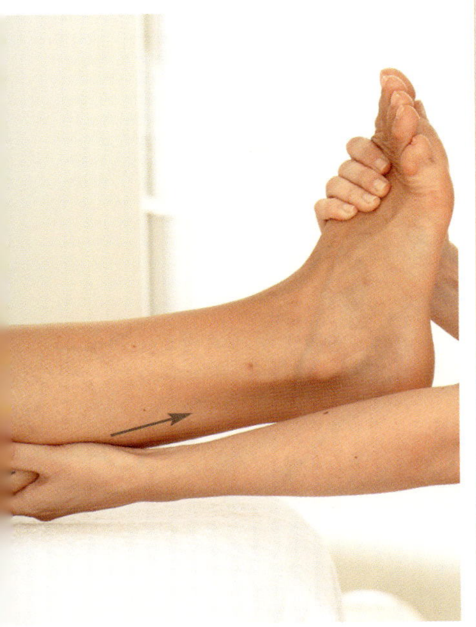

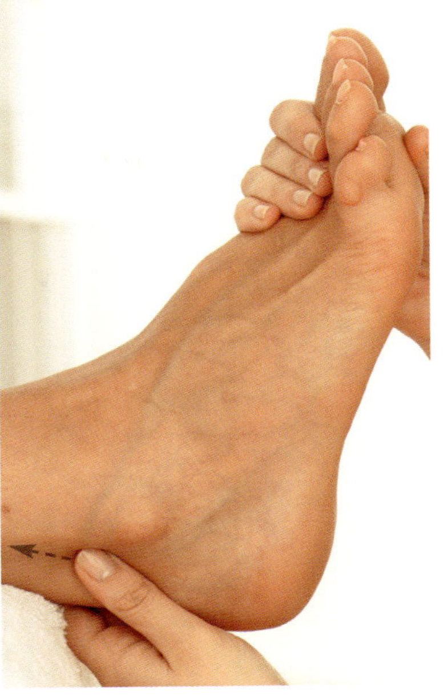

MASSAGEM NO MÚSCULO DA PANTURRILHA

Com ambas as mãos, massageie o músculo da panturrilha, atrás da perna, na direção do joelho. Prossiga por dez segundos. Isso estimula a circulação do sangue e da linfa para o coração, reoxigenando-os e livrando-os de impurezas.

ÁREA REFLEXA DO RETO E DO ÂNUS

Use o indicador e o polegar para comprimir suavemente o tendão de aquiles em toda a sua extensão até o calcanhar. Trabalhar essa área facilita a defecação e alivia dores associadas a inflamações no reto. Prossiga por dez segundos.

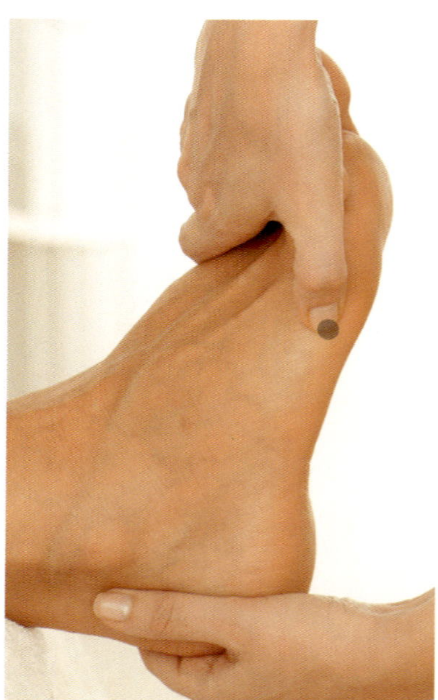

PONTO REFLEXO DO PULSO

A partir do dedo mínimo, desça com o polegar uma etapa pelo aspecto lateral. Pressione o local para estimular o ponto reflexo do pulso e, em seguida, descreva círculos por seis segundos. Esse é um bom ponto reflexo a trabalhar, pois o toque alivia problemas relacionados à síndrome do túnel carpal e à LER (lesão por esforço repetitivo).

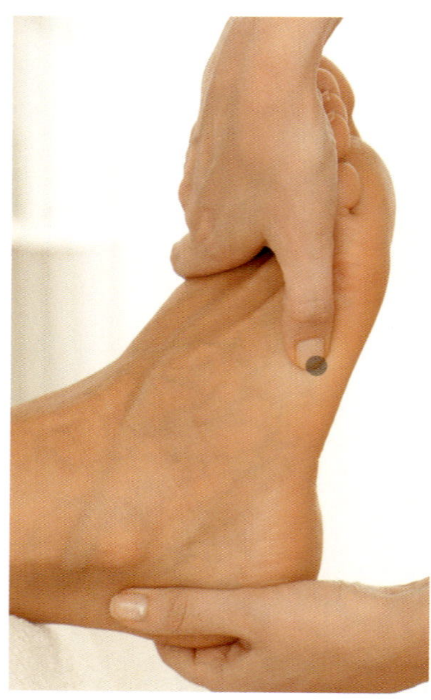

PONTO REFLEXO DO COTOVELO

A partir do ponto reflexo do pulso, avance uma etapa em direção ao ponto reflexo do cotovelo. Pressione o local e friccione-o por seis segundos. Trabalhar esse ponto ajuda a aliviar problemas no braço, artrite no cotovelo e o chamado cotovelo de golfista ou tenista, além de acelerar a recuperação óssea de fraturas na área.

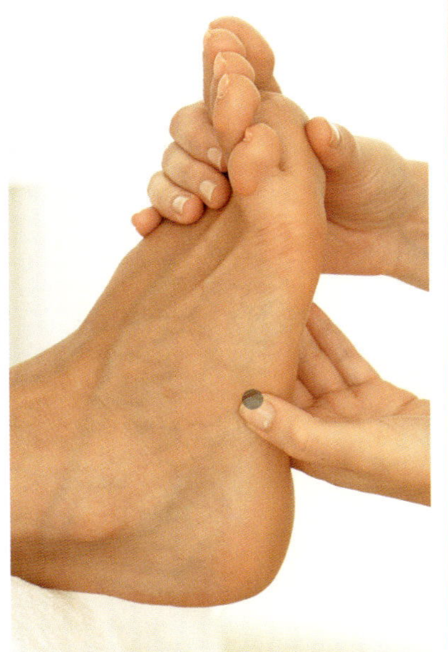

PONTO REFLEXO DO JOELHO

Com o polegar, percorra duas etapas do ponto reflexo do cotovelo até o do joelho. Você sentirá uma pequena protuberância óssea na lateral do pé. Encurve o polegar e pressione-o por seis segundos. Trabalhar o ponto reflexo do joelho reduz a dor associada a distensões de ligamentos e artrite, além de fortalecer a articulação do joelho para um desempenho esportivo ideal.

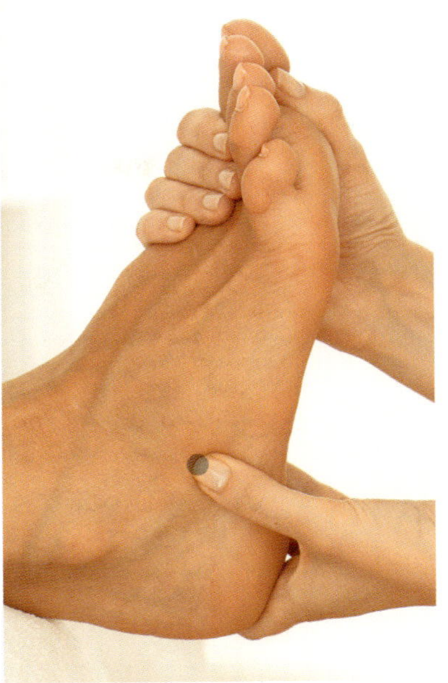

PONTO REFLEXO DO QUADRIL

Com o polegar, avance duas etapas diagonais do ponto reflexo do joelho até o osso do tornozelo. Estimule a área friccionando-a durante seis segundos. Trabalhando o ponto reflexo do quadril, você alivia problemas dessa área como artrite, além de acelerar a soldagem de fraturas, a recuperação de cirurgias e as dores locais.

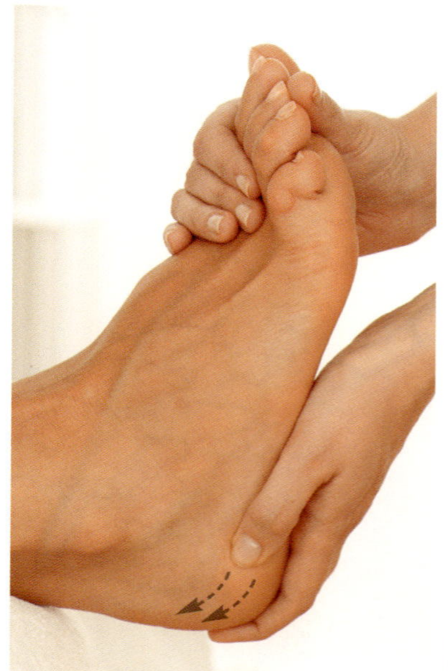

ÁREA REFLEXA DA PARTE INFERIOR DAS COSTAS E DO SACRO

Aplique com o polegar a técnica de vaivém, do ponto reflexo do joelho (ver p. 159) ao quadrante posterior do calcanhar, com movimentos lentos e precisos, durante dez segundos. Prossiga para cobrir a última seção do calcanhar, sempre devagar para não invadir o ponto reflexo dos ovários e dos testículos (ver p. 156). Trabalhar essa área ajuda a aliviar a dor na parte inferior das costas.

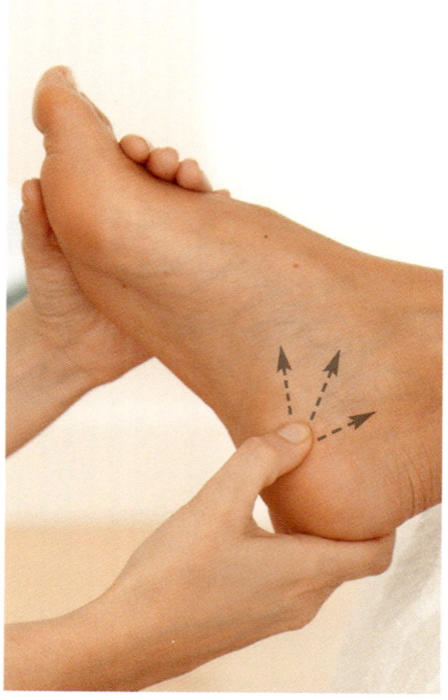

ÁREA REFLEXA DA BEXIGA

Com o polegar, trace raios como os aros de uma roda de bicicleta no aspecto medial do pé, chegando até o reflexo espinal e retornando sempre ao ponto de onde começou. Repita seis vezes. Não se surpreenda se encontrar cristais na área, caso o cliente tenha cistite; insista até pulverizá-los.

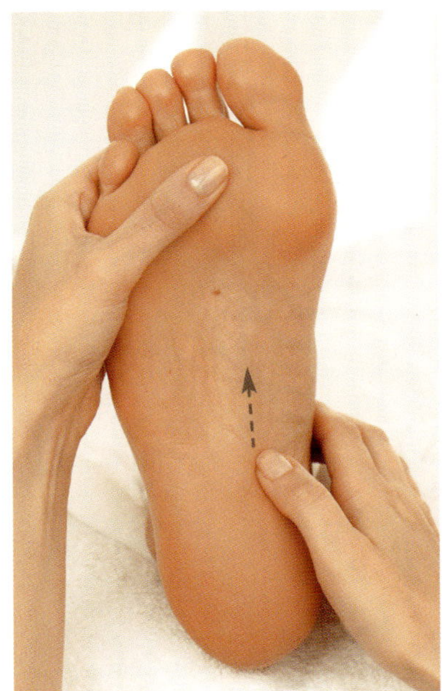

ÁREA REFLEXA DA URETRA

Flexione um pouco o pé para trás e percorra lentamente o tendão que encontrará a um terço do caminho até a extremidade da sola. Repita o movimento quatro vezes. A maioria das pessoas não bebe água suficiente para atender às necessidades do corpo, o que resulta em cristais na área reflexa da uretra.

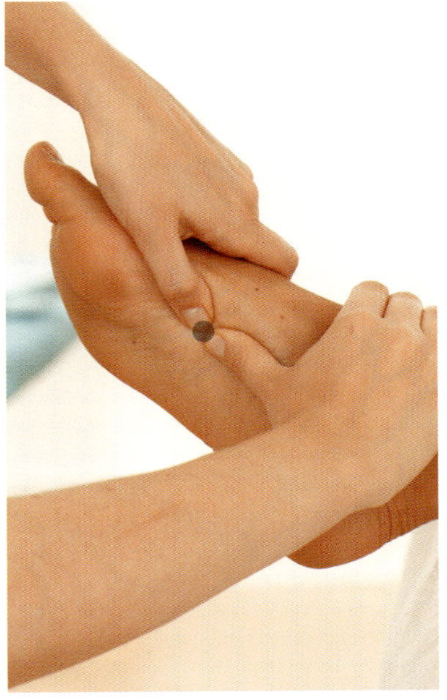

PONTOS REFLEXOS DOS RINS E GLÂNDULAS SUPRARRENAIS

As glândulas suprarrenais se localizam nos rins e você encontrará seus reflexos no alto da área reflexa da uretra. Ao atingir essa parte, pressione-a com ambos os polegares e afaste-os suavemente um do outro para cobrir os reflexos do rim e da suprarrenal. Aumente e reduza a pressão por dez segundos. Esses são reflexos naturalmente sensíveis e trabalhá-los ajuda a reduzir as dores do corpo e a combater o stress.

COMO TRABALHAR A COLUNA

Os reflexos espinais estão dispostos de tal maneira que cada movimento de seu polegar ou dedo representa uma vértebra específica; assim, se você trabalhar cuidadosamente, conseguirá identificar com precisão qual delas está causando o problema. Trabalhe por baixo ou por cima do osso para ter acesso à coluna, aplicando pressão suave. Tratamentos leves e frequentes aliviam a dor. Você poderá usar qualquer dos movimentos sugeridos nas páginas 164-165.

Os conjuntos de vértebras são os seguintes:

- As sete vértebras cervicais sustentam o pescoço e a cabeça.
- As doze vértebras torácicas fixam as costelas.
- As cinco vértebras lombares, na direção da parte inferior da coluna, são sólidas áreas de sustentação e proporcionam um centro de gravidade durante os movimentos.
- As cinco vértebras sacrais e as quatro coccígeas são fundidas.

Quando você aplica reflexologia aos reflexos espinais, trabalha em diversos níveis:

1 Ajuda a combater problemas como dores de cabeça e contusões na coluna. Ao trabalhar a coluna, notará que certas áreas se mostram sensíveis: são as vértebras que provavelmente estão causando o problema. Tratá-las suavemente, a longo prazo, pode reduzir a dor, a tensão ou o espasmo muscular e fortalecer a área.

2 Ameniza os problemas emocionais, pois o sistema nervoso central é composto pelo cérebro e a medula espinal, protegida pela coluna vertebral. Trabalhando a coluna, você "desliga" a resposta "lutar ou fugir" do corpo e "liga" o sistema nervoso parassimpático, que promove um estado de equilíbrio e bem-estar.

3 Trata o corpo inteiro por intermédio das raízes nervosas espinais, que ligam a medula espinal a todas as partes do corpo.

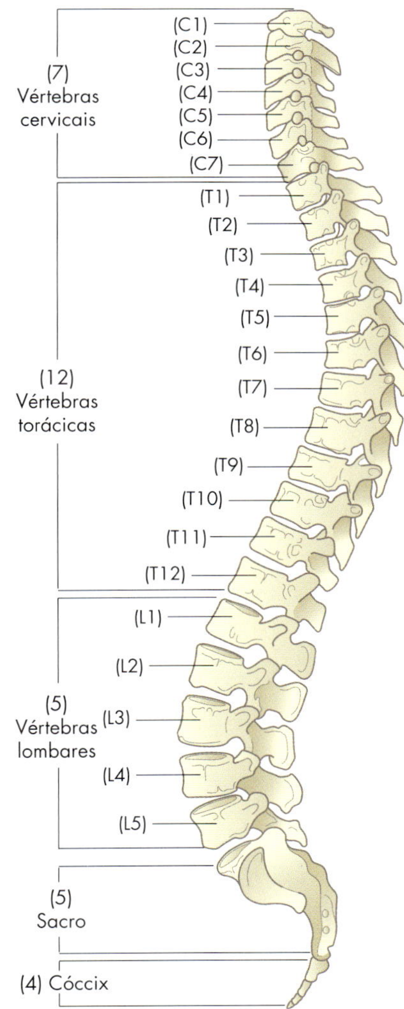

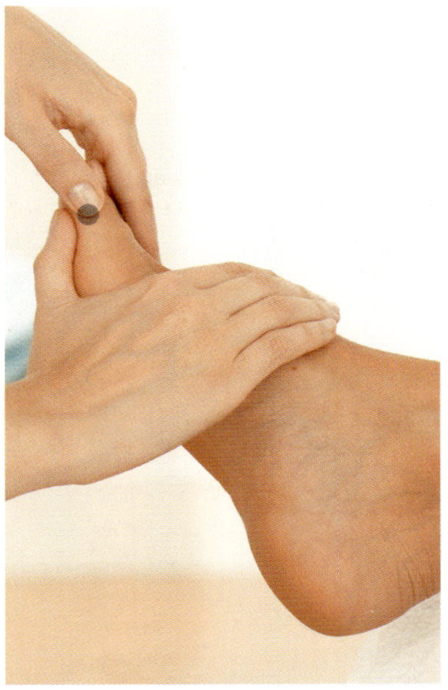

ÁREA REFLEXA DAS VÉRTEBRAS CERVICAIS

Situam-se no aspecto medial do dedão, entre as articulações (as quais, entretanto, não devem ser trabalhadas por causa dos muitos fatores que podem afetá-las). Sustente o dedão com uma das mãos. Use o polegar da outra para percorrer sete curtas etapas, lembrando-se de que cada etapa corresponde a uma vértebra específica. Avance na direção dos dedos. Repita o movimento cinco vezes.

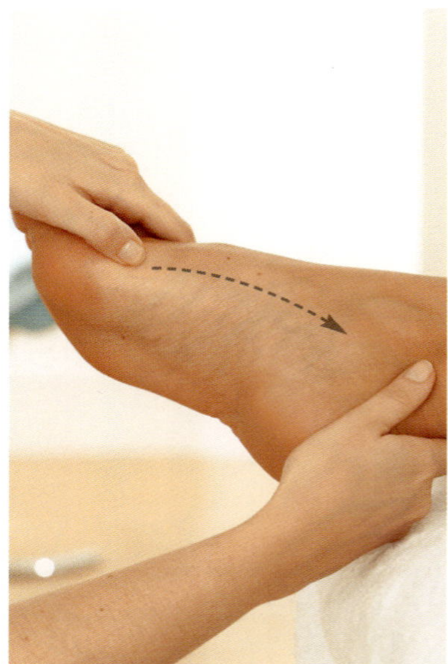

ÁREA REFLEXA DAS VÉRTEBRAS TORÁCICAS

Percorra doze etapas a partir da base da articulação do dedão a fim de trabalhar a área reflexa das vértebras torácicas. Detenha-se no osso navicular, parecido com uma articulação e situado a meio caminho entre a área reflexa da bexiga (ver p. 160) e o calcanhar. O segredo para se trabalhar bem a coluna é a pressão leve, que evita a reação de crise de cura (ver p. 92), e a continuidade do tratamento – de três a quatro vezes por semana.

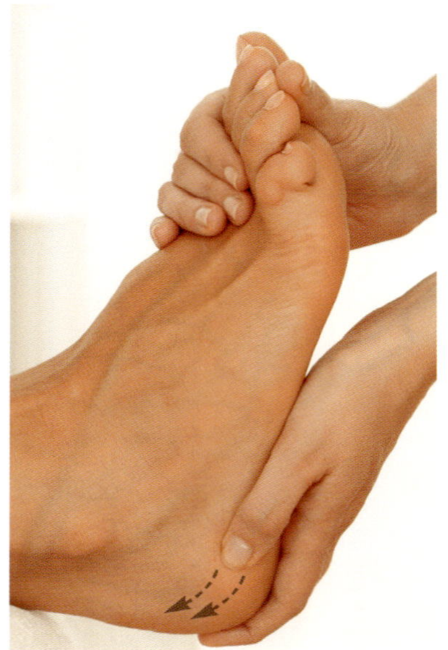

ÁREA REFLEXA DA PARTE INFERIOR DAS COSTAS E DO SACRO

Com o dedo, aplique a técnica de vaivém do ponto reflexo do joelho (ver p. 159) ao quadrante posterior do calcanhar, em movimentos lentos e precisos por dez segundos. Continue para cobrir a última seção do calcanhar, lentamente para não invadir o ponto reflexo dos ovários/testículos (ver p. 156). Repetir o movimento duas vezes na área garante melhores resultados.

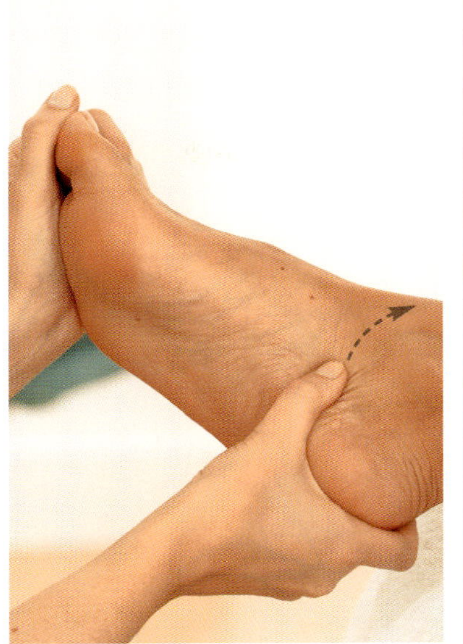

ÁREA REFLEXA DAS VÉRTEBRAS LOMBARES

Gire em torno do osso navicular, que corresponde à vértebra lombar número 1; suba cinco etapas até a depressão em frente ao osso do tornozelo, que corresponde à vértebra lombar número 5. Pressione o local e descreva pequenos círculos por seis segundos. Repita.

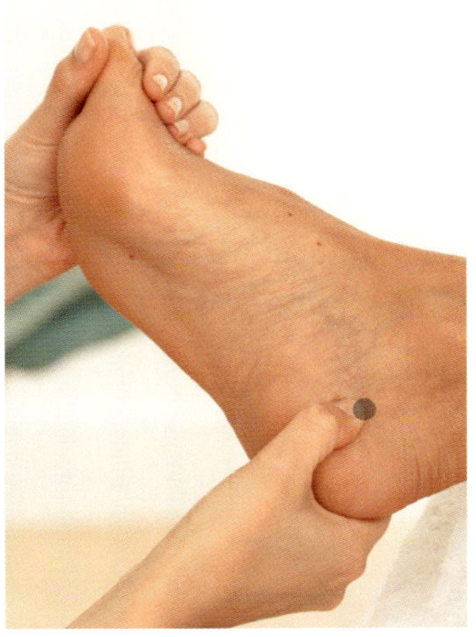

PONTO REFLEXO DO CÓCCIX

Pouse o polegar na área reflexa da bexiga (ver p. 160) e avance duas grandes etapas pelo aspecto medial do calcanhar. Pressione e descreva círculos amplos na área.

ÁREA REFLEXA DOS VASOS LINFÁTICOS SUPERIORES

Use a técnica de vaivém no aspecto dorsal, da base dos dedos para o tornozelo, entre os metatarsos. Aplique pressão média, subindo até onde puder, e em seguida deslize o indicador de volta, descrevendo círculos suavemente nos espaços entre os dedos. Repita o movimento para fortalecer o sistema imunológico do corpo.

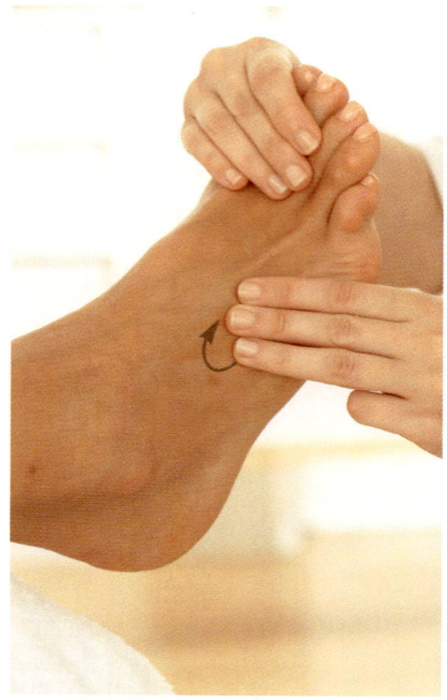

ÁREA REFLEXA DO PEITO

Essa área está localizada no meio do aspecto dorsal do pé. Sustente o pé com uma das mãos e pouse três dedos da outra entre as zonas 4 e 5. Descreva círculos grandes, suavemente, para trabalhar toda a área. Assim, você aliviará distúrbios do peito como infecções, tumores benignos e sensibilidade dos seios associada à menstruação.

Final do tratamento

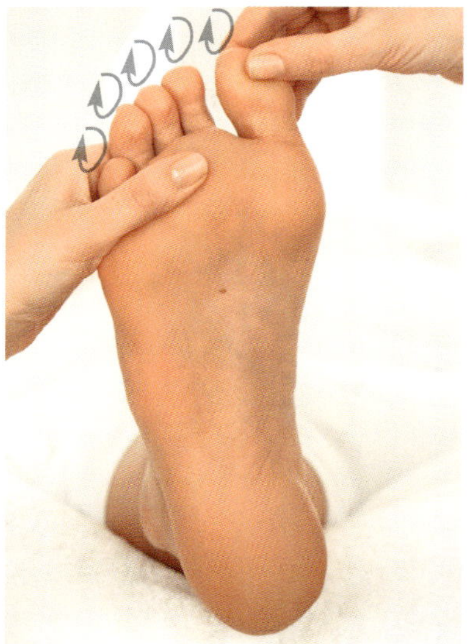

ROTAÇÃO DO DEDO

Segure a base dos dedos do pé direito com uma das mãos e gire-os com os dedos da outra para energizar o cliente. Em seguida, passe para o pé esquerdo. Após terminar com ambos os pés, aplique as técnicas de relaxamento (ver páginas 122-127), concluindo o tratamento com a respiração para gerar energia interior.

Cuidados posteriores

Findo o tratamento, a primeira pergunta que você deverá fazer ao cliente é: como está se sentindo? Obtida a resposta, cubra-lhe os pés com uma toalha e vá lavar as mãos. Ao voltar para junto do cliente, ofereça-lhe um copo de água, que ajudará a eliminar as toxinas liberadas durante a sessão de reflexologia.

Beber água morna ou fria após o tratamento ajuda a eliminar as toxinas do organismo.

PARTE 5

Reflexologia para problemas comuns

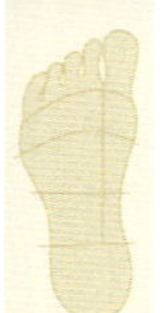

Como usar esta parte

Nesta parte do livro, apresentamos sequências de reflexologia simples e eficazes para ajudar você a cuidar de problemas comuns, de acne e asma a psoríase e inflamação de garganta. Elas estão agrupadas por sistemas orgânicos (ver a seguir), de modo que todas as condições circulatórias e respiratórias, por exemplo, aparecem juntas numa única seção.

Elaborei uma nova forma de reflexologia chamada "reflexologia de força", que trata diretamente uma determinada condição e pode ser aplicada em dez minutos. Nessas sequências especiais, você gastará cinco minutos em cada pé.

Como a reflexologia de força se baseia em sequências curtas, é um tratamento um pouco mais vigoroso. No entanto, se você estiver tratando alguém duas vezes por dia, use menos pressão. Para esse tipo de reflexologia, o óleo é mais apropriado que o pó, pois permite uma pressão mais firme (ver p. 111).

Ao aplicar um tratamento mais vigoroso, tenha em mente que seus dedos devem ficar o mais perto possível do polegar funcional. Isso reduzirá os riscos de danos à sua mão em virtude do emprego de uma pressão mais forte. Procure estirar as mãos usando as técnicas descritas nas páginas 362-363: você notará a diferença durante e após o tratamento.

Primeiro, descubra um bom local para aplicar o tratamento e organize um ambiente confortável onde o cliente se sinta à vontade, conforme descrito na Parte 3 (ver páginas 100-103). Sempre inicie e conclua a sessão com duas técnicas de relaxamento (ver páginas 122-127); sugiro também que inclua a respiração para gerar energia interior (ver página 123) porque ela é muito benéfica para todos esses problemas. Empregue as técnicas básicas descritas na Parte 4 (ver páginas 128-131) e consulte os mapas de referência (ver páginas 132-135) quando precisar recordar a localização das zonas, áreas e pontos reflexos.

Embora ofereçamos dicas de alimentação neste capítulo, sempre consulte um nutricionista qualificado, especialmente sobre vitaminas e suplementos à base de ervas. Algumas lojas de produtos naturais têm um nutricionista de plantão para orientá-lo.

A respiração para gerar energia interior é uma ótima maneira de iniciar e concluir uma sessão de tratamento. Concentre suas energias e respire profundamente.

Asma

A crise de asma pode ser provocada por poeira, pelos de animais, vários tipos de pólen e poluentes contidos no ar.

É uma doença dos pulmões caracterizada por episódios recorrentes de falta de ar devida à constrição das vias aéreas, embora algumas formas da moléstia não tenham causa conhecida. Durante uma crise de asma, os músculos das paredes internas dos pulmões se retraem, provocando aumento na secreção de muco e inflamação, o que torna muito difícil respirar normalmente. Os sintomas típicos da crise são tosse, arquejamento, sensação de peso no peito e dificuldade para respirar. A predisposição à asma pode ser hereditária. O stress e a ansiedade podem provocar uma crise.

ÁREAS E PONTOS REFLEXOS A TRABALHAR

- Glândula pituitária
- Pulmões
- Diafragma
- Glândulas suprarrenais
- Vértebras torácicas
- Plexo solar

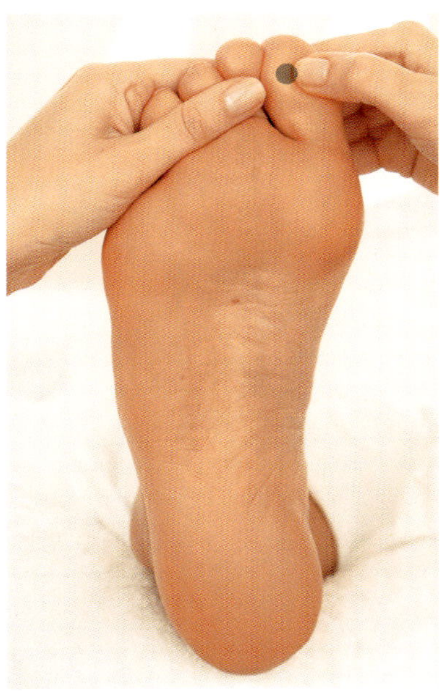

PONTO REFLEXO DA GLÂNDULA PITUITÁRIA

Segure o dedão com os dedos de uma das mãos e use o polegar da outra para traçar uma cruz e descobrir o centro do dedão. Pouse aí o polegar, pressione e descreva círculos por quinze segundos.

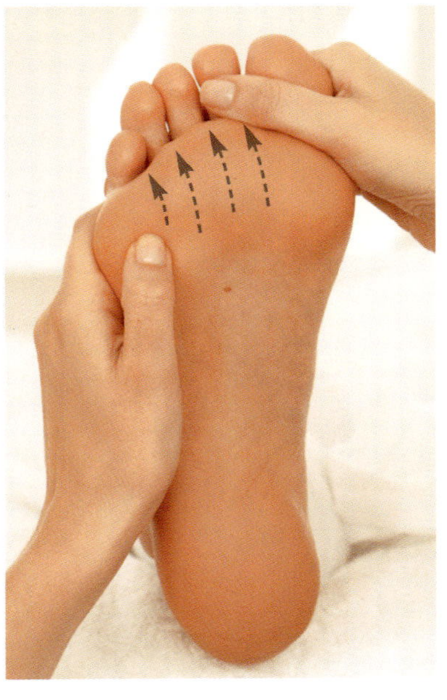

ÁREA REFLEXA DO PULMÃO

Flexione o pé para trás com uma das mãos para gerar tensão na pele. Com o polegar da outra mão, suba da linha do diafragma até a área geral do olho/ouvido. Trabalhe entre os metatarsos. Repita o processo cinco vezes, certificando-se de que trabalhou todos os intervalos dos metatarsos, para dispersar os cristais ali encontrados.

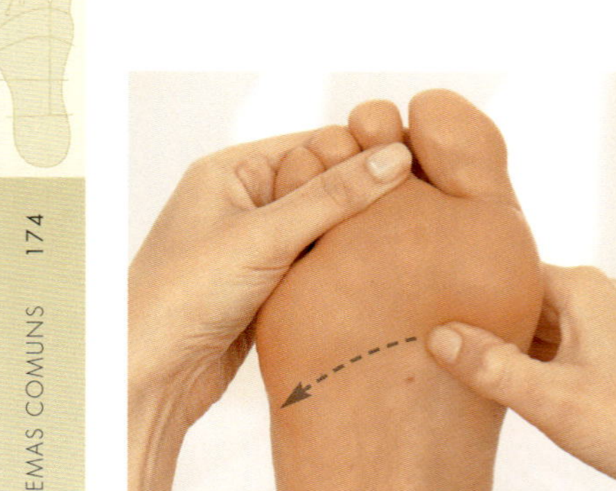

ÁREA REFLEXA DO DIAFRAGMA

Flexione o pé para trás com uma das mãos para gerar tensão na pele. Com o polegar da outra, trabalhe a base dos metatarsos, indo do aspecto lateral ao medial do pé, lentamente, repetindo seis vezes o movimento.

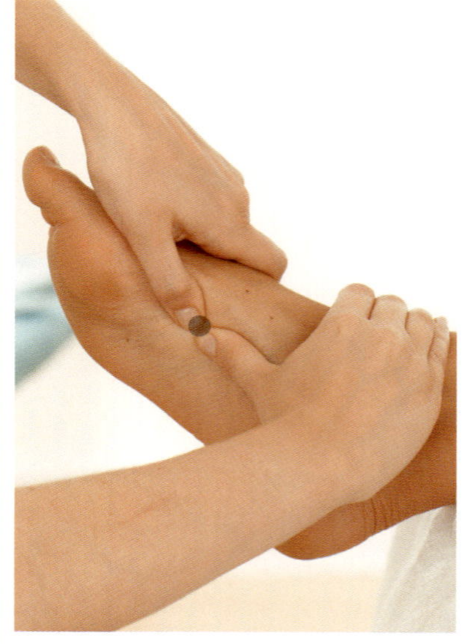

PONTO REFLEXO DA SUPRARRENAL

Você encontrará o reflexo da suprarrenal na zona 1, três etapas abaixo da protuberância da sola do pé. Pouse os dois polegares juntos e pressione suavemente os reflexos, descrevendo pequenos círculos no local. Trabalhe assim por quinze segundos.

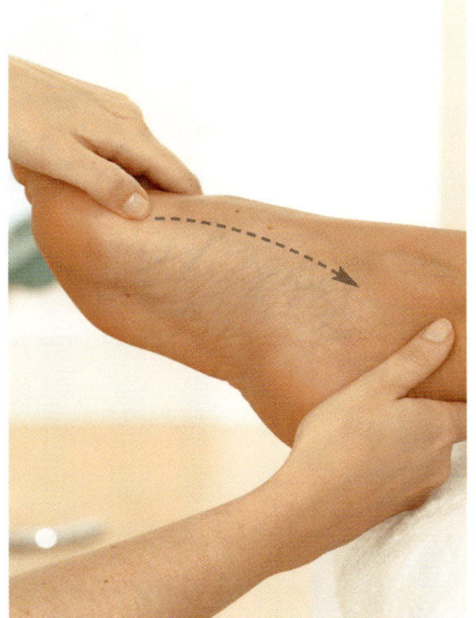

ÁREA REFLEXA DAS VÉRTEBRAS TORÁCICAS

Sustente o pé e avance doze etapas a partir da base da articulação do dedão, a fim de trabalhar todas as vértebras torácicas. Termine no osso navicular, que lembra um nó de dedo e se situa a meio caminho entre o ponto reflexo da bexiga e o tornozelo. Cada etapa corresponde a uma vértebra e deve ser percorrida lentamente, com pressão de leve a média. Repita o movimento cinco vezes para ter acesso às raízes dos nervos espinais associados aos pulmões.

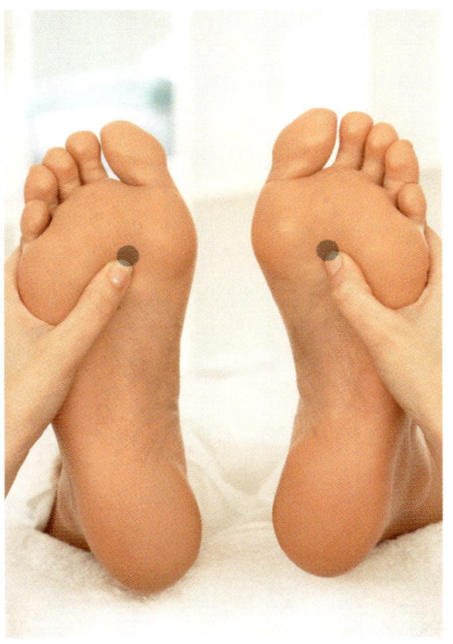

PONTO REFLEXO DO PLEXO SOLAR

Pouse o polegar esquerdo no ponto reflexo do plexo solar do pé direito e o polegar direito no ponto reflexo do plexo solar do pé esquerdo. Peça ao cliente que respire fundo por cinco segundos, enquanto você descreve pequenos círculos no ponto do plexo solar. Peça que o cliente sustenha o fôlego por cinco segundos e continue trabalhando a mesma área. Em seguida, peça-lhe que expire por cinco segundos e reduza a pressão no ponto reflexo do plexo solar. Repita o movimento seis vezes.

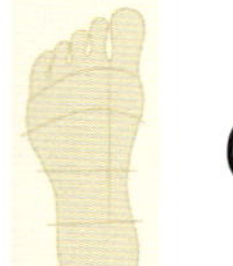

Gripe

A gripe afeta o trato respiratório superior e é altamente contagiosa, pois seus germes são espalhados pela tosse e pelo espirro. Os sintomas, a princípio, lembram os do resfriado e incluem dor de cabeça, dores no corpo e sensação de cansaço; à medida que o mal progride, é acompanhado por febre alternada com calafrios. O paciente se queixa às vezes de garganta seca e tosse. A gripe só é perigosa para as pessoas debilitadas, esgotadas ou acima de 65 anos. Pode aumentar a suscetibilidade à pneumonia, sinusite e infecções de ouvido.

ÁREAS E PONTOS REFLEXOS A TRABALHAR

- Cabeça
- Vasos linfáticos superiores
- Pulmões
- Tireoide
- Baço
- Vértebras torácicas

Sempre envolva seu cliente num cobertor antes de iniciar o tratamento. Isso é ainda mais importante se ele estiver resfriado.

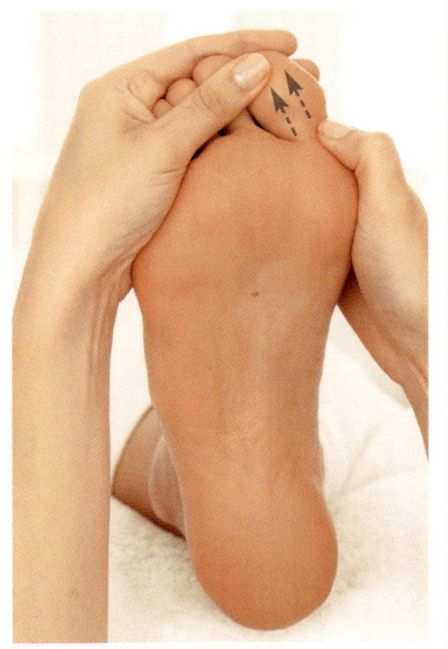

ÁREA REFLEXA DA CABEÇA

Sustente o dedão com os dedos de uma das mãos. Com o polegar da outra, suba da linha do pescoço até a ponta do dedão. Repita várias vezes em linhas paralelas ascendentes. Esse é um ótimo reflexo a trabalhar, pois assim se obtém o alívio de dores de cabeça ou de problemas que afetam o crânio, associados à gripe.

ÁREA REFLEXA DOS VASOS LINFÁTICOS SUPERIORES

Trabalhe o aspecto dorsal do pé, usando o indicador e o polegar para avançar da base dos dedos na direção do tornozelo, por entre os metatarsos. Aplique pressão média, subindo o máximo que puder, e depois volte descrevendo pequenos círculos entre os dedos. Repita o movimento seis vezes para fortalecer o sistema imunológico do corpo.

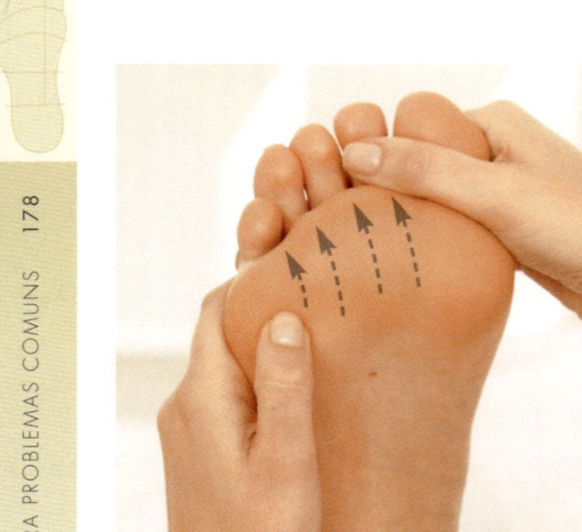

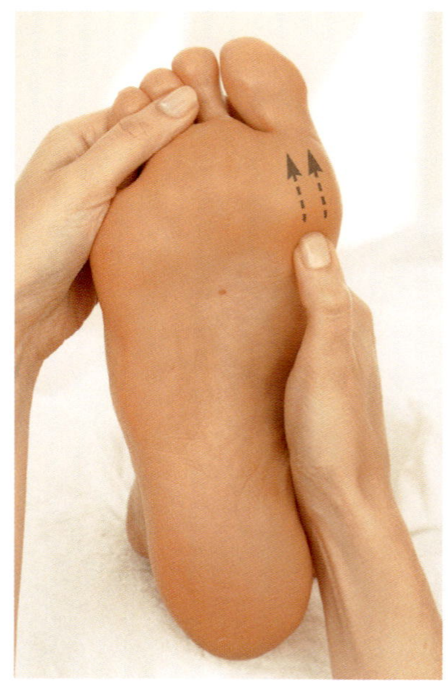

ÁREA REFLEXA DO PULMÃO

Flexione o pé para trás com uma das mãos a fim de criar tensão na pele. Com o polegar da outra, suba da linha do diafragma até a área geral reflexa do olho/ouvido. Trabalhe entre os metatarsos. Repita o processo sete vezes, certificando-se de que não omitiu nenhum espaço entre os metatarsos.

ÁREA REFLEXA DA TIREOIDE

Com uma das mãos, empurre os dedos do pé para trás a fim de encontrar cristais com mais facilidade. Use o polegar da outra mão para trabalhar a protuberância da sola, da linha do diafragma à do pescoço. Repita o movimento, lentamente, sete vezes nessa área. Trabalhar a área reflexa da tireoide ajuda a regular os níveis de energia do corpo.

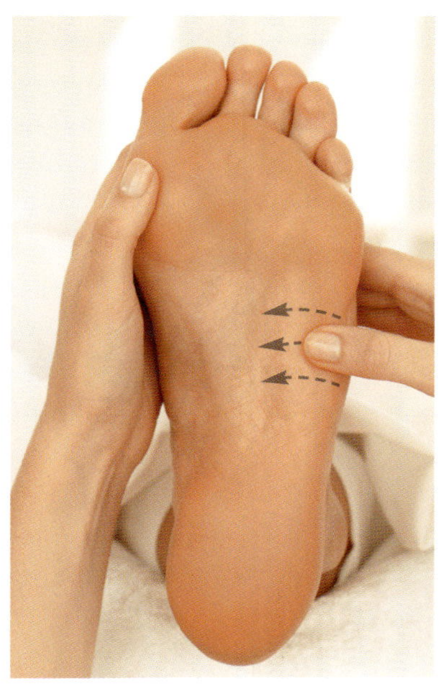

ÁREA REFLEXA DO BAÇO

Essa área reflexa só é encontrada no pé esquerdo. Sustente o pé com a mão esquerda e pouse o polegar da direita logo abaixo da linha do diafragma. Trabalhe devagar e com precisão, num movimento horizontal das zonas 5 e 4 até a 3. Avance numa única direção. Percorra dessa maneira quatro linhas horizontais. Repita cinco vezes.

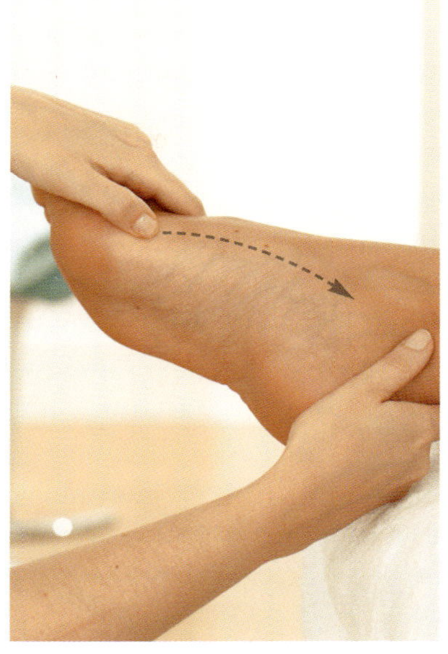

ÁREA REFLEXA DAS VÉRTEBRAS TORÁCICAS

Sustente o pé e percorra doze etapas a partir da base da articulação do dedão, para trabalhar todas as vértebras torácicas. Termine no osso navicular, que lembra um nó de dedo e está situado a meio caminho entre o ponto da bexiga e o tornozelo. Cada etapa corresponde a uma vértebra específica e deve ser percorrida lentamente, com pressão de leve a média. Repita o movimento seis vezes.

Garganta inflamada

Essa é uma infecção viral ou bacteriana muito comum e pode ser o primeiro sintoma de um resfriado, gripe ou infecção nas vias respiratórias superiores. A inflamação às vezes é provocada por algo que irrita o fundo da garganta: infecção dos dentes ou gengivas, tosse crônica, poeira, bebidas ou comidas muito quentes, poluentes atmosféricos ou fumaça. O problema afeta a região frontal do pescoço e a passagem que desce da parte traseira da garganta e do nariz para a porção superior do esôfago, provocando dor e sensibilidade. Ao engolir, o doente sente dor e incômodo. Gargarejar com água salgada com intervalo de algumas horas ajuda a aliviar o problema.

ÁREAS E PONTOS REFLEXOS A TRABALHAR

- Cabeça
- Vértebras cervicais
- Esôfago
- Baço
- Glândulas suprarrenais
- Vasos linfáticos superiores

A reflexologia ajuda a combater os sintomas associadas à inflamação de garganta.

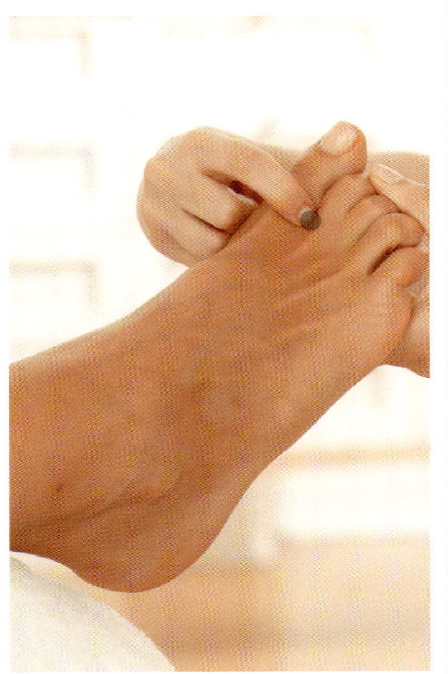

PONTO REFLEXO DA GARGANTA

Comece logo abaixo da articulação do dedão; com o indicador, trabalhe horizontalmente esse dedo e pressione o ponto reflexo da garganta, fazendo círculos por sete segundos.

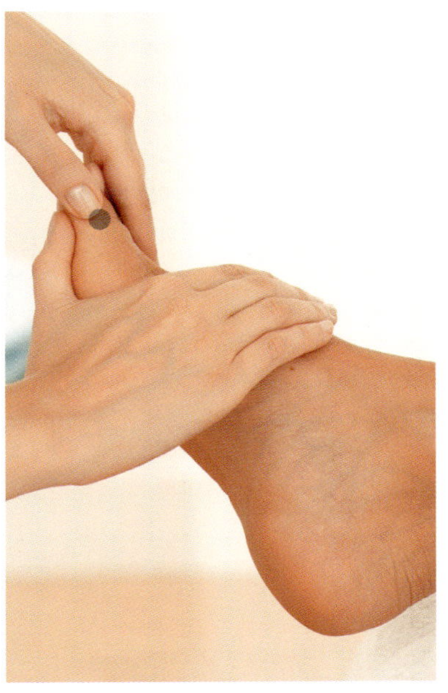

ÁREA REFLEXA DAS VÉRTEBRAS CERVICAIS

Essa área reflexa situa-se no aspecto medial do dedão e entre as articulações (as quais você não trabalhará porque muitos fatores podem afetá-las). Sustente o dedão com uma das mãos e use o polegar da outra para percorrer sete etapas curtas, lembrando-se de que cada etapa corresponde a uma vértebra específica. Avance na direção do pé e repita o movimento seis vezes.

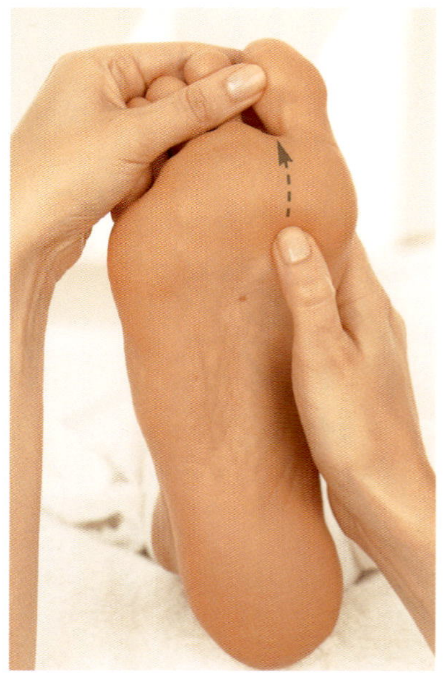

ÁREA REFLEXA DO ESÔFAGO

Flexione o pé para trás com uma das mãos a fim de criar tensão na pele. Pouse o polegar da outra na linha do diafragma, entre as zonas 1 e 2. Suba por entre os metatarsos, da linha do diafragma até a área geral do olho/ouvido. Repita seis vezes. Trabalhar essa área ajuda a aliviar problemas do esôfago, mau hálito, dificuldade de deglutição, azia e sintomas de inflamação de garganta.

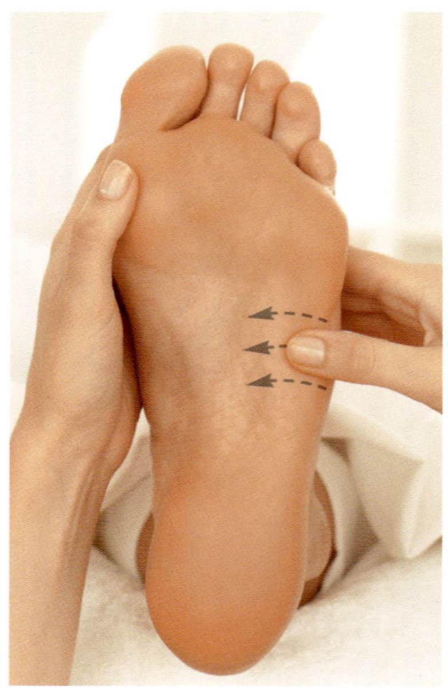

ÁREA REFLEXA DO BAÇO

Essa área reflexa só é encontrada no pé esquerdo. Sustente-o com a mão esquerda e pouse o polegar da direita logo abaixo da linha do diafragma. Trabalhe lentamente e com precisão, cruzando a sola pelas zonas 5 e 4 até a 3. Avance numa única direção, percorrendo quatro linhas horizontais. Repita cinco vezes.

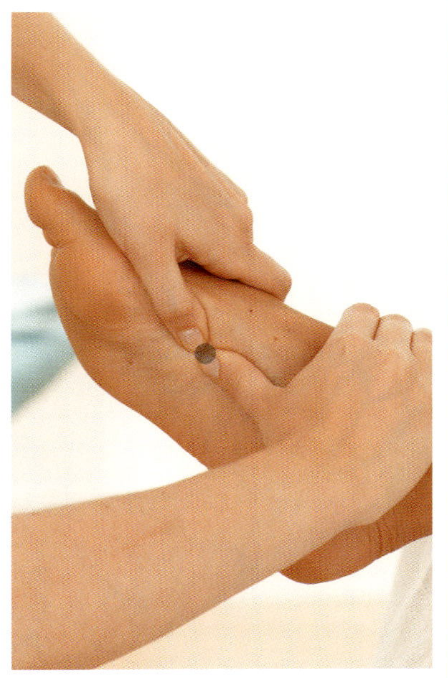

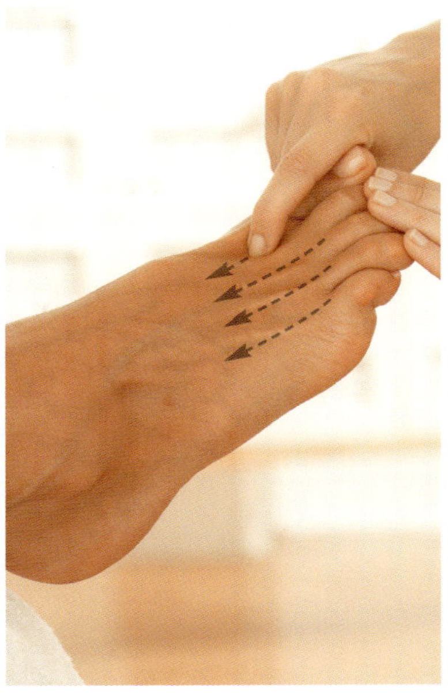

PONTO REFLEXO DA SUPRARRENAL

Você encontrará o reflexo da suprarrenal na zona 1, três etapas abaixo da protuberância da sola. Junte os dois polegares e pressione o ponto suavemente, descrevendo pequenos círculos. Trabalhe assim por quinze segundos.

ÁREA REFLEXA DOS VASOS LINFÁTICOS SUPERIORES

Trabalhe o aspecto dorsal do pé usando o indicador e o polegar para ir da base dos dedos até o calcanhar, pelo meio dos metatarsos. Aplique pressão média e suba o máximo possível, voltando e fazendo círculos nos espaços entre os dedos. Repita o movimento seis vezes a fim de fortalecer o sistema imunológico do corpo.

Resfriado

Existem mais de duzentos vírus responsáveis pelo resfriado, que é uma infecção das vias aéreas superiores. Os sintomas típicos incluem: inflamação de garganta, espirros, olhos lacrimejantes, congestão de cabeça, cefaleia, febre e dores no corpo. A maioria dos resfriados desaparece em no máximo oito dias, mas ocasionalmente – quando a pessoa tem um sistema imunológico debilitado ou imaturo – o problema pode provocar infecções mais sérias como bronquite, pneumonia ou gripe. Evite o açúcar caso você seja suscetível a resfriados, pois ele reduz em 50% a capacidade do corpo de combater infecções.

ÁREAS E PONTOS REFLEXOS A TRABALHAR

- Cabeça
- Glândula pituitária
- Área geral do olho/ouvido
- Vértebras cervicais
- Vértebras torácicas
- Vasos linfáticos superiores

Jamais reutilize um lenço, pois isso provoca a reinfecção e prolonga o resfriado. Assoe delicadamente por uma narina de cada vez.

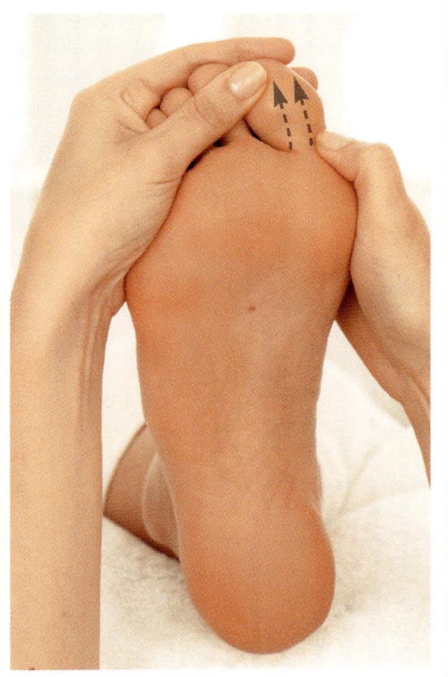

ÁREA REFLEXA DA CABEÇA

Sustente o dedão com os dedos de uma das mãos. Com o polegar da outra, avance da linha do pescoço até a ponta do dedão. Repita várias vezes, em linhas ascendentes. Esse movimento ajuda a curar dores de cabeça e problemas que afetam o crânio.

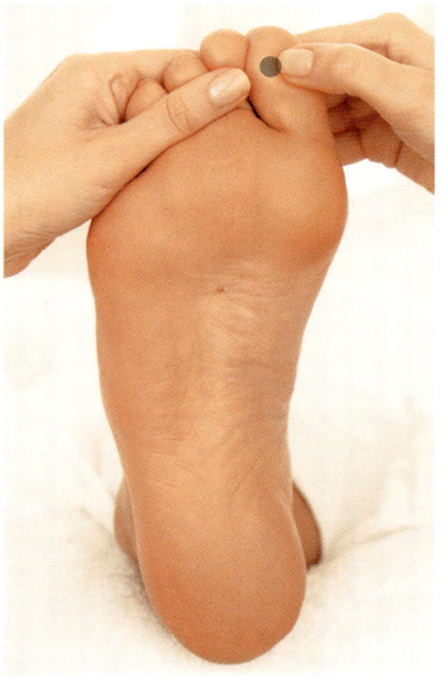

PONTO REFLEXO DA GLÂNDULA PITUITÁRIA

Sustente o dedão com os dedos de uma das mãos. Com o polegar da outra, trace uma cruz para encontrar o centro do dedão. Pouse aí o polegar, pressione e faça círculos por dez segundos.

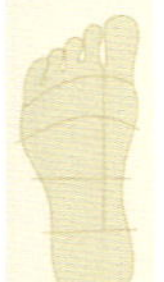

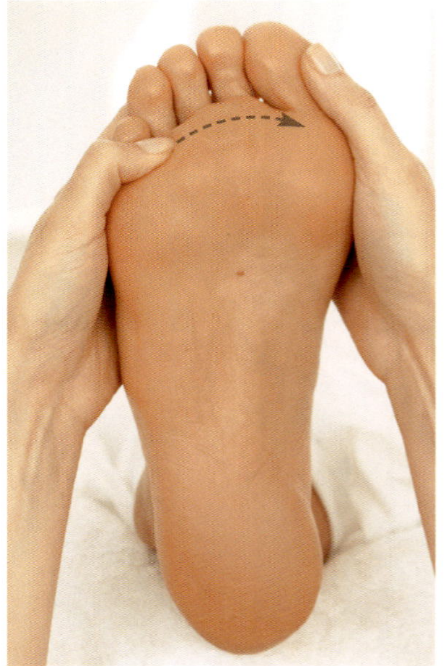

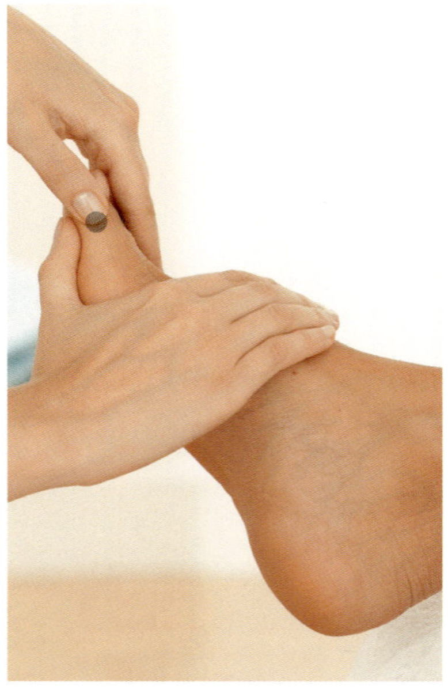

ÁREA GERAL REFLEXA DO OLHO E OUVIDO

Com uma das mãos, flexione os dedos do pé para trás a fim de criar tensão na pele e facilitar a descoberta de cristais. Avance com o polegar da base do segundo dedo até o quinto. Repita o movimento seis vezes.

ÁREA REFLEXA DAS VÉRTEBRAS CERVICAIS

Essa área reflexa situa-se no aspecto medial do dedão, entre as articulações (as quais você não trabalhará porque inúmeros fatores podem afetá-las). Sustente o dedão com uma das mãos. Com o polegar da outra, percorra sete etapas curtas, lembrando-se de que cada uma corresponde a uma vértebra específica. Avance na direção do pé. Repita o movimento cinco vezes.

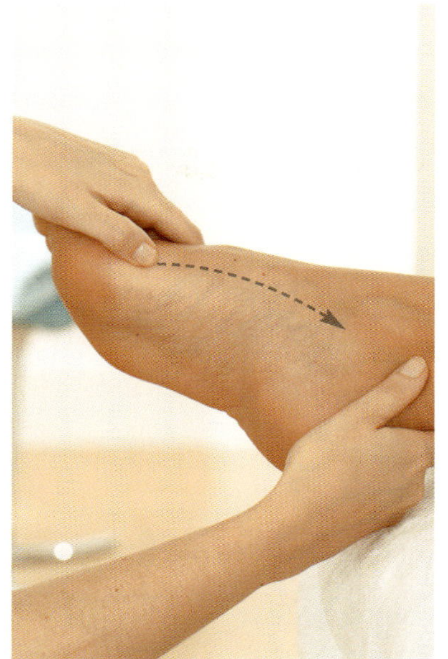

ÁREA REFLEXA DAS VÉRTEBRAS TORÁCICAS

Sustente o pé e avance doze etapas a partir da base da articulação do dedão, a fim de trabalhar todas as vértebras. Termine no osso navicular, que lembra um nó de dedo e se situa a meio caminho entre o ponto da bexiga e o tornozelo. Cada etapa corresponde a uma vértebra específica e deve ser percorrida lentamente, com pressão de leve a média. Repita o movimento três vezes a fim de ter acesso às raízes nervosas espinais.

ÁREA REFLEXA DOS VASOS LINFÁTICOS SUPERIORES

Trabalhe o aspecto dorsal do pé, usando o indicador e o polegar para ir da base dos dedos na direção do calcanhar, por entre os metatarsos. Aplique pressão média, avançando até onde puder e voltando enquanto descreve círculos suavemente entre os dedos. Repita esse movimento seis vezes para fortalecer o sistema imunológico do corpo.

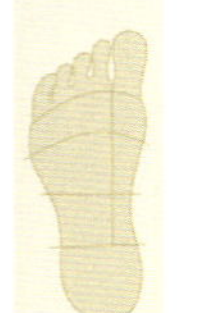

Síndrome do intestino irritável

Estima-se que um em cada cinco adultos sofra dessa síndrome, duas vezes mais comum nas mulheres que nos homens. A síndrome do intestino irritável (SII) é uma condição crônica ou persistente que afeta o intestino delgado ou grosso. Provoca dor e incômodo, alterando o meio intestinal e a duração dos movimentos peristálticos. O trato digestivo fica comprometido, o que provoca movimentos intestinais irregulares, diarreia, prisão de ventre, gases, dor abdominal, náuseas e flatulência. As fezes tornam-se compactas e muitas vezes apresentam uma taxa elevada de muco. Dores de cabeça e cansaço são frequentemente associados a essa condição.

ÁREAS E PONTOS REFLEXOS A TRATAR

- Cólon ascendente
- Cólon transverso
- Cólon sigmoide
- Cólon descendente
- Glândula pituitária
- Glândulas suprarrenais

A SII pode ser provocada por stress, intolerância alimentar e desequilíbrio de bactérias benignas no intestino.

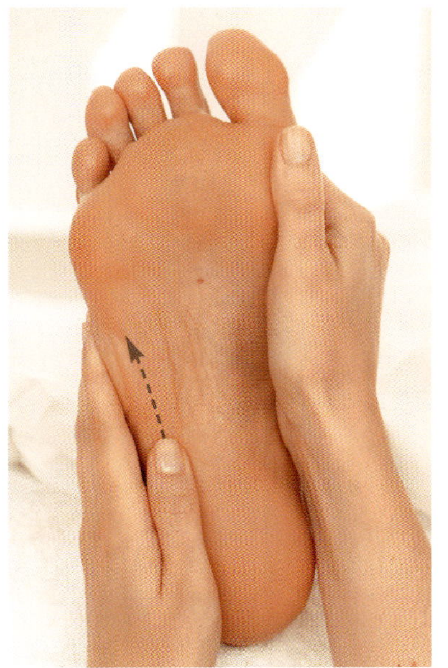

ÁREA REFLEXA DO CÓLON ASCENDENTE

Essa área reflexa só é encontrada no pé direito. Com o polegar esquerdo, avance até a zona 4 a partir da base do calcanhar, a fim de trabalhar a primeira parte do cólon. Prossiga até o meio da sola. Trabalhe a área reflexa do cólon ascendente seis vezes, em movimentos lentos.

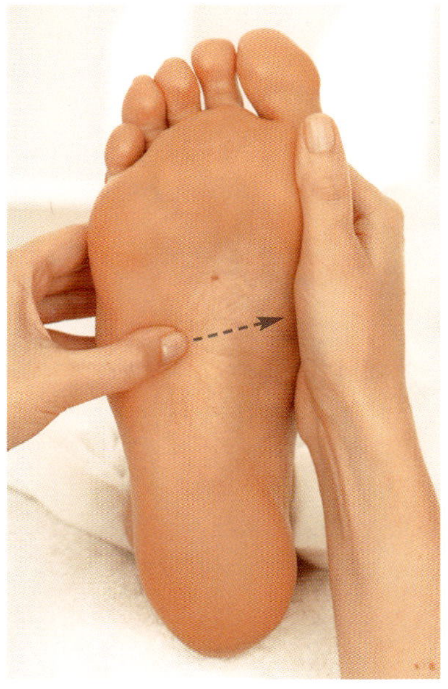

ÁREA REFLEXA DO CÓLON TRANSVERSO

Essa área reflexa se estende horizontalmente ao pé, do aspecto lateral ao medial. Avance do alto da área do cólon ascendente até embaixo do reflexo do estômago. Trabalhe a região seis vezes a fim de estimular os movimentos peristálticos do intestino e acalmar esse órgão.

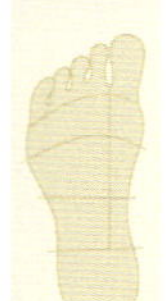

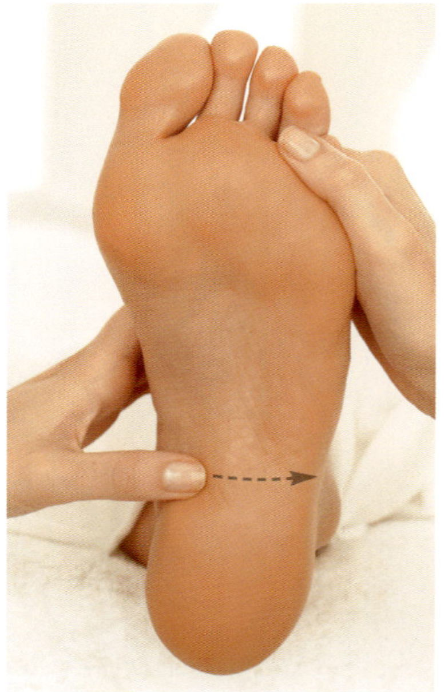

ÁREA REFLEXA DO CÓLON SIGMOIDE

Essa área reflexa só é encontrada no pé esquerdo. Pouse o polegar esquerdo no aspecto medial do pé, logo acima da saliência do calcanhar. Com movimentos suaves, percorra a área do cólon sigmoide até a zona 4. Repita seis vezes, lentamente.

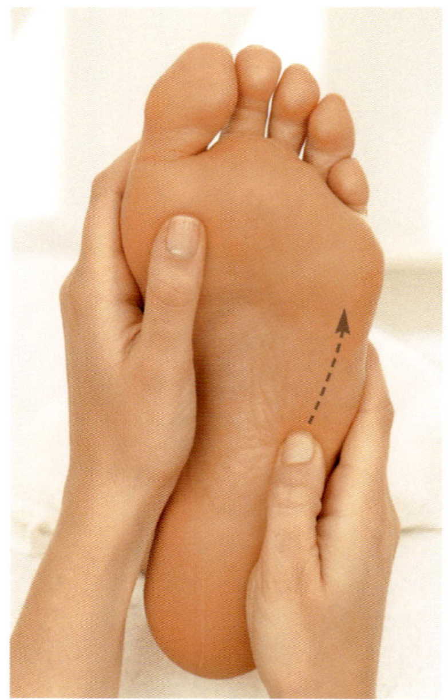

ÁREA REFLEXA DO CÓLON DESCENDENTE

Essa área reflexa só é encontrada no pé esquerdo. Com o polegar direito, suba até a zona 4 a fim de trabalhar a região. Prossiga até o meio da sola. Repita seis vezes, com movimentos lentos e descrevendo círculos à medida que sobe.

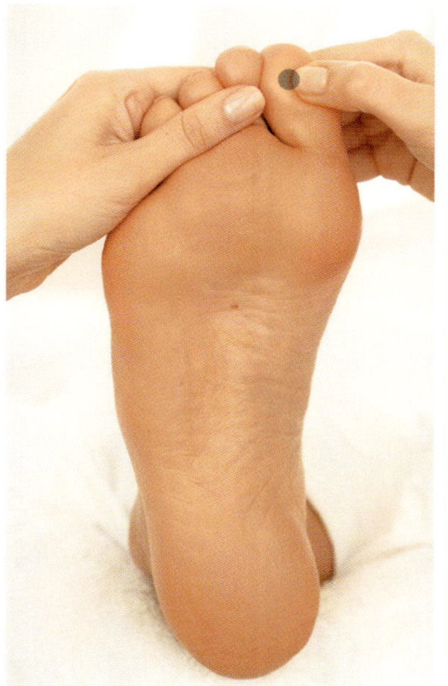

PONTO REFLEXO DA GLÂNDULA PITUITÁRIA

Sustente o dedão com os dedos de uma das mãos e use o polegar da outra para traçar uma cruz e encontrar o centro do dedão. Pouse aí o polegar, pressione e descreva círculos por dez segundos.

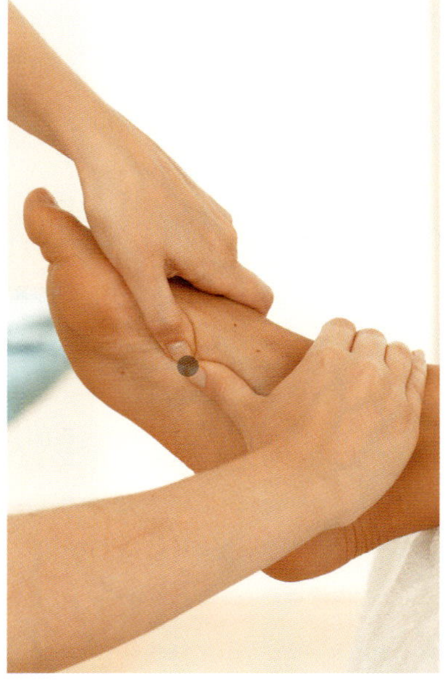

PONTO REFLEXO DA GLÂNDULA SUPRARRENAL

Você encontrará esse reflexo na zona 1, três etapas a partir da protuberância da sola. Pouse os dois polegares juntos no local e pressione suavemente, descrevendo pequenos círculos. Trabalhe por quinze segundos.

Prisão de ventre

Essa condição ocorre quando a matéria fecal se movimenta muito devagar pelo intestino grosso, provocando uma eliminação demorada e dolorosa de fezes endurecidas. A prisão de ventre pode levar a uma série de outros problemas como mau hálito, depressão, fadiga, flatulência, inchaço, cefaleia, hemorroidas e insônia. É importante que os intestinos se movimentem todos os dias, para evitar o acúmulo de toxinas prejudiciais. Em muitos casos, a prisão de ventre se origina de quantidades insuficientes de fibras e líquidos na dieta. Outras causas são: idade avançada, certos medicamentos, pouco exercício e distúrbios intestinais.

ÁREAS E PONTOS REFLEXOS A TRABALHAR

- Cólon ascendente
- Cólon sigmoide
- Cólon descendente
- Tireoide
- Rins/suprarrenais
- Vértebras lombares

Mamão, abacaxi e maçã ajudam a aliviar os sintomas da prisão de ventre. Beba água em quantidade suficiente ao longo do dia.

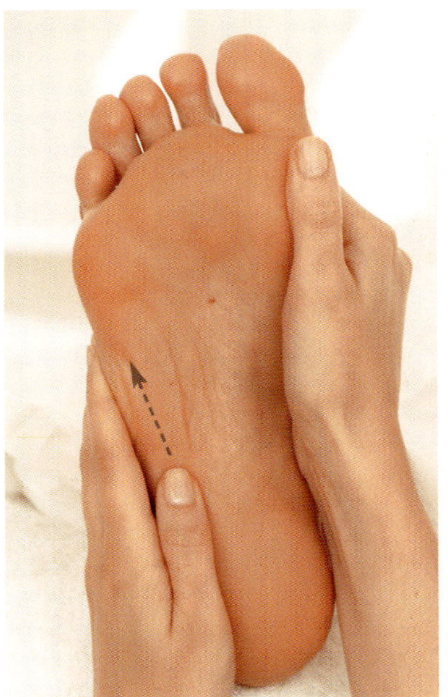

ÁREA REFLEXA DO CÓLON ASCENDENTE

Essa área reflexa só é encontrada no pé direito. Com o polegar esquerdo, suba até a zona 4 a partir da protuberância do calcanhar, a fim de cobrir a primeira parte do cólon. Vá até a metade da sola. Trabalhe essa área reflexa seis vezes, com movimentos suaves, para estimular a ação peristáltica dos músculos do cólon.

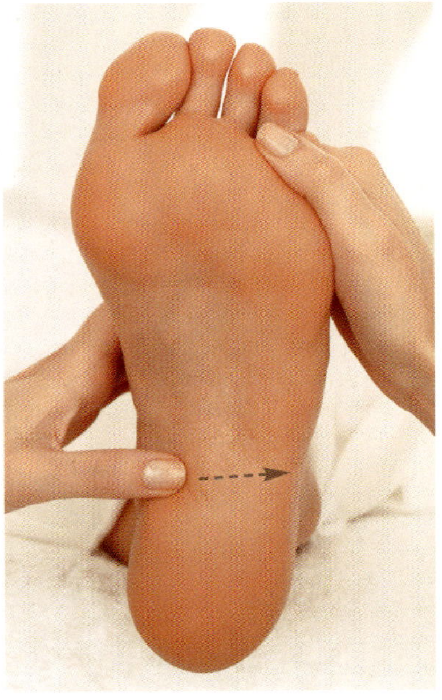

ÁREA REFLEXA DO CÓLON SIGMOIDE

Essa área reflexa só é encontrada no pé esquerdo. Pouse o polegar esquerdo no aspecto medial do pé, logo acima da protuberância do calcanhar. Com movimentos suaves, cruze a área do cólon sigmoide até a zona 4. Repita o movimento seis vezes.

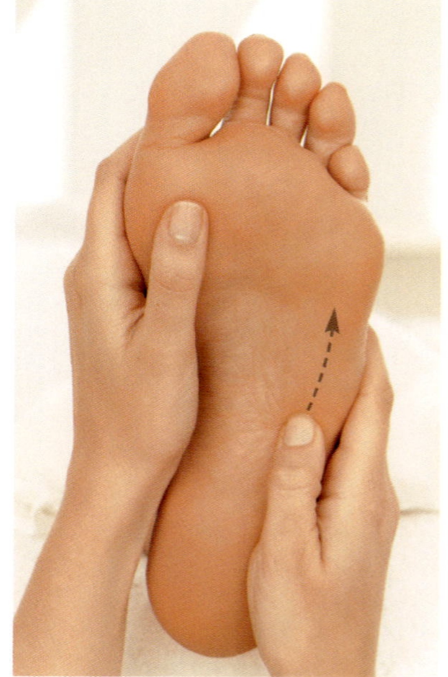

ÁREA REFLEXA DO CÓLON DESCENDENTE

Essa área reflexa só é encontrada no pé esquerdo. Com o polegar direito, suba até a zona 4 a partir da protuberância do calcanhar, a fim de cobrir essa parte do cólon. Chegue até o meio da sola. Repita seis vezes com movimentos suaves, para estimular a ação peristáltica dos músculos do cólon.

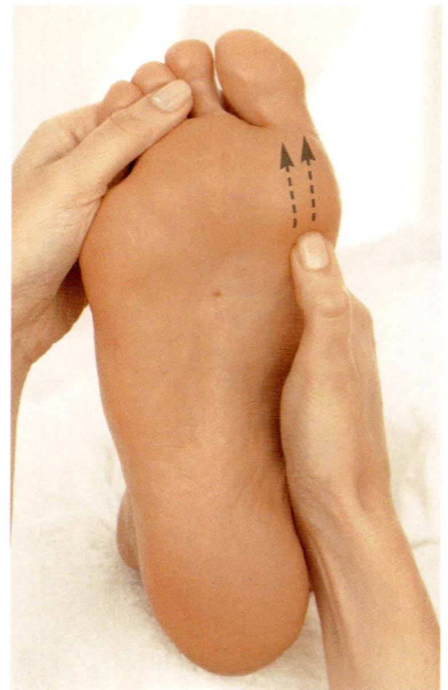

ÁREA REFLEXA DA TIREOIDE

Usando uma das mãos, empurre os dedos do pé para trás a fim de encontrar cristais com mais facilidade no local. Com o polegar da outra mão, trabalhe a saliência da sola, da linha do diafragma até a do pescoço. Repita o movimento, lentamente, sete vezes em toda a área. Trabalhar a área reflexa da tireoide ajuda a regular os níveis de energia do corpo.

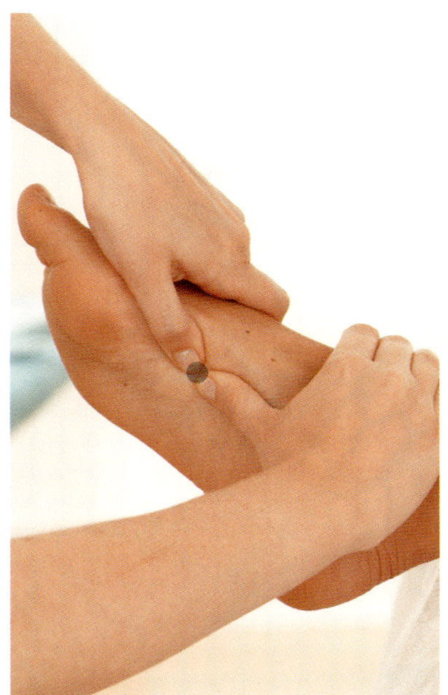

PONTOS REFLEXOS DO RIM E SUPRARRENAL

Você encontrará esses reflexos na zona 1, três etapas abaixo da saliência da sola. Pouse os dois polegares juntos no local e pressione suavemente, descrevendo pequenos círculos. Trabalhe por quinze segundos.

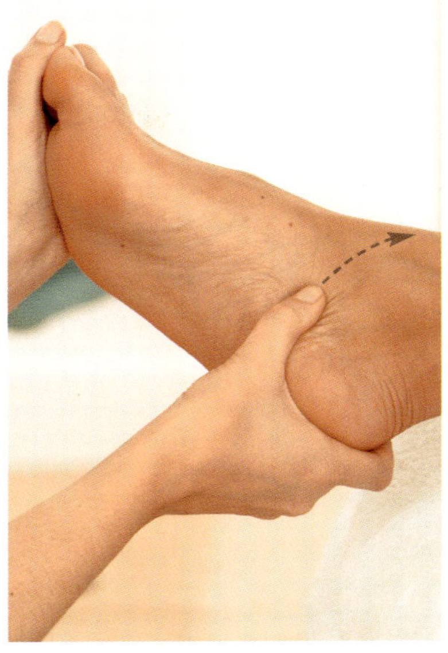

ÁREA REFLEXA DAS VÉRTEBRAS LOMBARES

Sustente o pé com uma das mãos e use o polegar da outra em volta do osso navicular, que corresponde à vértebra lombar 1, subindo cinco etapas até a depressão em frente ao osso do tornozelo, que corresponde à vértebra lombar 5. Pressione e descreva pequenos círculos durante seis segundos. Repita o movimento seis vezes.

Azia

A azia é uma sensação de ardor que sobe do centro do peito à garganta. Pode ocorrer quando o esfíncter muscular (uma espécie de válvula localizada entre o estômago e o esôfago) se descontrai, permitindo que alimentos ou sucos gástricos vindos do estômago voltem para o esôfago. Um estômago cheio torna esse episódio mais provável, pois exerce pressão maior sobre a válvula. A azia pode piorar quando a pessoa se deita de bruços ou se dobra para frente durante a crise. Mastigar bem a comida é o primeiro passo para uma boa digestão. Comer demais ou apressadamente, sobretudo refeições ricas em gorduras e condimentos, além do consumo excessivo de álcool, é causa frequente do problema, que pode ser exacerbado pelo stress. O leite cria um ambiente ácido no estômago e deve ser evitado por quem sofre de azia.

ÁREAS E PONTOS REFLEXOS A TRABALHAR

- DIAFRAGMA
- ESÔFAGO
- PÂNCREAS
- ESTÔMAGO
- PULMÕES
- VÉRTEBRAS TORÁCICAS

Tanto o vinho quanto os alimentos gordurosos podem provocar azia. Comer demais e não mastigar bem é outra causa do problema.

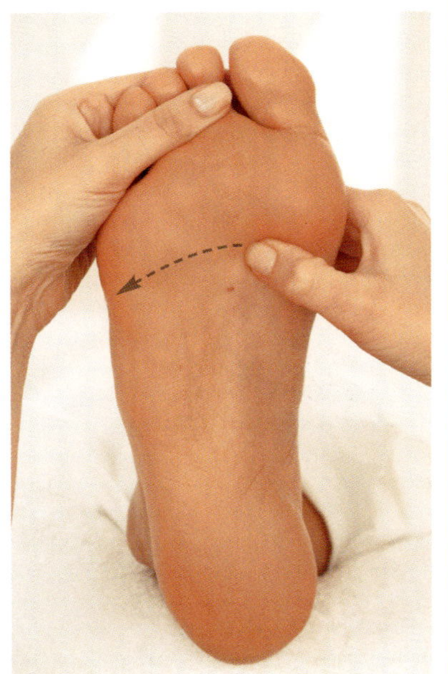

ÁREA REFLEXA DO DIAFRAGMA

Flexione o pé para trás com uma das mãos a fim de criar tensão na pele. Com o polegar da outra, trabalhe a região abaixo das extremidades dos metatarsos, cruzando do aspecto lateral para o medial do pé. Avance em etapas curtas e repita o movimento oito vezes.

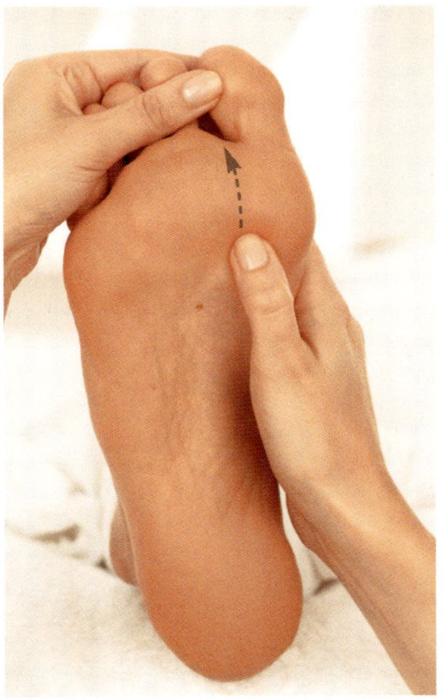

ÁREA REFLEXA DO ESÔFAGO

Flexione o pé para trás com uma das mãos a fim de criar tensão na pele. Pouse o polegar da outra na linha do diafragma, entre as zonas 1 e 2. Trabalhe entre os metatarsos, da linha do diafragma à área geral do olho/ouvido. Repita seis vezes.

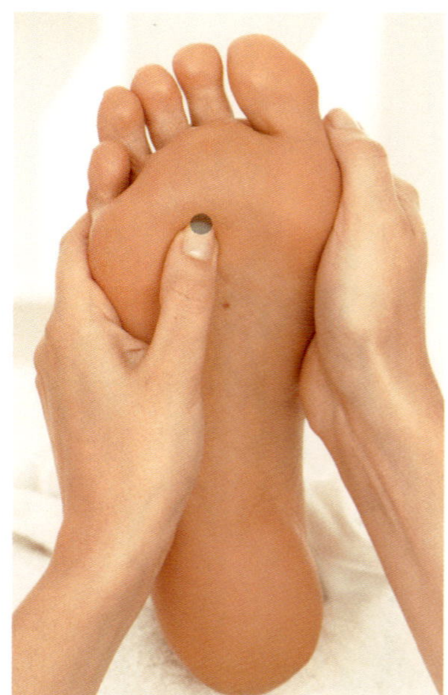

PONTO REFLEXO DO PÂNCREAS

Esse ponto reflexo só é encontrado no pé direito. Pouse o polegar no terceiro dedo e percorra um trajeto até embaixo da linha do diafragma. Pressione a articulação e faça pequenos círculos por dez segundos. Trabalhar esse ponto ajuda a neutralizar a acidez do estômago.

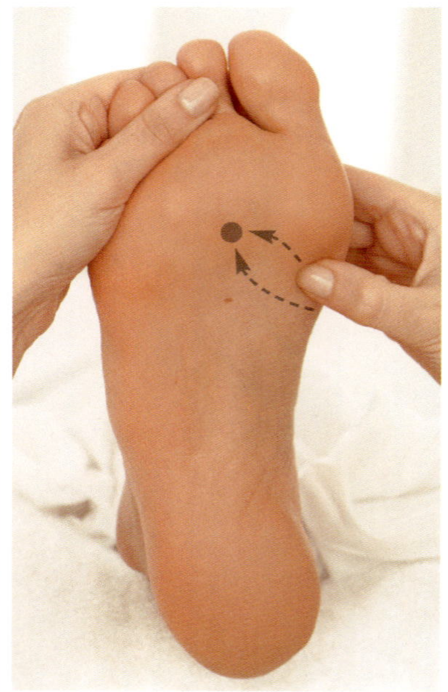

ÁREA REFLEXA DO ESTÔMAGO

Você encontrará essa área reflexa logo abaixo da protuberância da sola. Sustente o pé com uma das mãos e pouse o polegar da outra embaixo da área reflexa da tireoide. Com delicadeza, suba lateralmente até o reflexo do plexo solar, detendo-se aí para estimular o local com pequenos círculos durante quatro segundos. Repita o movimento oito vezes, descrevendo círculos lentamente à medida que avança.

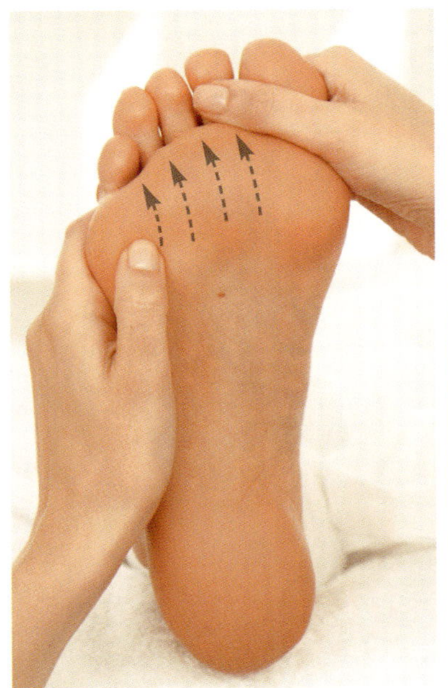

ÁREA REFLEXA DO PULMÃO

Flexione o pé para trás com uma das mãos a fim de criar tensão na pele. Com o polegar da outra, suba da linha do diafragma até a área geral do olho/ouvido. Trabalhe entre os metatarsos. Repita o processo cinco vezes, certificando-se de que não omitiu nenhum espaço entre os metatarsos.

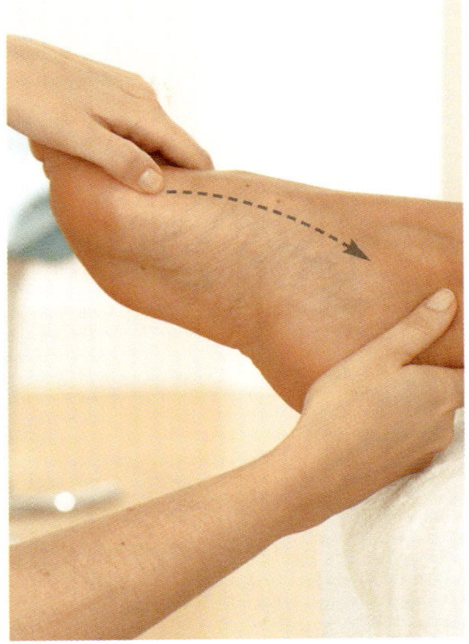

ÁREA REFLEXA DAS VÉRTEBRAS TORÁCICAS

Sustente o pé e avance doze etapas a partir da base da articulação do dedão, a fim de cobrir todas as vértebras torácicas. Pare no osso navicular, que lembra um nó de dedo e situa-se entre o ponto da bexiga e o tornozelo. Cada etapa corresponde a uma vértebra e deve ser percorrida lentamente, com pressão de leve a média. Repita o movimento três vezes para ter acesso às raízes dos nervos espinais.

Hérnia de hiato

Trata-se de uma protrusão anormal de parte do estômago, que atravessa a parede do diafragma causando dor e incômodo. O diafragma é o tecido muscular que separa os pulmões e o peito do abdome. A hérnia de hiato nos afeta mais à medida que envelhecemos. Os médicos não sabem bem o que a provoca, mas as pessoas mais sujeitas a ela são as que já passaram dos 50 anos, têm problema de obesidade ou, no caso das mulheres, estão grávidas. A hérnia de hiato nem sempre apresenta sintomas, mas pode provocar dores e azia (sensação de ardência ou calor no peito). Em geral, não é um problema sério e nem sempre exige tratamento. Os sintomas são combatidos com remédios ou (nos casos mais graves) operação. Aconselham-se refeições leves e frequentes.

ÁREAS E PONTOS REFLEXOS A TRABALHAR

- Diafragma
- Hérnia de hiato
- Estômago
- Glândula pituitária
- Glândulas suprarrenais
- Vértebras torácicas

Alimentos frescos e saudáveis são a base de uma boa saúde digestiva.

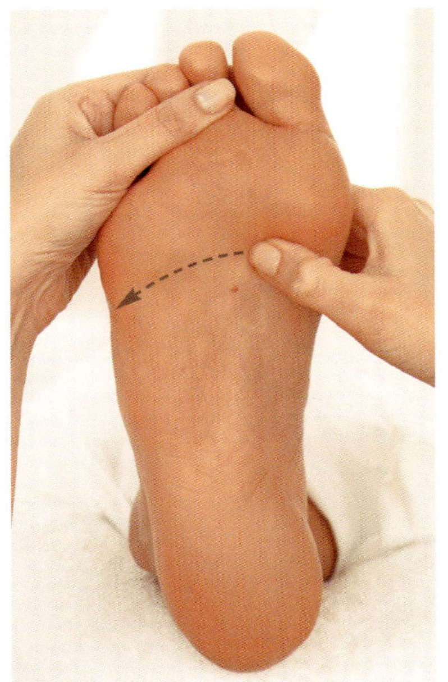

ÁREA REFLEXA DO DIAFRAGMA

Flexione o pé para trás com uma das mãos a fim de criar tensão na pele. Com o polegar da outra, trabalhe a parte inferior dos metatarsos, cruzando do aspecto lateral para o medial. Avance em etapas curtas e repita o movimento oito vezes.

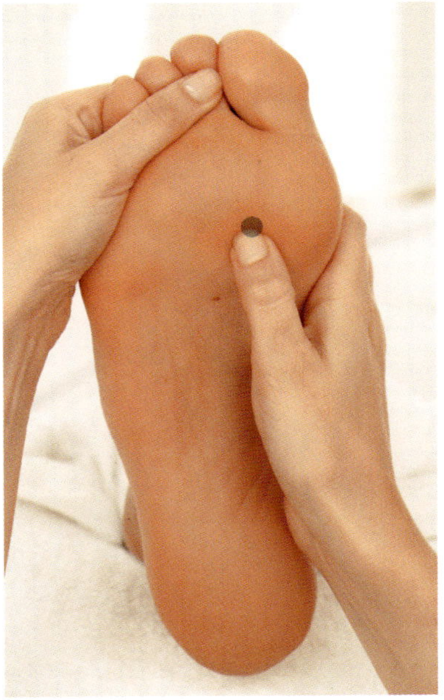

PONTO REFLEXO DA HÉRNIA DE HIATO

Flexione o pé para trás com uma das mãos e pouse o polegar da outra no ponto da hérnia de hiato, que você encontrará ao longo da linha do diafragma, entre as zonas 1 e 2. Detenha-se aí, descrevendo círculos por doze segundos.

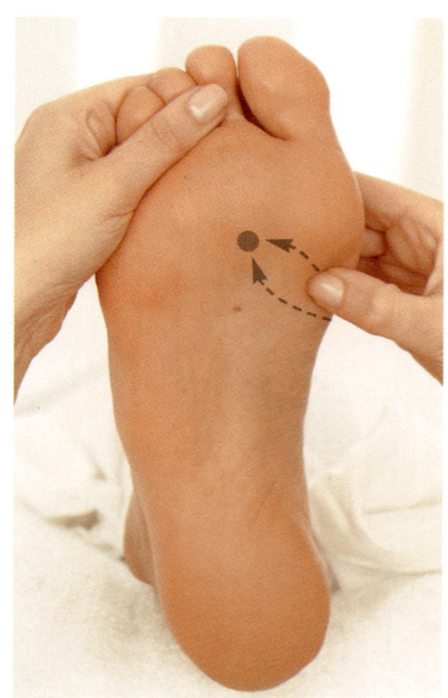

ÁREA REFLEXA DO ESTÔMAGO

Você encontrará essa área reflexa logo abaixo da protuberância da sola. Sustente o pé com uma das mãos e pouse o polegar da outra logo abaixo da área reflexa da tireoide. Com delicadeza, avance lateralmente até o ponto reflexo do plexo solar e descreva círculos nesse local, durante quatro segundos, para estimulá-lo. Repita o movimento oito vezes.

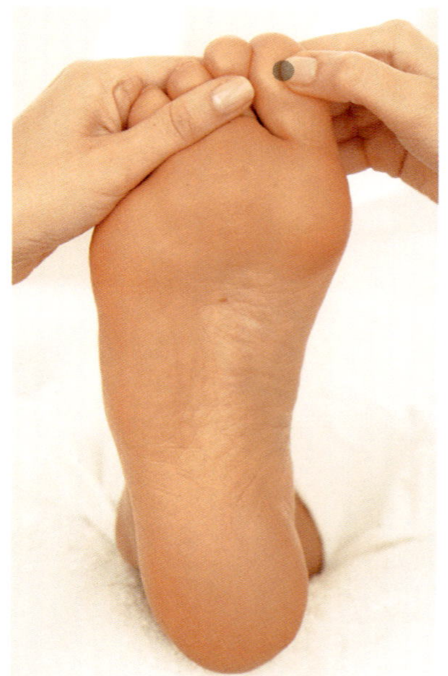

PONTO REFLEXO DA PITUITÁRIA

Sustente o dedão com os dedos de uma das mãos e, com o polegar da outra, trace uma cruz para encontrar o centro do dedão. Pouse aí o polegar, pressione e descreva círculos por quinze segundos.

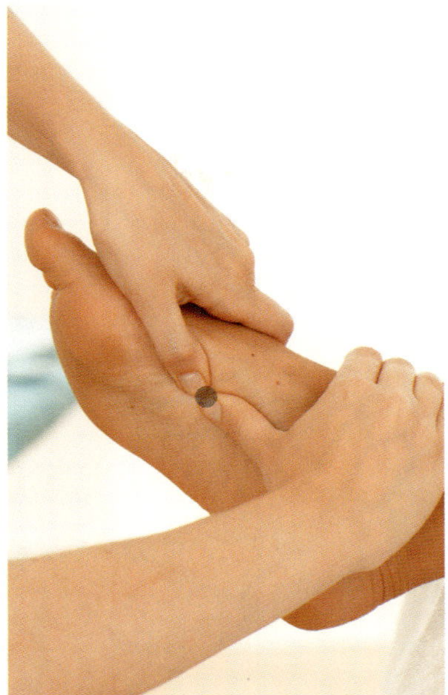

PONTO REFLEXO DA GLÂNDULA SUPRARRENAL

Você encontrará esse reflexo na zona 1, três etapas abaixo da protuberância da sola. Pouse os dois polegares juntos no local e pressione-o delicadamente, descrevendo pequenos círculos. Trabalhe assim por quinze segundos.

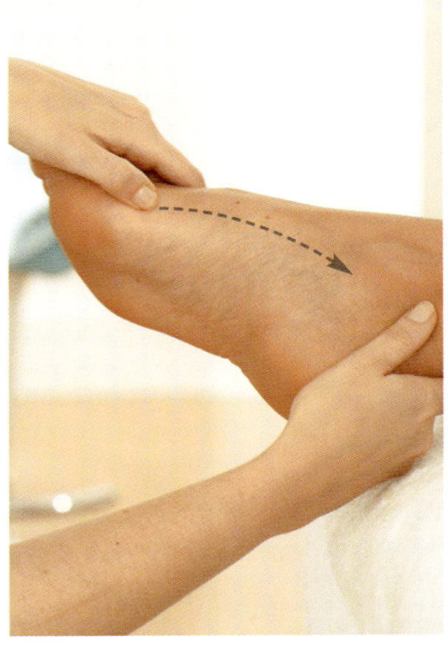

ÁREA REFLEXA DAS VÉRTEBRAS TORÁCICAS

Sustente o pé e percorra doze etapas a partir da base da articulação do dedão a fim de trabalhar todas as vértebras torácicas. Detenha-se no osso navicular, que lembra um nó de dedo e se situa a meio caminho entre o ponto da bexiga e o tornozelo. Cada etapa corresponde a uma vértebra específica e deve ser percorrida lentamente, com pressão de leve a média. Repita o movimento três vezes.

Osteoporose

Essa condição causa o enfraquecimento dos ossos, tornando mais frequentes as fraturas. É chamada às vezes de "doença silenciosa" porque muitas pessoas afetadas não sabem que seus ossos estão se afilando até que um deles se quebre. Ossos com osteoporose são menos densos e mais porosos que os normais. Os ossos que correm mais risco são os das costelas, pulsos, coluna e quadris, sujeitos a quebrar-se em resultado de pequenos choques ou quedas e mesmo sem isso (um espirro, por exemplo, pode partir uma costela). A osteoporose é mais comum a partir dos 60 anos. O risco aumenta com a idade.

ÁREAS E PONTOS REFLEXOS A TRABALHAR

- Tireoide
- Glândula pituitária
- Glândula paratireoide
- Rins/glândulas suprarrenais
- Toda a coluna

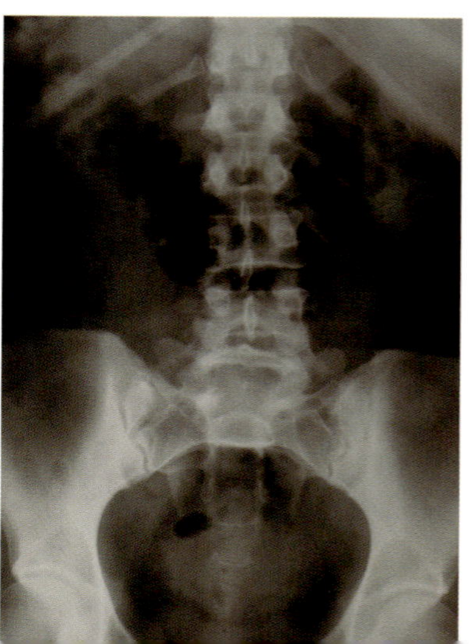

O problema é cerca de quatro vezes mais comum nas mulheres que nos homens, sobretudo após a menopausa, quando a produção de estrogênio diminui acentuadamente (o estrogênio ajuda a reter o cálcio nos ossos). Longos períodos de imobilidade, anorexia, inflamações intestinais e histórico familiar aumentam o risco de osteoporose.

A densidade mineral dos ossos pode ser reduzida em até 35% na osteoporose, que provoca fraturas cada vez mais frequentes à medida que a pessoa envelhece.

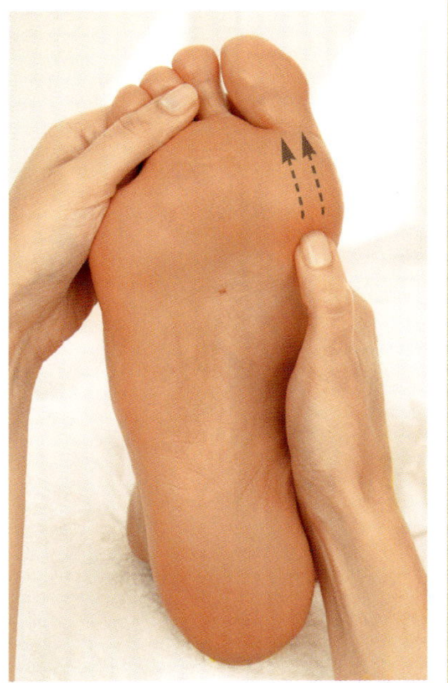

ÁREA REFLEXA DA TIREOIDE

Com o polegar de uma das mãos, trabalhe a protuberância da sola, da linha do diafragma à do pescoço. Repita o movimento lentamente quatro vezes sobre a área, durante um minuto. Isso ajuda a controlar os níveis de cálcio no sangue.

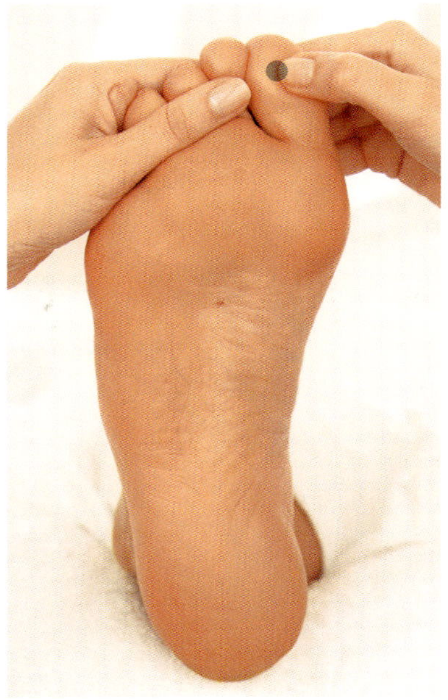

PONTO REFLEXO DA GLÂNDULA PITUITÁRIA

Sustente o dedão com os dedos de uma das mãos e, com o polegar da outra, trace uma cruz para encontrar o centro do dedão. Pouse aí o polegar, pressione e faça círculos por quinze segundos.

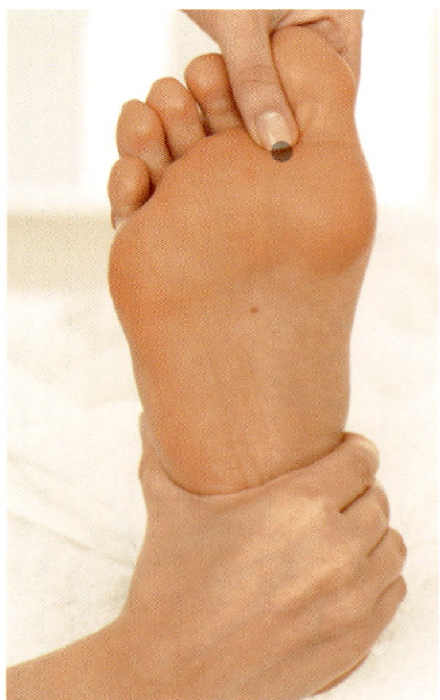

PONTO REFLEXO DA PARATIREOIDE

Você encontrará esse ponto entre o dedão e o segundo dedo. Com o indicador e o polegar, pince a seção de pele entre o primeiro e o segundo dedos. Mantenha a pressão e, com delicadeza, faça círculos por quinze segundos. Trabalhar esse ponto reflexo ajuda a controlar os níveis de cálcio no sangue, o que por sua vez regula a função muscular e nervosa, além de aliviar problemas relacionados às glândulas paratireoides.

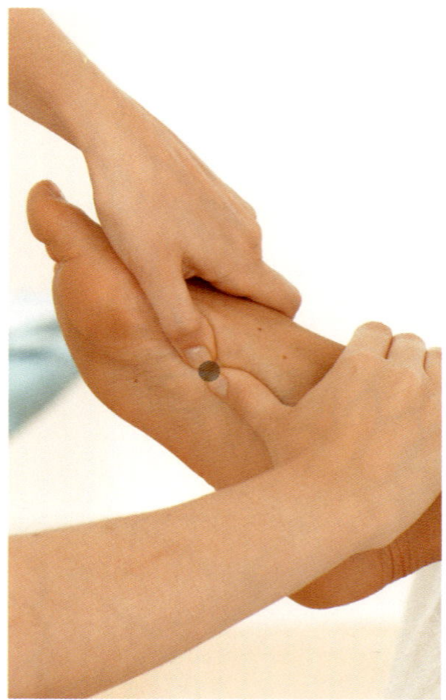

PONTOS REFLEXOS DO RIM/GLÂNDULA SUPRARRENAL

Você encontrará esses reflexos na zona 1, três etapas abaixo da saliência da sola. Pouse os dois polegares juntos no local e pressione-o delicadamente, descrevendo pequenos círculos. Trabalhe assim por quinze segundos.

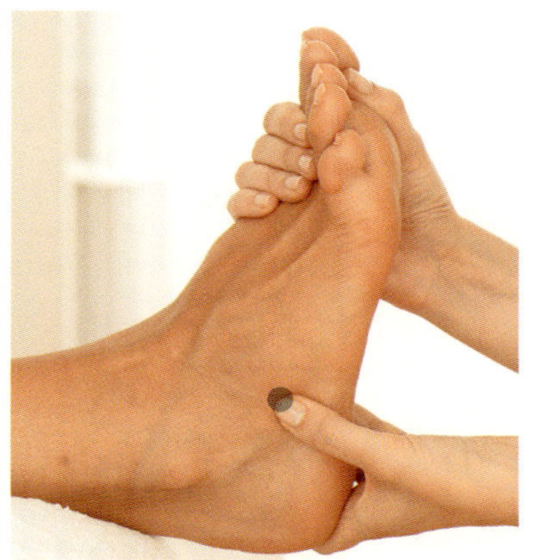

PONTO REFLEXO DO QUADRIL

Pouse o polegar a mais ou menos duas etapas de distância do osso do tornozelo e avance uma na direção do dedo mínimo. Pressione e descreva círculos bem grandes a fim de estimular o ponto reflexo do quadril. Trabalhe o local suavemente por quinze segundos.

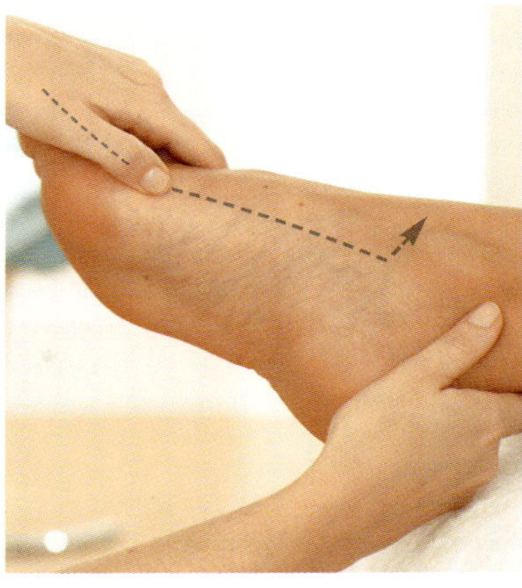

TODA A COLUNA

Trabalhe o aspecto medial do pé. Sustente o pé com uma das mãos e, com o polegar da outra, percorra sete etapas curtas entre as articulações do dedão, lembrando-se de que cada etapa corresponde a uma vértebra específica. Avance na direção dos dedos. A seguir, com delicadeza, percorra doze etapas a partir da base da articulação do dedão, a fim de cobrir todas as vértebras torácicas. Termine no osso navicular, que se situa entre o ponto da bexiga e o tornozelo. Circule o osso navicular, que corresponde à vértebra lombar 1, subindo em sete etapas até a depressão fronteira ao osso do tornozelo, que corresponde à vértebra lombar 5. Repita esse movimento três vezes.

Síndrome do túnel carpal

Essa síndrome costuma afetar uma ou ambas as mãos. Trata-se de um problema muito comum que surge quando um nervo do pulso é demasiadamente pressionado. O nervo mediano transmite mensagens sensoriais vindas do polegar e outros dedos, além de controlar os movimentos da mão. Às vezes, a síndrome do túnel carpal surge em decorrência do trabalho, mas pode ser evitada quando se interrompe ou reduz a atividade que sobrecarrega os dedos, a mão ou o pulso. O problema tende a incomodar mais à noite e é agravado por movimentos bruscos do pulso.

ÁREAS E PONTOS REFLEXOS A TRABALHAR

- Ombro
- Pulso
- Cotovelo
- Tireoide
- Rins/suprarrenais
- Vértebras cervicais
- Vértebras torácicas

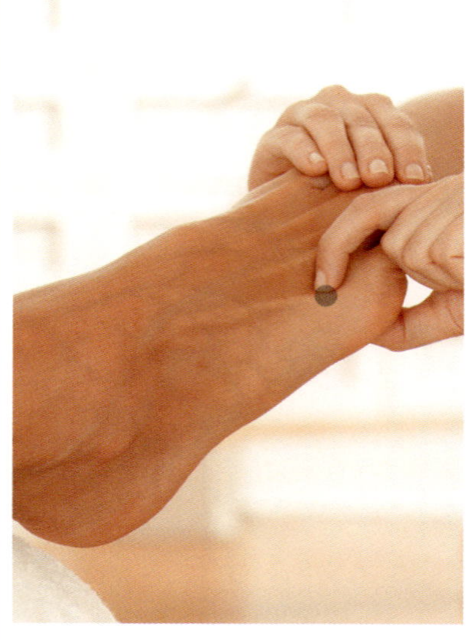

PONTO REFLEXO DO OMBRO

Você encontrará esse ponto reflexo no aspecto dorsal do pé, entre o quarto e o quinto metatarso. A maneira mais simples de achá-lo é pousar o indicador e o polegar na base do quarto e do quinto dedo. Lentamente, desça quatro etapas, seguindo a borda do pé num movimento de pinça. Ao atingir esse reflexo sensível, pare e pressione, descrevendo suavemente pequenos círculos por quinze segundos.

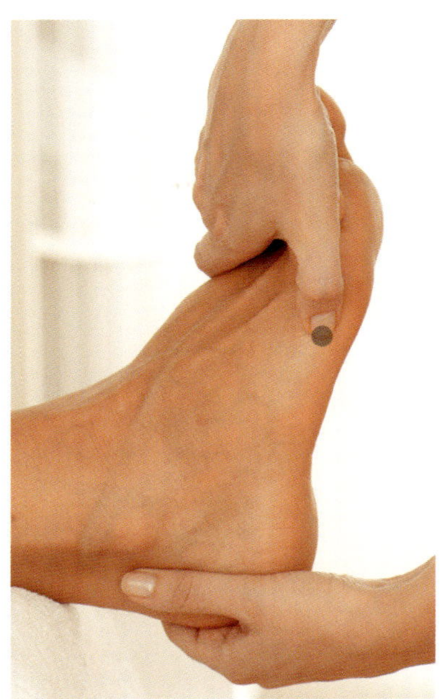

PONTO REFLEXO DO PULSO

Com o polegar, desça duas etapas pelo aspecto lateral do pé, a partir do quinto dedo. Pressione o ponto reflexo do pulso, descrevendo círculos por quinze segundos.

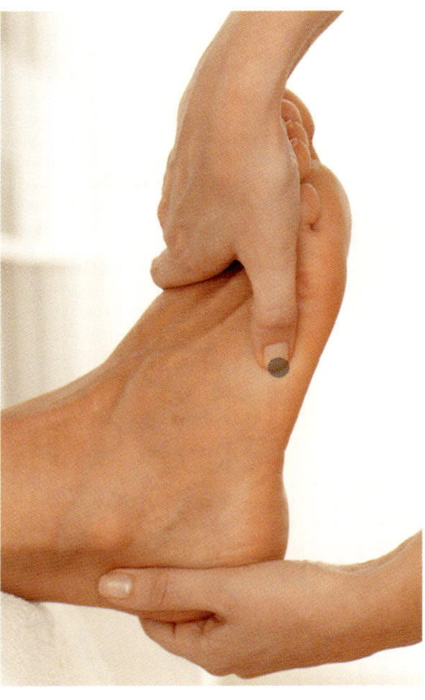

PONTO REFLEXO DO COTOVELO

Com o polegar, percorra uma longa etapa a partir do ponto reflexo do pulso até o do cotovelo. Pressione esse ponto, descrevendo círculos por quinze segundos.

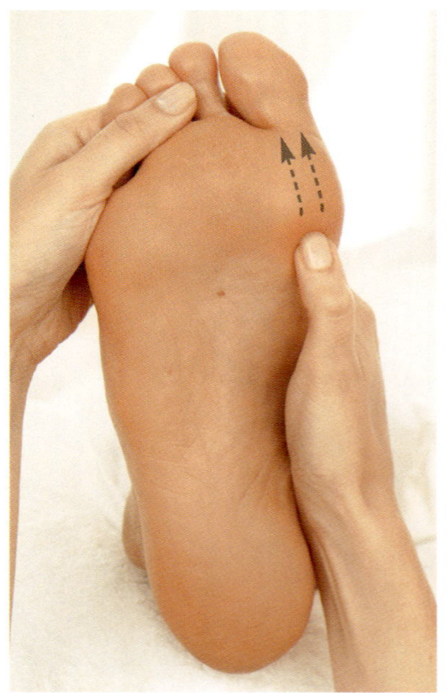

ÁREA REFLEXA DA TIREOIDE

Com uma das mãos, dobre os dedos para trás a fim de encontrar cristais com mais facilidade. Com o polegar da outra, trabalhe a saliência da sola, subindo da linha do diafragma até a do pescoço. Repita o movimento lentamente quatro vezes por toda a área, dispersando os cristais à medida que forem sendo encontrados.

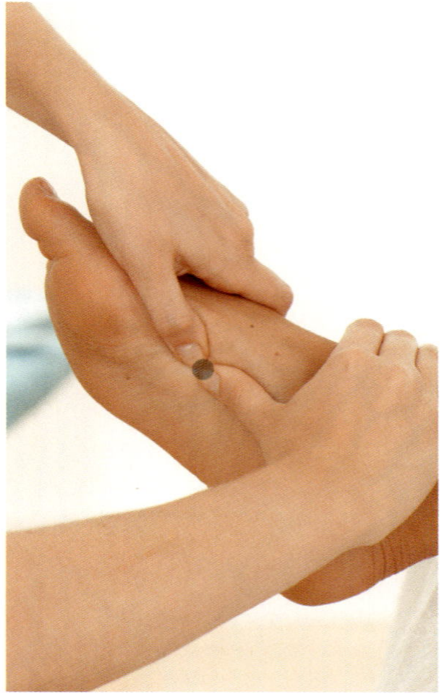

PONTOS REFLEXOS DO RIM/SUPRARRENAL

Você encontrará esses reflexos na zona 1, três etapas abaixo da saliência da sola. Pouse os dois polegares juntos no local e pressione-o suavemente, descrevendo pequenos círculos. Trabalhe assim por quinze segundos.

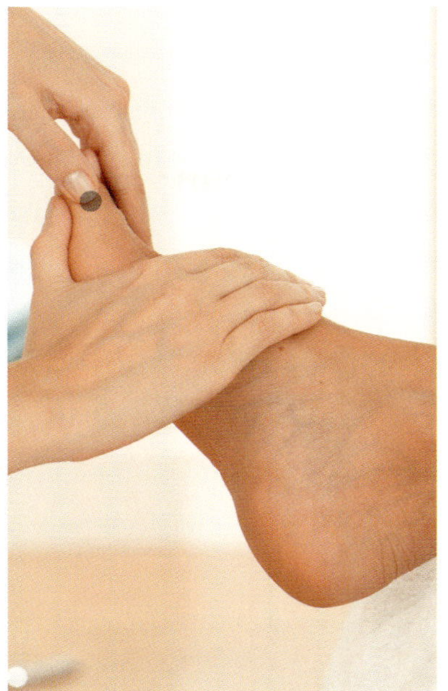

ÁREA REFLEXA DAS VÉRTEBRAS CERVICAIS

Essa área reflexa situa-se no aspecto medial do dedão, entre as articulações (as quais você não trabalhará por causa dos muitos fatores que podem afetá-las). Sustente o dedão com uma das mãos. Com o polegar da outra, percorra sete etapas curtas, lembrando-se de que cada etapa corresponde a uma vértebra específica. Avance na direção do pé. Repita o movimento cinco vezes.

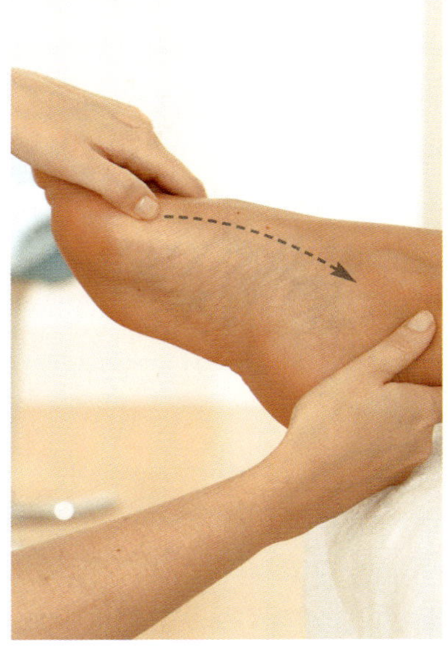

ÁREA REFLEXA DAS VÉRTEBRAS TORÁCICAS

Sustente o pé e avance doze etapas a partir da base da articulação do dedão para trabalhar todas as vértebras torácicas. Detenha-se no osso navicular, que lembra um nó de dedo e situa-se a meio caminho entre o ponto da bexiga e o tornozelo. Cada etapa corresponde a uma vértebra específica e deve ser percorrida lentamente, com pressão de leve a média. Repita o movimento cinco vezes.

Osteoartrite

A osteoartrite afeta três vezes mais as mulheres que os homens e se caracteriza pela inflamação de algumas articulações, provocando rangido, rigidez, inchaço, perda da função articular, deformidade e dor. É agravada pelo stress mecânico, que desgasta a cartilagem protetora das articulações. O problema aparece em praticamente todas as pessoas acima de 60 anos, embora nem sempre apresente sintomas. Fraqueza e retração dos músculos circundantes às vezes se manifestam quando a dor impede o paciente de usar a articulação com regularidade. Quando essa doença degenerativa afeta as articulações dos ossos do pescoço, é chamada de osteoartrite cervical. Surge em virtude do desgaste do pescoço à medida que envelhecemos, sendo frequente, portanto, a partir da meia-idade. Os principais sintomas são dor e rigidez local; e, havendo pressão nos nervos do pescoço, a dor se espalha pelos ombros e braços, observando-se também entorpecimento e formigamento nas mãos, que perdem a capacidade de segurar com força. O tratamento deve ser aplicado com pressão muito leve.

A osteoartrite compromete nosso bem-estar físico e emocional, reduzindo a mobilidade nas pessoas idosas.

ÁREAS E PONTOS REFLEXOS A TRABALHAR

- Toda a coluna
- Fígado
- Tireoide
- Glândula pituitária
- Rins/suprarrenais
- Vasos linfáticos superiores

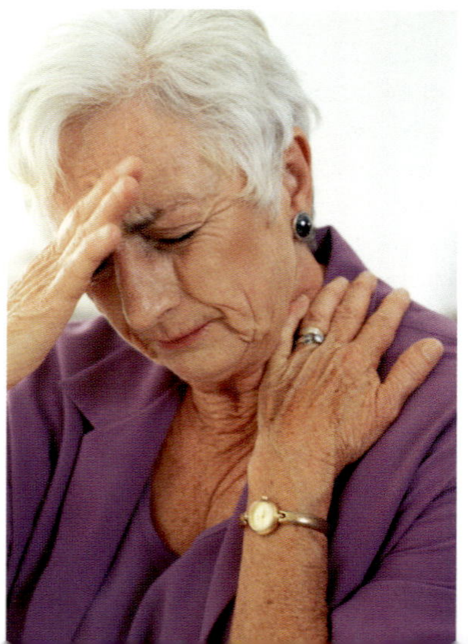

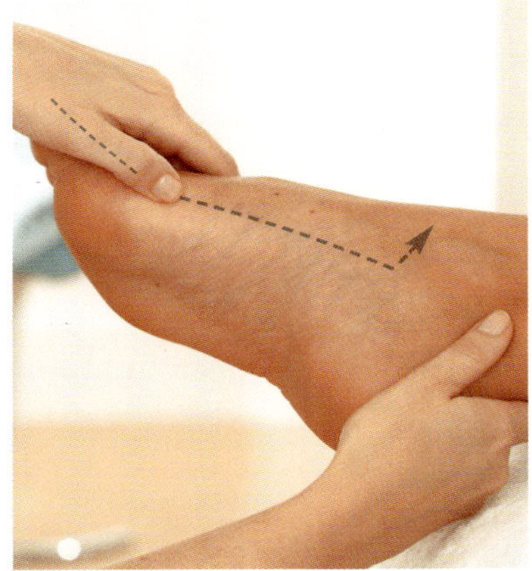

TODA A COLUNA

Trabalhe o aspecto medial do pé. Sustente-o com uma das mãos e, com o polegar da outra, percorra sete curtas etapas entre as articulações do dedão, lembrando-se de que cada etapa corresponde a uma vértebra específica. Avance na direção dos dedos. Em seguida, percorra doze etapas, delicadamente, a partir da base da articulação do dedão, para cobrir todas as vértebras torácicas. Pare no osso navicular, que lembra um nó de dedo e está situado a meio caminho entre o ponto da bexiga e o tornozelo. Circule o osso navicular, que corresponde à vértebra lombar 1, e suba cinco etapas até a depressão fronteira ao osso do tornozelo, que corresponde à vértebra lombar 5. Repita o movimento três vezes.

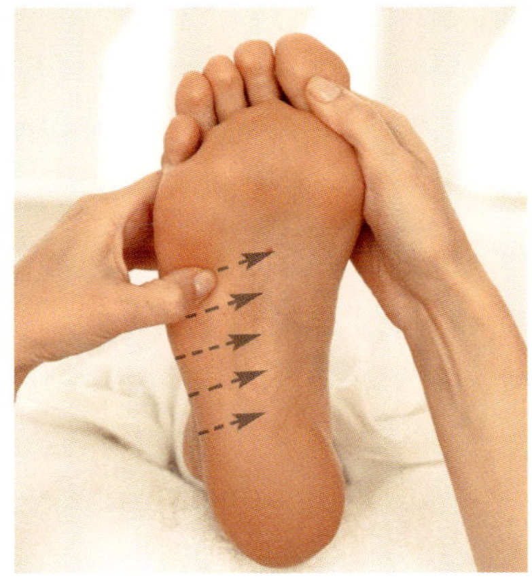

ÁREA REFLEXA DO FÍGADO

Essa área reflexa só é encontrada no pé direito. Sustente o pé com a mão direita e pouse o polegar esquerdo logo abaixo da linha do diafragma. Trabalhe lentamente e com precisão, cruzando a sola até as zonas 5 e 4 para chegar a 3. Avance numa única direção. Continue assim até o alto da protuberância do calcanhar e complete o movimento quatro vezes.

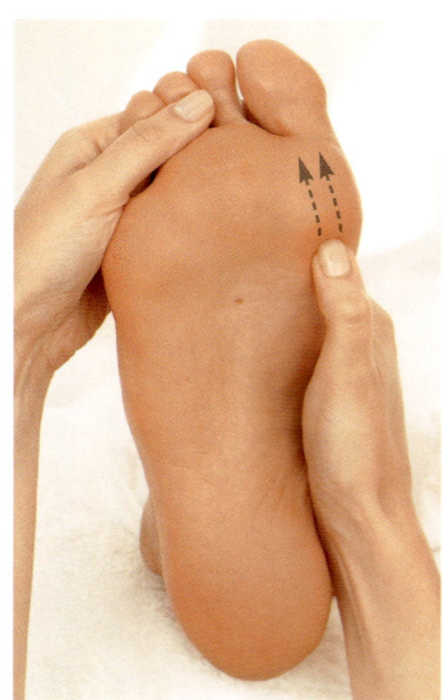

ÁREA REFLEXA DA TIREOIDE

Com o polegar, trabalhe a protuberância da sola, da linha do diafragma à do pescoço. Repita o movimento lentamente quatro vezes por toda a área.

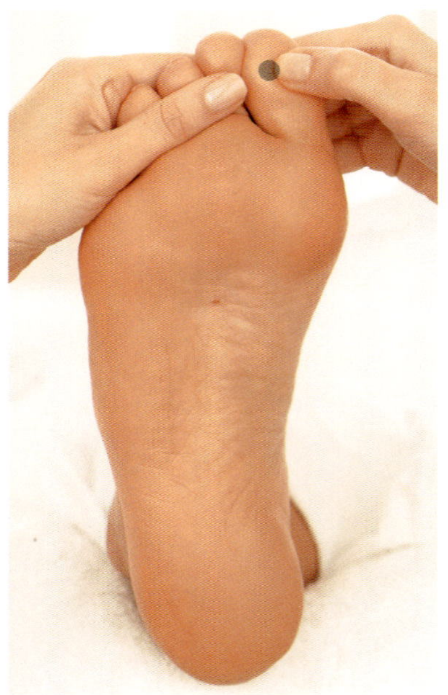

PONTO REFLEXO DA PITUITÁRIA

Sustente o dedão com os dedos de uma das mãos e, com o polegar da outra, trace uma cruz para encontrar o centro do dedão. Pouse aí o polegar, pressione e descreva círculos por quinze segundos.

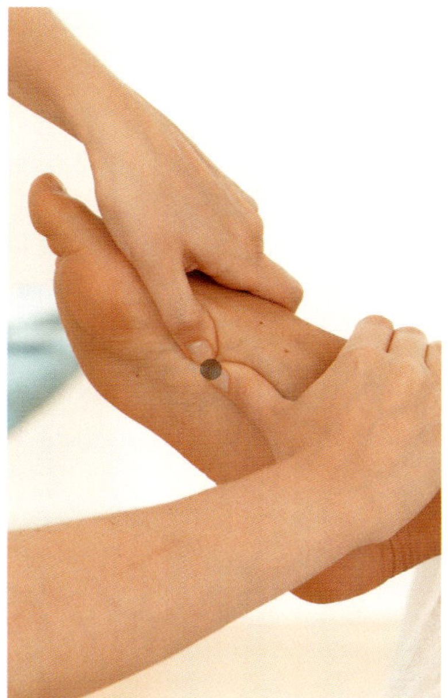

PONTOS REFLEXOS DO RIM/SUPRARRENAL

Você encontrará esses reflexos na zona 1, três etapas abaixo da protuberância da sola. Junte os polegares e, suavemente, pressione o local, descrevendo pequenos círculos. Trabalhe assim por quinze segundos.

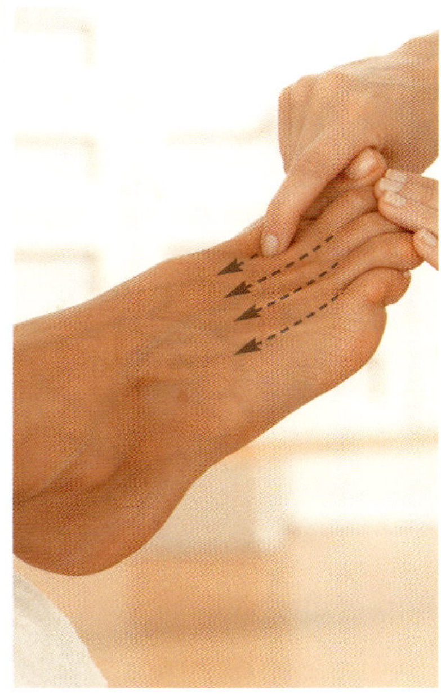

ÁREA REFLEXA DOS VASOS LINFÁTICOS SUPERIORES

Trabalhe o aspecto dorsal do pé, percorrendo com o indicador e o polegar a região entre a base dos dedos e o calcanhar, entre os metatarsos. Aplique pressão leve e suba o máximo possível, voltando enquanto descreve círculos, levemente, entre os dedos. Repita o movimento cinco vezes.

Capsulite adesiva

Problema causado por inflamação e espessamento da cobertura da cápsula que encerra a articulação (ombro congelado). Essa cápsula é uma bolsa pequena e cheia de líquido localizada entre os músculos, entre o tendão e o osso, e entre a pele e o osso; ela permite os movimentos sem que haja fricção entre as superfícies. Os sintomas incluem rigidez e dor no ombro, o que dificulta os movimentos normais da articulação. Nos casos mais graves, o ombro fica totalmente imobilizado e a dor é forte.

ÁREAS E PONTOS REFLEXOS A TRABALHAR

- Cabeça
- Occipital
- Ombro
- Cotovelo
- Glândulas suprarrenais
- Vértebras cervicais
- Vértebras torácicas

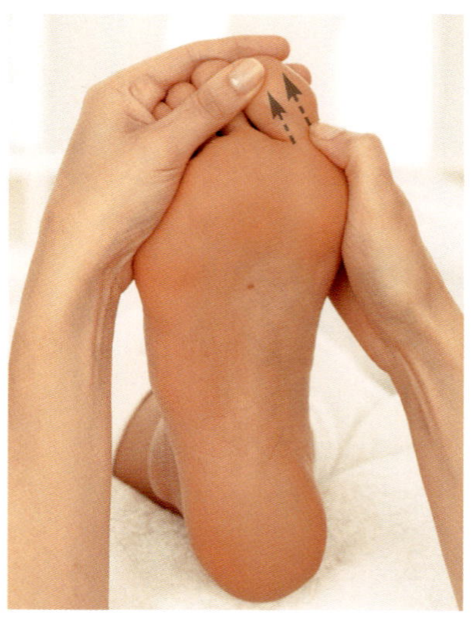

ÁREA REFLEXA DA CABEÇA

Sustente o dedão com os dedos de uma das mãos. Com o polegar da outra, suba da linha do pescoço à ponta do dedão. Repita o movimento várias vezes, em linhas paralelas.

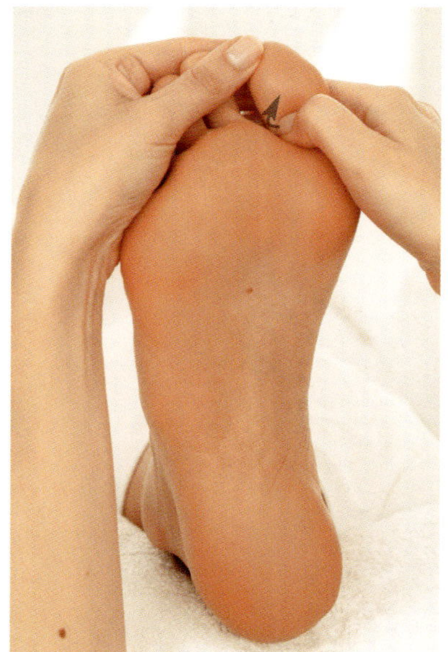

PONTO REFLEXO DO OCCIPITAL

Sustente o pé com uma das mãos e, suavemente, flexione para trás o dedão. Percorra a base do dedão com o polegar e encurve-o sobre a região entre o dedão e o segundo dedo. Ali, encontrará a saliência de um osso: pouse o polegar no local e descreva pequenos círculos por vinte segundos, a fim de trabalhar esse ponto reflexo.

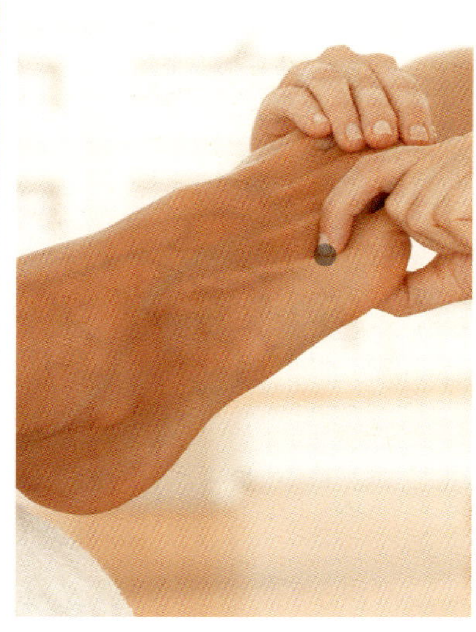

PONTO REFLEXO DO OMBRO

Você encontrará esse ponto reflexo no aspecto dorsal do pé, entre o quarto e o quinto metatarso. A maneira mais simples de descobri-lo é colocar o indicador e o polegar na base do quarto e quinto dedo. Lentamente, desça quatro etapas, seguindo a borda do pé num movimento de pinça. Ao chegar a esse ponto reflexo sensível, pare e pressione, descrevendo pequenos círculos por quinze segundos. Ajuste a pressão para evitar incômodo.

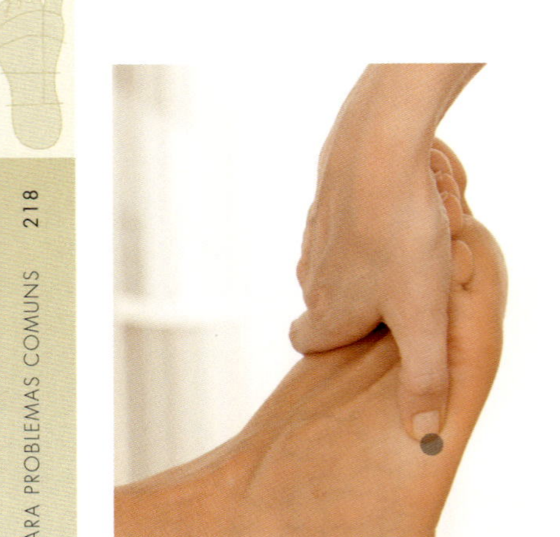

PONTO REFLEXO DO COTOVELO

Com o polegar, desça três etapas pelo aspecto lateral do pé a partir do quinto dedo. Pressione o ponto reflexo do cotovelo e faça círculos por quinze segundos.

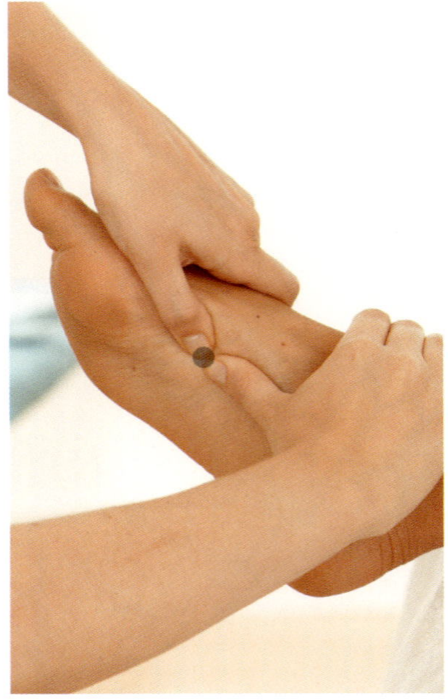

PONTO REFLEXO DA SUPRARRENAL

Você encontrará os reflexos da suprarrenal na zona 1, três etapas abaixo da saliência da sola. Coloque ambos os polegares no local e pressione-o suavemente, descrevendo pequenos círculos. Trabalhe dessa maneira por quinze segundos.

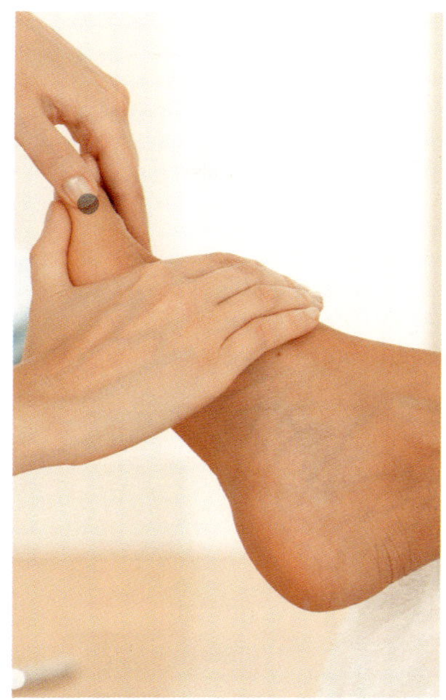

ÁREA REFLEXA DAS VÉRTEBRAS CERVICAIS

Essa área reflexa situa-se no aspecto medial do dedão, entre as articulações (as quais você não trabalhará por causa dos diversos fatores que podem afetá-las). Sustente o dedão com uma das mãos. Com o polegar da outra, percorra sete etapas curtas, lembrando-se de que cada etapa corresponde a uma vértebra específica. Avance na direção do pé. Repita o movimento cinco vezes.

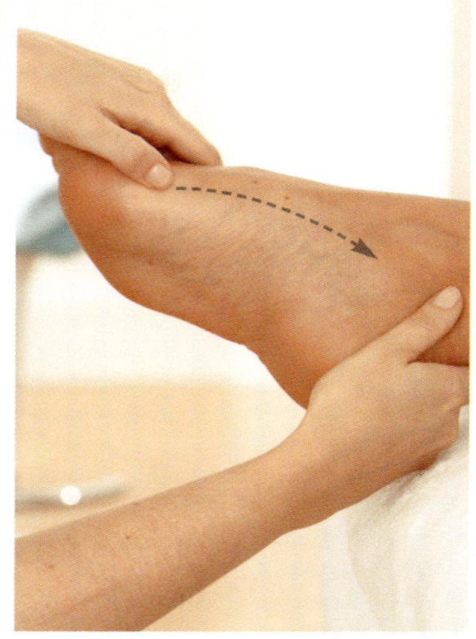

ÁREA REFLEXA DAS VÉRTEBRAS TORÁCICAS

Sustente o pé e avance doze etapas a partir da base da articulação do dedão, a fim de trabalhar todas as vértebras torácicas. Pare no osso navicular, que lembra um nó de dedo e se situa a meio caminho entre o ponto da bexiga e o tornozelo. Cada etapa corresponde a uma vértebra específica e deve ser percorrida lentamente, com pressão de leve a média. Repita o movimento cinco vezes.

Epilepsia

A epilepsia é a tendência a ter convulsões frequentes ou episódios breves de consciência alterada, devido a uma atividade elétrica anormal no cérebro. Essa condição em geral aparece na infância, podendo desaparecer com o tempo. Os adultos correm o risco de desenvolver epilepsia por estarem mais sujeitos a fatores que podem desencadeá-la, como o derrame cerebral. Na maioria dos casos, a causa é desconhecida, embora fatores genéticos possam estar envolvidos. Crises recorrentes às vezes resultam de dano cerebral provocado por um parto difícil, golpes violentos na cabeça, derrames (que impedem o fluxo de oxigênio para o cérebro) ou infecções como a meningite. Há diferentes tipos de epilepsia, como também de crises, inclusive a crise parcial, menos comum, quando a pessoa simplesmente parece ausente, "desligada", ou experimenta cheiros e visões estranhas. A crise mais conhecida é a que se caracteriza por enrijecimento súbito do corpo e depois espasmos incontroláveis.

Causas ambientais e comportamentais incluem calor, excesso de chumbo, alergias alimentares, álcool e stress físico ou emocional.

ÁREAS E PONTOS REFLEXOS A TRABALHAR

- Cabeça
- Pituitária
- Tireoide
- Fígado
- Suprarrenais
- Toda a coluna

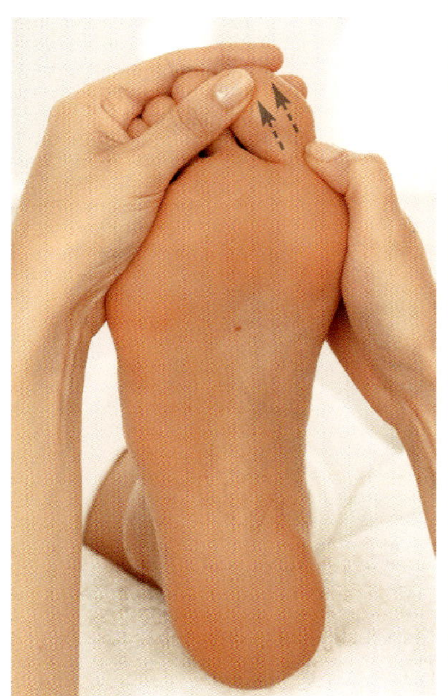

ÁREA REFLEXA DA CABEÇA

Sustente o dedão com os dedos de uma das mãos. Com o polegar da outra, suba da linha do pescoço até a ponta do dedão. Repita várias vezes em linhas paralelas, durante um minuto.

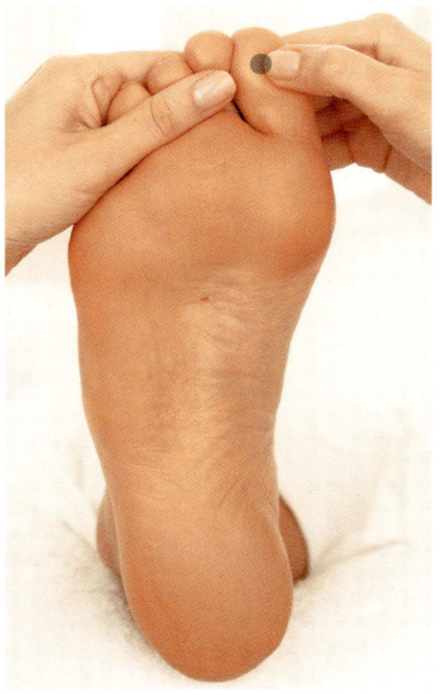

PONTO REFLEXO DA PITUITÁRIA

Sustente o dedão com os dedos de uma das mãos e, com o polegar da outra, faça uma cruz para encontrar o centro do dedão. Pouse aí o polegar, pressione e descreva círculos por quinze segundos.

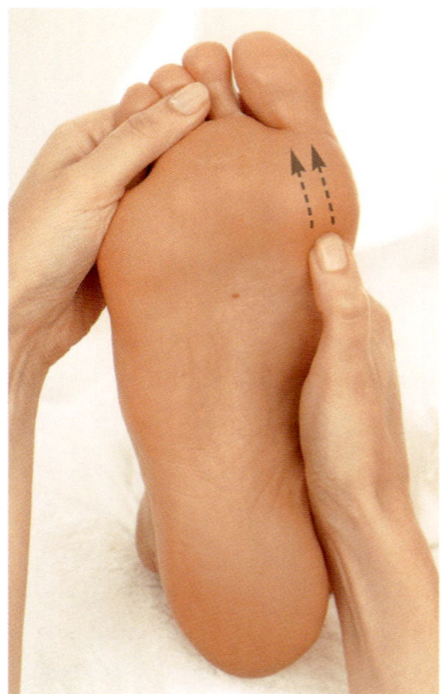

ÁREA REFLEXA DA TIREOIDE

Com o polegar, percorra a saliência da sola, indo da linha do diafragma à do pescoço. Repita o movimento lentamente seis vezes na área. Ao deparar com cristais, disperse-os descrevendo círculos no local.

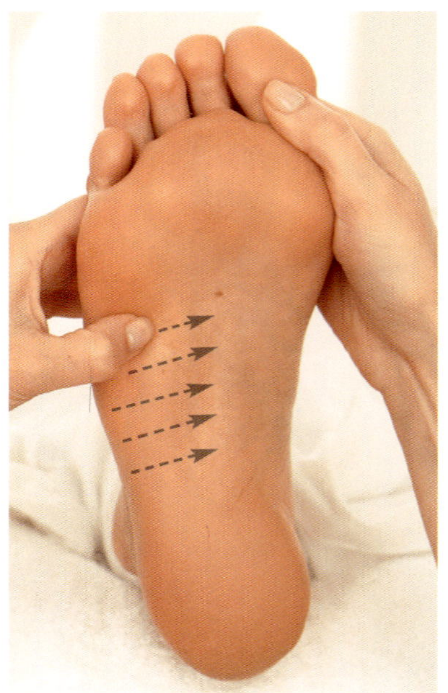

ÁREA REFLEXA DO FÍGADO

Essa área reflexa só é encontrada no pé direito. Sustente-o com a mão direita e pouse o polegar esquerdo logo abaixo da linha do diafragma. Trabalhe lentamente e com precisão, cruzando a sola pelas zonas 5 e 4 até a 3. Avance numa única direção. Prossiga até a região abaixo da protuberância do calcanhar. Repita o movimento cinco vezes.

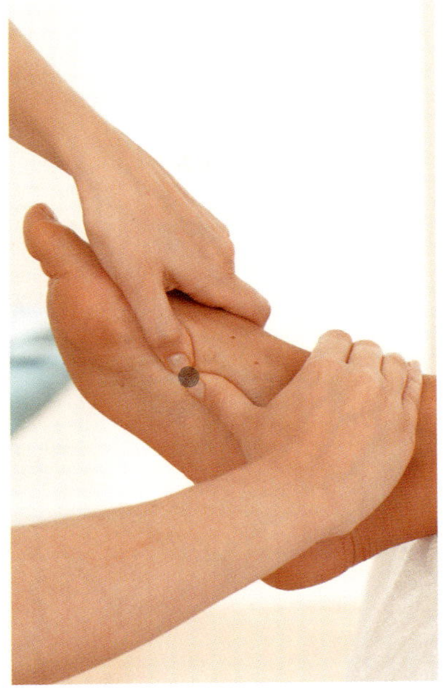

PONTO REFLEXO DA SUPRARRENAL

Você encontrará o reflexo da suprarrenal na zona 1, três etapas abaixo da saliência da sola. Pouse os dois polegares juntos no local e pressione levemente, descrevendo pequenos círculos. Trabalhe dessa maneira por quinze segundos.

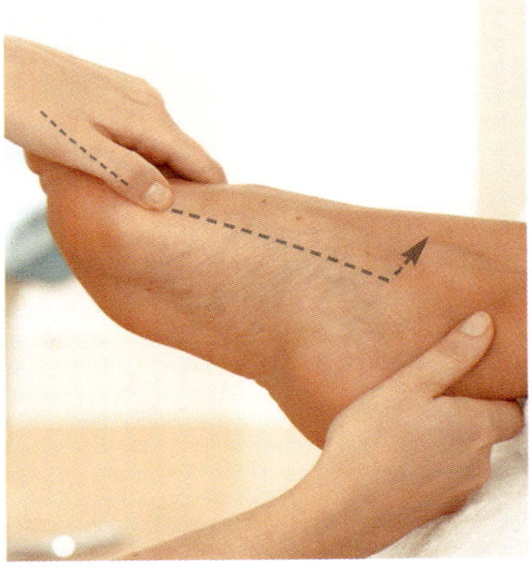

TODA A COLUNA

Trabalhe o aspecto medial do pé. Sustente-o com uma das mãos e, com o polegar da outra, percorra sete etapas curtas entre as articulações do dedão, lembrando-se de que cada etapa corresponde a uma vértebra específica. Avance na direção do pé. Em seguida, percorra lentamente doze etapas a partir da base da articulação do dedão, a fim de trabalhar todas as vértebras torácicas. Termine no osso navicular, que lembra um nó de dedo e se situa a meio caminho entre o ponto da bexiga e o tornozelo. Circule o navicular, que corresponde à vértebra lombar I, subindo cinco etapas até a depressão fronteira ao osso do tornozelo, que corresponde à vértebra lombar 5. Repita o movimento quatro vezes.

Mal de Parkinson

Essa doença degenerativa afeta o sistema nervoso em consequência de uma lesão das células nervosas na base do cérebro. A causa é desconhecida, mas os sintomas aparecem quando se constata falta do hormônio dopamina no cérebro, que interrompe as mensagens de uma célula nervosa a outra. As duas principais teorias para o aparecimento do mal de Parkinson são que as células do cérebro acabam destruídas por toxinas presentes no organismo, que o fígado não conseguiu remover; e que a exposição a toxinas ambientais como pesticidas ou herbicidas provoca a doença. Esta é mais comum em pessoas idosas. Os sintomas são tremores, fraqueza e rigidez muscular. O paciente pode ter também espasmos, movimentos involuntários nas mãos, braços ou pernas, postura rígida, andar arrastado, falta de equilíbrio que o faz dar passos curtos e rápidos, e encurvamento da coluna. Atividades corriqueiras como comer, lavar-se ou vestir-se podem ser extremamente penosas para o doente.

O mal de Parkinson é mais comum em pessoas idosas e torna muito difíceis suas atividades cotidianas.

ÁREAS E PONTOS REFLEXOS A TRABALHAR

- Cabeça
- Cérebro
- Fígado
- Vasos linfáticos superiores
- Glândulas suprarrenais
- Toda a coluna

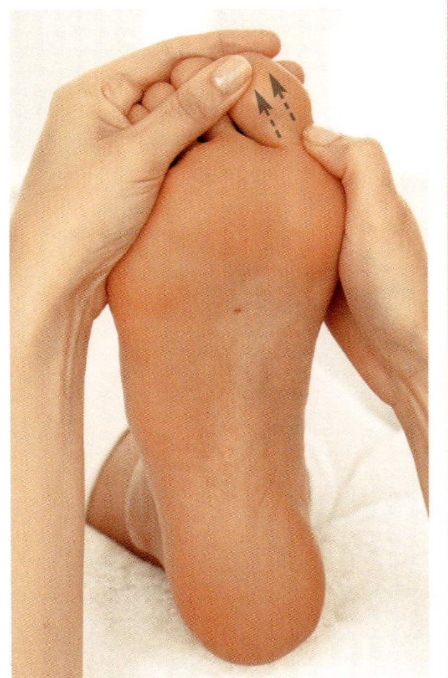

ÁREA REFLEXA DA CABEÇA

Sustente o dedão com os dedos de uma das mãos. Com o polegar da outra, suba da linha do pescoço à ponta do dedão. Repita várias vezes em linhas paralelas, por um minuto.

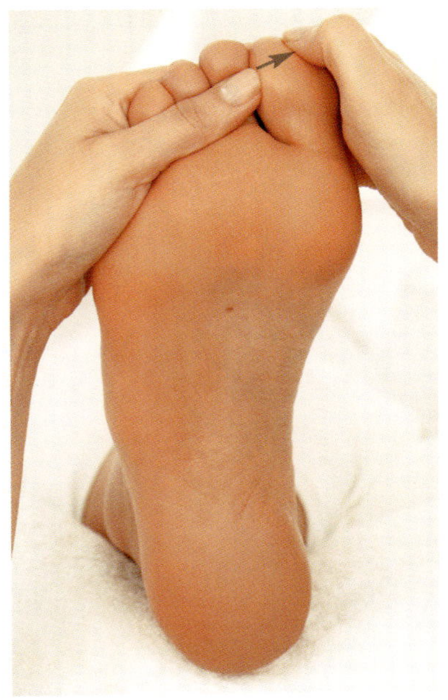

ÁREA REFLEXA DO CÉREBRO

Sustente o dedão com uma das mãos e, com o polegar da outra, trabalhe a parte superior do dedão. Repita esse movimento doze vezes.

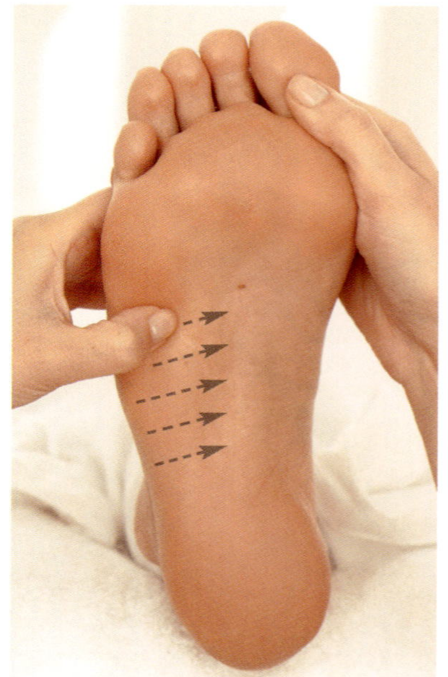

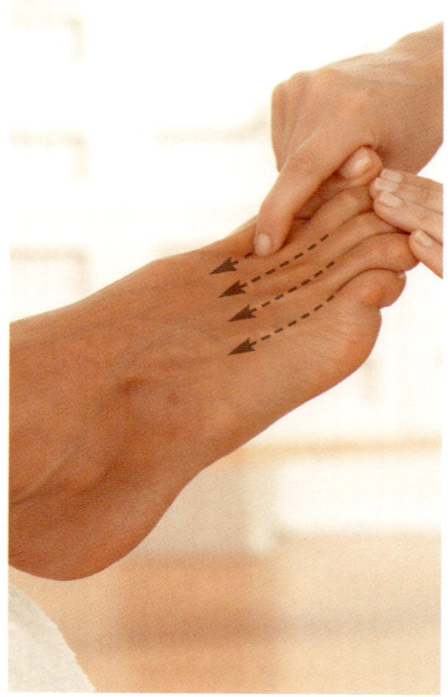

ÁREA REFLEXA DO FÍGADO

Essa área reflexa só é encontrada no pé direito. Sustente-o com a mão direita e pouse o polegar da esquerda logo abaixo da linha do diafragma. Trabalhe lentamente e com precisão, cruzando a sola pelas zonas 5 e 4 até a 3. Avance numa única direção. Prossiga assim até acima da protuberância do calcanhar. Repita o movimento cinco vezes.

ÁREA REFLEXA DOS VASOS LINFÁTICOS SUPERIORES

Trabalhe o aspecto dorsal do pé usando o indicador e o polegar para ir da base dos dedos até o tornozelo, entre os metatarsos. Aplique pressão média, subindo o máximo possível e voltando enquanto descreve círculos suavemente, entre os dedos. Repita o movimento quatro vezes.

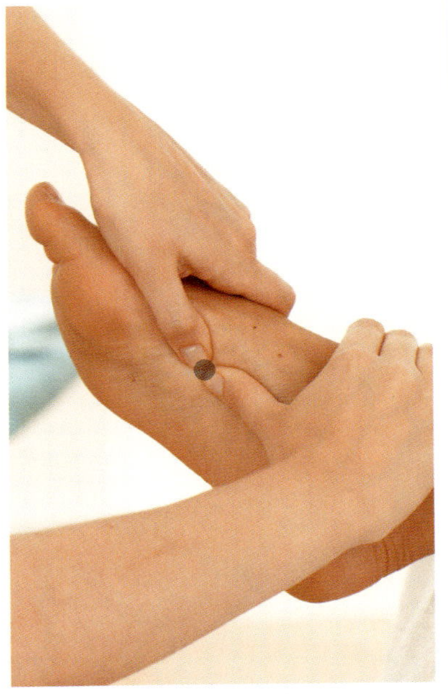

PONTO REFLEXO DA SUPRARRENAL

Você encontrará esse reflexo na zona 1, três etapas abaixo da saliência da sola. Pouse os dois polegares juntos no local e pressione suavemente, descrevendo pequenos círculos. Trabalhe assim por quinze segundos.

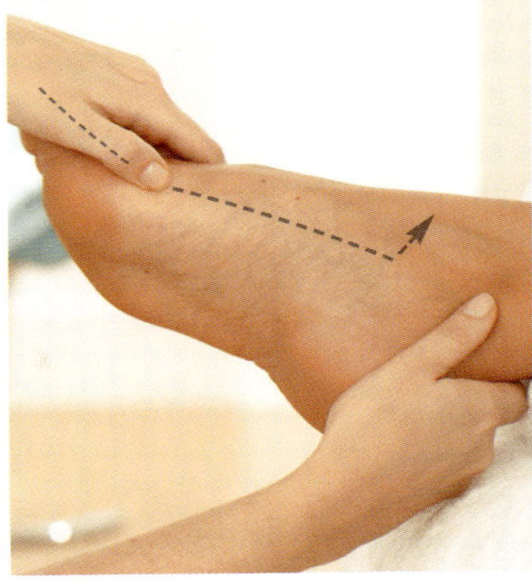

TODA A COLUNA

Trabalhe o aspecto medial do pé. Sustente-o com uma das mãos e use o polegar da outra para percorrer sete etapas curtas entre as articulações do dedão, lembrando-se de que cada etapa corresponde a uma vértebra específica. Avance na direção do pé. Em seguida, percorra doze etapas, suavemente, a partir da base da articulação do dedão para cobrir todas as vértebras torácicas. Pare no osso navicular, que lembra um nó de dedo e se situa a meio caminho entre o ponto da bexiga e o tornozelo. Circule o navicular, que corresponde à vértebra lombar 1, e suba cinco etapas até a depressão fronteira ao osso do tornozelo, que corresponde à vértebra lombar 5. Repita o movimento quatro vezes.

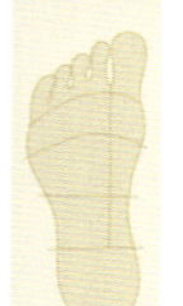

Doença de Ménière

Na doença de Ménière, observa-se um excesso de líquido nos canais do ouvido interno, responsável pelo equilíbrio. Ela pode ocorrer em ambos os ouvidos, mas, na maioria dos casos, apenas um é afetado. Tanto homens quanto mulheres correm o risco, e o problema surge geralmente entre os 20 e os 60 anos. O principal sintoma é a vertigem súbita, que pode fazer a pessoa ir ao chão. Os outros são tontura, entupimento do ouvido, surdez e zumbidos. As causas desencadeadoras incluem sal, álcool, cafeína e nicotina; outras causas possíveis: gravidez, menstruação, alergias, estímulos visuais, mudança de pressão atmosférica e stress. Recomenda-se que os pacientes sigam uma dieta capaz de estabilizar os níveis de líquidos e sangue no corpo, evitando-se assim flutuações secundárias na quantidade de fluido no ouvido interno.

ÁREAS E PONTOS REFLEXOS A TRABALHAR

- Cabeça
- Glândula pituitária
- Ouvido interno
- Vértebras cervicais
- Fígado
- Rins/suprarrenais

Frequentemente, as pessoas que sofrem da doença de Ménière apresentam baixos níveis de manganês no organismo.

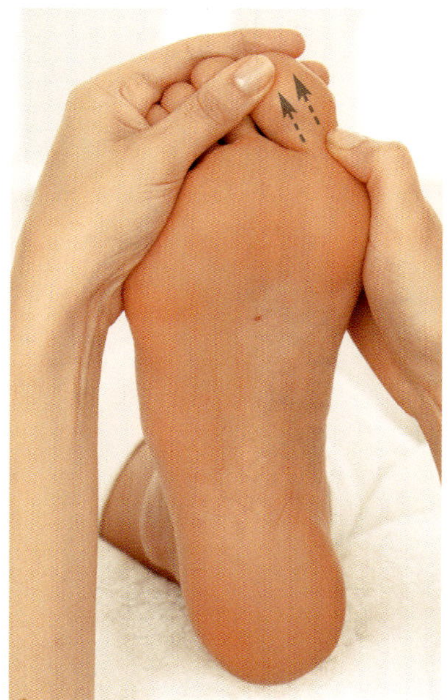

ÁREA REFLEXA DA CABEÇA

Sustente o dedão com os dedos de uma das mãos. Com o polegar da outra, suba da linha do pescoço à ponta do dedão. Repita o movimento várias vezes em linhas paralelas, por um minuto.

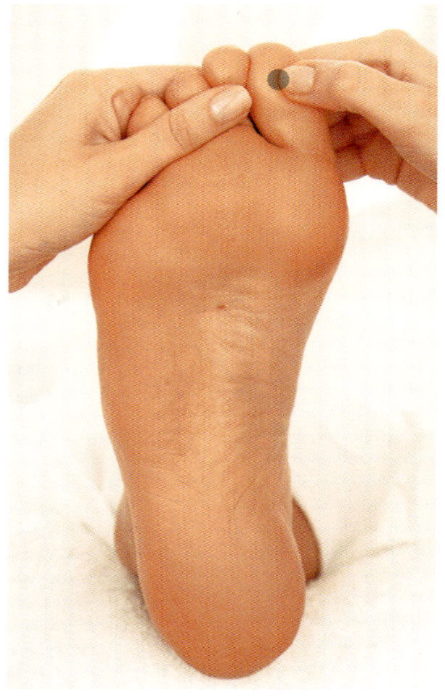

PONTO REFLEXO DA GLÂNDULA PITUITÁRIA

Sustente o dedão com os dedos de uma das mãos e, com o polegar da outra, trace uma cruz para encontrar o centro do dedão. Pouse aí o polegar, pressione e descreva círculos por quinze segundos.

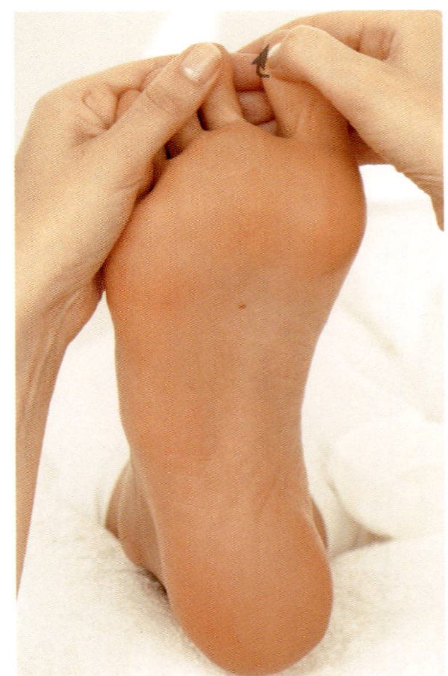

PONTO REFLEXO DO OUVIDO INTERNO

Suba duas longas etapas até a ponta do dedão, partindo do ponto reflexo do occipital. Pouse o polegar no ponto reflexo do ouvido interno e descreva círculos por dez segundos, suavemente, para trabalhar bem o local.

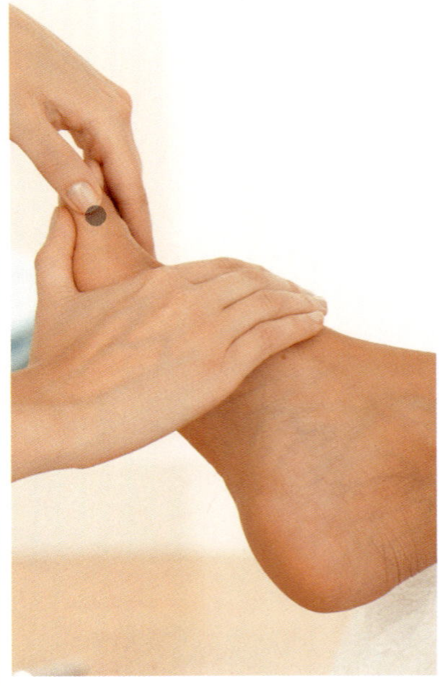

ÁREA REFLEXA DAS VÉRTEBRAS CERVICAIS

Essa área situa-se no aspecto medial do dedão, entre as articulações (as quais você não trabalhará por causa dos inúmeros fatores que podem afetá-las). Sustente o dedão com uma das mãos. Com o polegar da outra, percorra sete etapas curtas, lembrando-se de que cada etapa corresponde a uma vértebra específica. Avance na direção do pé. Repita o movimento dez vezes.

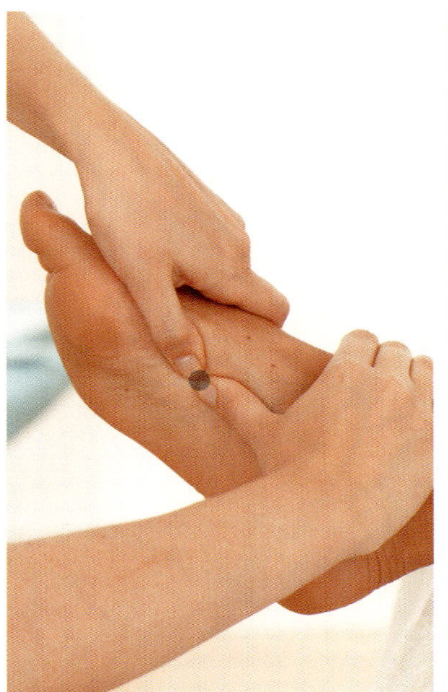

PONTOS REFLEXO DO RIM/SUPRARRENAL

Você encontrará esses reflexos na zona 1, três etapas abaixo da saliência da sola. Pouse ambos os polegares no local e pressione-o suavemente, descrevendo pequenos círculos. Trabalhe assim por quinze segundos.

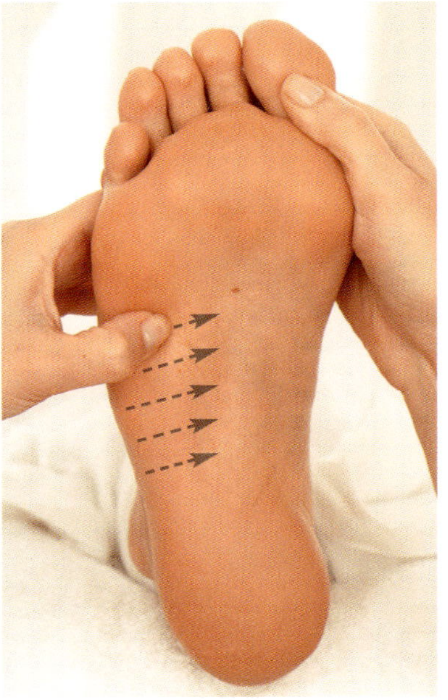

ÁREA REFLEXA DO FÍGADO

Essa área só é encontrada no pé direito. Sustente-o com a mão direita e pouse o polegar da esquerda logo abaixo da linha do diafragma. Trabalhe devagar e com precisão, cruzando a sola pelas zonas 5 e 4 até a 3. Avance numa única direção, até a parte superior da saliência do calcanhar. Repita o movimento cinco vezes.

Esclerose múltipla

A esclerose múltipla (EM) é uma doença incapacitante que danifica as fibras nervosas do cérebro, nervo óptico e medula espinal. Afeta diversas partes do sistema nervoso atacando o revestimento de mielina que protege os nervos e deixando em seu lugar um tecido de cicatrização chamado placa, responsável pela destruição final dos nervos. A esclerose múltipla é considerada uma doença autoimune, na qual os leucócitos presentes no sangue combatem o revestimento de mielina como se ele fosse uma substância estranha ao organismo. Esse problema começa geralmente no início da idade adulta, caracterizando-se sobretudo por recidivas sem gravidade e longos períodos sem sintomas ao longo da vida. No entanto, afeta diferentemente as pessoas. A doença passa por diversas etapas e os sintomas variam de indivíduo para indivíduo, dependendo da parte do sistema nervoso mais afetada. Incluem visão borrada ou dupla, instabilidade emocional, fala indistinta, infecções do trato urinário, vertigem, tontura, movimentos desconexos e fraqueza muscular.

ÁREAS E PONTOS REFLEXOS A TRABALHAR

- Toda a coluna
- Cabeça
- Ouvido interno
- Bexiga
- Suprarrenais
- Vasos linfáticos superiores

Constatou-se que ingerir ácidos graxos essenciais e submeter-se a sessões regulares de reflexologia pode aliviar os sintomas da EM.

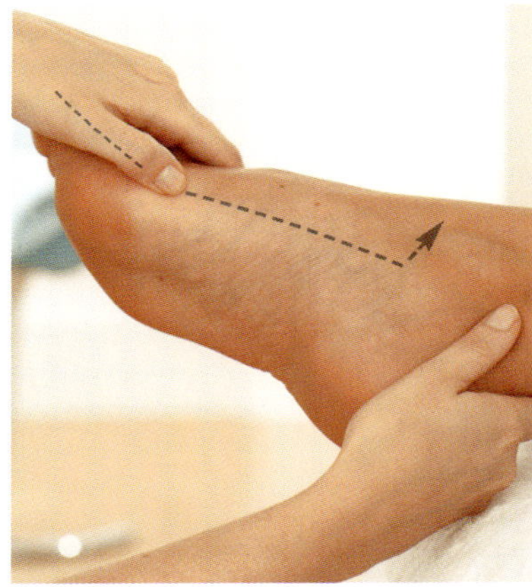

TODA A COLUNA

Trabalhe o aspecto medial do pé. Sustente-o com uma das mãos e, com o polegar da outra, percorra sete etapas curtas entre as articulações do dedão, lembrando-se de que cada etapa corresponde a uma vértebra específica. Avance na direção do pé. Percorra doze etapas, suavemente, a partir da base da articulação do dedão, a fim de cobrir todas as vértebras torácicas. Pare no osso navicular, que lembra um nó de dedo e situa-se a meio caminho entre o ponto da bexiga e o tornozelo. Circule esse osso, que corresponde à vértebra lombar 1, e suba cinco etapas até a depressão fronteira ao osso do tornozelo, que corresponde à vértebra lombar 5. Repita o movimento quatro vezes.

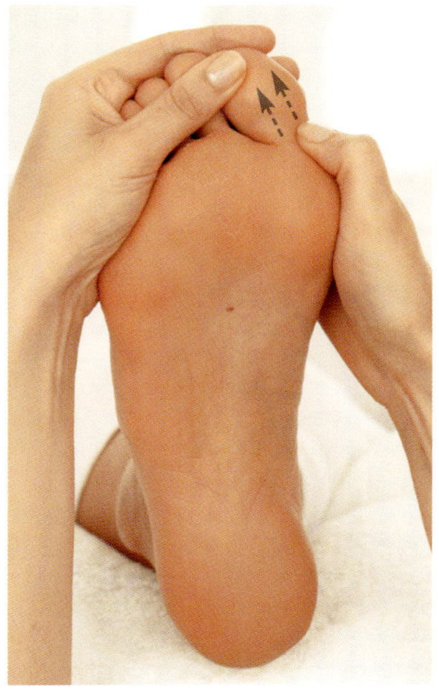

ÁREA REFLEXA DA CABEÇA

Sustente o dedão com os dedos de uma das mãos. Com o polegar da outra, suba da linha do pescoço à ponta do dedão. Repita várias vezes em linhas paralelas, por um minuto.

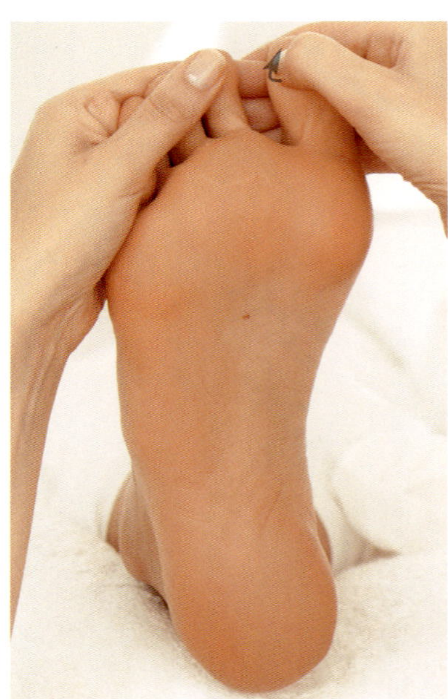

PONTO REFLEXO DO OUVIDO INTERNO

Suba duas longas etapas na direção da ponta do dedão, partindo do ponto reflexo do occipital. Pouse o dedo no ponto reflexo do ouvido interno e descreva pequenos círculos por vinte segundos, a fim de trabalhar bem o local.

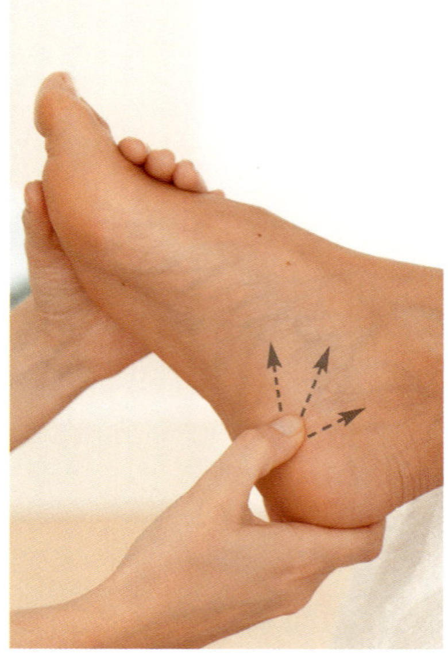

ÁREA REFLEXA DA BEXIGA

Trabalhe o aspecto medial do pé. Pouse o polegar no ponto da bexiga, situado na borda da área macia a um terço de distância da parte posterior do tornozelo. Percorra a área em movimentos irradiantes, à maneira dos raios de uma roda de bicicleta, voltando sempre ao ponto da bexiga. Faça isso aproximadamente doze vezes.

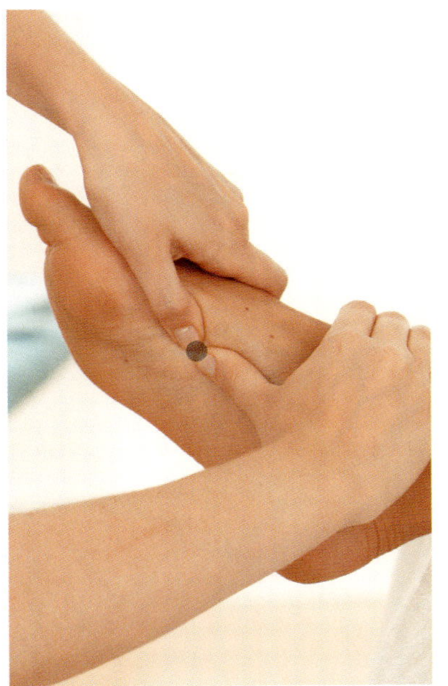

PONTO REFLEXO DA SUPRARRENAL

Você encontrará esse reflexo na zona 1, três etapas abaixo da protuberância da sola. Pouse os dois polegares juntos no local e pressione suavemente, descrevendo pequenos círculos. Trabalhe dessa maneira por quinze segundos.

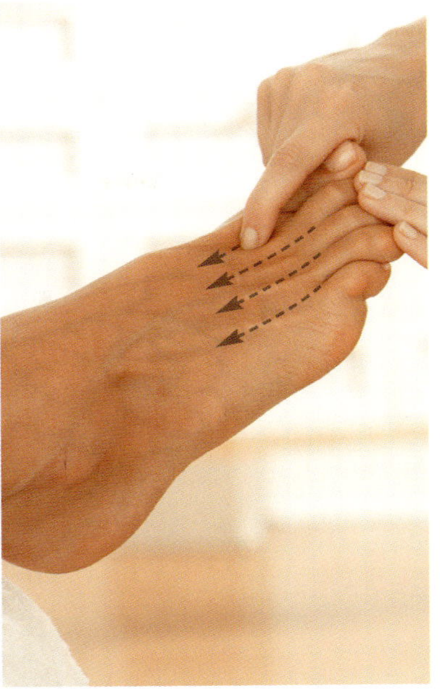

ÁREA REFLEXA DOS VASOS LINFÁTICOS SUPERIORES

Trabalhe o aspecto dorsal do pé. Com o indicador e o polegar, suba da base dos dedos na direção do calcanhar, entre os metatarsos. Aplique pressão média, indo até onde puder, e desça enquanto descreve pequenos círculos entre os dedos. Repita o movimento quatro vezes.

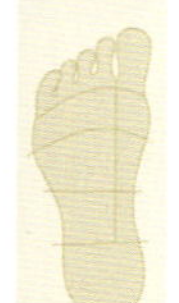

Acne

A acne é uma condição inflamatória da pele muito comum entre os 12 e os 24 anos, sobretudo nos rapazes, associada a um desequilíbrio de hormônios durante a puberdade. Mulheres também podem ter surtos de acne pré-menstrual, devidos à liberação do hormônio progesterona depois da ovulação. Afora o acentuado desequilíbrio hormonal, outros fatores incluem pele oleosa, histórico familiar, stress e consumo excessivo de alimentos não saudáveis e produtos de origem animal. A acne pode ser agravada por certos cosméticos ou pela fricção constante da pele. O açúcar deve ser eliminado para evitar novos surtos.

ÁREAS E PONTOS REFLEXOS A TRABALHAR

- Glândula pituitária
- Ovários/testículos
- Fígado
- Glândulas suprarrenais
- Pâncreas
- Cólon ascendente
- Cólon descendente

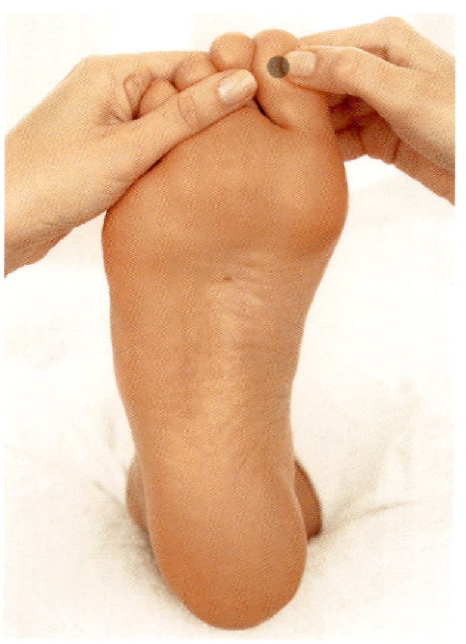

PONTO REFLEXO DA GLÂNDULA PITUITÁRIA

Sustente o dedão com os dedos de uma das mãos e, com o polegar da outra, trace uma cruz para encontrar o centro do dedão. Pouse aí o polegar, pressione e descreva círculos por quinze segundos.

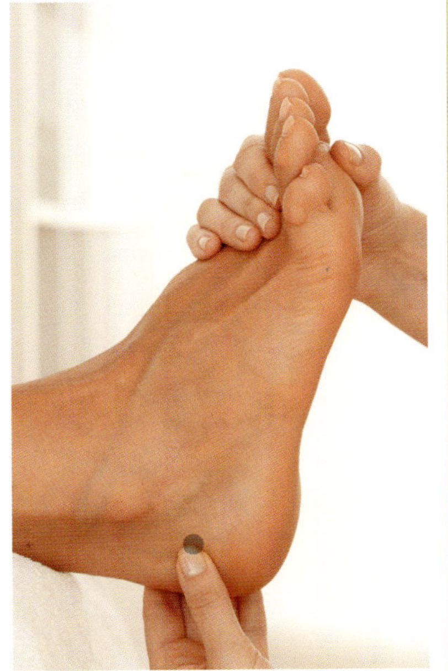

PONTO REFLEXO DOS OVÁRIOS/TESTÍCULOS

Trabalhe o aspecto lateral do pé. Pouse o indicador a aproximadamente meio caminho entre a parte posterior do calcanhar e a protuberância do osso do tornozelo. Pressione suavemente e descreva círculos por dez segundos.

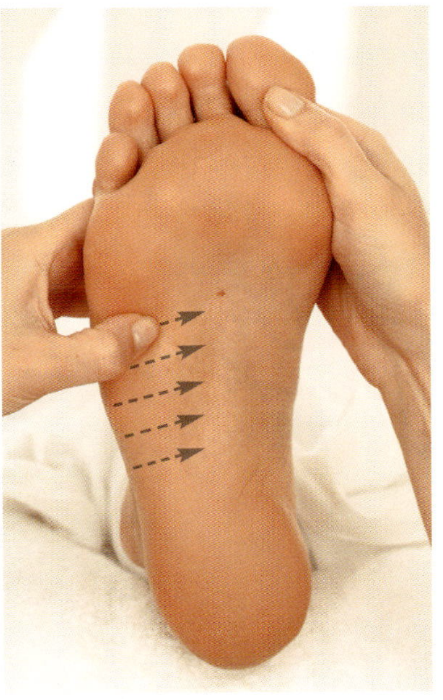

ÁREA REFLEXA DO FÍGADO

Essa área reflexa só é encontrada no pé direito. Sustente-o com a mão direita e pouse o polegar logo abaixo da linha do diafragma. Trabalhe devagar e com precisão, cruzando a sola pelas zonas 5 e 4 até a 3. Avance numa única direção, chegando até a protuberância do tornozelo. Repita o movimento seis vezes.

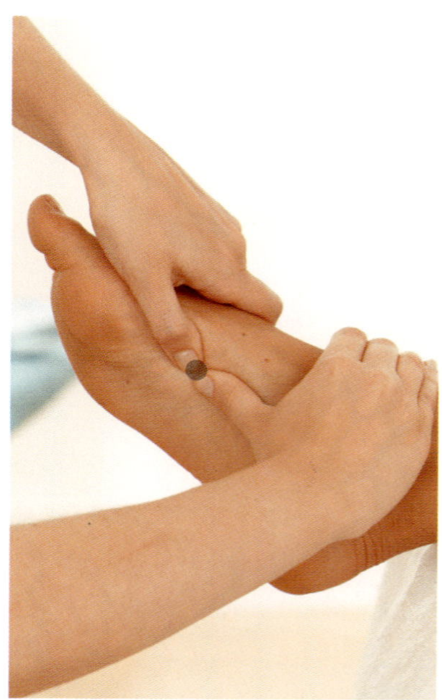

PONTO REFLEXO DA GLÂNDULA SUPRARRENAL

Você encontrará esse reflexo na zona 1, três etapas abaixo da saliência da sola. Pouse os dois polegares juntos no local e pressione suavemente, descrevendo pequenos círculos. Trabalhe assim por quinze segundos.

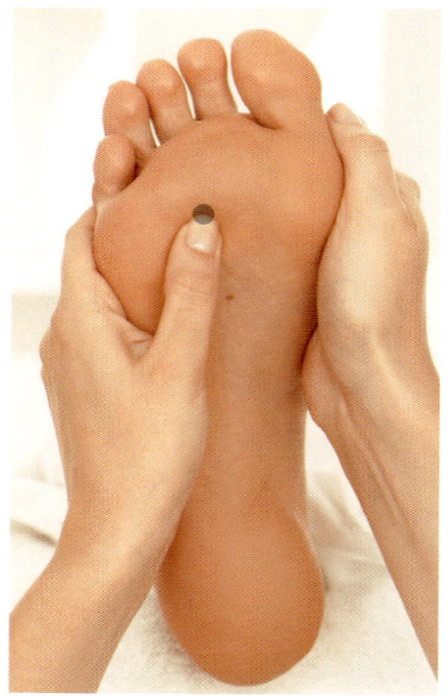

PONTO REFLEXO DO PÂNCREAS

Esse ponto reflexo só é encontrado no pé direito. Pouse o polegar no terceiro dedo, descendo até a linha do diafragma. Pressione a articulação, curvando o polegar, por doze segundos.

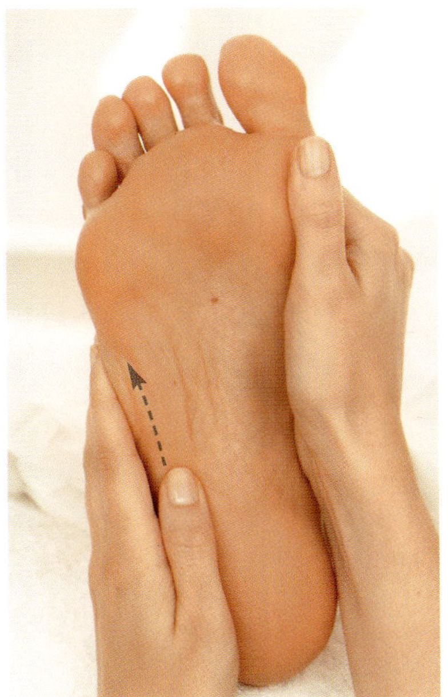

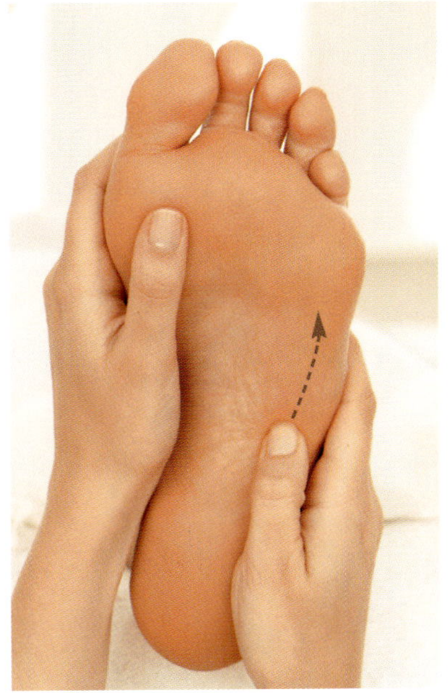

ÁREA REFLEXA DO CÓLON ASCENDENTE

Essa área reflexa só é encontrada no pé direito. Com o polegar esquerdo, percorra a zona 4 a partir da saliência do tornozelo. Continue até o meio da sola. Trabalhe a área do cólon ascendente quatro vezes com movimentos suaves, para estimular os movimentos peristálticos da musculatura do cólon.

ÁREA REFLEXA DO CÓLON DESCENDENTE

Essa área reflexa só é encontrada no pé esquerdo. Com o polegar direito, percorra a zona 4 a partir da saliência do tornozelo, a fim de trabalhar o reflexo do cólon descendente. Continue até o meio da sola. Trabalhe o local seis vezes, lentamente, para estimular os movimentos peristálticos da musculatura do cólon.

Dermatite

É uma inflamação da pele que resulta em comichão, espessamento, escamação e alteração de cor, sendo muitas vezes resultado de alergias. A dermatite alérgica ou de contato pode ser causada por qualquer coisa que toque o corpo. As causas principais são sensibilidade a perfumes, pomadas, cosméticos, colas, algumas plantas medicinais e certos metais encontrados em joias e zíperes. Se a pele permanece em contato com o alérgeno, o problema persiste. Glúten e laticínios têm sido associados ao agravamento dos problemas de pele. O stress também piora essa condição.

ÁREAS E PONTOS REFLEXOS A TRABALHAR

- Glândula pituitária
- Vasos linfáticos superiores
- Cólon ascendente
- Cólon descendente
- Fígado
- Baço
- Glândulas suprarrenais

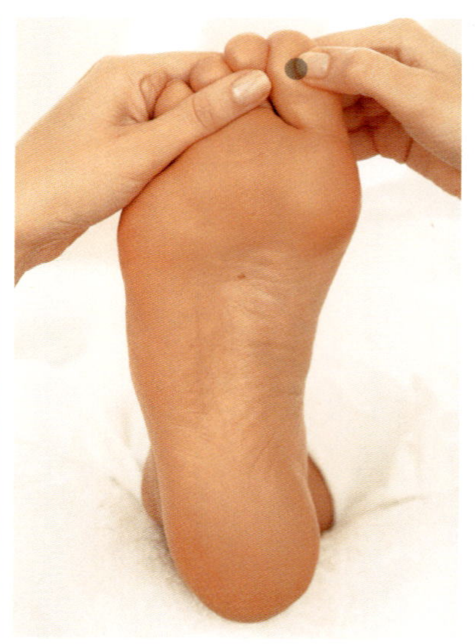

PONTO REFLEXO DA GLÂNDULA PITUITÁRIA

Sustente o dedão com os dedos de uma das mãos e use o polegar da outra para traçar uma cruz e encontrar o centro do dedão. Pouse aí o polegar, pressione e descreva círculos por quinze segundos.

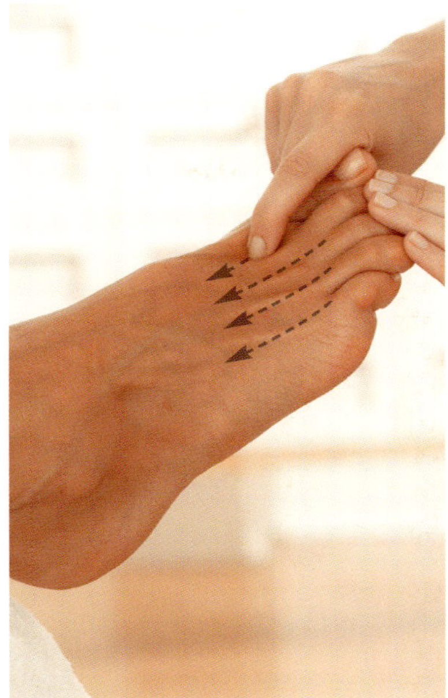

ÁREA REFLEXA DOS VASOS LINFÁTICOS SUPERIORES

Trabalhe o aspecto dorsal do pé. Com o indicador e o polegar, suba da base dos dedos na direção do tornozelo, entre os metatarsos. Aplique pressão média e vá até onde for possível, descendo em seguida e descrevendo pequenos círculos entre os dedos. Repita o movimento cinco vezes.

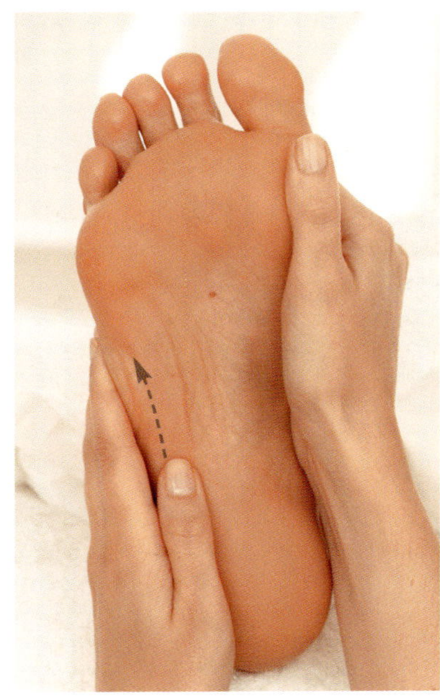

ÁREA REFLEXA DO CÓLON ASCENDENTE

Essa área reflexa só é encontrada no pé direito. Com o polegar esquerdo, suba até a zona 4 a partir da saliência do tornozelo. Continue assim até o meio da sola. Trabalhe a área reflexa do cólon ascendente quatro vezes, com movimentos suaves, para eliminar eficientemente os detritos orgânicos.

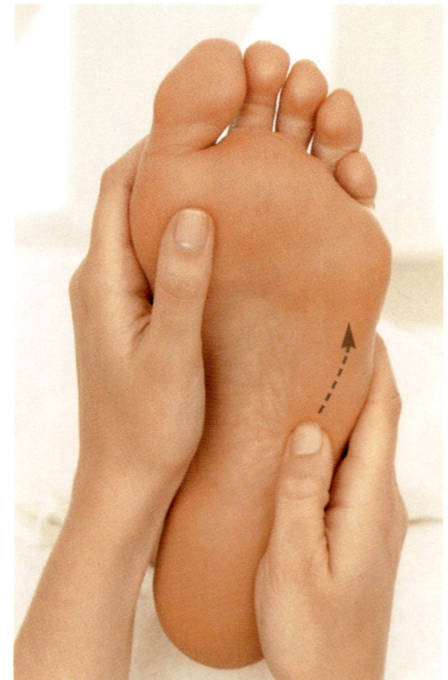

ÁREA REFLEXA DO CÓLON DESCENDENTE

Essa área reflexa só é encontrada no pé esquerdo. Com o polegar direito, suba até a zona 4 a partir da saliência do tornozelo, chegando a meio caminho da sola. Trabalhe essa área seis vezes, com movimentos suaves, para estimular os movimentos peristálticos da musculatura do cólon.

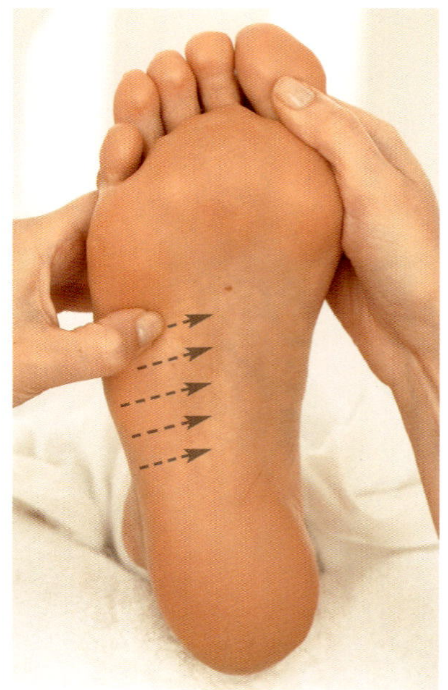

ÁREA REFLEXA DO FÍGADO

Essa área reflexa só é encontrada no pé direito. Sustente o pé com a mão direita e pouse o polegar esquerdo logo abaixo da linha do diafragma. Trabalhe devagar e com precisão, cruzando a sola pelas zonas 5 e 4 até a 3. Avance numa única direção. Prossiga até a saliência do tornozelo. Repita o movimento seis vezes.

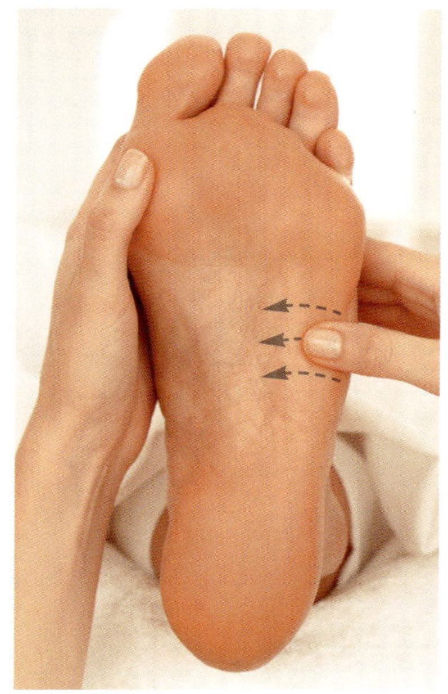

ÁREA REFLEXA DO BAÇO

Essa área reflexa só é encontrada no pé esquerdo. Sustente-o com a mão esquerda e pouse o polegar direito logo abaixo da linha do diafragma. Trabalhe devagar e com precisão, cruzando a sola pelas zonas 5 e 4 até a 3. Avance numa única direção. Repita em quatro linhas horizontais, repetindo o movimento seis vezes.

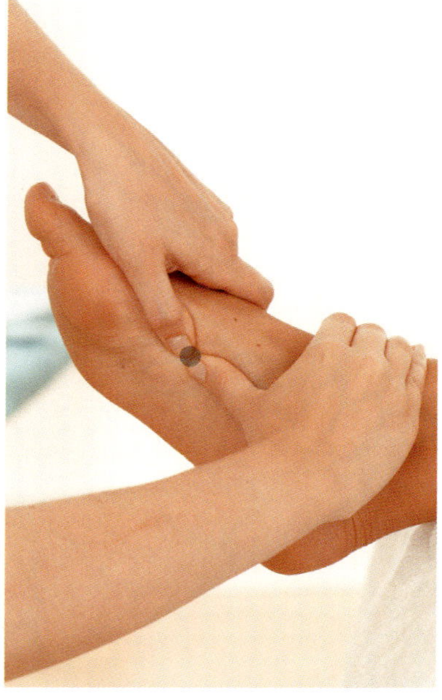

PONTO REFLEXO DA GLÂNDULA SUPRARRENAL

Você encontrará esse reflexo na zona 1, três etapas abaixo da saliência da sola. Pouse aí os polegares juntos e pressione suavemente, descrevendo pequenos círculos. Trabalhe assim por vinte segundos.

Furúnculos

Os furúnculos são pequenas bolhas cheias de pus que aparecem na pele em consequência de uma inflamação ou infecção causada por bactérias. É problema comum em crianças e jovens. Os furúnculos afetam a parte mais profunda dos folículos capilares e, por isso, podem aparecer no couro cabeludo, nas axilas, nas nádegas e no rosto. Têm muitas vezes cor avermelhada, são macios e doloridos; os sintomas incluem comichão, inchaço local e irritação. Não raro se curam no prazo de um mês, mas são contagiosos porque o pus contamina a pele adjacente, provocando novas irrupções. Constituem um indício de que o paciente está com o sistema imunológico debilitado em consequência de desnutrição, diabetes, consumo de drogas imunossupressoras ou uma doença qualquer. Cataplasmas de alho são bons para combater os furúnculos porque reduzem a dor e extraem toxinas da área comprometida: coloque fatias finas de alho entre dois pedaços de pano e cubra a área afetada, para eliminar as impurezas locais.

ÁREAS E PONTOS REFLEXOS A TRABALHAR

- Glândulas suprarrenais
- Glândula pituitária
- Vasos linfáticos superiores
- Pâncreas
- Baço
- Toda a coluna

Uma alimentação nutritiva garante a saúde do sistema imunológico. Substitua o açúcar por frutas frescas a fim de prevenir furúnculos.

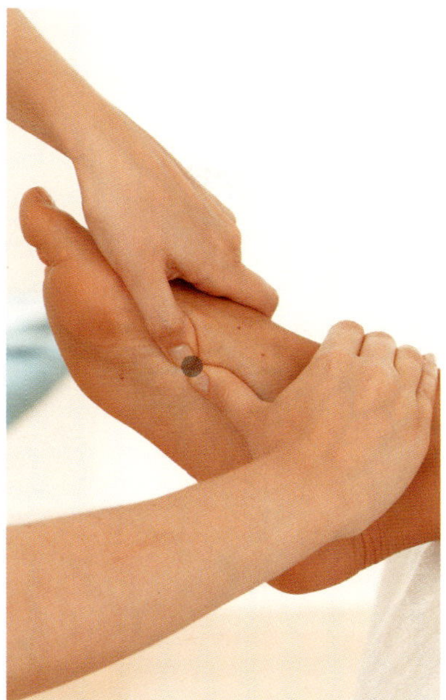

PONTO REFLEXO DAS GLÂNDULAS SUPRARRENAIS

Você encontrará esses reflexos na zona 1, três etapas abaixo da saliência da sola. Pouse os dois polegares juntos no local e pressione suavemente, descrevendo pequenos círculos. Trabalhe dessa maneira por vinte segundos.

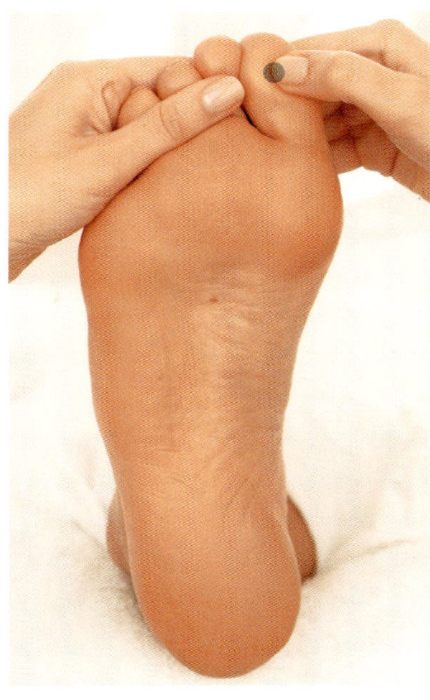

PONTO REFLEXO DA GLÂNDULA PITUITÁRIA

Sustente o dedão com os dedos de uma das mãos e, com o polegar da outra, trace uma cruz a fim de encontrar o centro do dedão. Pouse aí o polegar, pressione e descreva círculos por vinte segundos.

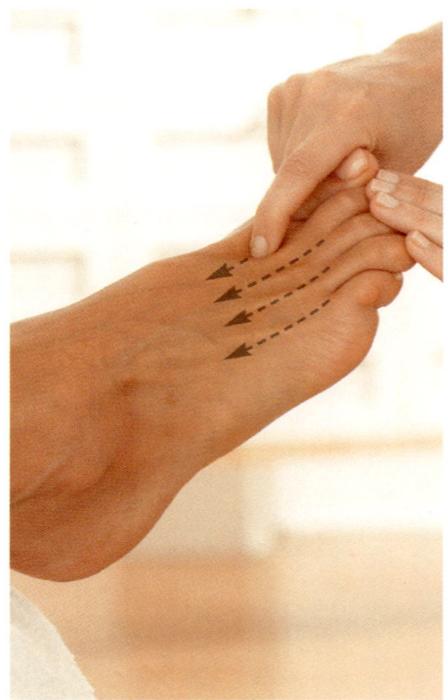

ÁREA REFLEXA DOS VASOS LINFÁTICOS SUPERIORES

Trabalhe o aspecto dorsal do pé. Com o indicador e o polegar, suba da base dos dedos na direção do tornozelo, entre os metatarsos. Aplique pressão média até onde for possível e volte descrevendo pequenos círculos entre os dedos. Repita o movimento seis vezes.

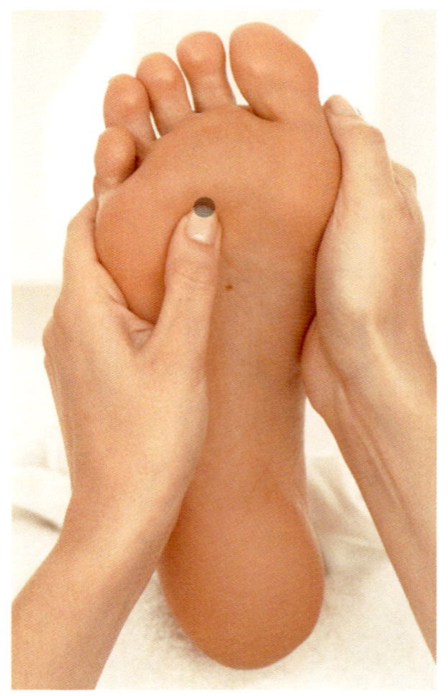

PONTO REFLEXO DO PÂNCREAS

Esse ponto reflexo só é encontrado no pé direito. Pouse o polegar no terceiro dedo e desça até a linha do diafragma. Pressione a articulação, com o polegar encurvado, durante dez segundos.

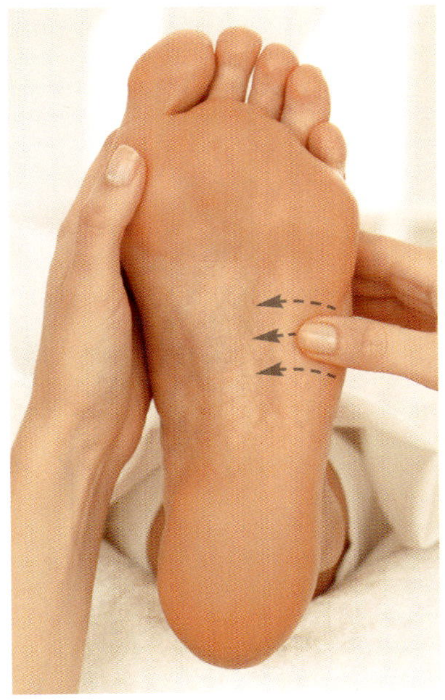

ÁREA REFLEXA DO BAÇO

Essa área reflexa só é encontrada no pé esquerdo. Sustente-o com a mão esquerda e pouse o polegar direito logo abaixo da linha do diafragma. Trabalhe devagar e com precisão, cruzando a sola pelas zonas 5 e 4 até a 3. Avance numa única direção, em quatro linhas horizontais. Repita o movimento quatro vezes.

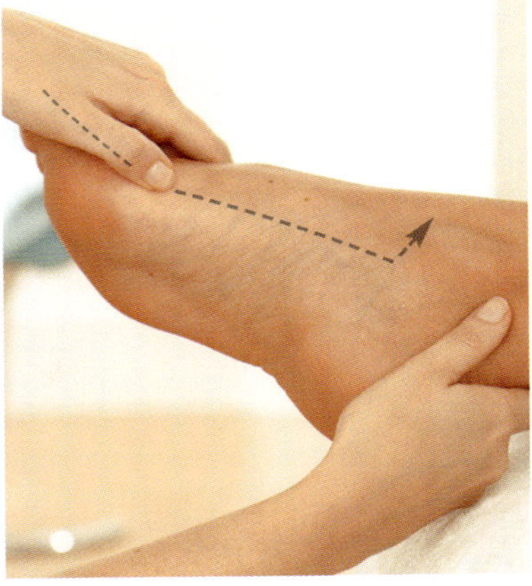

TODA A COLUNA

Trabalhe o aspecto medial do pé. Sustente-o com uma das mãos e, com o polegar da outra, percorra sete etapas curtas entre as articulações do dedão, lembrando-se de que cada etapa corresponde a uma vértebra específica. Avance na direção do pé. Depois, percorra doze etapas a partir da base da articulação do dedão a fim de trabalhar todas as vértebras torácicas. Pare no osso navicular, que lembra um nó de dedo e se situa a meio caminho entre o ponto da bexiga e o tornozelo. Circunde o osso navicular, que corresponde à vértebra lombar 1, e suba cinco etapas até a depressão fronteira ao osso do tornozelo, que corresponde à vértebra lombar 5. Repita o movimento cinco vezes.

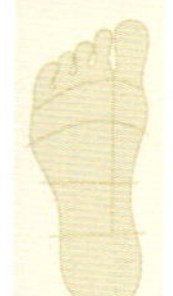

Psoríase

Esse problema de pele aparece como manchas esbranquiçadas ou avermelhadas nos braços, cotovelos, joelhos, pernas, orelhas, couro cabeludo e costas. Em geral, afeta pessoas jovens entre os 15 e os 25 anos, podendo ser provocado por stress. O cólon deve permanecer limpo graças a uma dieta de 50% de alimentos crus, pois a má condição desse órgão tem sido associada à psoríase. O padrão normal da doença são irrupções ocasionais seguidas por períodos de remissão. A psoríase pode ser hereditária e resulta de um rápido crescimento das células na camada externa da pele, produzindo manchas que se espalham por uma vasta área.

ÁREAS E PONTOS REFLEXOS A TRABALHAR

- Glândula pituitária
- Estômago
- Fígado
- Cólon ascendente
- Cólon descendente
- Toda a coluna
- Rins/suprarrenais

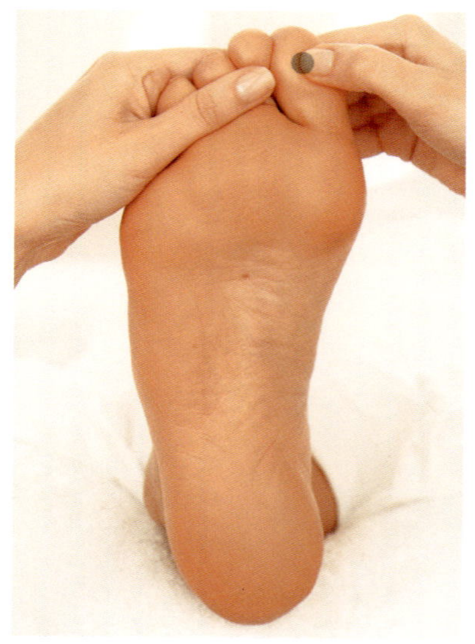

PONTO REFLEXO DA GLÂNDULA PITUITÁRIA

Sustente o dedão com os dedos de uma das mãos e use o polegar da outra para traçar uma cruz e encontrar o centro do dedão. Pouse aí o polegar, pressione e descreva círculos por quinze segundos.

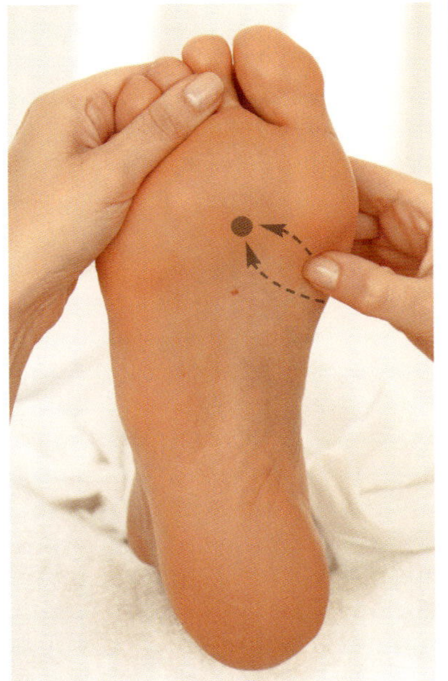

ÁREA REFLEXA DO ESTÔMAGO

Você encontrará essa área reflexa logo abaixo da protuberância da sola. Sustente o pé com uma das mãos e pouse o polegar da outra sob a área reflexa da tireoide. Devagar, suba lateralmente até o ponto reflexo do plexo solar, descrevendo pequenos círculos. Repita o movimento seis vezes.

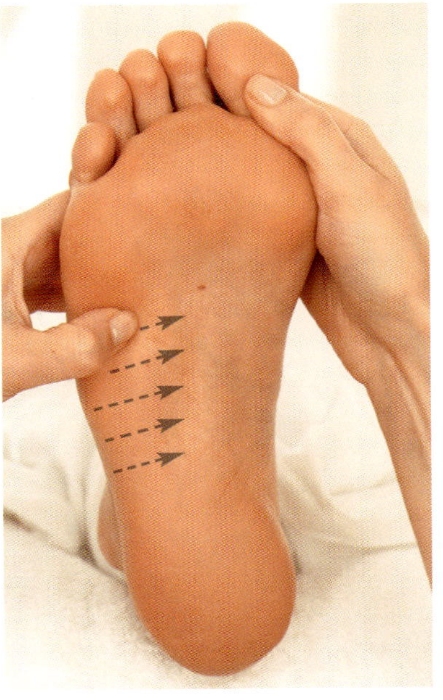

ÁREA REFLEXA DO FÍGADO

Essa área reflexa só é encontrada no pé direito. Sustente-o com a mão direita e pouse o polegar da esquerda logo abaixo da linha do diafragma. Trabalhe devagar e com precisão, cruzando a sola pelas zonas 5 e 4 até a 3. Avance numa única direção até o alto da saliência do calcanhar. Repita o movimento seis vezes.

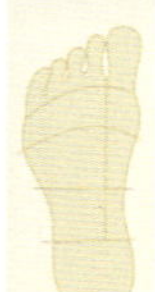

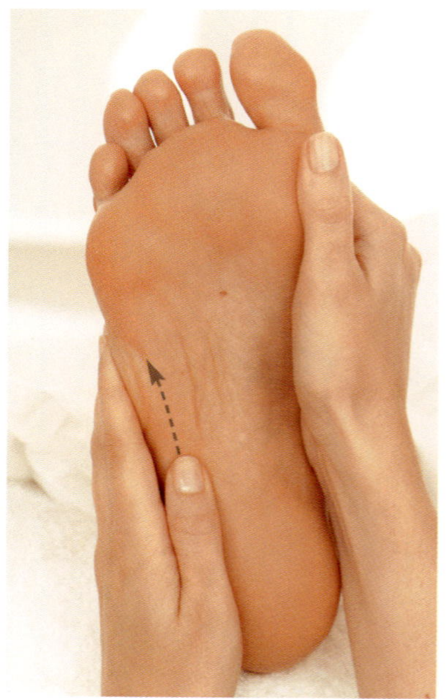

ÁREA REFLEXA DO CÓLON ASCENDENTE

Essa área reflexa só é encontrada no pé direito. Com o polegar direito, suba até a zona 4 a partir da protuberância do calcanhar, chegando ao meio do pé. Trabalhe a área reflexa do cólon ascendente seis vezes, com movimentos lentos, para manter o cólon limpo.

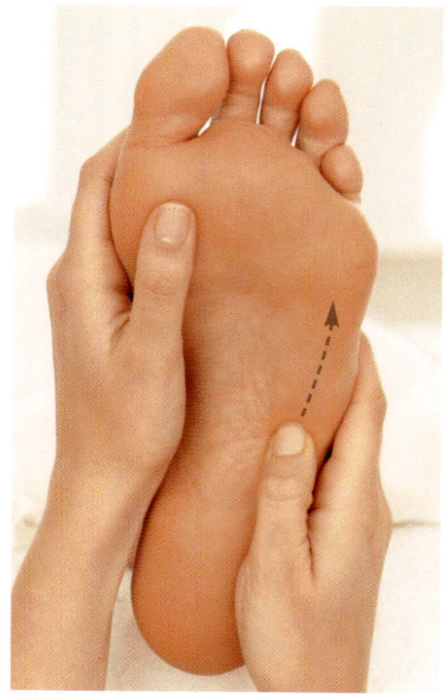

ÁREA REFLEXA DO CÓLON DESCENDENTE

Essa área reflexa só é encontrada no pé esquerdo. Com o polegar direito, suba até a zona 4 a partir da protuberância do calcanhar, a fim de trabalhar a área do cólon descendente. Avance até o meio do pé. Trabalhe essa área seis vezes, com movimentos suaves, para estimular os movimentos peristálticos da musculatura do cólon.

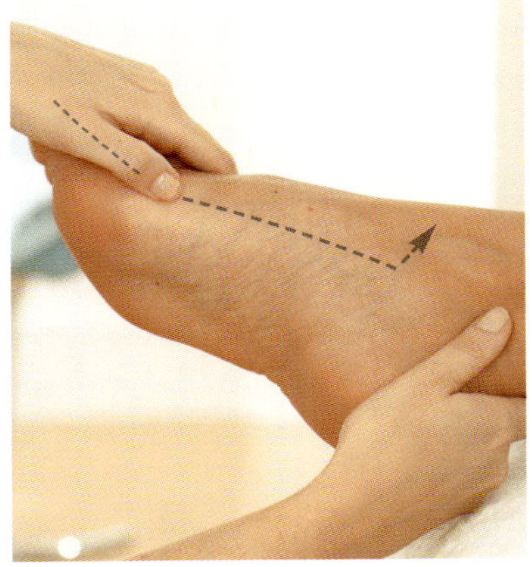

TODA A COLUNA

Trabalhe o aspecto medial do pé. Sustente-o com uma das mãos e, com o polegar da outra, percorra sete etapas curtas entre as articulações do dedão, lembrando-se de que cada etapa corresponde a uma vértebra específica. Avance na direção do pé. Depois, suba doze etapas a partir da base da articulação do dedão a fim de trabalhar todas as vértebras torácicas. Pare no osso navicular, que lembra um nó de dedo e se situa a meio caminho entre o ponto da bexiga e o tornozelo. Circule o osso navicular, que corresponde à vértebra lombar 1, e suba cinco etapas até a depressão fronteira ao osso do tornozelo, que corresponde à vértebra lombar 5. Repita o movimento cinco vezes.

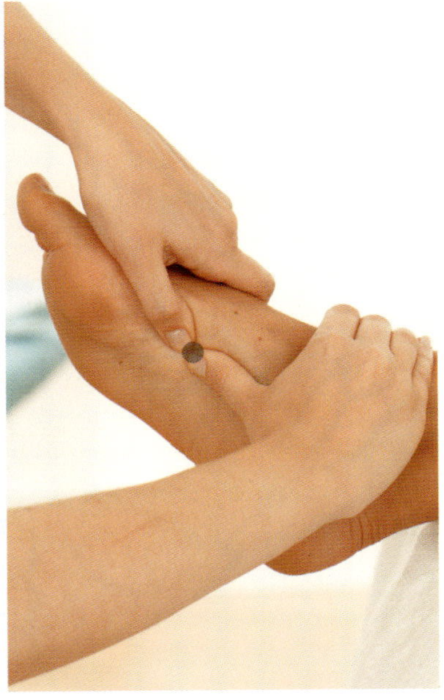

PONTOS REFLEXOS DOS RINS E SUPRARRENAIS

Você encontrará esses reflexos na zona 1, três etapas abaixo da saliência da sola. Com os dois polegares, pressione-os suavemente, descrevendo pequenos círculos. Trabalhe assim por vinte segundos.

PARTE 6

Reflexologia especializada

Como usar esta parte

Esta parte do livro mostra como os tratamentos especializados de reflexologia do pé podem ajudar em determinadas fases da vida, da gravidez e infância aos anos dourados; aborda também a reflexologia para mulheres, homens e casais, e como combater o stress. Escolha uma sequência que atenda às necessidades de seu cliente; ela deverá durar quinze minutos, para maximizar os benefícios potenciais. Sempre comece e termine a sessão com técnicas de relaxamento.

Crianças pequenas gostam de ter em mãos seu brinquedo favorito durante o tratamento.

Estado de espírito e emoções

Primeiro, veremos como a reflexologia nos ajuda a enfrentar situações que julgamos fora de controle. Às vezes, nós mesmos temos de ser nossos melhores amigos e velar da melhor maneira possível por nossa saúde. Estamos ingerindo alimentos saudáveis em quantidade suficiente? Fruindo períodos de descontração sem sentimento de culpa? Reservando um tempo para nos tratar?

A doença funciona como uma expressão natural daquilo que ocorre dentro do corpo. Inúmeros fatores podem ocasionar doenças – e o mais importante deles é o estado de espírito. As emoções, não raro, desequilibram o sistema hormonal, perturbam a digestão, alteram a temperatura do corpo e agravam a ansiedade. Os remédios costumam mascarar os sintomas; mas, se seu humor e emoções forem os responsáveis pelo problema, você é que terá de assumir o controle da situação. Uma pessoa com mentalidade negativa, espírito conturbado ou sujeita a ansiedade, depressão, insônia, medos, pesadelos, stress pós-traumático ou hipertensão encontrará na reflexologia um meio de acalmar a mente sem nenhum efeito colateral desagradável.

DICAS DE ESTILO DE VIDA

Vários distúrbios orgânicos têm relação direta com o stress, esse campo fértil para as doenças, e podem ser agravados por seus efeitos. Num período estressante, o corpo pode perder vitaminas e minerais essenciais, de modo que você precisa então insistir numa alimentação saudável e no exercício para livrá-lo dos hormônios do stress e do excesso de glicose. Evite alimentos processados, chocolate, salgadinhos, frituras, doces, adoçantes artificiais, refrigerantes e muita carne vermelha. O melhor são frutas e legumes frescos, água mineral e chás de ervas à vontade. A reflexologia induz o corpo a relaxar, permitindo que todas as suas funções e sistemas trabalhem com mais eficiência.

Stress

O stress é qualquer reação a um estímulo físico, emocional ou mental que porventura afete o equilíbrio natural do corpo. Ele passa às vezes por um problema psicológico ou mental, mas gera inúmeros efeitos físicos prejudiciais. Seus sintomas incluem: hipertensão, altos níveis de colesterol, diabetes, cafaleia, síndrome da fadiga crônica, perda de memória e depressão. O stress frequentemente afeta o apetite, provocando indigestão e intolerância alimentar, o que acarreta prisão de ventre ou diarreia, pois o sistema digestivo se torna moroso ou deixa de funcionar. A cafeína pode agravar o nervosismo e a insônia. É preciso identificar a causa do stress, primeiro passo para combatê-lo. Adote um programa de exercícios físicos que desanuvie a mente, regule a respiração profunda e mantenha o stress sob controle.

ÁREAS E PONTOS REFLEXOS A TRABALHAR

- Diafragma
- Tireoide
- Glândula pituitária
- Toda a coluna
- Rins/suprarrenais
- Pâncreas

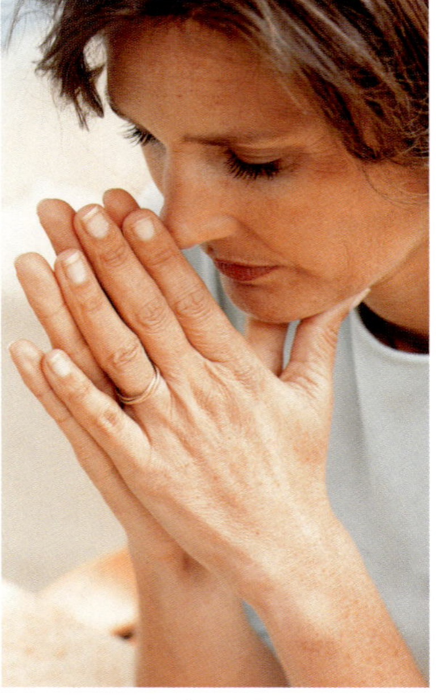

O stress grave pode ter efeitos profundamente negativos nos ciclos menstruais e nos sintomas da menopausa.

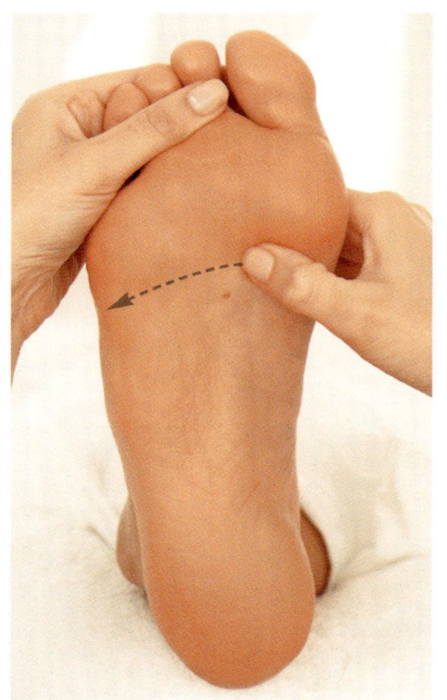

ÁREA REFLEXA DO DIAFRAGMA

Flexione o pé para trás com uma das mãos a fim de criar tensão na pele. Com o polegar da outra, trabalhe a área abaixo das extremidades dos metatarsos, do aspecto lateral ao medial do pé. Percorra etapas curtas e repita o movimento oito vezes.

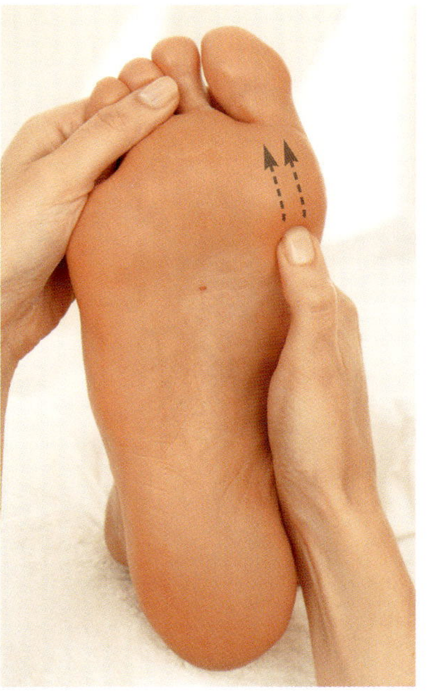

ÁREA REFLEXA DA TIREOIDE

Com um dos polegares, trabalhe a protuberância do pé, subindo da linha do diafragma à do pescoço. Repita o movimento lentamente seis vezes por toda a área. O bom funcionamento da tireoide garante a estabilidade dos níveis de energia.

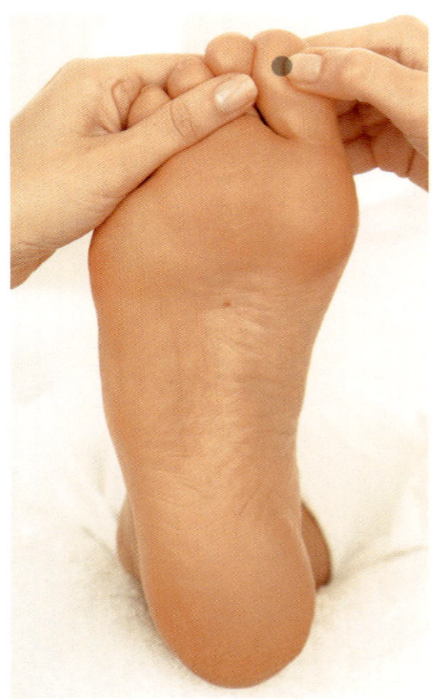

PONTO REFLEXO DA GLÂNDULA PITUITÁRIA

Sustente o dedão com os dedos de uma das mãos e, com o polegar da outra, trace uma cruz a fim de encontrar o centro do dedão. Pouse aí o polegar, pressione e descreva círculos por quinze segundos.

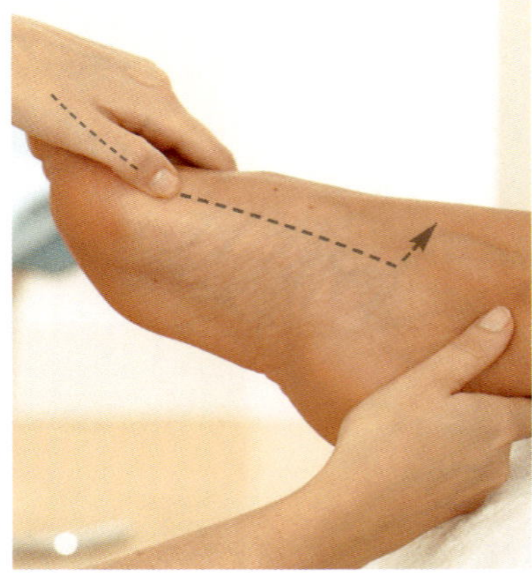

TODA A COLUNA

Trabalhe o aspecto medial do pé. Sustente-o com uma das mãos e, com o polegar da outra, percorra devagar sete etapas entre as articulações do dedão, tendo em mente que cada etapa corresponde a uma vértebra específica. Avance na direção do pé. Em seguida, percorra lentamente doze etapas a partir do osso situado na base da articulação do dedão, a fim de trabalhar as vértebras torácicas. Termine no osso chamado navicular, que se situa entre o ponto da bexiga e o tornozelo. Trabalhe em redor do osso navicular, que corresponde à vértebra lombar 1, e suba cinco etapas até a depressão fronteira ao osso do tornozelo, que corresponde à vértebra lombar 5. Repita esse movimento, devagar, cinco vezes.

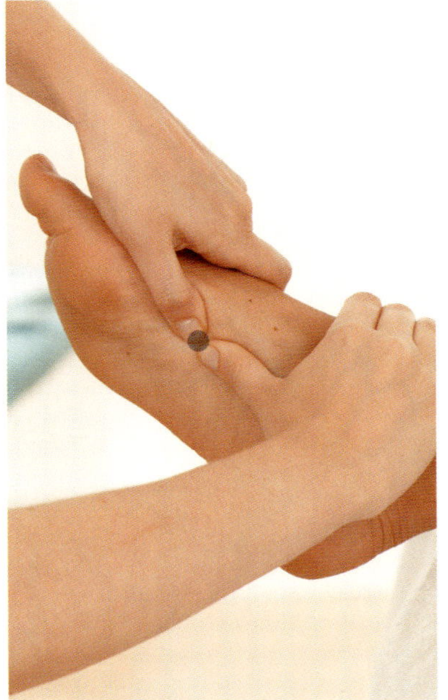

PONTOS REFLEXOS DOS RINS E SUPRARRENAIS

Você encontrará esses reflexos na zona 1, três etapas a partir da protuberância da sola. Pouse aí os dois polegares juntos e pressione levemente os pontos reflexos dos rins/suprarrenais, descrevendo pequenos círculos. Trabalhe assim por vinte segundos.

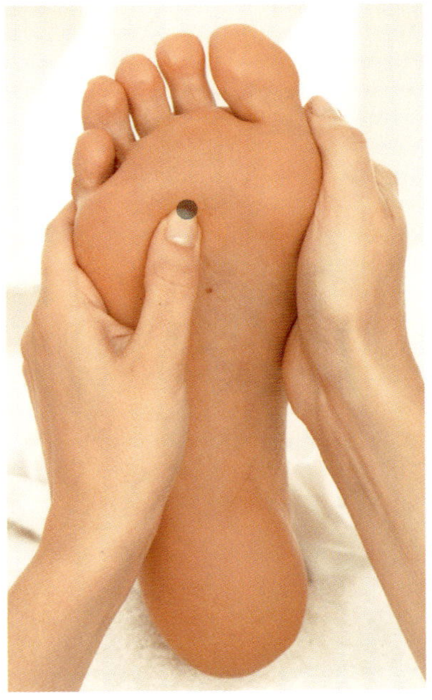

PONTO REFLEXO DO PÂNCREAS

Esse ponto só se encontra no pé direito. Pouse o polegar no terceiro dedo e desça até a linha do diafragma. Pressione a articulação e descreva pequenos círculos por quinze segundos.

Depressão

Quem sofre de depressão sabe que a doença afeta seu corpo inteiro, incluindo os padrões de sono, o modo como se vê, o que come e a atitude que adota perante a vida. Perde o interesse pelas pessoas e coisas à sua volta, quase nunca sentindo prazer. Os sintomas comuns são dores nas costas, fadiga crônica, alterações no apetite e no sono, distúrbios digestivos, ansiedade, propensão à cólera súbita e sensação de desvalia. O exercício ajuda porque libera endorfinas, os hormônios do bem-estar, que colocam a pessoa naturalmente "para cima".

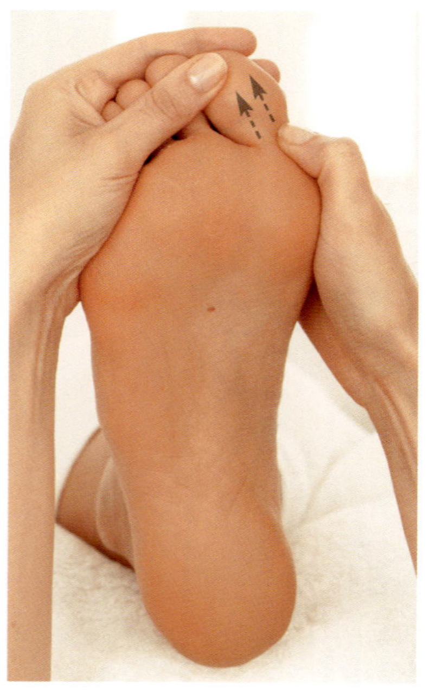

ÁREA REFLEXA DA CABEÇA

Sustente o dedão com os dedos de uma das mãos. Com o polegar da outra, suba da linha do pescoço à ponta do dedão. Repita o movimento várias vezes, em linhas paralelas, durante um minuto.

ÁREAS E PONTOS REFLEXOS A TRABALHAR

- Cabeça
- Hipotálamo
- Toda a coluna
- Tireoide
- Fígado
- Cólon ascendente
- Cólon descendente

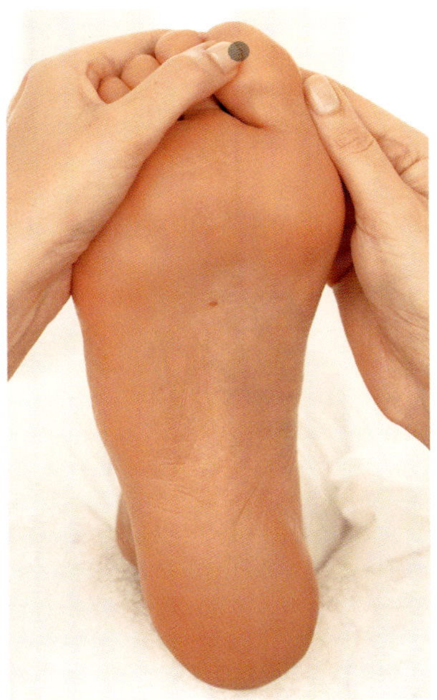

PONTO REFLEXO DO HIPOTÁLAMO

Sustente o dedão com os dedos de uma das mãos. Com o polegar da outra, trace uma cruz para encontrar o centro do dedão. Percorra então uma etapa na direção da ponta do dedão e outra, curta, lateralmente. Encurve o polegar e pressione por dez segundos.

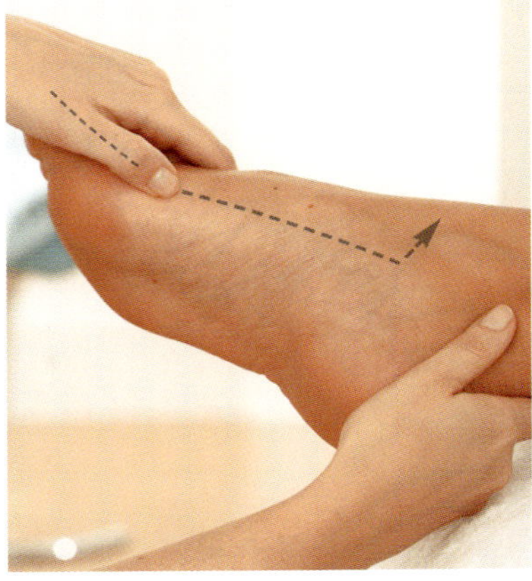

TODA A COLUNA

Trabalhe o aspecto medial do pé. Sustente-o com uma das mãos e, com o polegar da outra, percorra devagar sete etapas entre as articulações do dedão, tendo em mente que cada etapa corresponde a uma vértebra específica. Avance na direção do pé. Em seguida, percorra suavemente doze etapas a partir do osso localizado na base da articulação do dedão, a fim de trabalhar as vértebras torácicas. Termine no osso chamado navicular, que se situa entre o ponto da bexiga e o calcanhar. Trabalhe à volta desse osso, que corresponde à vértebra lombar 1, subindo cinco etapas até a depressão fronteira ao osso do tornozelo, que corresponde à vértebra lombar 5. Repita o movimento, suavemente, cinco vezes.

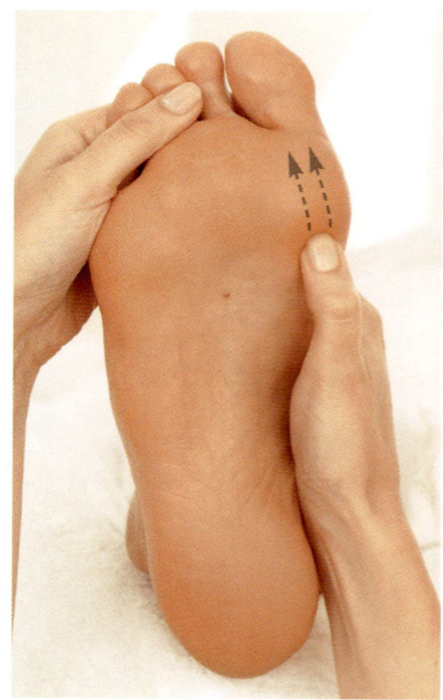

ÁREA REFLEXA DA TIREOIDE

Use o polegar de uma das mãos para trabalhar a saliência da sola, da linha do diafragma até a do pescoço. Repita o movimento, lentamente, seis vezes por toda a área. A energia necessária para as tarefas diárias pode ser assim restaurada na tireoide.

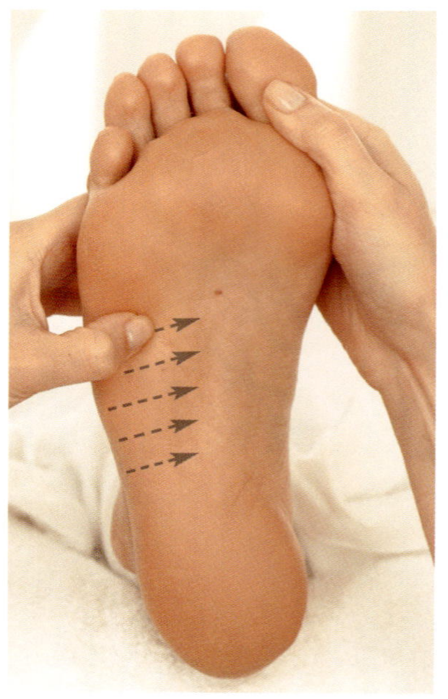

ÁREA REFLEXA DO FÍGADO

Essa área reflexa só é encontrada no pé direito. Sustente-o com a mão direita e pouse o polegar esquerdo logo abaixo da linha do diafragma. Faça movimentos lentos e precisos, horizontalmente ao pé, passando pelas zonas 5 e 4 até a 3. Avance numa única direção. Continue assim até a extremidade da protuberância do calcanhar. Trabalhe cinco vezes o ponto reflexo do fígado.

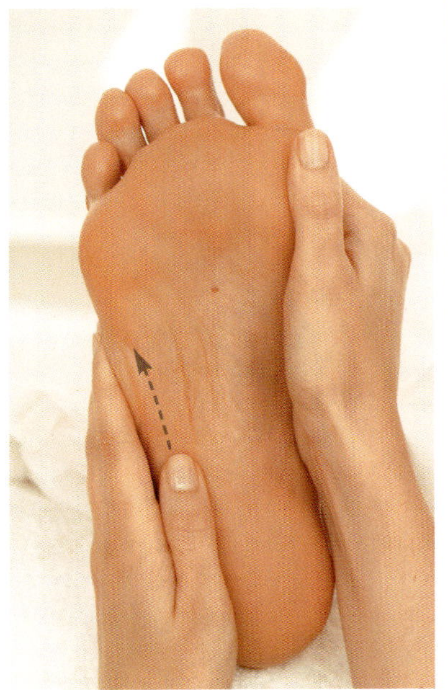

ÁREA REFLEXA DO CÓLON ASCENDENTE

Essa área reflexa só é encontrada no pé direito. Com o polegar esquerdo, alcance a zona 4 a partir da protuberância do calcanhar. Continue assim até chegar à metade da sola. Trabalhe a área reflexa do cólon ascendente quatro vezes, em movimentos suaves, para limpar o cólon de detritos.

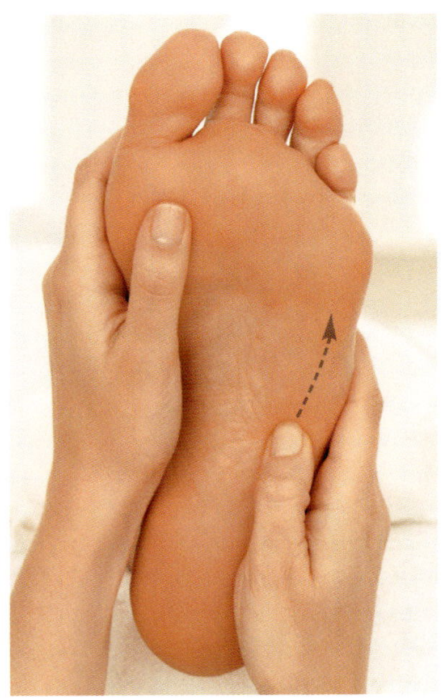

ÁREA REFLEXA DO CÓLON DESCENDENTE

Essa área reflexa só é encontrada no pé esquerdo. Com o polegar direito, alcance a zona 4 a partir da protuberância do calcanhar, a fim de cobrir essa parte do cólon. Continue assim até chegar à metade da sola. Trabalhe a área reflexa do cólon descendente seis vezes, em movimentos suaves, a fim de estimular a ação peristáltica dos músculos do cólon.

Ansiedade

A ansiedade às vezes se manifesta como um ataque de pânico, podendo afetar pessoas de todas as idades. A crise é em geral repentina, curta e intensa, surgindo quando o corpo ativa na hora errada as respostas naturais de lutar ou fugir. Todas as respostas de stress levam à estafa, que pode ser aflitiva e perturbadora para quem sofre a crise. A pessoa vive inquieta pela possibilidade de uma desgraça iminente, podendo também achar que está tendo um enfarte ou um derrame. Outros sintomas são tontura, palpitações, suores, náuseas, dificuldade para respirar ou raciocinar e uma sensação de irrealidade. Evite, pois, o stress, o açúcar, os alimentos processados, a cafeína, o excesso de álcool e as drogas. Mantenha um diário nutricional, já que a alergia a determinados alimentos pode desencadear uma crise de pânico. Use as técnicas de relaxamento da reflexologia durante um ataque.

As crises de pânico podem afetar a pessoa em qualquer lugar e a qualquer momento.

ÁREAS E PONTOS REFLEXOS A TRABALHAR

- Cabeça
- Glândula pituitária
- Diafragma
- Pulmões
- Rins/suprarrenais
- Vértebras torácicas

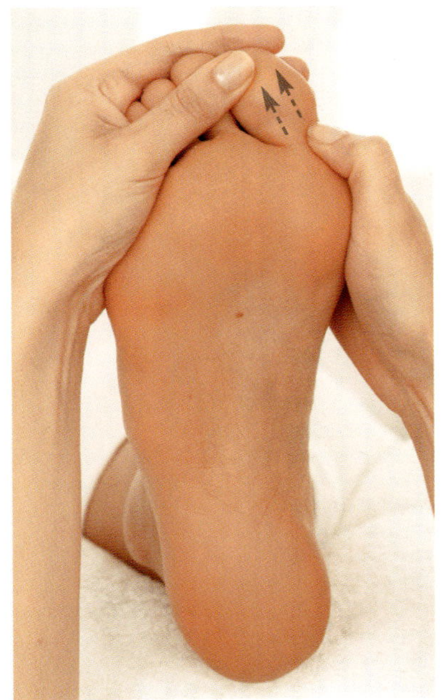

ÁREA REFLEXA DA CABEÇA

Sustente o dedão com os dedos de uma das mãos. Com o polegar da outra, suba da linha do pescoço até a ponta do dedão. Repita esse movimento várias vezes, em linhas paralelas, durante um minuto.

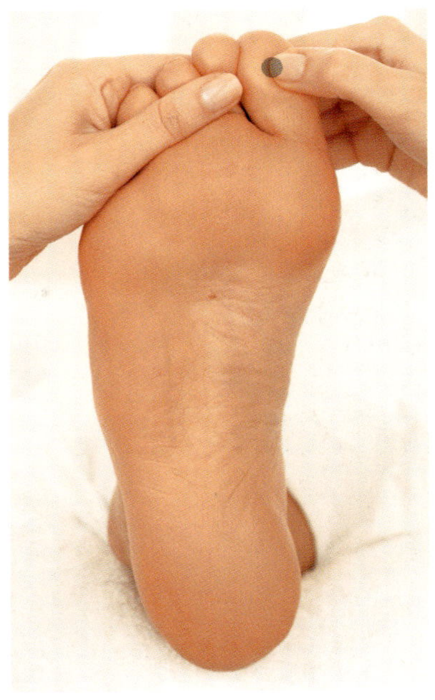

PONTO REFLEXO DA GLÂNDULA PITUITÁRIA

Sustente o dedão com os dedos de uma das mãos e, com o polegar da outra, trace uma cruz para encontrar o centro do dedão. Pouse aí o polegar, pressione e descreva círculos por quinze segundos.

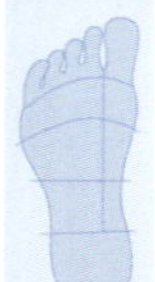

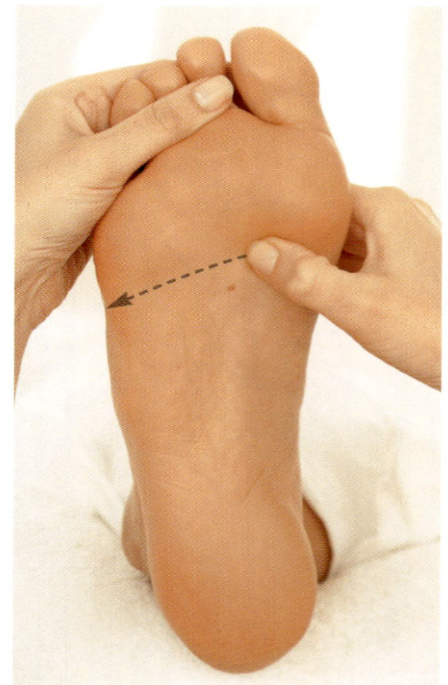

ÁREA REFLEXA DO DIAFRAGMA

Flexione o pé para trás com uma das mãos, a fim de gerar tensão na pele. Com o polegar da outra mão, trabalhe a área abaixo das extremidades dos metatarsos, indo do aspecto lateral ao medial do pé. Percorra lentamente as etapas e repita o movimento oito vezes.

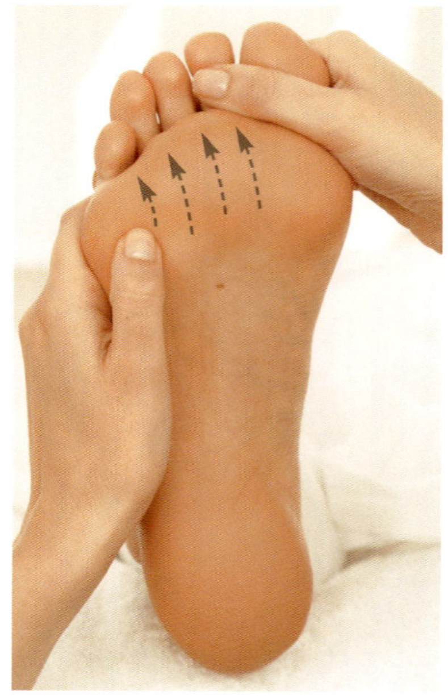

ÁREA REFLEXA DOS PULMÕES

Flexione o pé para trás com uma das mãos, a fim de gerar tensão na pele. Com o polegar da outra mão, suba da linha do diafragma até a área geral dos olhos/ouvidos. Trabalhe entre os metatarsos. Repita o procedimento cinco vezes, assegurando-se de que percorreu todas as áreas entre os metatarsos.

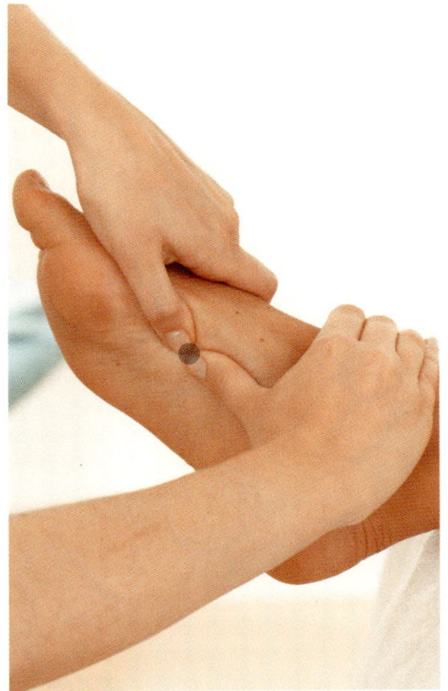

PONTOS REFLEXOS DOS RINS/SUPRARRENAIS

Você encontrará esses pontos reflexos na zona 1, três etapas abaixo da saliência da sola. Pressione-os levemente com ambos os polegares, descrevendo pequenos círculos. Trabalhe assim por vinte segundos.

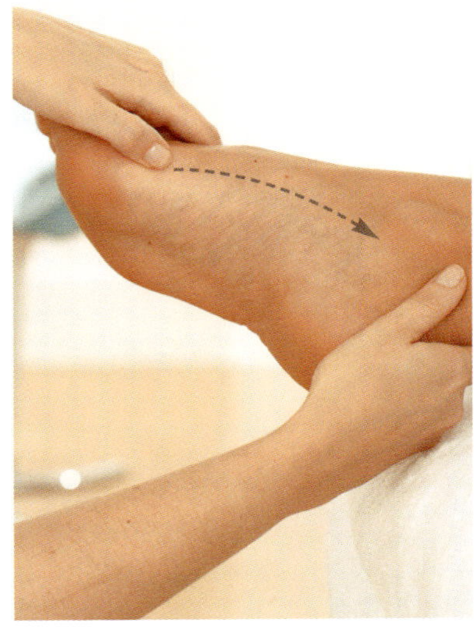

ÁREA REFLEXA DAS VÉRTEBRAS TORÁCICAS

Sustente o pé e percorra doze etapas a partir da base da articulação do dedão, para trabalhar as vértebras torácicas. Termine no osso navicular, que lembra um nó de dedo e se situa a meio caminho entre o ponto da bexiga e o tornozelo. Cada etapa corresponde a uma vértebra específica e deve ser percorrida lentamente, com pressão de leve a média. Repita o movimento três vezes a fim de ter acesso aos nervos espinais.

REFLEXOLOGIA PARA MULHERES

As mulheres estão sujeitas a diversos incômodos relacionados aos hormônios femininos e, se esse sistema não funciona bem, pode criar um efeito dominó por todo o corpo. Elas apresentam mais problemas de digestão que os homens porque o apa-

A reflexologia pode ajudar numa série de incômodos e sintomas a que muitas mulheres estão sujeitas.

DICAS DE ESTILO DE VIDA

O excesso de peso pode alterar o ciclo menstrual provocando segregação exagerada de estrógeno, que interfere no sistema normal de resposta do ciclo hormonal. A gordura produz e acumula estrógeno; portanto, se você sofre de algum distúrbio afetado por excesso desse hormônio (como endometriose ou fibrose), o melhor é perder peso para reduzir seus níveis.

A alimentação regular estabiliza os níveis de açúcar no sangue (baixos níveis de açúcar no sangue alteram os de progesterona). Comer maior quantidade de pão integral, aveia, centeio e arroz integral a cada duas horas ajuda a estabilizar os níveis de açúcar no sangue, exigindo menos dos hormônios. Quando esses níveis baixam, a quantidade de adrenalina aumenta, afetando o humor e a resposta ao stress.

relho digestivo trabalha mais devagar durante o período menstrual, com o nível do hormônio progesterona relaxando os músculos dos tecidos. Dores de cabeça relacionadas à tensão pré-menstrual (ver p. 270) são outro motivo comum para uma visita ao médico.

Excesso de estrógeno no corpo está associado a síndrome do ovário policístico, fibrose (ver p. 278) e endometriose (ver p. 274), sendo, pois, prudente evitar os esteroides contidos no leite e na carne, bem como o estrógeno sintético que é um dos componentes dos plásticos macios. Os hormônios afetam nosso humor, emoções e reações. Em reflexologia para mulheres, o segredo é atentar bem para os sistemas hormonal e nervoso.

Tensão pré-menstrual (TPM)

Cerca de 70% das mulheres sofrem de alguma forma de TPM. Um dos motivos para isso é o desequilíbrio hormonal: muito estrógeno e níveis inadequados de progesterona. A tensão pré-menstrual afeta as mulheres de uma a duas semanas antes da menstruação, quando os níveis de hormônio se alteram. Os sintomas são muitos, incluindo cólicas, ansiedade, mudanças de humor, cefaleias, descontrole motor, dores nas costas, acne, sensibilidade nos seios, depressão, insônia, prisão de ventre e retenção de líquidos. Coma boa quantidade de frutas e legumes frescos, cereais orgânicos, nozes, peixe, carne orgânica de frango e peru – assim, manterá seu fígado livre do excesso de toxinas. Elimine o sal da dieta para reduzir a retenção de líquidos. Evite a cafeína, pois ela priva o corpo de nutrientes, aumenta a ansiedade e intensifica a sensibilidade nos seios. O chá de camomila eleva a taxa de glicina no organismo e sabe-se que esse aminoácido alivia os espasmos musculares (como as cólicas menstruais), relaxando o útero.

Grandes quantidades de vegetais orgânicos e peixe podem ajudar a manter os níveis de hormônio em equilíbrio, prevenindo a TPM.

ÁREAS E PONTOS REFLEXOS A TRABALHAR

- Glândula pituitária
- Tireoide
- Pâncreas
- Glândulas suprarrenais
- Ovários
- Toda a coluna

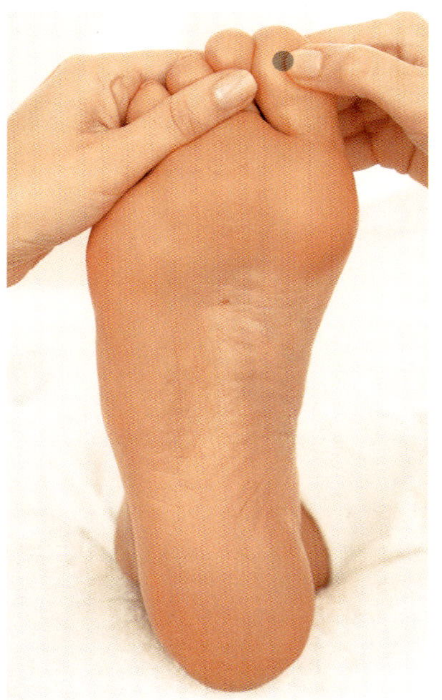

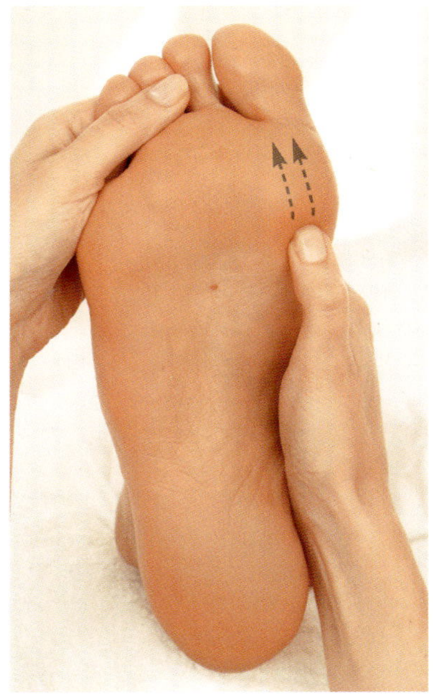

PONTO REFLEXO DA GLÂNDULA PITUITÁRIA

Sustente o dedão com os dedos de uma das mãos e, com o polegar da outra, trace uma cruz para encontrar o centro do dedão. Pouse aí o polegar, pressione e descreva círculos por quinze segundos.

ÁREA REFLEXA DA TIREOIDE

Com o polegar de uma das mãos, trabalhe a saliência da sola, subindo da linha do diafragma até a do pescoço. Repita o movimento lentamente seis vezes por toda a área.

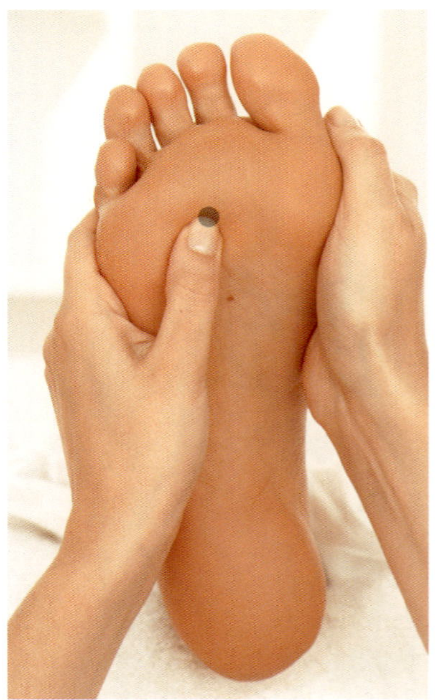

PONTO REFLEXO DO PÂNCREAS

Esse ponto reflexo só é encontrado no pé direito. Pouse o polegar no terceiro dedo, descendo até embaixo da linha do diafragma. Pressione a articulação e descreva pequenos círculos por doze segundos.

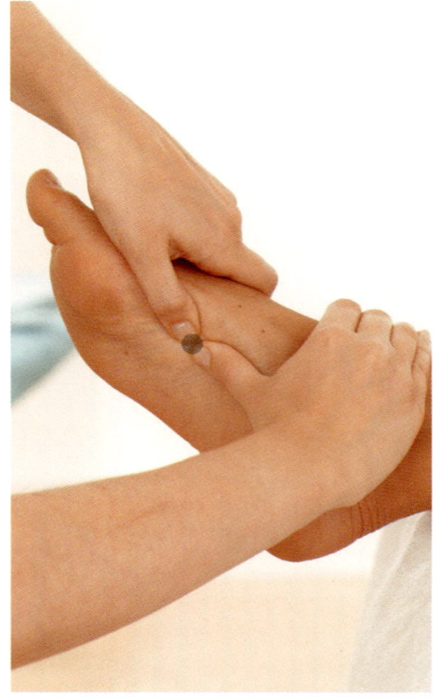

PONTO REFLEXO DAS GLÂNDULAS SUPRARRENAIS

Esse reflexo é encontrado na zona 1, três etapas abaixo da saliência da sola. Pouse aí ambos os polegares e pressione levemente, descrevendo pequenos círculos. Trabalhe assim por quinze segundos.

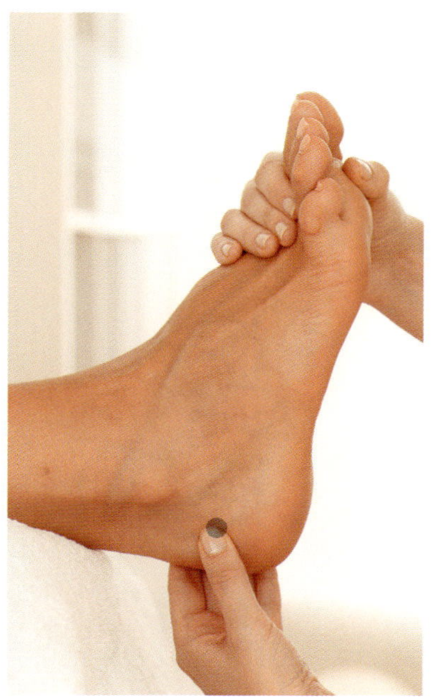

PONTO REFLEXO DOS OVÁRIOS

Trabalhe o aspecto lateral do pé. Pouse o polegar mais ou menos a meio caminho entre a parte posterior do calcanhar e o osso do tornozelo. Pressione levemente, descrevendo círculos, por vinte segundos.

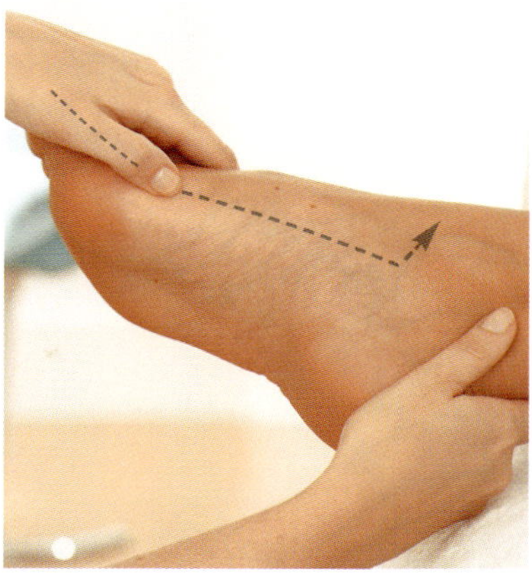

TODA A COLUNA

Trabalhe o aspecto medial do pé. Sustente-o com uma das mãos e, com o polegar da outra, percorra devagar sete etapas entre as articulações do dedão, tendo em mente que cada etapa corresponde a uma vértebra específica. Avance na direção dos dedos. Em seguida, percorra devagar doze etapas sob o osso, a partir da base da articulação do dedão, a fim de trabalhar as vértebras torácicas. Termine no osso navicular, que lembra um nó de dedo e se situa a meio caminho entre o ponto da bexiga e o tornozelo. Trabalhe à volta desse osso, que corresponde à lombar 1, subindo cinco etapas até a depressão fronteira ao osso do tornozelo, que corresponde à lombar 5. Repita o movimento, suavemente, cinco vezes.

Endometriose

É um distúrbio de causa ignorada que afeta mulheres entre 20 e 40 anos. As células do revestimento do útero podem crescer também em outras partes do corpo, mais comumente na cavidade abdominal. Essas excrescências continuam respondendo às alterações hormonais que controlam a menstruação, significando isso que sangram a cada mês, provocando aderências. Os sintomas mais comuns incluem dores fortes, fluxo menstrual anormal ou abundante, dor na parte inferior das costas, náuseas, diarreia, prisão de ventre e, em alguns casos, sangramento pelo ânus. O uso de tampões estimula o "refluxo menstrual", podendo piorar a endometriose.

ÁREAS E PONTOS REFLEXOS A TRABALHAR

- Útero
- Ovários
- Cólon ascendente
- Cólon descendente
- Glândula pituitária
- Glândulas suprarrenais
- Vértebras torácicas e lombares

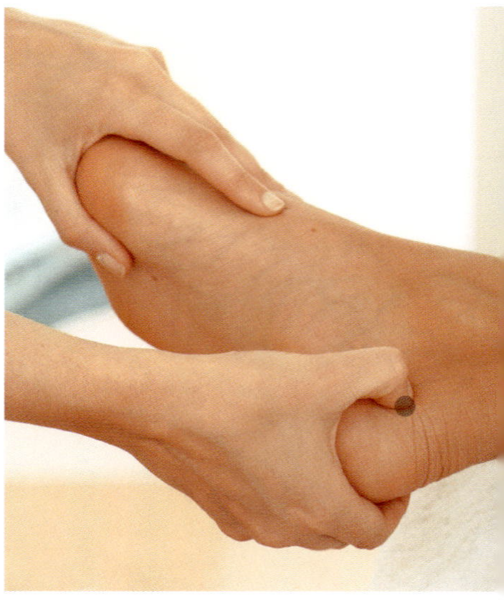

PONTO REFLEXO DO ÚTERO

Trabalhe o aspecto medial do pé. Pouse o indicador mais ou menos a meio caminho entre a parte posterior do calcanhar e o osso do tornozelo. Pressione suavemente, descrevendo círculos por vinte segundos.

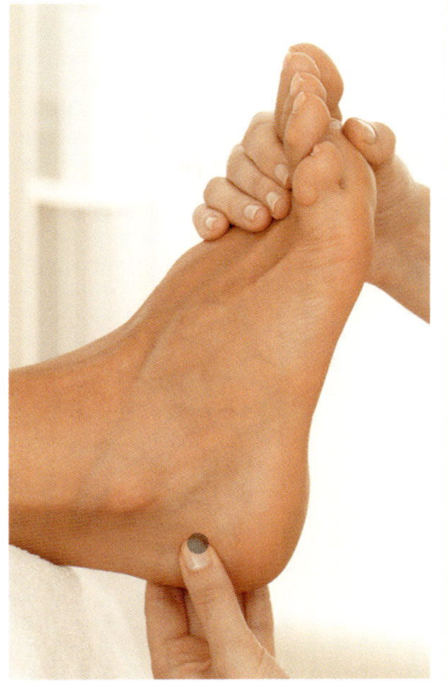

PONTO REFLEXO DOS OVÁRIOS

Trabalhe o aspecto lateral do pé. Pouse o polegar a mais ou menos meio caminho entre a parte posterior do calcanhar e o osso do tornozelo. Pressione levemente, descrevendo círculos por vinte segundos.

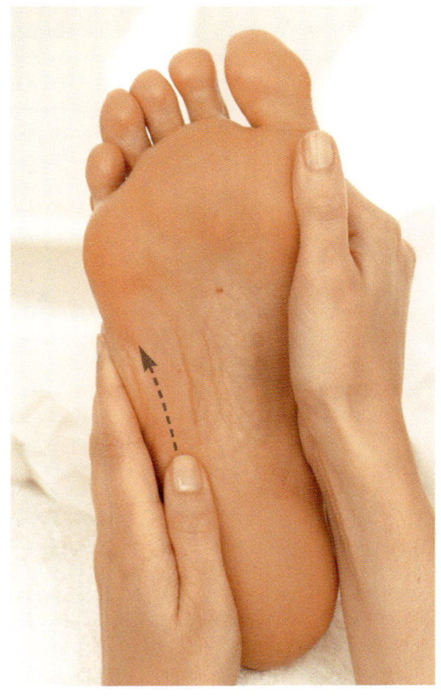

ÁREA REFLEXA DO CÓLON ASCENDENTE

Essa área reflexa só é encontrada no pé direito. Com o polegar esquerdo, suba até a zona 4 a partir da protuberância do calcanhar. Continue até o meio da sola. Trabalhe a área reflexa do cólon ascendente quatro vezes, em movimentos suaves, para ajudar o cólon a eliminar o excesso de hormônios que porventura estejam prejudicando o corpo.

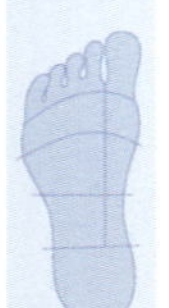

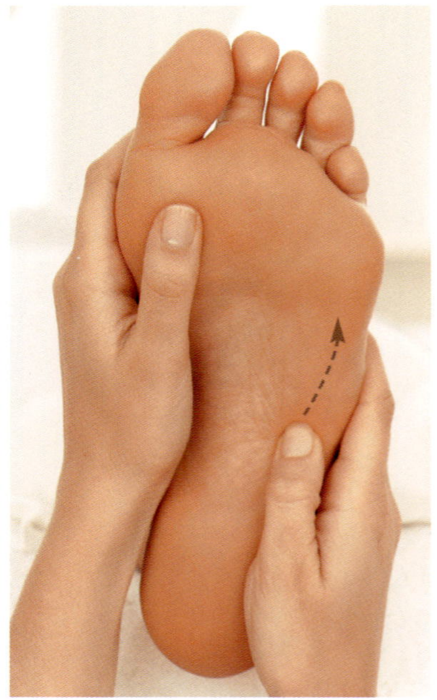

ÁREA REFLEXA DO CÓLON DESCENDENTE

Essa área reflexa só é encontrada no pé esquerdo. Com o polegar direito, suba até a zona 4 a partir da protuberância do calcanhar, a fim de trabalhar essa parte do cólon. Continue até o meio da sola. Trabalhe o local seis vezes, em movimentos suaves, para estimular os movimentos peristálticos do cólon.

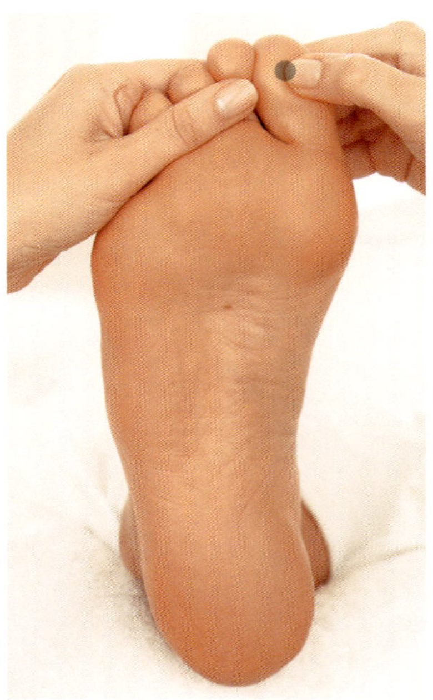

PONTO REFLEXO DA GLÂNDULA PITUITÁRIA

Sustente o dedão com os dedos de uma das mãos e, com o polegar da outra, trace uma cruz para encontrar o centro do dedão. Pouse aí o polegar, pressione e descreva círculos por quinze segundos, a fim de ajudar no equilíbrio dos hormônios.

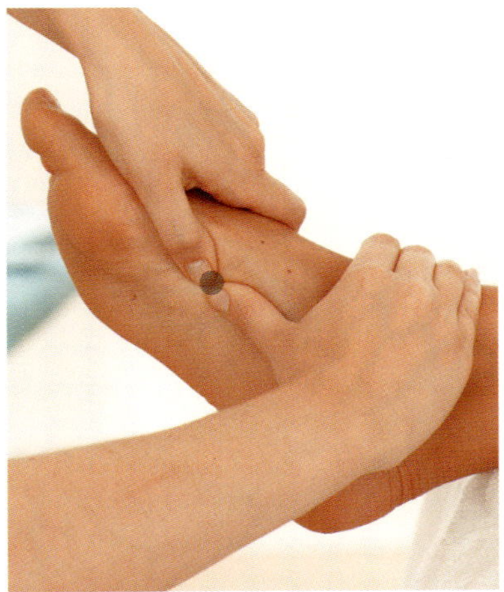

PONTO REFLEXO DAS GLÂNDULAS SUPRARRENAIS

Você encontrará os pontos reflexos das glândulas suprarrenais na zona 1, três etapas abaixo da saliência da sola. Pouse os dois polegares juntos no local e pressione suavemente, descrevendo pequenos círculos. Trabalhe assim por quinze segundos, a fim de aliviar a dor.

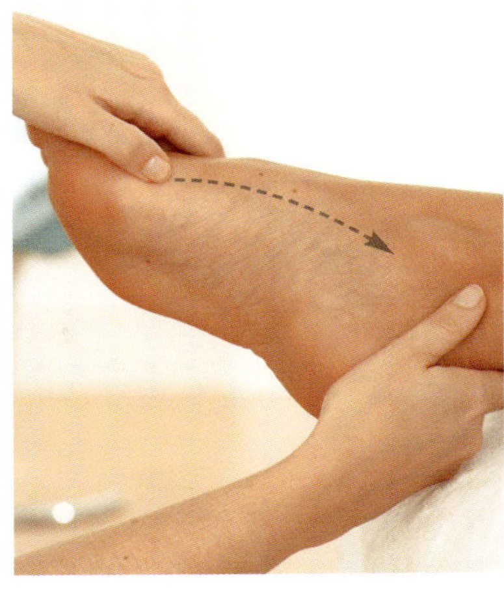

ÁREA REFLEXA DAS VÉRTEBRAS TORÁCICAS E LOMBARES

Essa área se situa no aspecto medial do pé. Sustente-o com uma das mãos e, com o polegar da outra, percorra suavemente doze etapas por baixo do osso, a partir da base da articulação do dedão, a fim de trabalhar as vértebras torácicas. Termine no osso navicular, que lembra um nó de dedo e situa-se a meio caminho entre o ponto da bexiga e o tornozelo. Trabalhe em volta do navicular, que corresponde à lombar 1, subindo cinco etapas até a depressão fronteira ao osso do tornozelo, que corresponde à lombar 5. Repita esse movimento quatro vezes.

Fibrose

A fibrose uterina são tumores benignos do útero, constituídos de grupos de células musculares anormais que podem aparecer tanto na parede interna quanto na externa do órgão. Costumam afetar mulheres no final da casa dos 30 anos e geralmente diminuem após a menopausa. Muitas nem sequer se apercebem do problema até fazer um exame pélvico. Quando a fibrose atinge tamanho considerável, afeta os períodos menstruais, tornando-os longos, frequentes ou dolorosos. Outros sintomas incluem anemia (em razão da perda significativa de sangue), hemorragias entre os ciclos menstruais, fluxo aumentado e dor durante as relações sexuais. O uso do contraceptivo oral tem sido associado ao desenvolvimento da fibrose.

ÁREAS E PONTOS REFLEXOS A TRABALHAR

- Sacro
- Bexiga
- Vértebras lombares
- Útero
- Glândula pituitária
- Glândulas suprarrenais

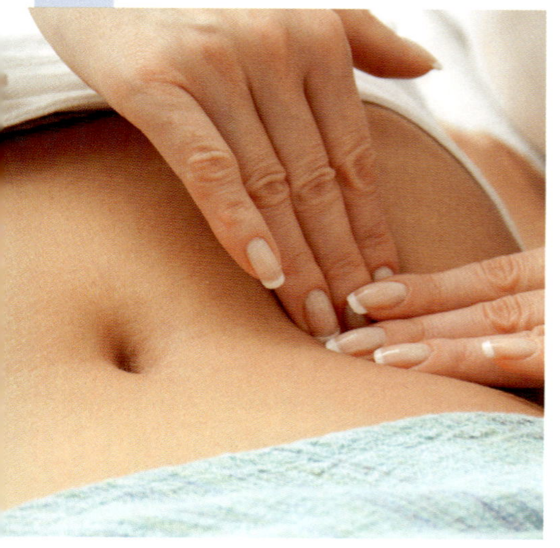

Procure obter o diagnóstico de quaisquer problemas digestivos, pois eles podem mascarar distúrbios ginecológicos como a fibrose.

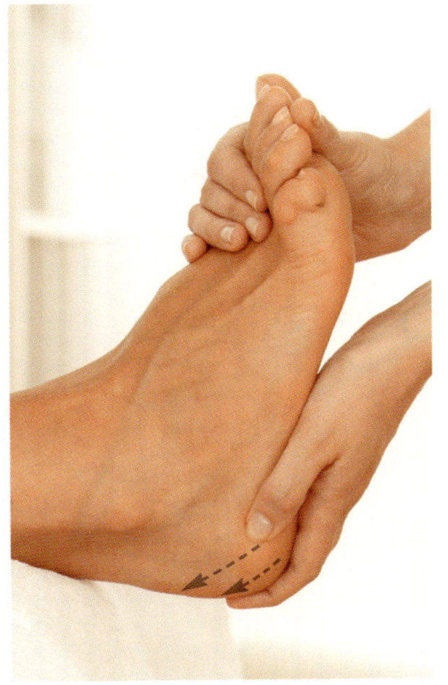

ÁREA REFLEXA DO SACRO

Trabalhe o aspecto lateral do pé. Pouse o polegar no quadrante posterior do calcanhar e faça movimentos lentos e precisos por 25 segundos. Repita até cobrir toda essa área, evitando alcançar os pontos reflexos dos ovários ou dos testículos.

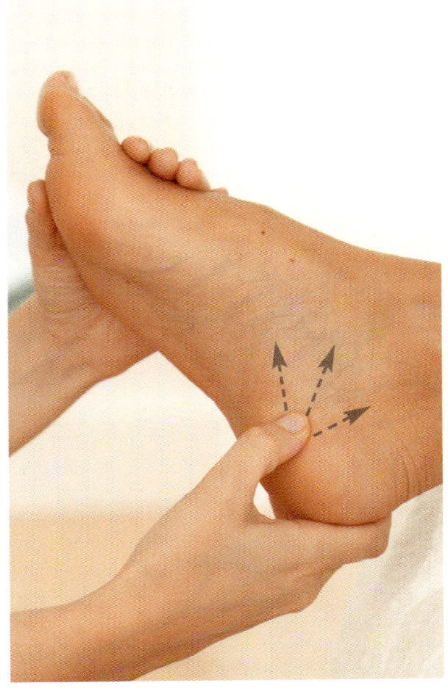

ÁREA REFLEXA DA BEXIGA

Trabalhe o aspecto medial do pé. Pouse o polegar no ponto reflexo da bexiga, situado na borda da área macia a um terço do caminho a partir da região traseira do calcanhar. Desloque o polegar em leque pela área, como se traçasse os raios de uma roda de bicicleta, voltando sempre ao ponto da bexiga. Repita dez vezes.

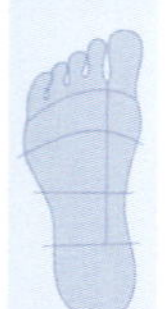

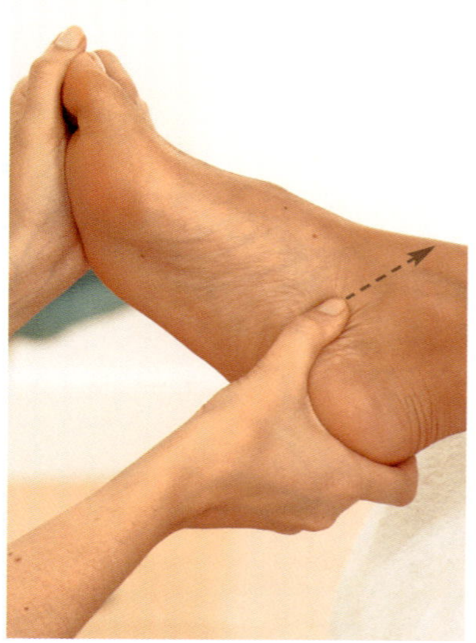

ÁREA REFLEXA DAS VÉRTEBRAS LOMBARES

Essa área se situa no aspecto medial do pé. Sustente-o com uma das mãos e pouse o polegar da outra no osso navicular, que lembra um nó de dedo e está a meio caminho entre o ponto da bexiga e o tornozelo. Trabalhe em volta desse osso, que corresponde à lombar 1, subindo cinco etapas até a depressão fronteira ao osso do tornozelo, que corresponde à lombar 5. Repita esse movimento quatro vezes.

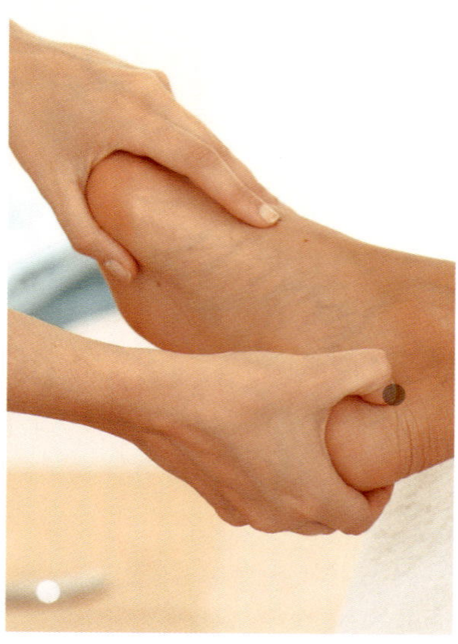

PONTO REFLEXO DO ÚTERO

Trabalhe o aspecto medial do pé. Pouse o indicador a aproximadamente meio caminho entre a parte traseira do calcanhar e o osso do tornozelo. Pressione com suavidade, descrevendo círculos por quinze segundos.

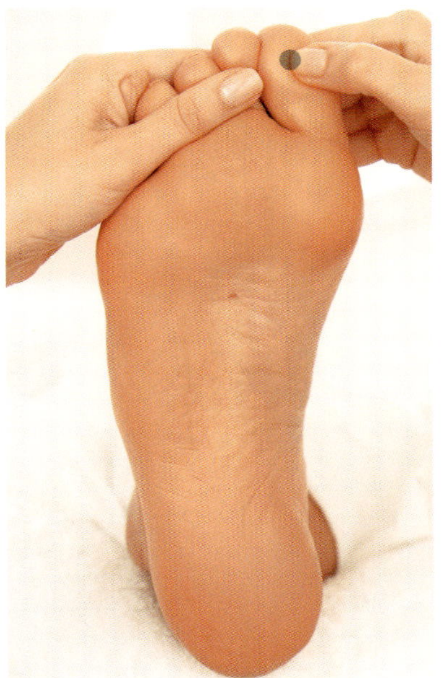

PONTO REFLEXO DA GLÂNDULA PITUITÁRIA

Sustente o dedão com os dedos de uma das mãos e, com o polegar da outra, trace uma cruz para encontrar o centro do dedão. Pouse aí o polegar, pressione e descreva círculos por quinze segundos.

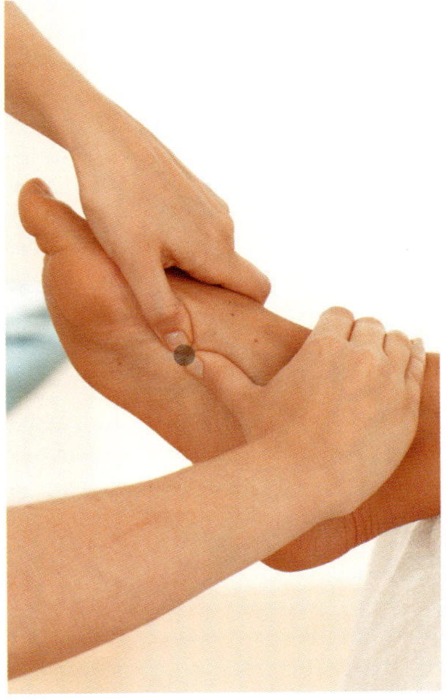

PONTO REFLEXO DAS GLÂNDULAS SUPRARRENAIS

O ponto reflexo das glândulas suprarrenais é encontrado na zona 1, três etapas abaixo da saliência da sola. Pouse aí os dois polegares juntos e pressione suavemente, descrevendo pequenos círculos. Trabalhe assim por quinze segundos.

Menopausa

A menopausa ocorre quando a mulher para de ovular e menstruar todos os meses, marcando o fim de sua fertilidade. Sobrevém normalmente por volta dos 50 anos, mas algumas mulheres têm tido o diagnóstico de menopausa precoce já aos 20. A produção de estrógeno baixa consideravelmente após esse episódio, e ele é necessário para o funcionamento normal das células da pele, artérias, coração, bexiga e fígado, bem como para a adequada formação dos ossos. A mulher passa então a correr mais risco de contrair osteoporose e doenças cardiovasculares. Para preservar a saúde, deve-se fazer exercícios regulares e reduzir o consumo de laticínios e carnes vermelhas, pois esses alimentos estimulam os "calores" e a perda de cálcio nos ossos.

ÁREAS E PONTOS REFLEXOS A TRABALHAR

- Hipotálamo/pituitária
- Tireoide
- Paratireoide
- Fígado
- Rins/suprarrenais
- Toda a coluna

Alimentação saudável e exercícios ajudam a aliviar os sintomas da menopausa.

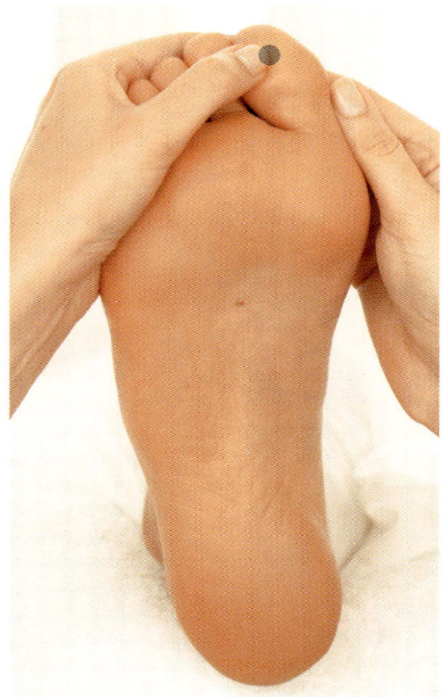

PONTO REFLEXO DO HIPOTÁLAMO/PITUITÁRIA

Sustente o dedão com uma das mãos e encontre o centro desse dedo, pousando aí um dos polegares. Com o outro, suba uma etapa a partir do reflexo da pituitária, deslocando-o ligeiramente para o lado. Junte os dois polegares e descreva círculos por trinta segundos.

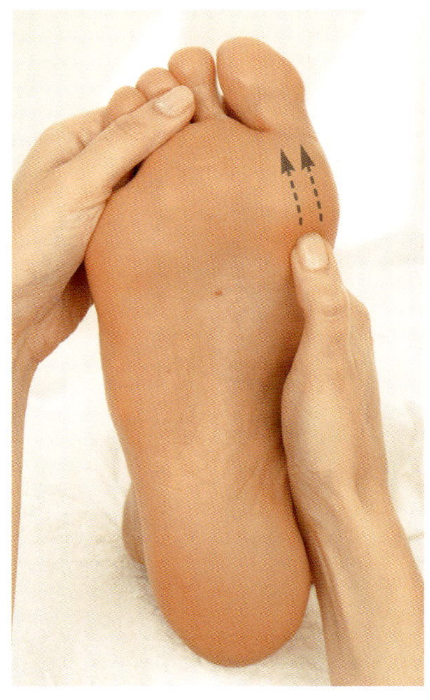

ÁREA REFLEXA DA TIREOIDE

Com o polegar de uma das mãos, trabalhe a saliência da sola, da linha do diafragma até a do pescoço. Repita o movimento lentamente seis vezes por toda a área. A tireoide segrega calcitonina, um hormônio que garante ossos saudáveis.

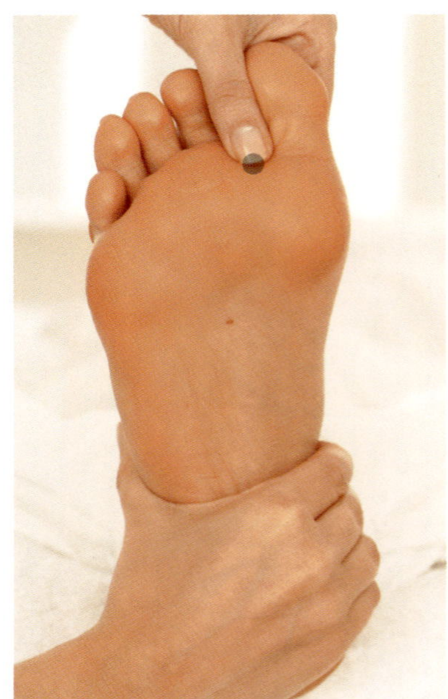

PONTO REFLEXO DA PARATIREOIDE

Você achará esse ponto entre o dedão e o segundo dedo. Com o indicador e o polegar, pince um pedaço de pele entre o primeiro e o segundo dedos. Mantenha a pressão e, suavemente, descreva círculos por quinze segundos.

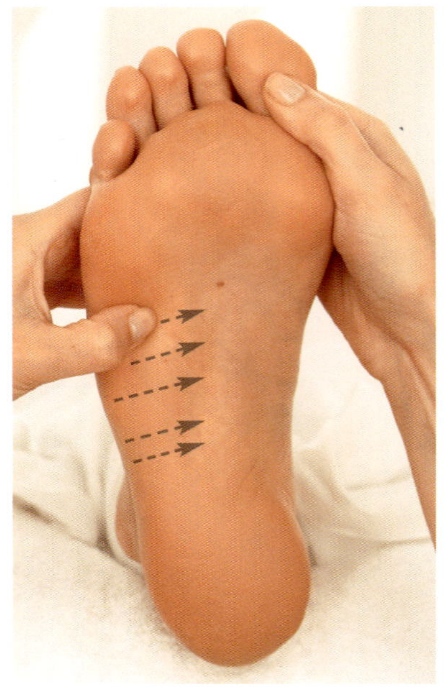

ÁREA REFLEXA DO FÍGADO

Essa área só é encontrada no pé direito. Sustente-o com a mão direita e pouse o polegar esquerdo logo abaixo da linha do diafragma. Trabalhe devagar e com precisão, horizontalmente ao pé, passando pelas zonas 5 e 4 até a 3. Avance numa só direção. Continue assim até acima da protuberância do calcanhar, repetindo o trabalho seis vezes.

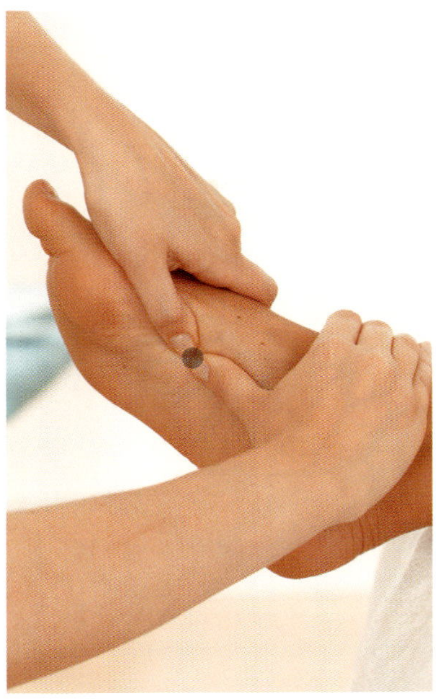

PONTOS REFLEXOS DOS RINS/SUPRARRENAIS

Você encontrará esses pontos reflexos na zona 1, três etapas abaixo da saliência da sola. Pouse os dois polegares juntos no local e, suavemente, pressione-o descrevendo pequenos círculos. Trabalhe assim por quinze segundos.

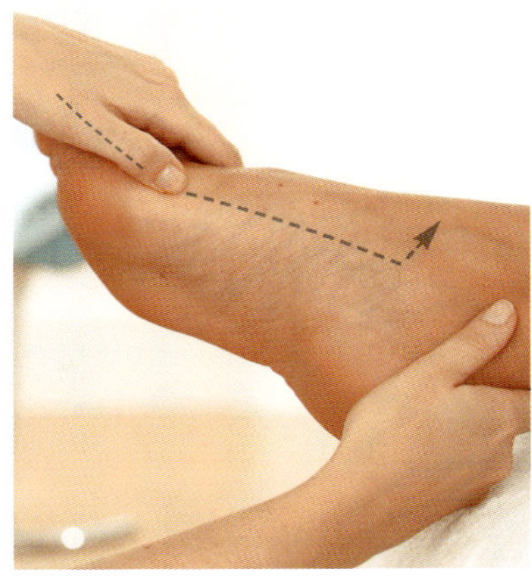

TODA A COLUNA

Trabalhe o aspecto medial do pé. Sustente-o com uma das mãos e, com o polegar da outra, percorra devagar sete etapas entre as articulações do dedão, tendo em mente que cada etapa corresponde a uma vértebra específica. Avance na direção dos dedos. Em seguida, percorra devagar doze etapas sob o osso, a partir da base da articulação do dedão, para trabalhar as vértebras torácicas. Termine no osso navicular, que lembra um nó de dedo e se situa a meio caminho entre o ponto da bexiga e o calcanhar. Trabalhe em volta desse osso, que corresponde à lombar 1, subindo cinco etapas até a depressão fronteira ao osso do tornozelo, que corresponde à lombar 5. Repita o movimento, com suavidade, três vezes.

REFLEXOLOGIA PARA HOMENS

Cientistas têm observado que as células dos organismos masculino e feminino diferem, não por causa dos hormônios, mas de elementos fundamentais como os cromossomos. Isso significa que todos os órgãos e partes do corpo podem responder diferentemente conforme o sexo. A reflexologia para homens não deve se limitar a doenças masculinas como as que afetam os órgãos reprodutores – impotência (ver p. 288), dilatação da próstata (ver p. 292), prostatite (ver p. 296) e infertilidade (ver p. 300) –, mas atentar também para o modo como várias outras se manifestam neles de maneira diversa.

A Associação Chinesa de Reflexologia descobriu que o tratamento reflexológico é uma ótima opção para homens com disfunção sexual, inclusive impotência, ejaculação precoce e ejaculação deficiente. Em 1996, o *China Reflexology Symposium Report* publicou um estudo com 37 homens submetidos a essa terapia: ela se mostrou 87,5% eficiente para a impotência e 100% para outras condições.

DICAS DE ESTILO DE VIDA

A impotência é um distúrbio comum que pode piorar em consequência do stress que acompanha essa condição, tanto quanto dos efeitos do estilo de vida. À medida que o corpo envelhece, os órgãos sexuais passam a responder mais lentamente, sendo então importante alterar a maneira de fazer amor. Depois que as funções sexuais se modificam, talvez se torne necessário um período maior de estimulação para obter a ereção. A arteriosclerose é uma doença que afeta os nervos responsáveis pela excitação e o fluxo de sangue para o pênis. Uma dieta pobre em gorduras ajuda a eliminar esse bloqueio dos vasos sanguíneos. Caso você esteja preocupado com a situação, existem inúmeras opções terapêuticas que poderá discutir com seu médico.

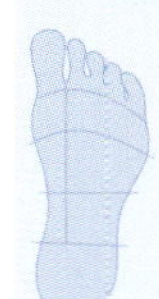

Uma alimentação pobre em gorduras e rica em frutas e legumes crus pode melhorar a fertilidade e o desempenho sexual dos homens.

Impotência

A impotência se caracteriza pela incapacidade de conseguir e manter uma ereção adequada ao ato sexual. Cerca de 2,3 milhões de homens no Reino Unido e 30 milhões nos Estados Unidos sofrem de problemas de ereção; e 1 em cada 3 com mais de 60 anos é impotente. A ereção resulta de uma combinação de estímulo cerebral, atividade do sangue e dos hormônios, e função nervosa. Algumas doenças e fatores que podem contribuir para a impotência incluem aterosclerose (endurecimento das artérias), pressão alta, diabetes, álcool, fumo e histórico de moléstias sexualmente transmissíveis. A impotência pode também ser um efeito colateral de certos remédios como antidepressivos, anti-histamínicos e para úlceras. Tem às vezes origem psicológica. Evite o stress, o cigarro, a gordura animal, o açúcar, as frituras e os alimentos industrializados; mantenha-se longe do álcool, que não apenas afeta a função sexual como pode causar o equivalente masculino da menopausa. A reflexologia é indicada para o combate à impotência.

Observe sempre os efeitos colaterais de quaisquer remédios que esteja tomando, pois alguns podem provocar impotência.

ÁREAS E PONTOS REFLEXOS A TRABALHAR

- Próstata
- Testículos
- Vértebras torácicas e lombares
- Glândulas suprarrenais
- Diafragma
- Pulmões

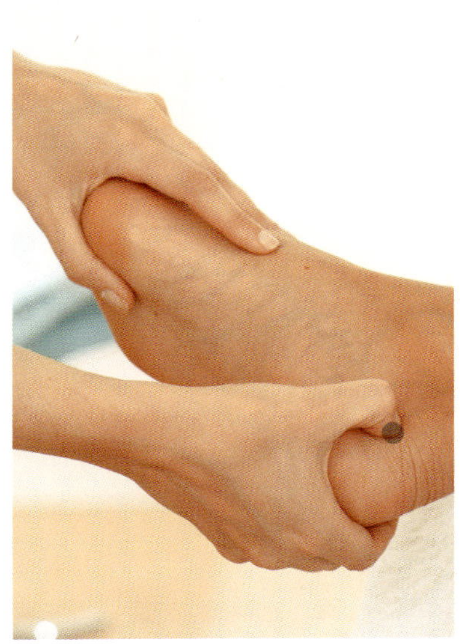

PONTO REFLEXO DA PRÓSTATA

Trabalhe o aspecto medial do pé. Pouse o indicador mais ou menos a meio caminho entre a parte posterior do calcanhar e o osso do tornozelo. Pressione levemente e descreva círculos por vinte segundos.

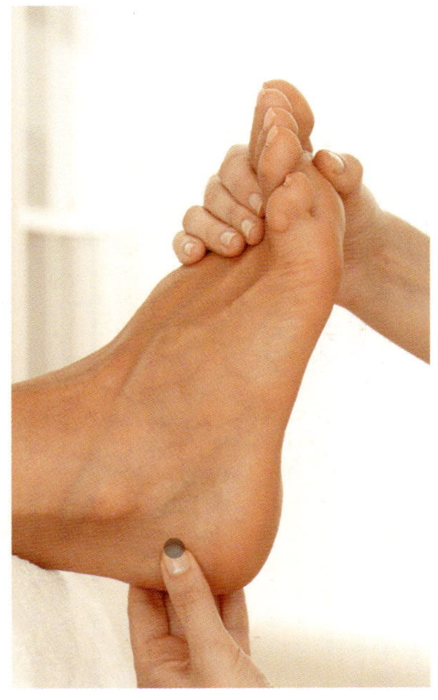

PONTO REFLEXO DOS TESTÍCULOS

Trabalhe o aspecto lateral do pé. Pouse o polegar mais ou menos a meio caminho entre a parte posterior do calcanhar e o osso do tornozelo. Pressione levemente e faça círculos por dez segundos.

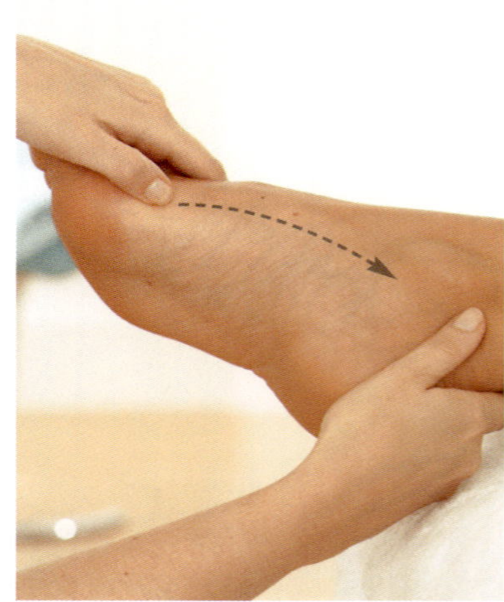

ÁREA REFLEXA DAS VÉRTEBRAS TORÁCICAS E LOMBARES

Trabalhe o aspecto medial do pé. Sustente-o com uma das mãos e, com o polegar da outra, percorra suavemente doze etapas sob o osso, a partir da base da articulação do dedão, a fim de trabalhar as vértebras torácicas. Termine no osso navicular, que lembra um nó de dedo e se situa a meio caminho entre o ponto da bexiga e o tornozelo. Trabalhe em volta desse osso, que corresponde à lombar 1, subindo cinco etapas até a depressão fronteira ao osso do tornozelo, que corresponde à lombar 5. Repita o movimento quatro vezes.

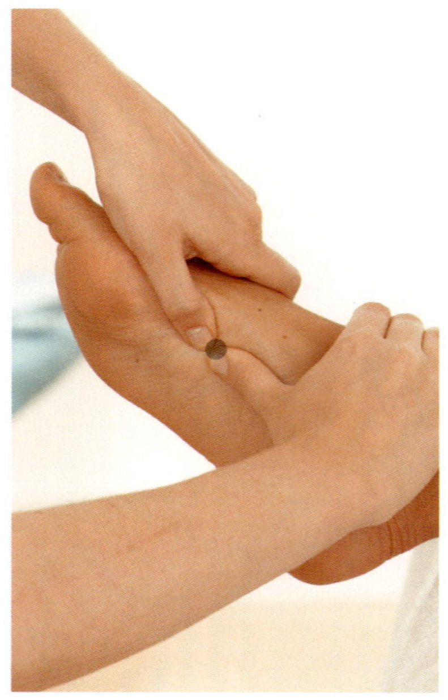

PONTO REFLEXO DAS GLÂNDULAS SUPRARRENAIS

Você encontrará esse ponto na zona 1, três etapas abaixo da saliência da sola. Pouse os dois polegares juntos no local e pressione-o suavemente, descrevendo pequenos círculos. Trabalhe assim por quinze segundos.

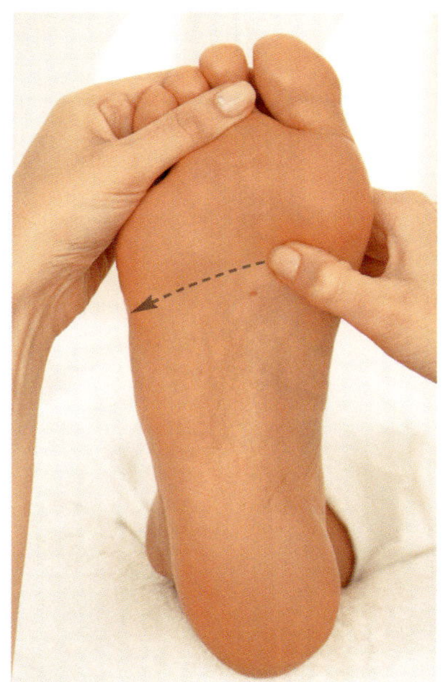

ÁREA REFLEXA DO DIAFRAGMA

Sustente o pé com uma das mãos e, com o polegar da outra, trabalhe embaixo das extremidades dos metatarsos, cruzando do aspecto medial ao lateral do pé. Percorra devagar as etapas e repita o movimento oito vezes.

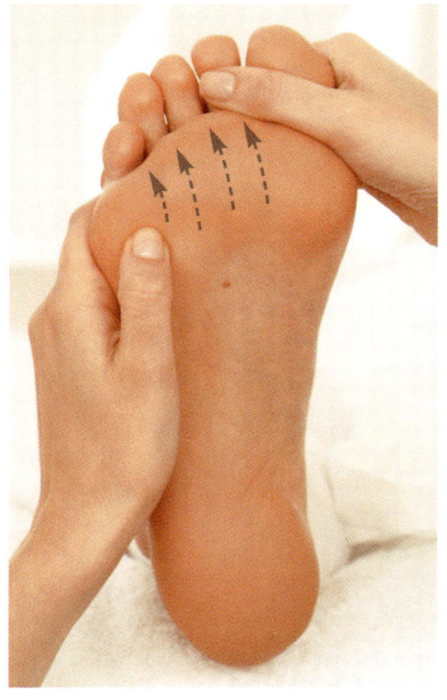

ÁREA REFLEXA DOS PULMÕES

Flexione o pé para trás com uma das mãos a fim de criar tensão na pele. Com o polegar da outra, suba da linha do diafragma até a área geral dos olhos/ouvidos, trabalhando entre os metatarsos. Repita o processo cinco vezes, assegurando-se de que percorreu todos os trajetos entre os metatarsos para dispersar os cristais.

Próstata dilatada

Essa condição, também chamada hipertrofia benigna da próstata, é o aumento gradual da glândula prostática. Pode ser causada por alterações hormonais, em resultado da idade, à medida que os níveis de testosterona vão baixando. Afeta mais de metade dos homens acima de 50 anos e 75% dos que ultrapassam os 70. Essa condição não é cancerosa, mas tem sintomas desagradáveis, como dificuldade de urinar, micção noturna frequente, sangue na urina, dor e ardência, dificuldade para iniciar e terminar a micção, infecções de bexiga e problemas renais. Um estilo de vida que reduza o colesterol no sangue é recomendado, pois, como a pesquisa mostrou, existe uma conexão entre distúrbios da próstata e colesterol alto. Assim, grandes quantidades dos seguintes alimentos devem ser incluídas na dieta: cenoura, banana, maçã, peixe de água doce, alho, tomate e azeite de oliva. Tratamentos regulares de reflexologia também ajudarão a reduzir o stress e a tensão persistente, que contribuem para aumentar os níveis de colesterol no sangue.

ÁREAS E PONTOS REFLEXOS A TRABALHAR

- Glândula pituitária
- Próstata
- Bexiga
- Fígado
- Rins/suprarrenais
- Vértebras torácicas e lombares

Alimentos ricos em colesterol, como o queijo, devem ser evitados.

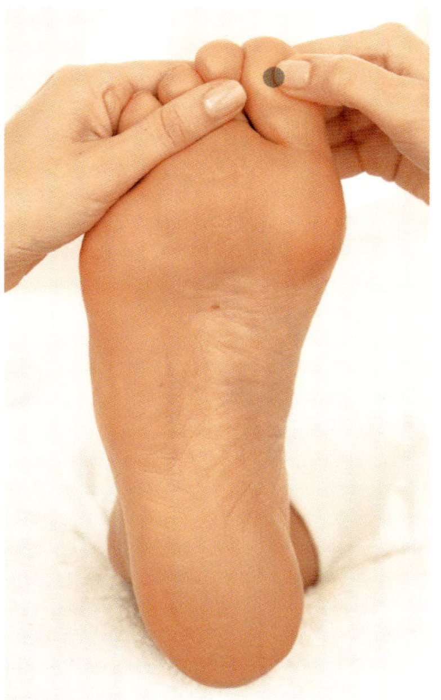

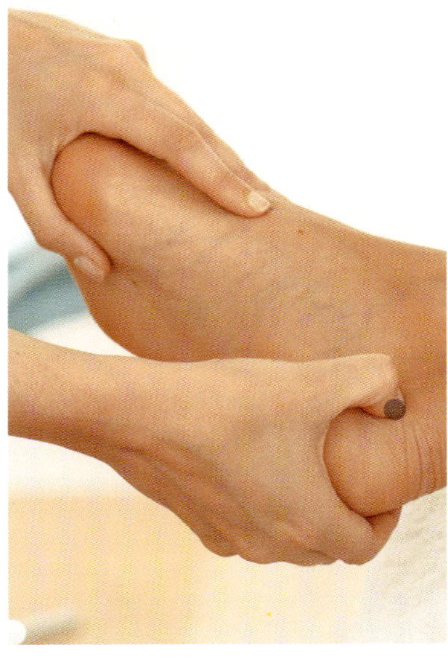

PONTO REFLEXO DA GLÂNDULA PITUITÁRIA

Sustente o dedão com os dedos de uma das mãos e, com o polegar da outra, trace uma cruz a fim de encontrar o centro do dedão. Pouse aí o polegar, pressione e descreva círculos por quinze segundos.

PONTO REFLEXO DA PRÓSTATA

Trabalhe o aspecto medial do pé. Pouse o indicador a aproximadamente meio caminho entre a parte posterior do calcanhar e o osso do tornozelo. Pressione suavemente, descrevendo círculos por vinte segundos.

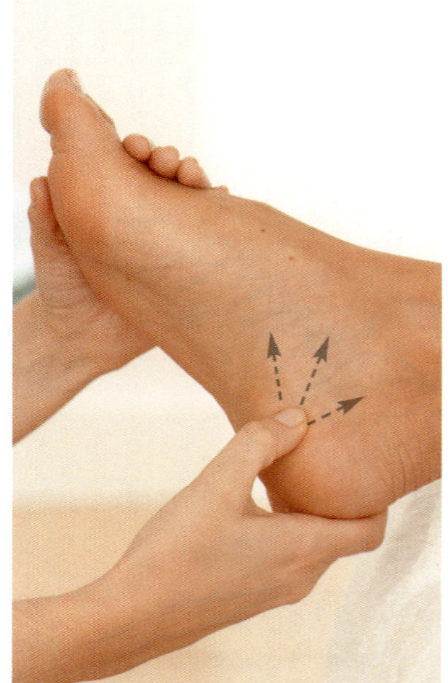

ÁREA REFLEXA DA BEXIGA

Trabalhe o aspecto medial do pé. Pouse o polegar no ponto da bexiga, na borda da área macia situada a um terço da linha que corre da parte posterior do calcanhar. Com o polegar, trace raios como os de uma roda de bicicleta, voltando sempre ao ponto da bexiga. Trabalhe o local dez vezes.

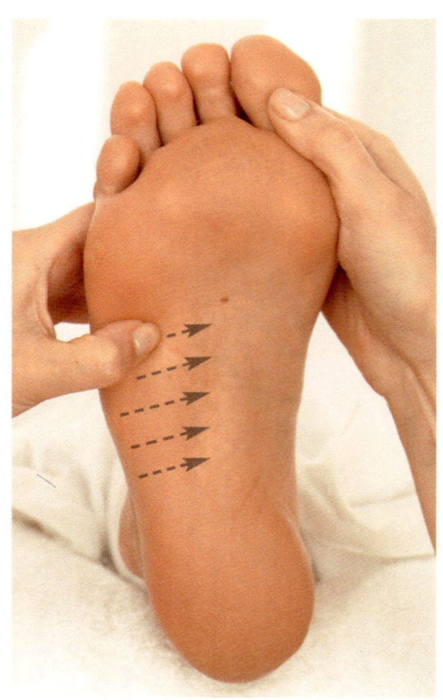

ÁREA REFLEXA DO FÍGADO

Essa área só é encontrada no pé direito. Sustente-o com a mão direita e pouse o polegar esquerdo logo abaixo da linha do diafragma. Trabalhe devagar e com precisão, horizontalmente ao pé, passando pelas zonas 5 e 4 até a 3. Avance numa única direção. Continue assim até chegar à parte superior da saliência da sola. Repita esse movimento seis vezes.

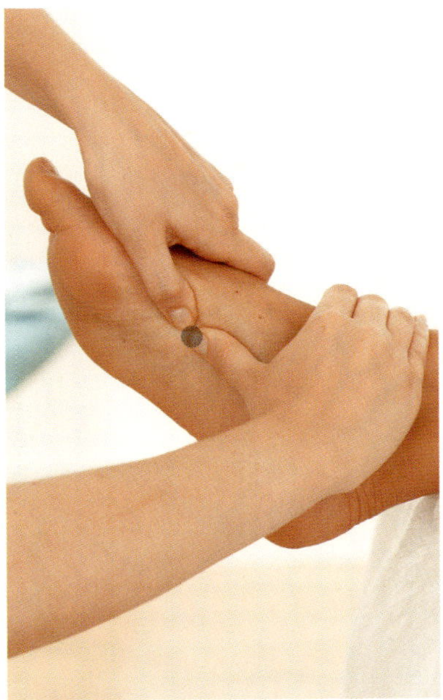

PONTO REFLEXO DOS RINS/SUPRARRENAIS

Você encontrará esses reflexos na zona 1, três etapas abaixo da saliência da sola. Pouse os dois polegares juntos no local e pressione suavemente, descrevendo pequenos círculos. Trabalhe assim por quinze segundos.

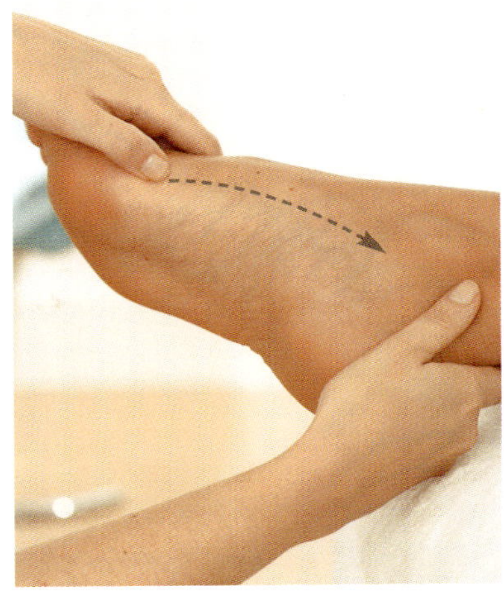

ÁREA REFLEXA DAS VÉRTEBRAS TORÁCICAS E LOMBARES

Essa área se situa no aspecto medial do pé. Sustente-o com uma das mãos e, com o polegar da outra, percorra lentamente doze etapas embaixo do osso, a partir da base da articulação do dedão, a fim de trabalhar as vértebras torácicas. Termine no osso navicular, que lembra um nó de dedo e se situa a mais ou menos meio caminho entre o ponto da bexiga e o tornozelo. Trabalhe à volta desse osso, que corresponde à lombar 1, subindo cinco etapas até a depressão fronteira ao osso do tornozelo, que corresponde à lombar 5. Repita o movimento quatro vezes.

Prostatite

Prostatite é a inflamação da glândula prostática, muito comum em homens de todas as idades. As causas costumeiras são bactérias que invadem o local ou alterações hormonais surgidas com a idade. A próstata é uma glândula sexual masculina cuja função consiste em segregar líquido durante a ejaculação (o fluido prostático constitui a maior parte do sêmen). Os principais sintomas da prostatite incluem retenção urinária (capaz de afetar a bexiga e os rins), dor entre o escroto e o reto, febre, ardência ao urinar e sensação de bexiga cheia. Procure aumentar seu consumo de zinco, pois ele ajuda a combater todos os problemas de próstata.

ÁREAS E PONTOS REFLEXOS A TRABALHAR

- Vasos linfáticos superiores
- Glândula pituitária
- Próstata
- Vértebras torácicas e lombares
- Bexiga
- Uretra
- Rins/suprarrenais

ÁREA REFLEXA DOS VASOS LINFÁTICOS SUPERIORES

Trabalhe o aspecto dorsal do pé. Com o indicador e o polegar, suba da base dos dedos até o calcanhar, por entre os metatarsos. Use pressão média, subindo até onde puder, e desça descrevendo círculos suaves por entre os metatarsos. Repita o movimento seis vezes, a fim de fortalecer o sistema imunológico do corpo.

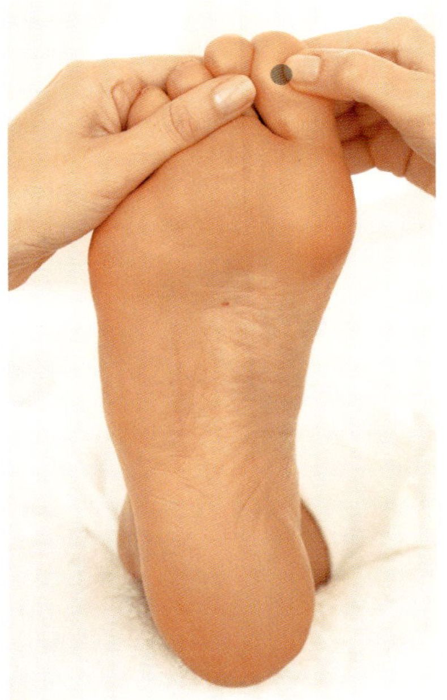

PONTO REFLEXO DA GLÂNDULA PITUITÁRIA

Sustente o dedão com os dedos de uma das mãos e, com o polegar da outra, trace uma cruz para encontrar o centro do dedão. Pouse aí o polegar, pressione e descreva círculos por quinze segundos.

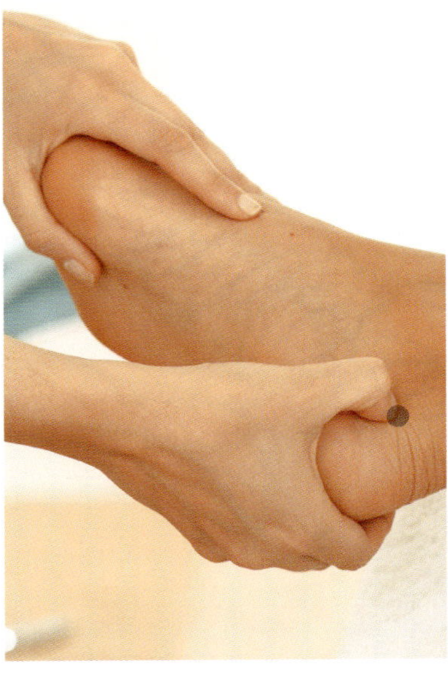

PONTO REFLEXO DA PRÓSTATA

Trabalhe o aspecto medial do pé. Pouse o indicador a aproximadamente meio caminho entre a parte traseira do calcanhar e o osso do tornozelo. Pressione com suavidade e descreva círculos por vinte segundos.

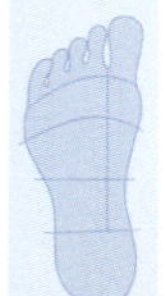

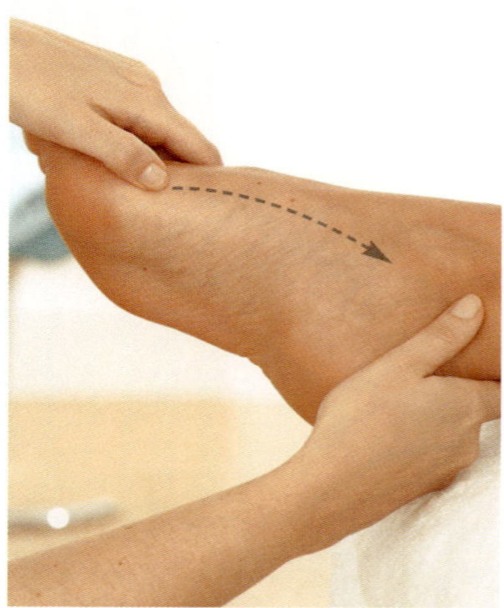

ÁREA REFLEXA DAS VÉRTEBRAS TORÁCICAS E LOMBARES

Situa-se no aspecto medial do pé. Sustente-o com uma das mãos e, com o polegar da outra, percorra lentamente doze etapas embaixo do osso, a partir da base da articulação do dedão, para trabalhar as vértebras torácicas. Termine no osso navicular, que lembra um nó de dedo e situa-se a meio caminho entre o ponto da bexiga e o calcanhar. Trabalhe em volta desse osso, que corresponde à lombar 1, subindo cinco etapas até a depressão fronteira ao osso do tornozelo, que corresponde à lombar 5. Repita o movimento quatro vezes.

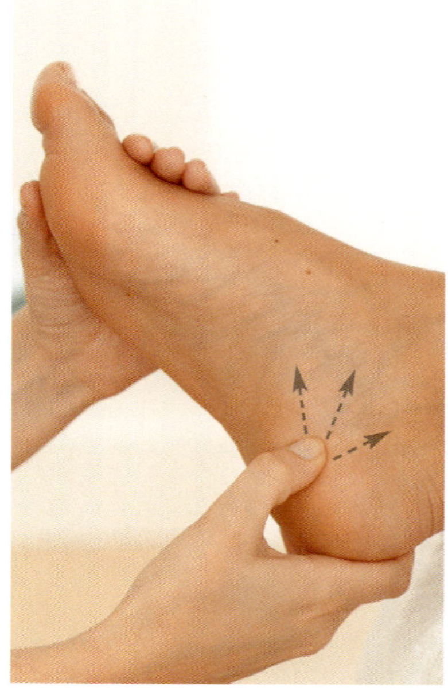

ÁREA REFLEXA DA BEXIGA

Trabalhe o aspecto medial do pé. Pouse o polegar no ponto da bexiga, situado na borda da área macia a meio caminho a partir da região posterior do calcanhar. Com o polegar, descreva raios como os de uma roda de bicicleta por toda a área, voltando sempre ao ponto da bexiga. Repita o movimento dez vezes.

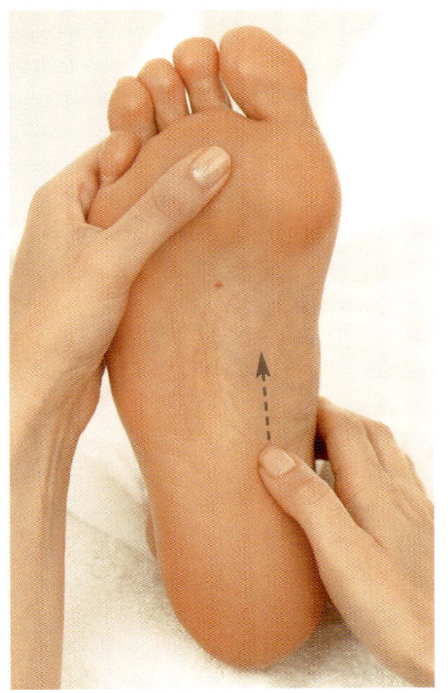

ÁREA REFLEXA DA URETRA

Flexione o pé um pouco para trás e suba lentamente pelo tendão que encontrará a um terço da extensão da sola. Repita o movimento sete vezes.

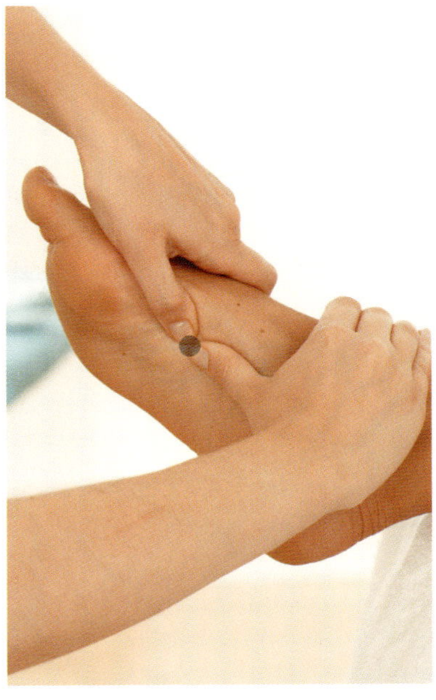

PONTOS REFLEXOS DOS RINS/SUPRARRENAIS

As glândulas suprarrenais localizam-se nos rins e seus reflexos estão no alto da área reflexa da uretra. Ao chegar ao alto do reflexo da uretra, junte os polegares e pressione suavemente os reflexos dos rins/suprarrenais, descrevendo pequenos círculos. Trabalhe assim por dez segundos. Esses são reflexos naturalmente sensíveis, portanto o toque deve ser suave a fim de ajudar a reduzir a pressão sanguínea.

Infertilidade no homem

Em geral, é resultado do pequeno número de espermatozoides ou de alguma anormalidade que apresentam. Cerca de um em cinco casais enfrenta o problema da infertilidade, e fatores espermáticos respondem por 40% de todos os casos. Várias condições são responsáveis por isso: exposição a calor excessivo, toxinas, radiação, dano aos testículos, distúrbios hormonais, doença recente, crises longas de febre, caxumba e consumo de álcool. Algumas causas são reversíveis, como exposição ao calor, problemas endócrinos e doença recente. Os homens devem submeter-se a um exame endocrinológico geral para descobrir se não há alguma anormalidade. Esse exame poderá revelar hipotireoidismo (tireoide preguiçosa), hipertireoidismo (tireoide superativa) ou problema na glândula pituitária. O stress também pode comprometer a fertilidade. Dietas com baixo nível de colesterol podem baixar o nível de testosterona. No entanto, nutrientes antioxidantes como a vitamina E ajudam a proteger o chamado "colesterol bom" de quaisquer danos.

Às vezes, são necessários até três anos para que um casal conceba naturalmente. Uma alimentação saudável é importante quando se deseja ter um bebê.

ÁREAS E PONTOS REFLEXOS A TRABALHAR

- Glândula pituitária
- Testículos
- Canal deferente
- Tireoide
- Fígado
- Glândulas suprarrenais

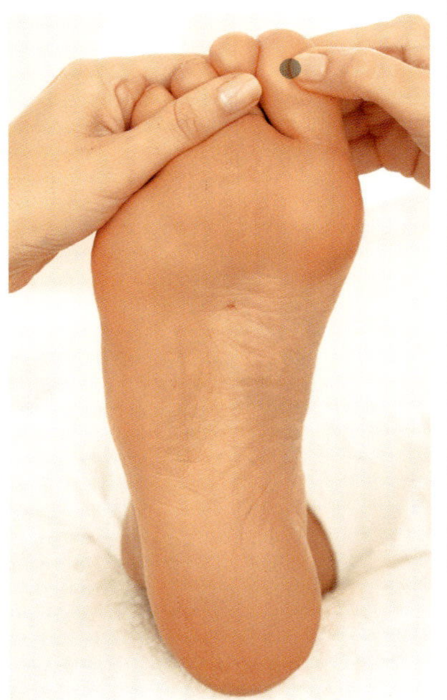

PONTO REFLEXO DA GLÂNDULA PITUITÁRIA

Sustente o dedão com os dedos de uma das mãos e, com o polegar da outra, trace uma cruz para encontrar o centro do dedão. Pouse aí o polegar, pressione e descreva círculos por quinze segundos.

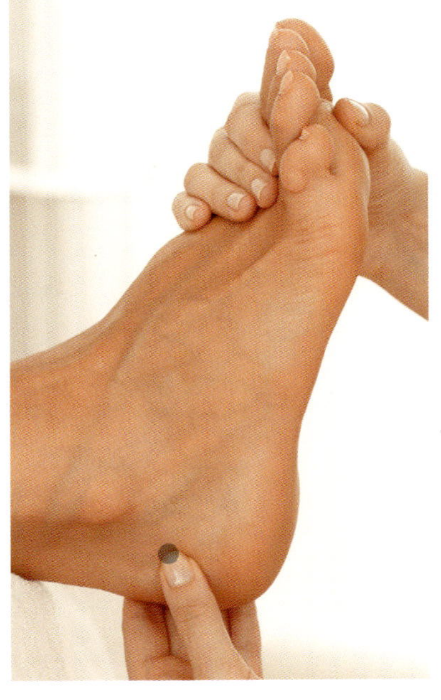

PONTO REFLEXO DOS TESTÍCULOS

Trabalhe o aspecto lateral do pé. Pouse o polegar a mais ou menos meio caminho entre a parte traseira do calcanhar e o osso do tornozelo. Pressione suavemente e descreva círculos por quinze segundos.

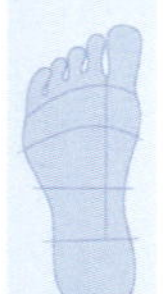

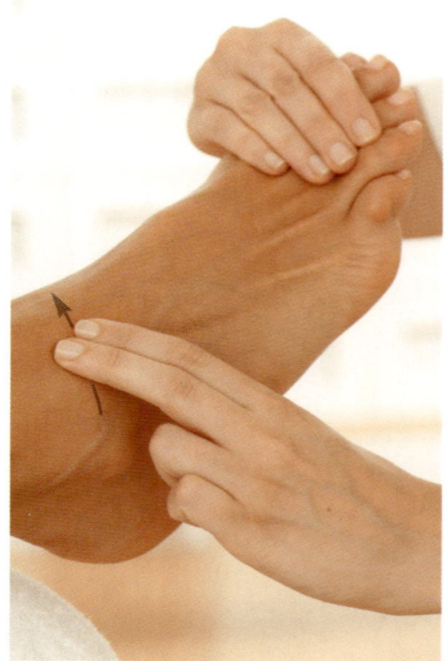

ÁREA REFLEXA DO CANAL DEFERENTE

Você encontrará essa área reflexa na linha que cruza a parte superior do pé. Com o indicador e o dedo médio, avance do aspecto lateral ao medial, conectando os dois ossos do tornozelo, e volte. Repita o movimento doze vezes.

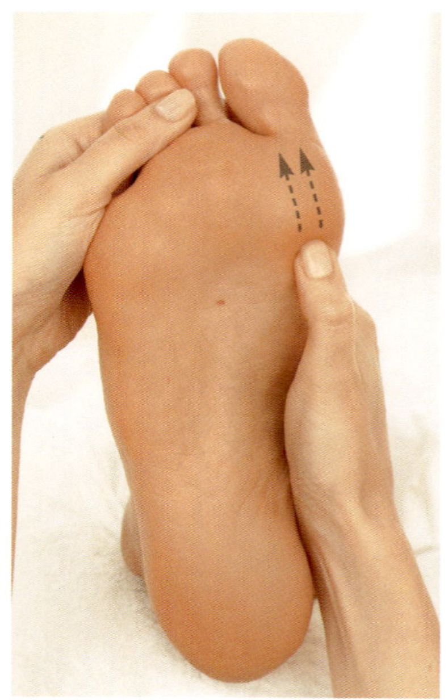

ÁREA REFLEXA DA TIREOIDE

Com o polegar, trabalhe a saliência da sola, subindo da linha do diafragma até a do pescoço. Repita o movimento lentamente seis vezes por toda a área, a fim de dispersar os cristais que for encontrando.

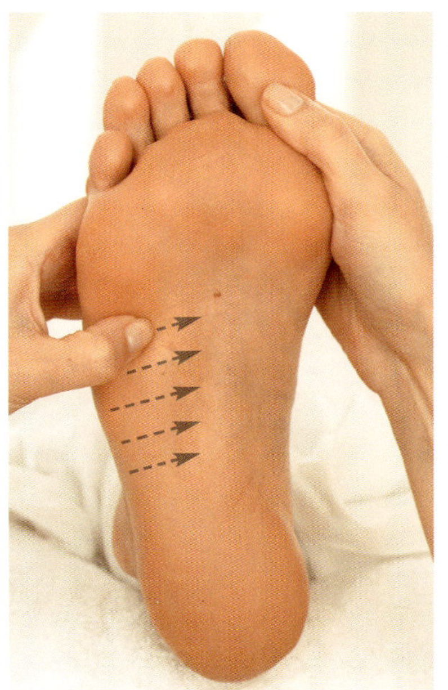

ÁREA REFLEXA DO FÍGADO

Essa área reflexa só é encontrada no pé direito. Sustente-o com a mão direita e pouse o polegar esquerdo logo abaixo da linha do diafragma. Trabalhe devagar e com precisão, horizontalmente ao pé, cruzando as zonas 5 e 4 até a 3. Avance numa única direção. Prossiga assim até o alto da protuberância do calcanhar. Repita o movimento seis vezes.

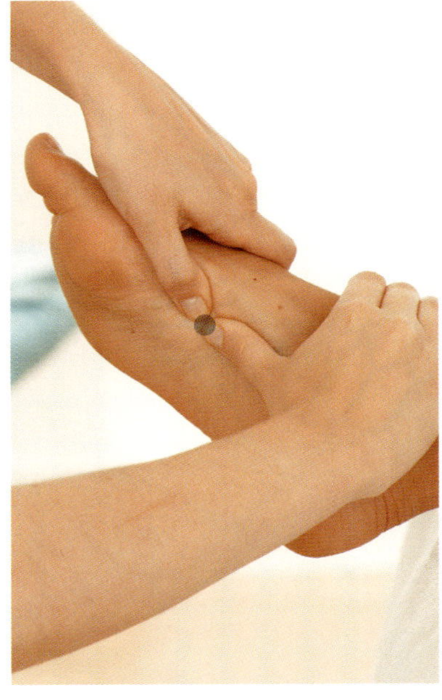

PONTO REFLEXO DAS SUPRARRENAIS

Você encontrará esses reflexos na zona 1, três etapas abaixo da saliência da sola. Pouse os dois polegares juntos no local e pressione levemente, descrevendo pequenos círculos. Trabalhe assim por quinze segundos.

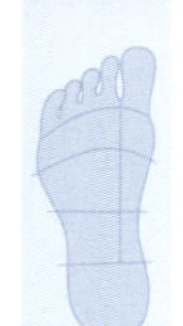

GRAVIDEZ

A reflexologia ajuda a equilibrar os hormônios, regular os períodos menstruais e a ovulação, aliviar os incômodos relacionados à gravidez, facilitar o parto natural e reduzir seu tempo. Muitos dos problemas que ocorrem durante a gravidez resultam de alterações hormonais no corpo, deficiência de vitaminas e minerais, e redistribuição do peso, que aumenta inevitavelmente.

A reflexologia pode aliviar incômodos relacionados à gravidez como cansaço, dores na parte inferior das costas e insônia.

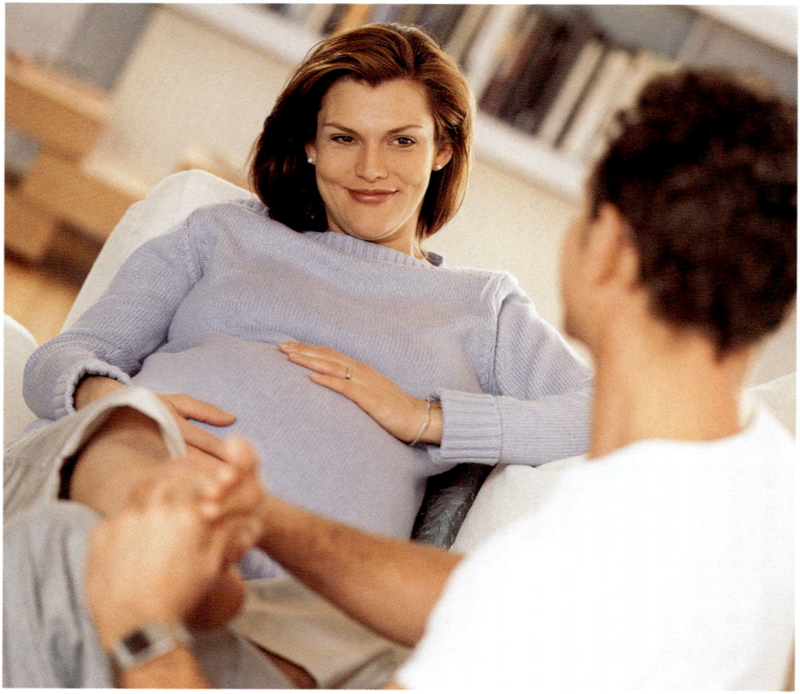

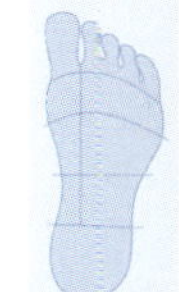

DICAS DE ESTILO DE VIDA

A fertilidade declina em ambos os sexos após os 25-30 anos. E, como hoje as pessoas estão preferindo constituir família na casa dos 30 anos, a infertilidade vai se tornando cada vez mais comum. Eis algumas sugestões para facilitar a concepção. Corte o fumo e a cafeína, que tornam difícil para o corpo nutrir um embrião. Faça uma análise de cabelos para detectar deficiências minerais (como zinco) e presença de toxinas no corpo. Cuide para que problemas digestivos como a doença celíaca e a inflamação intestinal não provoquem má absorção de vitaminas e minerais. Não beba álcool, pois uma dose por dia reduz em 50% as chances de engravidar. O álcool retarda a ovulação e impede o bom funcionamento do fígado, o que afeta o equilíbrio de açúcar no sangue e a eliminação de toxinas e hormônios gastos. O álcool é também uma supertoxina que bloqueia a absorção, pelo corpo, de ácidos graxos essenciais, vitaminas e nutrientes imprescindíveis.

O peso é um fator importante na ovulação: a mulher precisa de 18% de gordura corporal para ovular, motivo pelo qual muitas, com distúrbios alimentares, têm dificuldade para conceber.

A reflexologia tem sido usada com sucesso por mulheres que desejam engravidar e ter bebês saudáveis. Elas devem ser tratadas com uma abordagem holística durante o período anterior à concepção: refeições saudáveis estabilizam o nível de açúcar no sangue (quando baixo, esse nível afeta a produção de progesterona). Níveis elevados de proteína são necessários para conceber, enquanto o zinco beneficia ambos os sexos. Evite doses elevadas de vitamina C, pois ela esgota o fluido cervical e impede que o espermatozoide alcance o óvulo.

Infertilidade na mulher

A infertilidade é a incapacidade de conceber após um ano ou mais de atividade sexual regular nos períodos de ovulação. O termo se aplica também ao caso da mulher que não consegue levar a gravidez até o fim. As causas mais comuns de infertilidade feminina incluem falta ou problemas de ovulação, bloqueio das tubas uterinas, endometriose (ver p. 274) e fibrose uterina (ver p. 278). Algumas mulheres desenvolvem anticorpos que combatem o espermatozoide do parceiro, enquanto certas doenças sexualmente transmissíveis podem provocar infertilidade. Estrógenos sintéticos, armazenados nas células de gordura, às vezes rompem o equilíbrio hormonal e têm sido associados a infertilidade, câncer de mama, baixa contagem de espermatozoides no homem e puberdade precoce; são detectados em água de torneira, nas pílulas anticoncepcionais, na carne de animais tratados com esteroides, no leite e laticínios, em produtos de toalete, detergentes e plásticos.

ÁREAS E PONTOS REFLEXOS A TRABALHAR

- Glândula pituitária
- Tireoide
- Ovários
- Tubas uterinas
- Vértebras torácicas e lombares
- Vasos linfáticos superiores

O equilíbrio físico e emocional na mulher é extremamente importante para a concepção.

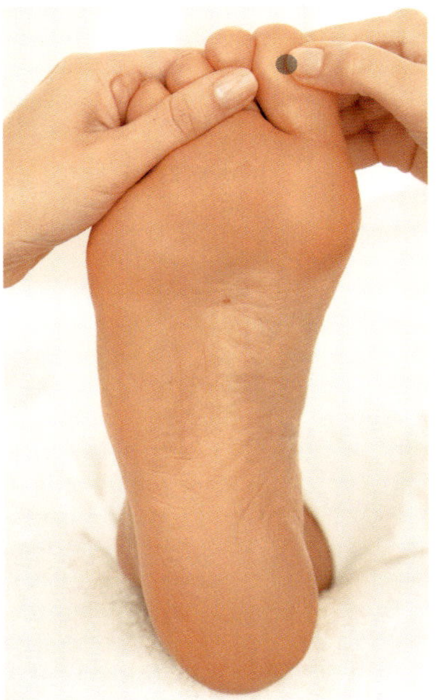

PONTO REFLEXO DA GLÂNDULA PITUITÁRIA

Sustente o dedão com os dedos de uma das mãos e, com o polegar da outra, trace uma cruz para encontrar o centro do dedão. Pouse aí o polegar, pressione e descreva círculos por quinze segundos.

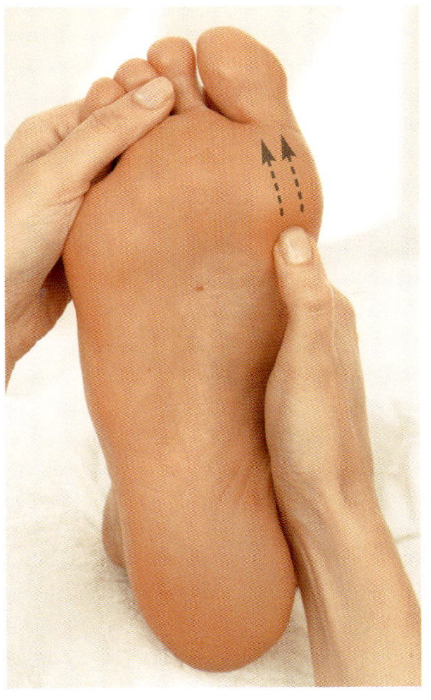

ÁREA REFLEXA DA TIREOIDE

Com o polegar, trabalhe a saliência da sola, subindo da linha do diafragma até a do pescoço. Repita o movimento lentamente seis vezes por toda a área, a fim de ajudar no equilíbrio dos hormônios.

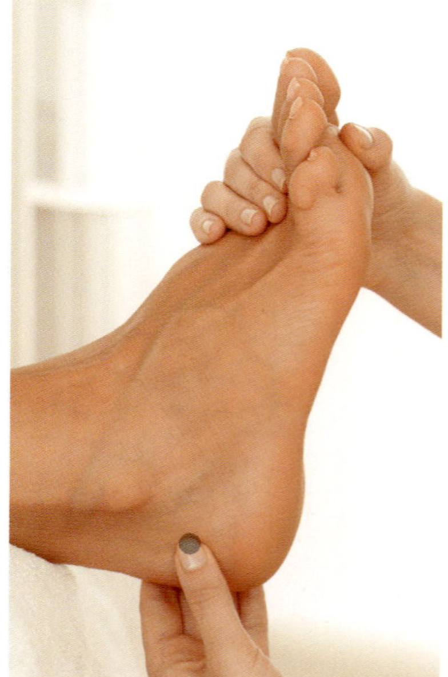

PONTO REFLEXO DOS OVÁRIOS

Trabalhe o aspecto lateral do pé. Pouse o polegar a mais ou menos meio caminho entre a parte traseira do calcanhar e o osso do tornozelo. Pressione suavemente e descreva círculos por quinze segundos.

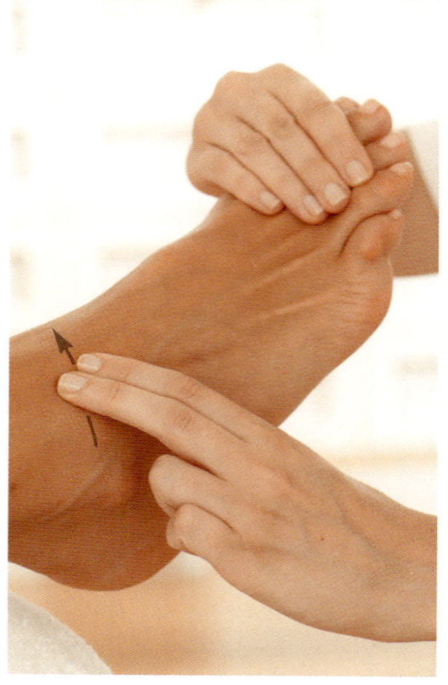

ÁREA REFLEXA DAS TUBAS UTERINAS

Você encontrará essa área reflexa na linha que cruza o alto do pé. Com o indicador e o dedo médio, passe do aspecto medial ao lateral do pé, conectando os dois ossos do tornozelo, e volte. Repita o movimento doze vezes.

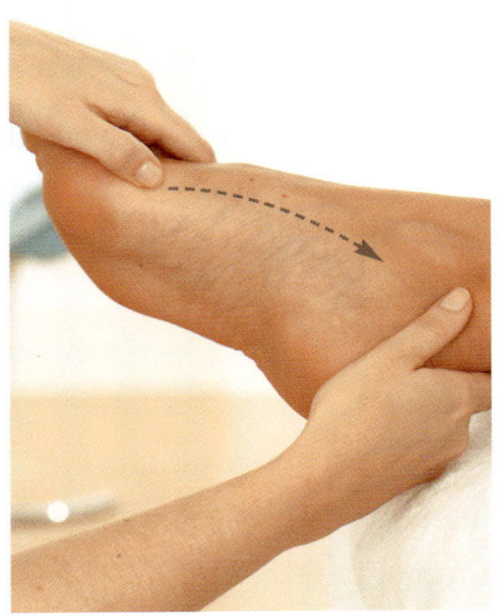

ÁREA REFLEXA DAS VÉRTEBRAS TORÁCICAS E LOMBARES

Essa área se situa no aspecto medial do pé. Sustente-o com uma das mãos e, com o polegar da outra, percorra lentamente doze etapas embaixo do osso, a partir da base da articulação do dedão, a fim de trabalhar as vértebras torácicas. Termine no osso navicular, que lembra um nó de dedo e está a meio caminho entre o ponto da bexiga e o tornozelo. Trabalhe em volta desse osso, que corresponde à lombar 1, subindo cinco etapas até a depressão fronteira ao osso do tornozelo, que corresponde à lombar 5. Repita o movimento quatro vezes.

ÁREA REFLEXA DOS VASOS LINFÁTICOS SUPERIORES

Trabalhe o aspecto dorsal do pé. Com o indicador e o polegar, suba da base dos dedos na direção do calcanhar, por entre os metatarsos. Aplique pressão média até onde puder, depois volte descrevendo leves círculos entre os dedos. Repita o movimento seis vezes.

Gravidez (14ª à 36ª semana)

A reflexologia pode garantir um estado de harmonia e bem-estar. Durante a gravidez, o corpo muda constantemente, conforme as necessidades do feto, e a reflexologia ajuda a aliviar os problemas relacionados a essa condição. O tratamento deve começar na 14ª semana: a reflexologia quase nunca é usada no primeiro trimestre, para que o corpo possa se acomodar naturalmente. É importante manter uma dieta balanceada, evitando-se alimentos industrializados, comidas muito temperadas e frituras, para proporcionar ao feto a dose certa de vitaminas e minerais. Limite o atum a uma vez por semana, devido a seu conteúdo de mercúrio.

ÁREAS E PONTOS REFLEXOS A TRABALHAR

- Pâncreas
- Fígado
- Cólon ascendente
- Cólon descendente
- Bexiga
- Rins/suprarrenais
- Toda a coluna

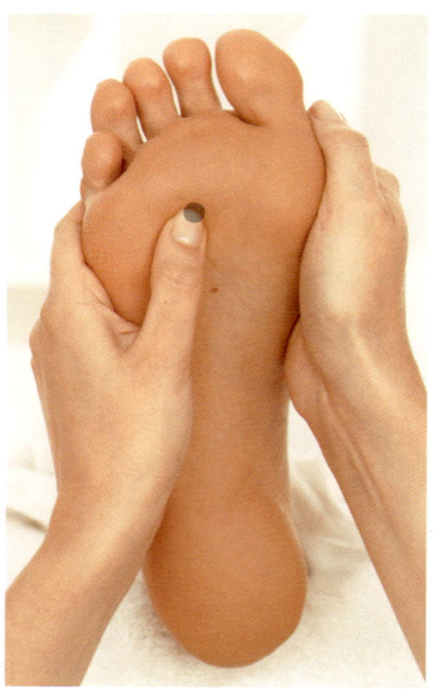

PONTO REFLEXO DO PÂNCREAS

Esse ponto reflexo só é encontrado no pé direito. Pouse o polegar no terceiro dedo e trace uma linha até embaixo da linha do diafragma. Pressione a articulação e descreva pequenos círculos por seis segundos.

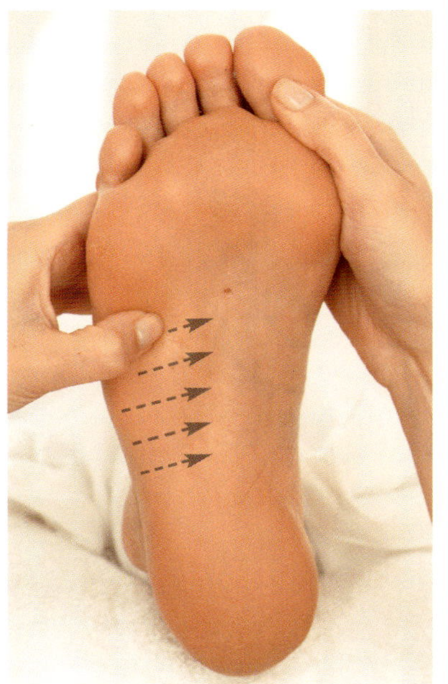

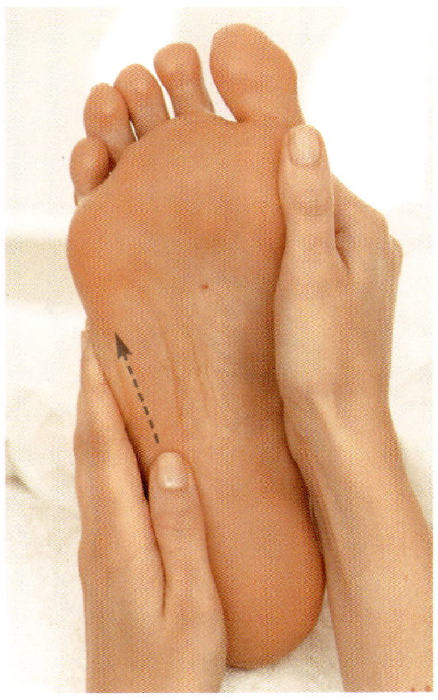

ÁREA REFLEXA DO FÍGADO

Essa área reflexa só é encontrada no pé direito. Sustente-o com a mão direita e pouse o polegar esquerdo logo abaixo da linha do diafragma. Trabalhe devagar e com precisão, horizontalmente ao pé, passando pelas zonas 5 e 4 até a 3. Avance numa única direção, chegando até a saliência do calcanhar. Repita o movimento seis vezes.

ÁREA REFLEXA DO CÓLON ASCENDENTE

Essa área reflexa só é encontrada no pé direito. Com o polegar esquerdo, suba até a zona 4 a partir da saliência do calcanhar, chegando ao meio da sola. Trabalhe a área reflexa do cólon ascendente quatro vezes, em movimentos suaves, para ajudar a eliminar detritos e toxinas.

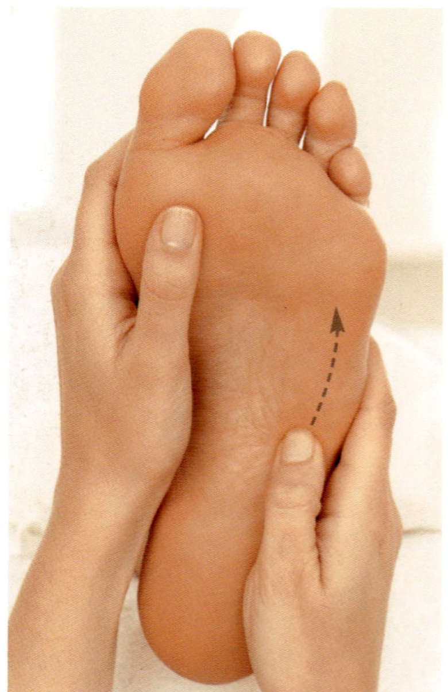

ÁREA REFLEXA DO CÓLON DESCENDENTE

Essa área reflexa só é encontrada no pé esquerdo. Com o polegar direito, suba até a zona 4 a partir da saliência do calcanhar, a fim de trabalhar essa área do cólon. Chegue até o meio da sola. Trabalhe o local seis vezes, em movimentos suaves, para estimular a ação peristáltica dos músculos do cólon.

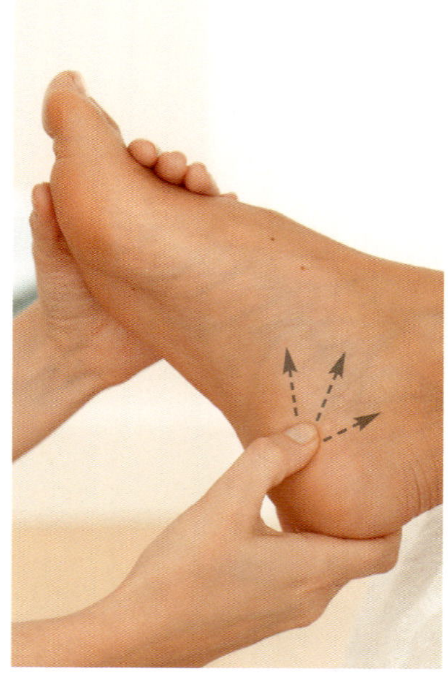

ÁREA REFLEXA DA BEXIGA

Trabalhe o aspecto medial do pé. Pouse o polegar no ponto da bexiga, situado na borda da área macia a cerca de um terço da linha que parte da região traseira do calcanhar. Com o polegar, descreva raios como os de uma roda de bicicleta por toda a área, voltando sempre ao ponto da bexiga. Trabalhe a área seis vezes.

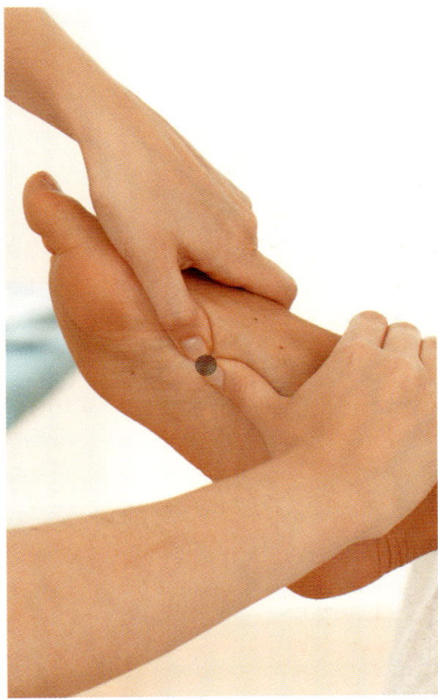

PONTOS REFLEXOS DOS RINS/SUPRARRENAIS

Você encontrará esses reflexos na zona 1, três etapas abaixo da saliência da sola. Pouse os dois polegares juntos no local e pressione suavemente, descrevendo pequenos círculos. Trabalhe assim por vinte segundos.

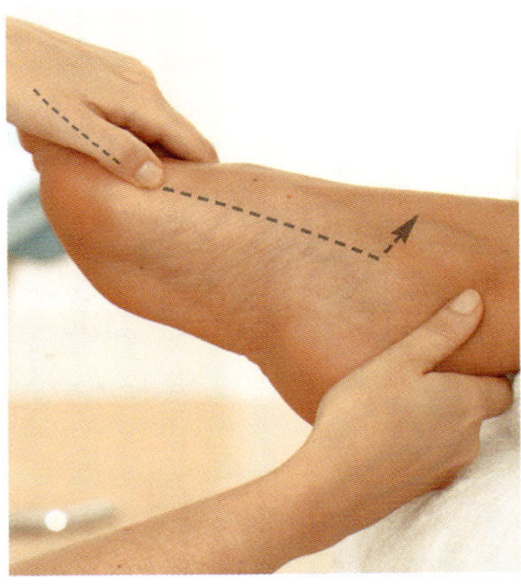

TODA A COLUNA

Trabalhe o aspecto medial do pé. Sustente-o com uma das mãos e, com o polegar da outra, percorra devagar sete etapas por entre as articulações do dedão, tendo em mente que cada etapa corresponde a uma vértebra específica. Avance na direção dos dedos. A seguir, percorra lentamente doze etapas embaixo do osso, a partir da base da articulação do dedão, a fim de trabalhar as vértebras torácicas. Termine no osso navicular, que lembra um nó de dedo e se situa a meio caminho entre o ponto da bexiga e o tornozelo. Trabalhe em torno desse osso, que corresponde à lombar 1, subindo cinco etapas até a depressão fronteira ao osso do tornozelo, que corresponde à lombar 5. Repita o movimento, lentamente, três vezes.

Gravidez (37ª à 40ª semana)

Recorra à reflexologia a fim de se preparar para o parto – tanto física quanto psicologicamente – e, mais importante ainda, para equilibrar os hormônios. A insônia é muito comum durante as últimas semanas de gravidez, em virtude da ansiedade pelo nascimento próximo e da dificuldade de encontrar uma posição confortável para adormecer; está associada também a baixos níveis de vitaminas B. Disponha travesseiros de acordo com suas necessidades, inclusive por baixo do abdome, a fim de aliviar a falta de ar. Evite *bacon*, queijo, açúcar, tomate, chocolate, batata e vinho nas proximidades da hora do parto, pois esses alimentos contêm um estimulante cerebral. À noite, coma banana, figo, iogurte e biscoitos de cereais integrais, que contêm agentes estimulantes do sono. Muitas mulheres preferem o parto normal e,

ÁREAS E PONTOS REFLEXOS A TRABALHAR

- Glândula pituitária
- Tireoide
- Útero
- Ovários
- Rins/suprarrenais
- Toda a coluna

se trabalharem o reflexo da pituitária, ajudarão a intensificar a produção de oxitocina, que força o útero a se contrair durante o parto. A oxitocina sintética pode ser usada para apressar os trabalhos e ajudar a expelir a placenta após o nascimento do bebê. Um ou dois copos de chá de folhas de framboesa por dia tornam mais fáceis as etapas finais da gravidez e podem ser bebidos até durante o parto. Mas esse chá só é recomendado nos últimos dois meses de gravidez. Ele fortalece as paredes do útero e abrevia a segunda etapa dos trabalhos.

É comum o bebê ficar mais ativo após a mãe se submeter a um tratamento de reflexologia.

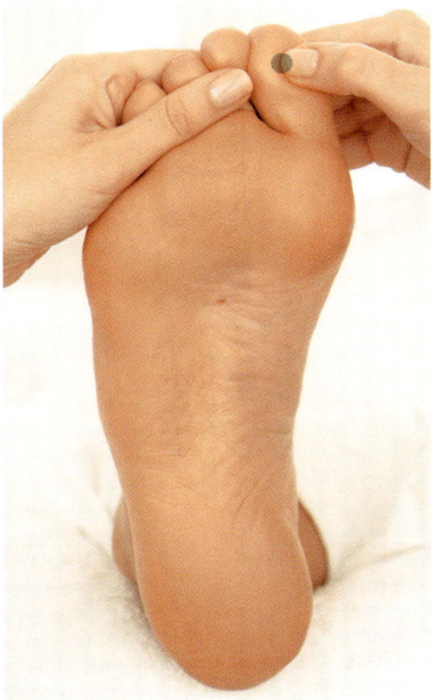

PONTO REFLEXO DA GLÂNDULA PITUITÁRIA

Sustente o dedão com os dedos de uma das mãos e, com o polegar da outra, trace uma cruz para encontrar o centro do dedão. Pouse aí o polegar, pressione e descreva círculos por 25 segundos.

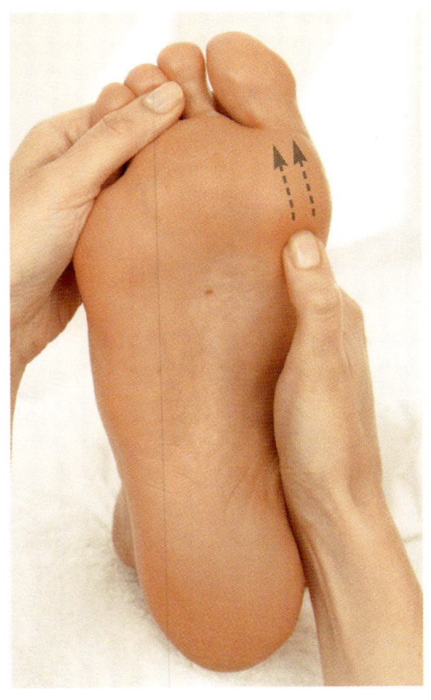

ÁREA REFLEXA DA TIREOIDE

Com o polegar, trabalhe a saliência da sola da linha do diafragma até a do pescoço. Repita o movimento, lentamente, sete vezes por toda a área.

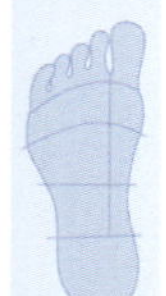

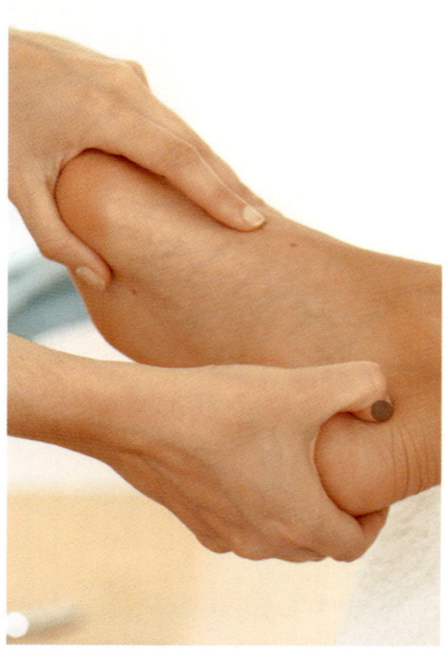

PONTO REFLEXO DO ÚTERO

Trabalhe o aspecto medial do pé. Pouse o polegar a aproximadamente meio caminho entre a parte traseira do calcanhar e o osso do tornozelo. Pressione suavemente e descreva círculos por dez segundos.

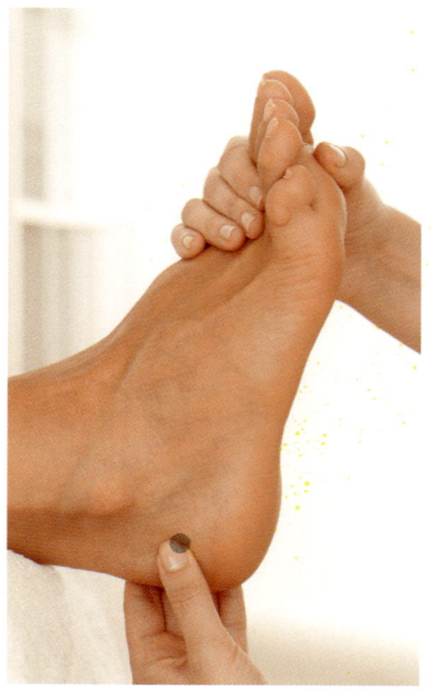

PONTO REFLEXO DOS OVÁRIOS

Trabalhe o aspecto lateral do pé. Pouse o polegar a aproximadamente meio caminho entre a parte traseira do calcanhar e o osso do tornozelo. Pressione suavemente e descreva círculos por quinze segundos.

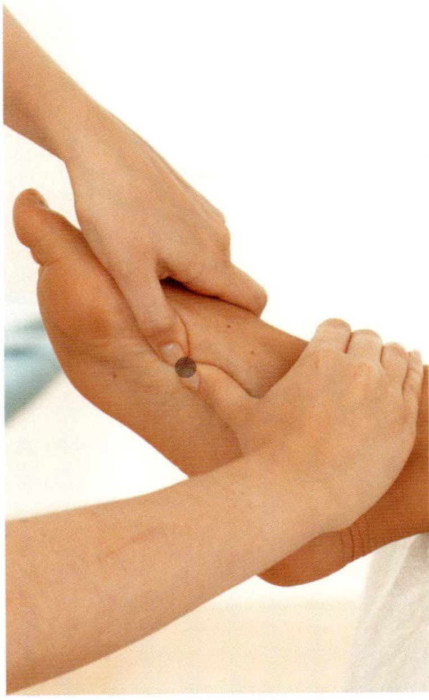

PONTOS REFLEXOS DOS RINS/SUPRARRENAIS

Você encontrará esses reflexos na zona 1, três etapas a partir da saliência da sola. Pouse os dois polegares juntos no local e pressione suavemente, descrevendo pequenos círculos. Trabalhe assim por 25 segundos, para ajudar a descontrair o corpo.

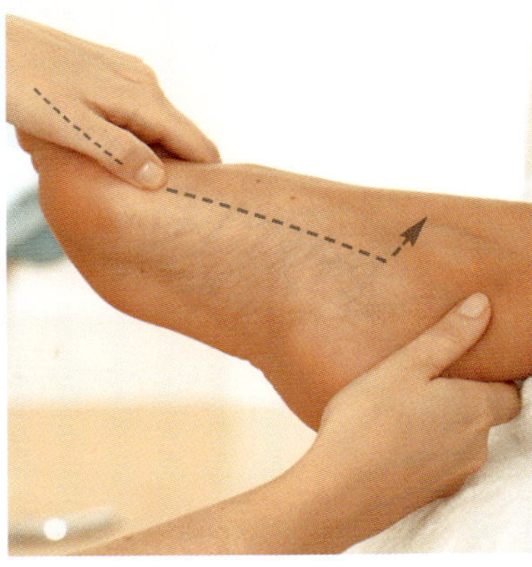

TODA A COLUNA

Trabalhe o aspecto medial do pé. Sustente-o com uma das mãos e, com o polegar da outra, percorra devagar sete etapas entre as articulações do dedão, tendo em mente que cada etapa corresponde a uma vértebra específica. Avance na direção dos dedos. Depois, percorra doze etapas embaixo do osso, a partir da base da articulação do dedão, a fim de trabalhar as vértebras torácicas. Termine no osso navicular, que lembra um nó de dedo e se situa a meio caminho entre o ponto da bexiga e o calcanhar. Trabalhe em torno desse osso, que corresponde à lombar 1, subindo cinco etapas até a depressão fronteira ao osso do tornozelo, que corresponde à lombar 5. Repita esse movimento cinco vezes, suavemente.

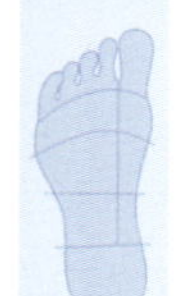

Após o nascimento

Durante a gravidez, os níveis de estrógeno e progesterona aumentam, suavizando os músculos do útero, intestinos e veias. Após o parto, esses níveis caem em questão de minutos e, no segundo dia, estão muito baixos. A reflexologia ajuda a recolocar os tecidos no estado anterior à gravidez, além de melhorar a condição emocional e mental. A depressão pós-parto é às vezes percebida como uma espécie de languidez extrema, debilitante. Tarefas simples que dizem respeito ao bebê (ou ao cotidiano em geral) podem ser difíceis de realizar. O problema pode surgir depois do parto, com o auge da depressão ocorrendo às vezes quando o bebê já tem de três a seis meses.

ÁREAS E PONTOS REFLEXOS A TRABALHAR

- Glândula pituitária
- Tireoide
- Fígado
- Pulmões
- Rins/suprarrenais
- Toda a coluna

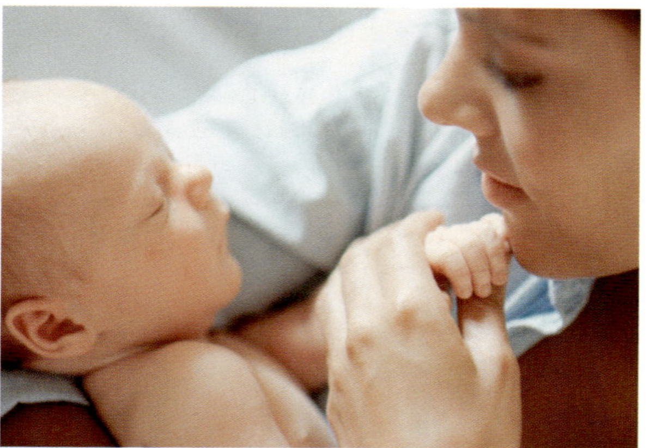

Após o parto, a reflexologia pode ajudar no reequilíbrio dos níveis de hormônio da mãe.

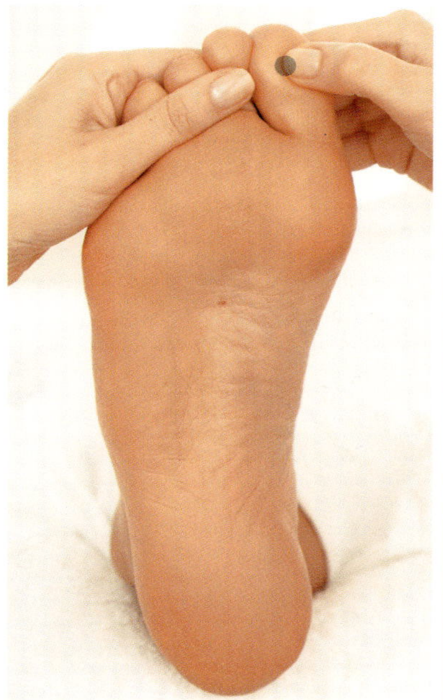

PONTO REFLEXO DA GLÂNDULA PITUITÁRIA

Sustente o dedão com os dedos de uma das mãos e, com o polegar da outra, trace uma cruz para encontrar o centro do dedão. Pouse aí o polegar, pressione e descreva círculos por 25 segundos.

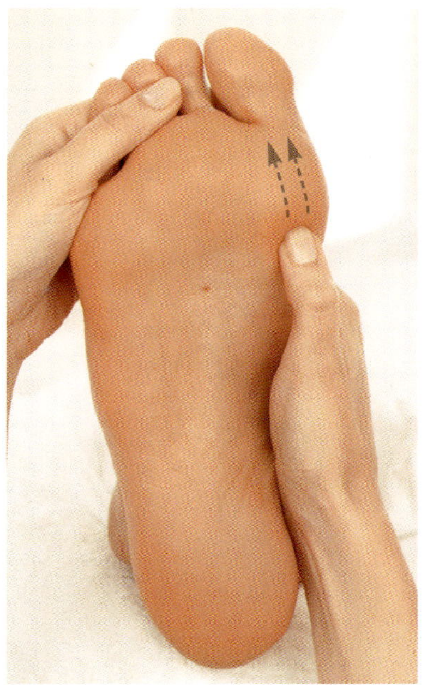

ÁREA REFLEXA DA TIREOIDE

Com o polegar, trabalhe a saliência da sola, da linha do diafragma à do pescoço. Repita o movimento, lentamente, dez vezes sobre toda a área, para restaurar os níveis de energia.

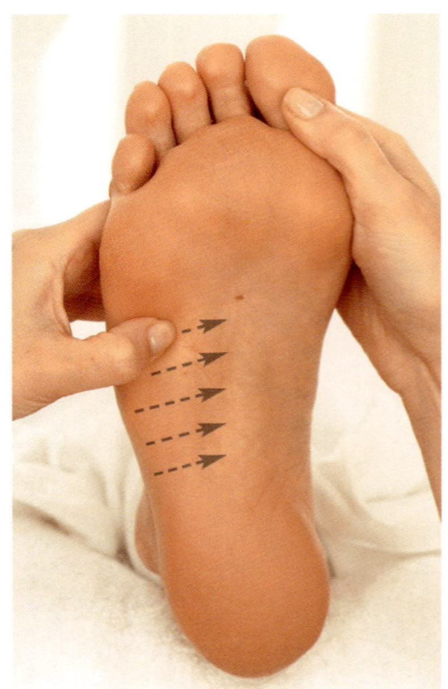

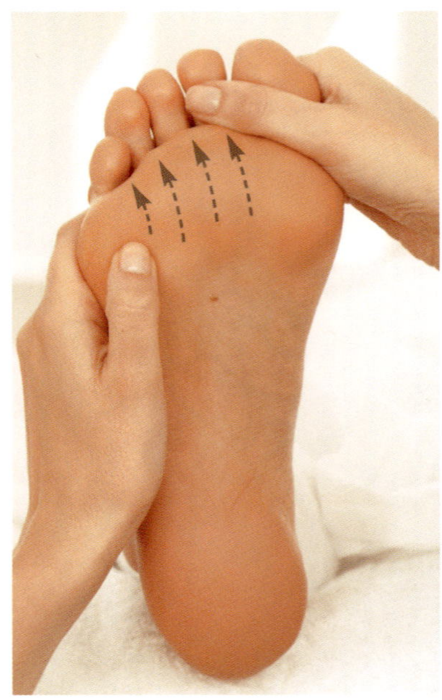

ÁREA REFLEXA DO FÍGADO

Essa área reflexa só é encontrada no pé direito. Sustente-o com a mão direita e pouse o polegar esquerdo logo abaixo da linha do diafragma. Trabalhe devagar e com precisão, horizontalmente ao pé, passando pelas zonas 5 e 4 até a 3. Avance numa única direção. Continue assim até acima da protuberância do calcanhar. Repita o movimento seis vezes.

ÁREA REFLEXA DOS PULMÕES

Flexione o pé para trás com uma das mãos a fim de criar tensão na pele. Com o polegar da outra, suba da linha do diafragma até a área geral dos olhos/ouvidos, por entre os metatarsos. Repita o movimento sete vezes, sempre pelo meio dos metatarsos.

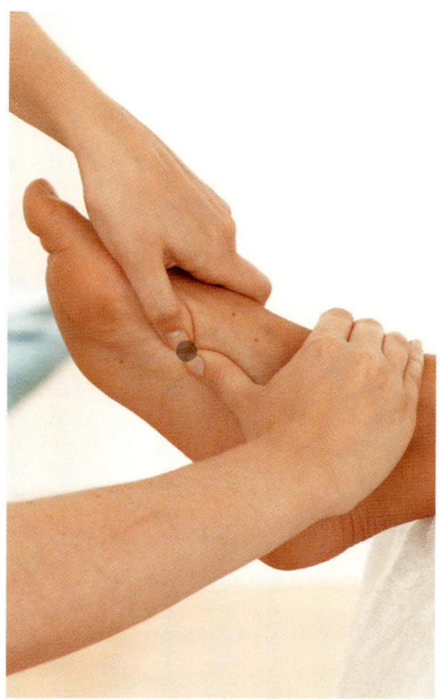

PONTOS REFLEXOS DOS RINS/SUPRARRENAIS

Você encontrará esses reflexos na zona 1, três etapas a partir da saliência da sola. Pouse os dois polegares juntos e pressione suavemente os reflexos dos rins/suprarrenais, descrevendo pequenos círculos. Trabalhe assim por vinte segundos.

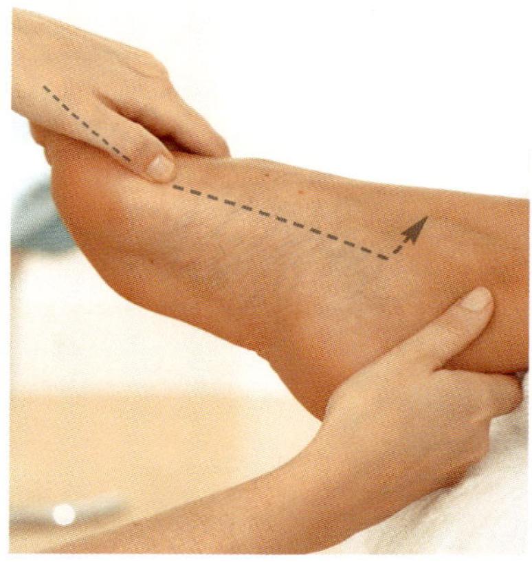

TODA A COLUNA

Trabalhe o aspecto medial do pé. Sustente-o com uma das mãos e, com o polegar da outra, percorra devagar sete etapas entre as articulações do dedão, tendo em mente que cada etapa corresponde a uma vértebra específica. Avance na direção dos dedos. Depois, percorra lentamente doze etapas embaixo do osso, a partir da base da articulação do dedão, a fim de trabalhar as vértebras torácicas. Termine no osso navicular, que lembra um nó de dedo e situa-se a meio caminho entre o ponto da bexiga e o calcanhar. Trabalhe em torno desse osso, que corresponde à lombar 1, subindo cinco etapas até a depressão fronteira ao osso do tornozelo, que corresponde à lombar 5. Repita o movimento, suavemente, três vezes.

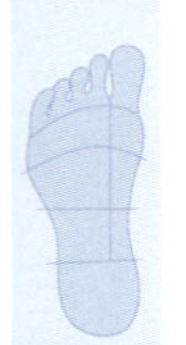

TRATAMENTO DAS CRIANÇAS

A reflexologia é benéfica para as crianças pequenas, pois estimula os processos de cura e garante que os sistemas do corpo estejam funcionando bem em todos os níveis. Às vezes, a ansiedade da mãe ou do pai provoca angústia no filho, sendo sempre recomendável, portanto, que também os pais recebam tratamento reflexológico para alívio de seus problemas. Quando pais e filhos estão sob tratamento, isso reforça os laços entre eles, sabendo-se que o relacionamento familiar

A reflexologia pode estreitar os laços entre pais e filhos. Se possível, execute a sequência antes ou depois da historinha de ninar.

DICAS DE ESTILO DE VIDA

Uma em cada duzentas crianças abaixo dos 12 anos de idade sofre de depressão ou transtorno de déficit de atenção e hiperatividade (TDAH, ver páginas 332-335), além de obsessões e compulsões de menor gravidade. As causas mais comuns são o stress ou uma mudança no ambiente do lar ou da escola. Outros fatores holísticos incluem alergias alimentares, aditivos, deficiências de vitaminas e nutrientes, desequilíbrio de açúcar no sangue, doença de Lyme, um desequilíbrio de serotonina no cérebro, e, ocasionalmente, infecção bacteriana. Use a abordagem holística à saúde oferecendo a seu filho frutas e legumes orgânicos a cada duas horas; inclua óleo de peixe em sua dieta; e evite açúcar, alimentos industrializados, aditivos, cafeína e trigo. Os carboidratos elevam o nível de serotonina no cérebro, provocando efeito calmante, e o óleo de peixe melhora a concentração, contribuindo para combater a dislexia. Nos casos de doença de Lyme ou garganta inflamada, procure um médico.

é um aspecto importante da cura. Uma pressão suave nos reflexos promove mudanças fisiológicas no corpo porque o próprio potencial curativo deste é estimulado. A sequência deve ser realizada num recinto tranquilo, sem toques de telefone, com pouca luminosidade e música suave. Assegure-se de que a criança esteja confortável, podendo adormecer se necessário, e com seus brinquedos à mão. O melhor é trabalhar à noite, antes ou depois de uma historinha de ninar. Obviamente, caso a criança tenha algum problema de saúde, convém levá-lo logo ao médico ou, se preciso, ao pronto-socorro do hospital mais próximo.

Falta de apetite

A falta de apetite, em si, não é um distúrbio e sim o sintoma de algum outro problema que esteja afetando a criança. Muitas vezes, fatores emocionais – como stress, ansiedade, depressão, doença, trauma, preocupações na escola e com amigos, *bullying* ou problemas em casa – podem diminuir consideravelmente o apetite da criança. Uma condição não diagnosticada também pode ser o motivo, inclusive distúrbio alimentar ou dieta à base de alimentos industrializados, que causam deficiências nutricionais. Para estimular o apetite, uma alimentação saudável, atraente e divertida é necessária, dependendo da tolerância e dos gostos da criança. A reflexologia ajuda a melhorar o apetite, reduzindo também a ansiedade que o compromete.

Vários fatores podem contribuir para a falta de apetite da criança, inclusive stress, ansiedade e problemas na escola ou em casa.

ÁREAS E PONTOS REFLEXOS A TRABALHAR

- Hipotálamo/pituitária
- Diafragma
- Estômago
- Cólon ascendente/transverso
- Suprarrenais
- Toda a coluna

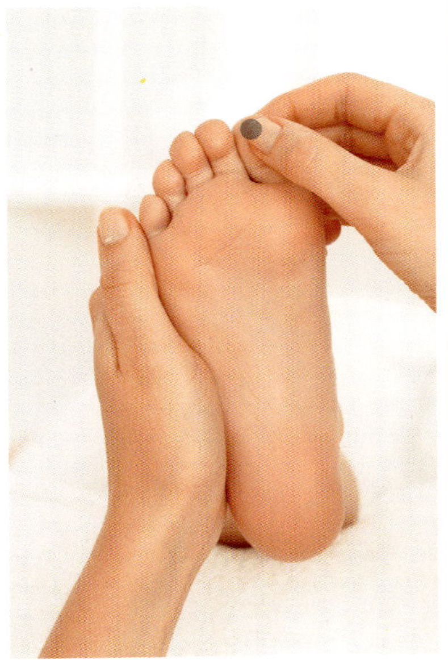

PONTO REFLEXO DO HIPOTÁLAMO/PITUITÁRIA

Sustente o dedão do pé com os dedos de uma das mãos e trace nele uma cruz para descobrir seu centro. Pouse aí o polegar da outra mão, para trabalhar o reflexo da pituitária. Percorra uma etapa para cima e outra ligeiramente para o lado. Faça movimentos circulares por trinta segundos.

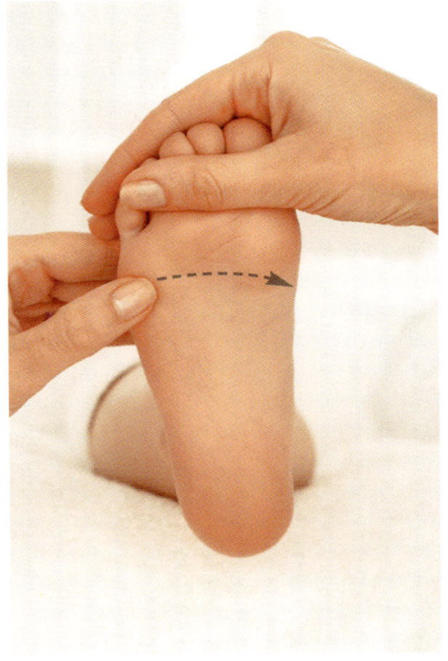

ÁREA REFLEXA DO DIAFRAGMA

Flexione o pé para trás com uma das mãos, a fim de criar tensão na pele. Com o polegar da outra, trabalhe embaixo das extremidades dos metatarsos, cruzando do aspecto lateral ao medial do pé, em etapas lentas. Repita o movimento oito vezes.

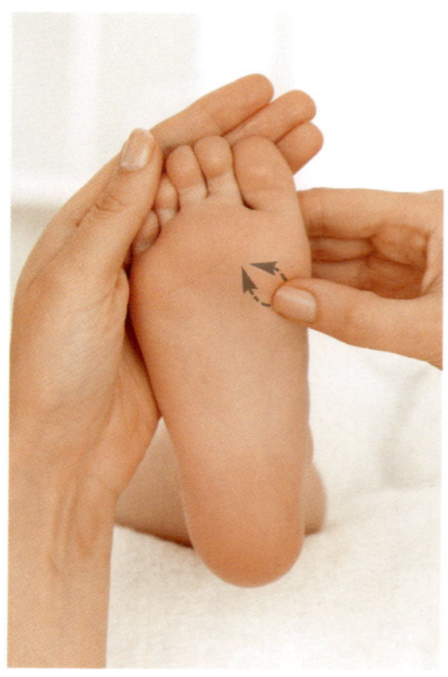

ÁREA REFLEXA DO ESTÔMAGO

Você encontrará essa área reflexa logo abaixo da saliência da sola. Sustente o pé com uma das mãos e pouse o polegar da outra sob a área reflexa da tireoide. Devagar, trabalhe lateralmente ao reflexo do plexo solar, detendo-se aí para estimulá-lo com círculos durante quatro segundos. Repita o movimento oito vezes.

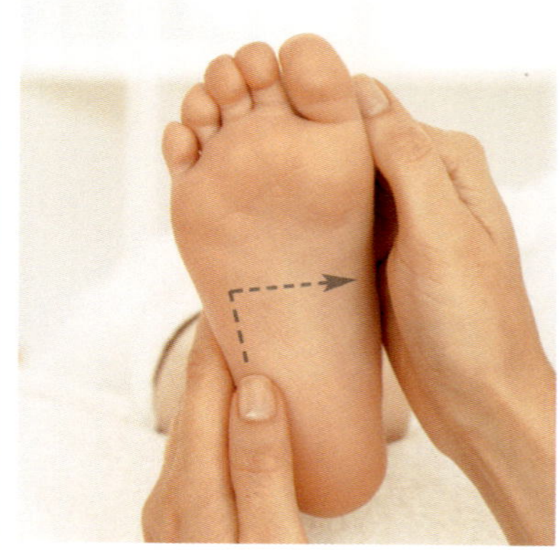

ÁREA REFLEXA DO CÓLON ASCENDENTE/TRANSVERSO

Essa área reflexa só é encontrada no pé direito. Com o polegar esquerdo, suba até a zona 4 a partir da saliência do calcanhar. Continue assim até a metade do pé. Trabalhe a área reflexa do cólon ascendente quatro vezes, em movimentos suaves; depois, horizontalmente, a do cólon transverso.

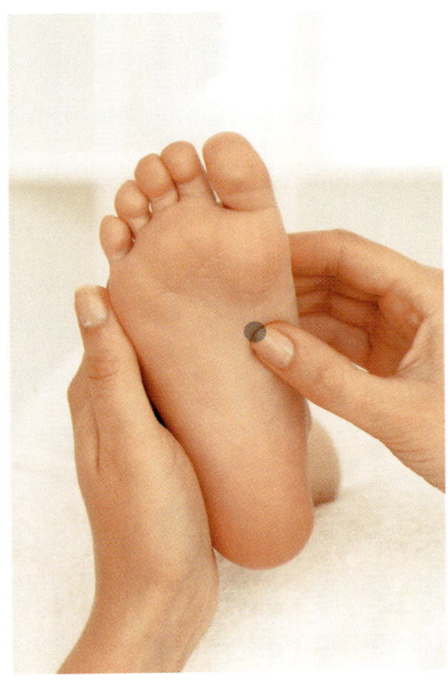

PONTO REFLEXO DAS SUPRARRENAIS

Você encontrará o ponto reflexo das suprarrenais na zona 1, três etapas abaixo da saliência da sola. Pouse aí os dois polegares juntos e pressione suavemente, descrevendo pequenos círculos. Trabalhe assim por quinze segundos.

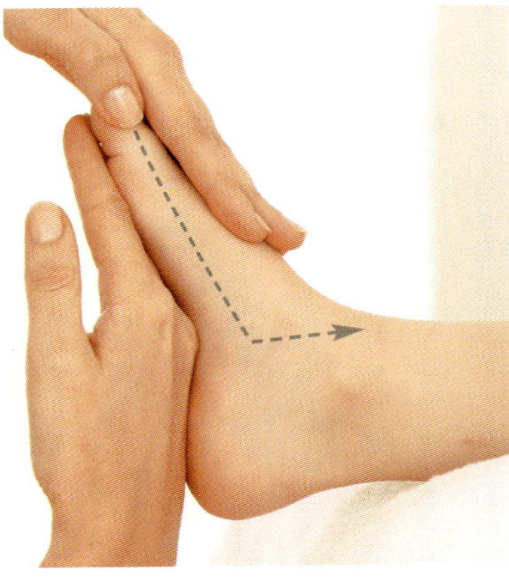

TODA A COLUNA

Trabalhe o aspecto medial do pé. Sustente-o com uma das mãos e, com o polegar da outra, percorra devagar sete etapas entre as articulações do dedão, tendo em mente que cada etapa corresponde a uma vértebra específica. Avance na direção dos dedos. A seguir, percorra devagar doze etapas sob o osso, a partir da base da articulação do dedão, a fim de trabalhar as vértebras torácicas. Termine no osso navicular, que lembra um nó de dedo e se situa a meio caminho entre o ponto da bexiga e o calcanhar. Trabalhe em torno desse osso, que corresponde à lombar 1, subindo cinco etapas até a depressão fronteira ao osso do tornozelo, que corresponde à lombar 5. Repita o movimento, suavemente, três vezes.

Difteria

É uma infecção respiratória que causa o estreitamento da garganta, devido ao inchaço. Pode ser muito séria e deve ser tratada por especialista, quando a criança apresentar dificuldade de respiração. Ocorre em geral nas crianças pequenas, que têm as vias respiratórias bem mais estreitas que as dos adultos. A maioria das crises ocorre à noite, quando aumenta a quantidade de muco, bloqueando as vias respiratórias. Os sintomas incluem espasmos na garganta, respiração difícil, nariz entupido, rouquidão, sensação de sufocamento, compressão pulmonar e tosse seca, ruidosa. Os acessos de tosse são outro sinal característico. A difteria é em geral precedida por crise alérgica, resfriado, bronquite ou inalação de corpo estranho. Para ajudar a diluir o muco, uma boa ideia é dar à criança grande quantidade de líquidos, inclusive chás de ervas e sopas caseiras. Banhos quentes com gengibre são ótimos (envolva imediatamente a criança numa toalha grossa e ponha-a na cama para transpirar, o que ajudará a soltar o muco e limpar o corpo de toxinas). A reflexologia funciona para todos os sistemas orgânicos, aliviando o stress da criança e promovendo a dilatação de suas vias respiratórias.

ÁREAS E PONTOS REFLEXOS A TRABALHAR

- Esôfago
- Diafragma
- Pulmões
- Suprarrenais
- Vasos linfáticos superiores
- Toda a coluna

Dê um banho com gengibre na criança afetada por difteria; isso ajuda a soltar o muco.

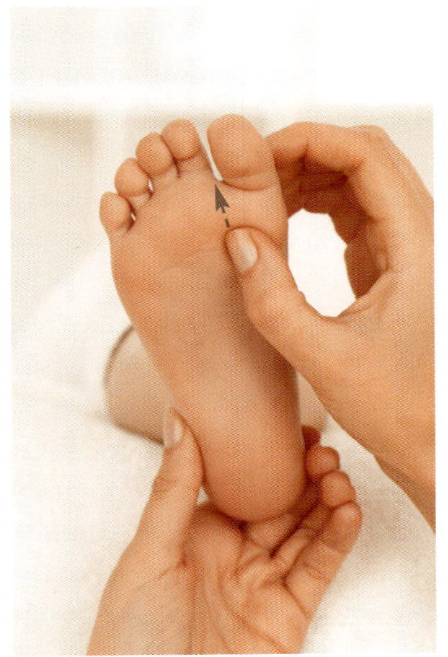

ÁREA REFLEXA DO ESÔFAGO

Flexione o pé para trás com uma das mãos, a fim de criar tensão na pele, e pouse o polegar da outra na linha do diafragma, entre as zonas 1 e 2. Suba por entre os metatarsos, da linha do diafragma à área geral dos olhos/ouvidos. Repita seis vezes. Trabalhar essa área combate os distúrbios do esôfago, a respiração entrecortada, as dificuldades de deglutição e a azia, além de fortalecer o esôfago.

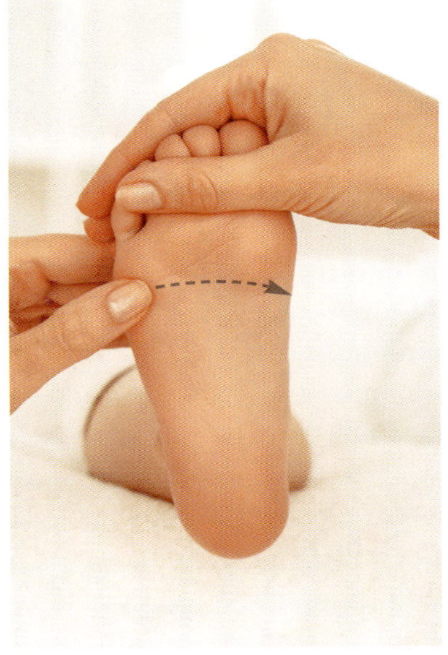

ÁREA REFLEXA DO DIAFRAGMA

Flexione o pé para trás com uma das mãos, a fim de criar tensão na pele, e com o polegar da outra trabalhe sob as extremidades dos metatarsos, cruzando do aspecto lateral ao medial do pé em etapas lentas. Repita o movimento seis vezes.

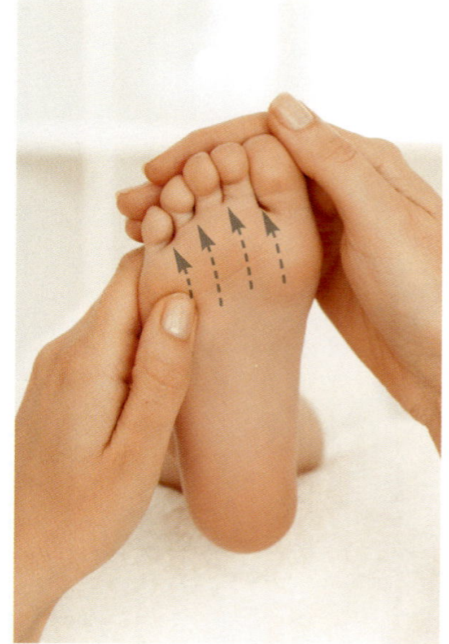

ÁREA REFLEXA DOS PULMÕES

Flexione o pé para trás com uma das mãos, a fim de criar tensão na pele, e com o polegar da outra suba da linha do diafragma até a área geral dos olhos/ouvidos, por entre os metatarsos. Repita o processo sete vezes, cuidando para trabalhar todas as áreas entre os metatarsos.

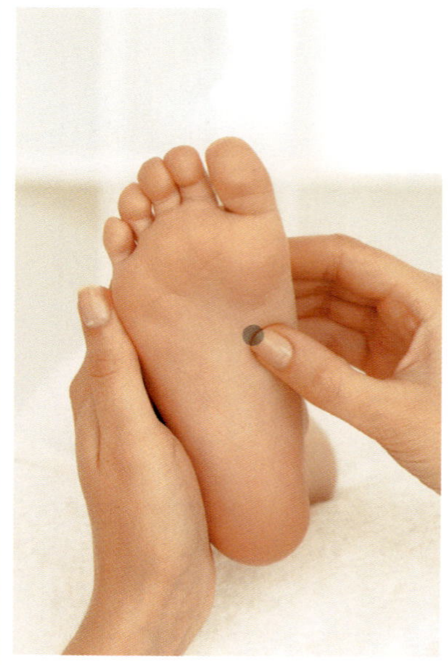

PONTO REFLEXO DAS SUPRARRENAIS

Você encontrará a área reflexa das suprarrenais na zona 1, três etapas abaixo da saliência da sola. Pouse aí o polegar e pressione suavemente, descrevendo pequenos círculos. Trabalhe assim por quinze segundos.

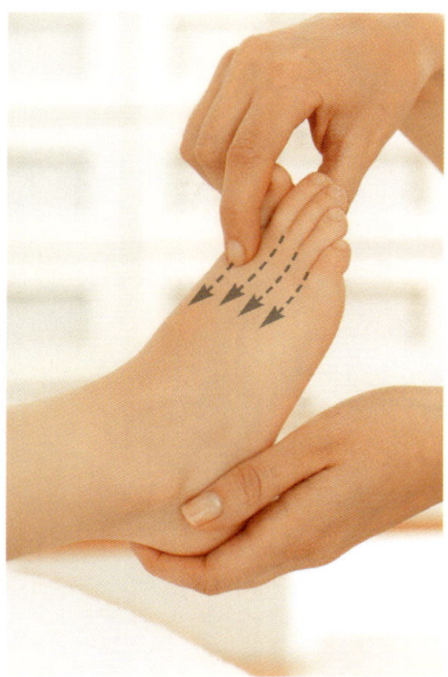

ÁREA REFLEXA DOS VASOS LINFÁTICOS SUPERIORES

Trabalhe o aspecto dorsal do pé. Com o indicador e o polegar, suba da base dos dedos em direção ao calcanhar, por entre os metatarsos. Aplique pressão média até onde possa e depois desça descrevendo pequenos círculos entre os dedos. Repita o movimento seis vezes, para fortalecer o sistema imunológico do corpo.

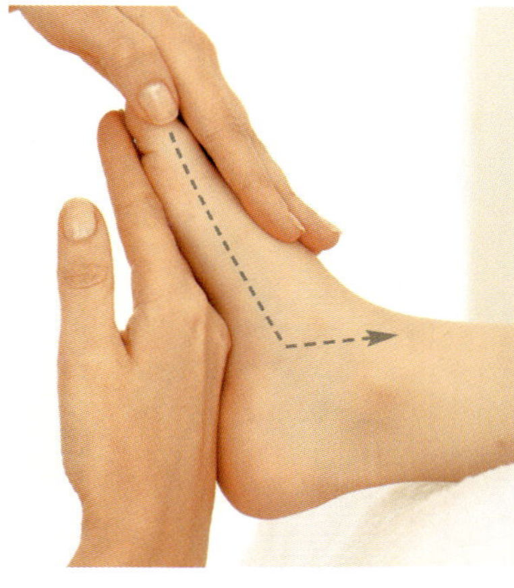

TODA A COLUNA

Trabalhe o aspecto medial do pé. Sustente-o com uma das mãos e, com o polegar da outra, percorra devagar sete etapas entre as articulações do dedão, tendo em mente que cada etapa corresponde a uma vértebra específica. Avance na direção dos dedos. Em seguida, percorra devagar doze etapas sob o osso, a partir da base da articulação do dedão, a fim de trabalhar as vértebras torácicas. Termine no osso navicular, que lembra um nó de dedo e se situa a meio caminho entre o ponto da bexiga e o calcanhar. Trabalhe em torno desse osso, que corresponde à lombar 1, subindo cinco etapas até a depressão fronteira ao osso do tornozelo, que corresponde à lombar 5. Repita o movimento três vezes, suavemente.

Hiperatividade

No linguajar médico, essa condição se chama transtorno de déficit de atenção e hiperatividade (TDAH). Causa uma série de problemas comportamentais e de aprendizado, afetando principalmente crianças. A hiperatividade pode se caracterizar por inúmeros problemas de comportamento, como incapacidade para concluir tarefas, golpes na cabeça, atitudes autodestrutivas, acessos de mau humor, dificuldade de compreensão, baixa tolerância ao stress e falta de concentração. Os fatores associados à hiperatividade incluem hereditariedade, fumo durante a gravidez, privação de oxigênio durante o parto e alergias alimentares. O consumo de açúcar e aditivos na comida tem sido enfaticamente associado ao comportamento hiperativo. Convém, pois, evitar: *bacon*, manteiga, bebidas efervescentes, mostarda, confeitos, chocolate, refrigerantes, queijos coloridos, cachorro-quente, presunto, milho, leite, sal, salame, chá e trigo. Se você achar que as alergias estão contribuindo para a hiperatividade de seu filho, procure um nutricionista especializado no tratamento do TDAH. A reflexologia funciona bem no nível dos sistemas nervoso e endócrino, promovendo a calma e o equilíbrio, e do sistema digestivo, ajudando a eliminar alergênicos e outros detritos orgânicos.

Pesquisas mostram que os ácidos graxos essenciais podem ser benéficos para crianças com dificuldade de concentração.

ÁREAS E PONTOS REFLEXOS A TRABALHAR

- Glândula pituitária
- Pâncreas
- Suprarrenais
- Cólon ascendente/transverso
- Fígado
- Toda a coluna

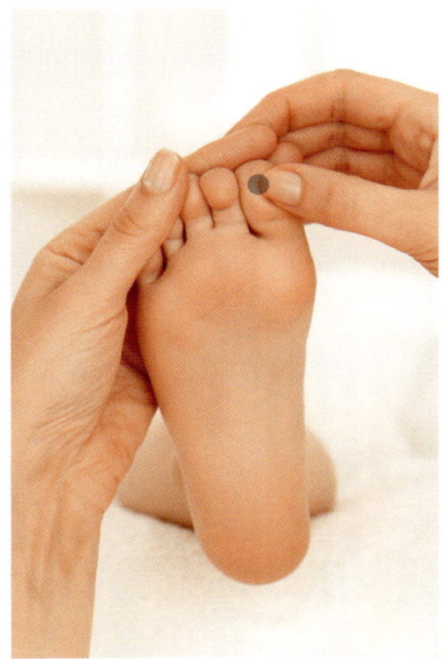

PONTO REFLEXO DA GLÂNDULA PITUITÁRIA

Sustente o dedão com os dedos de uma das mãos e, com o polegar da outra, trace uma cruz para encontrar o centro do dedão. Pouse aí o polegar, pressione e descreva círculos por quinze segundos.

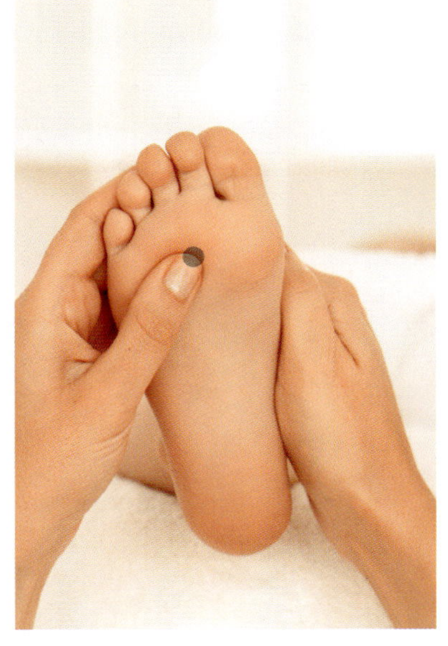

PONTO REFLEXO DO PÂNCREAS

Esse ponto reflexo só é encontrado no pé direito. Pouse o polegar no terceiro dedo e trace uma linha até embaixo da do diafragma. Pressione a articulação, encurvando o polegar, por doze segundos.

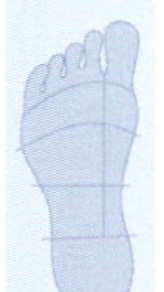

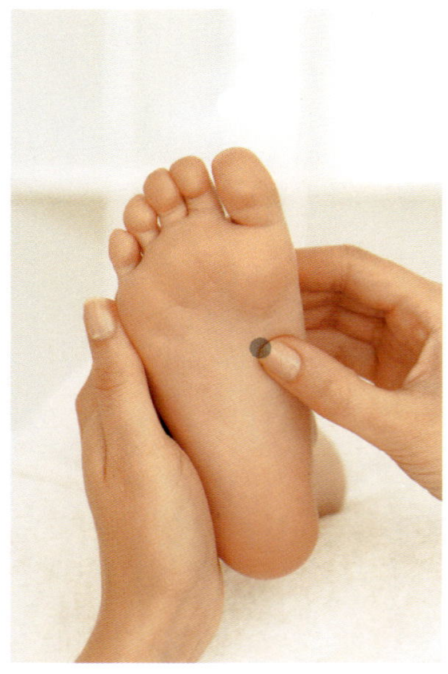

PONTO REFLEXO DAS SUPRARRENAIS

Você encontrará o ponto reflexo das suprarrenais na zona 1, três etapas abaixo da saliência da sola. Pouse aí o polegar e pressione suavemente, descrevendo pequenos círculos. Trabalhe assim por quinze segundos.

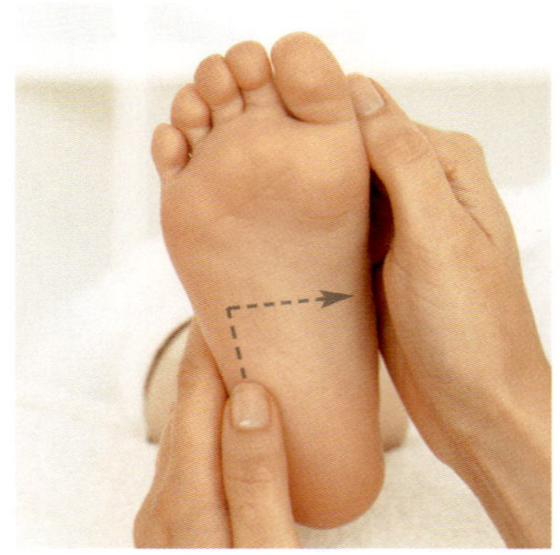

ÁREA REFLEXA DO CÓLON ASCENDENTE/TRANSVERSO

Essa área reflexa só é encontrada no pé direito. Com o polegar esquerdo, suba até a zona 4 a partir da saliência do calcanhar. Prossiga até o meio do pé e desvie para a direita, seguindo a linha do cólon transverso. Repita o movimento quatro vezes, lentamente.

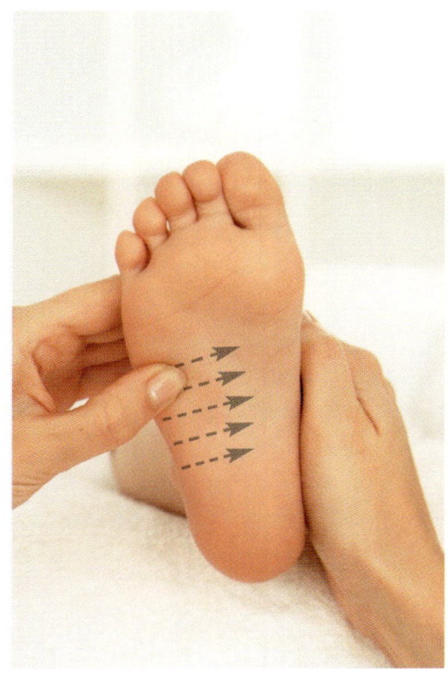

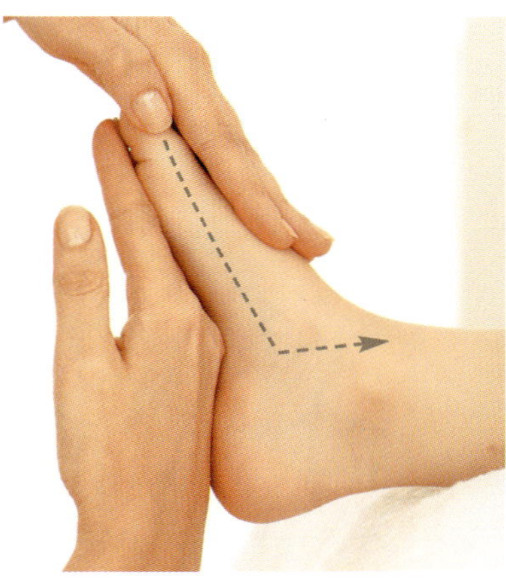

TODA A COLUNA

Trabalhe o aspecto medial do pé. Sustente-o com uma das mãos e, com o polegar da outra, percorra devagar sete etapas entre as articulações do dedão, tendo em mente que cada etapa corresponde a uma vértebra específica. Avance na direção dos dedos. Em seguida, percorra devagar doze etapas sob o osso, a partir da base da articulação do dedão, a fim de trabalhar as vértebras torácicas. Termine no osso navicular, que lembra um nó de dedo e se situa a meio caminho entre o ponto da bexiga e o osso do calcanhar. Trabalhe em torno desse osso, que corresponde à lombar 1, e suba cinco etapas até a depressão fronteira ao osso do tornozelo, que corresponde à lombar 5. Repita o movimento, suavemente, três vezes.

ÁREA REFLEXA DO FÍGADO

Essa área reflexa só é encontrada no pé direito. Sustente-o com a mão direita e pouse o polegar esquerdo logo abaixo da linha do diafragma. Trabalhe devagar e com precisão, horizontalmente ao pé, passando pelas zonas 5 e 4 até a 3. Avance numa única direção. Prossiga dessa maneira até a protuberância do calcanhar, completando o reflexo do fígado seis vezes. Aplique pressão leve.

OS ANOS DOURADOS

À medida que envelhecemos, nosso sistema imunológico se deteriora e nos torna mais sensíveis à doença. A maioria das pessoas idosas tem pelo menos três moléstias crônicas, pouca energia vital e propensão a cansar-se com facilidade. O envelhecimento, tanto quanto a perda de vitalidade, é um processo natural, pois o corpo vai ficando mais fraco – mas isso não constitui indício de que algo esteja errado. Todos nos sentimos cansados após um dia difícil de trabalho, e nosso corpo responde diminuindo o ritmo – isso faz parte dos ciclos naturais e níveis de energia em diferentes fases de nossa vida. Há inúmeros fatores que podem diminuir o entusiasmo do idoso pela vida, como alimentação inadequada, má situação financeira e solidão. Isso gera o tédio e a indiferença por outros membros da família, quando não pelo próprio mundo. Um ciclo automático de depressão costuma se iniciar quando preocupações excessivas com dores e achaques de menor importância geram stress, que por seu turno debilita o sistema imunológico tornando a pessoa ainda mais suscetível à doença.

A reflexologia é um tratamento muito eficaz para quem já está na idade dourada, proporcionando-lhe uma sensação de bem-estar e restaurando-lhe o equilíbrio. Pode ajudar também no alívio de dores e incômodos, além de mitigar os sintomas das doenças crônicas. Lembre-se sempre de que, no nível mais básico, a reflexologia estimula a circulação, o que é muito importante para os idosos.

DICAS DE ESTILO DE VIDA

Desenvolver um sistema imunológico saudável é essencial para as pessoas idosas. Uma boa ideia é beber chá de camomila durante o dia, pois ele aumenta os níveis de hipurato, que tem sido associado ao aumento da atividade antibacteriana. Isso explica por que o chá de camomila parece fortalecer o sistema imunológico e combater infecções.

Exercícios leves são uma ótima maneira de fortalecer o sistema imunológico, promovendo a saúde e a longevidade.

Mal de Alzheimer

O mal de Alzheimer é um tipo de deterioração mental que afeta principalmente os idosos, embora possa atingir também pessoas na quadra dos 40 anos. Cerca de 50% dos norte-americanos com mais de 85 anos sofrem desse problema, caracterizado por degeneração mental progressiva que interfere na capacidade de executar tarefas em casa e no trabalho. Os sintomas incluem perda de memória, depressão e mudanças drásticas de humor. A morte costuma sobrevir no prazo de cinco a dez anos. A causa exata é desconhecida, embora a pesquisa aponte fatores como deficiência nutricional, sobretudo de vitaminas B12, A, E, boro, potássio e zinco. Autópsias em pessoas que morreram do mal de Alzheimer revelam quantidades excessivas de mercúrio e alumínio no cérebro. Convém lembrar que peixes de águas profundas como o atum contêm muito mercúrio, o mesmo ocorrendo com o óleo de fígado de peixe. Entretanto, uma dieta orgânica bem equilibrada ajuda a elevar os níveis de vitaminas e minerais no corpo.

A reflexologia é um método de comunicação não verbal que tranquiliza e acalma.

ÁREAS E PONTOS REFLEXOS A TRABALHAR

- Cabeça
- Hipotálamo/pituitária
- Diafragma
- Pulmões
- Rins/suprarrenais
- Toda a coluna

Em 2006, uma equipe do Medicinal Plant Research Centre, da Universidade de Newcastle, liderada pelo dr. Ed Okello, descobriu que o chá branco ou preto inibe a atividade das enzimas associadas ao desenvolvimento do mal de Alzheimer.

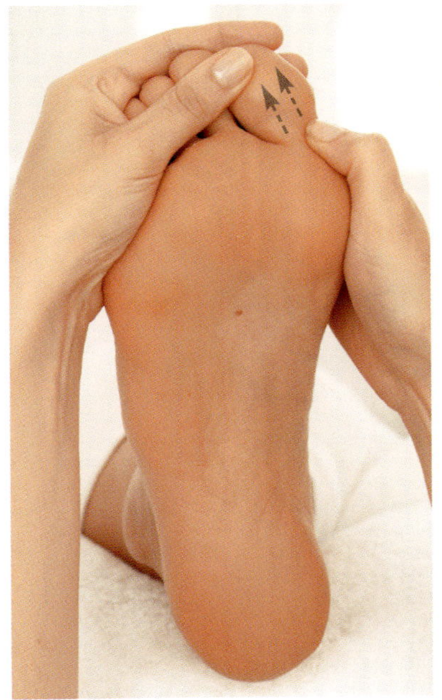

ÁREA REFLEXA DA CABEÇA

Sustente o dedão com os dedos de uma das mãos e, com o polegar da outra, suba da linha do pescoço até a ponta do dedão. Repita esse movimento várias vezes em linhas paralelas, devagar e suavemente.

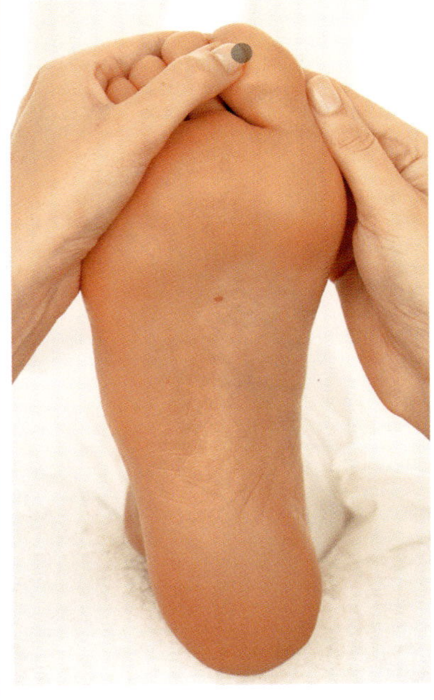

PONTO REFLEXO DO HIPOTÁLAMO/PITUITÁRIA

Sustente o dedão com os dedos de uma das mãos e encontre o centro desse dedo. Pouse um polegar no ponto reflexo da glândula pituitária, estimule-o e suba uma etapa, deslocando o polegar ligeiramente para o lado, e descreva círculos por trinta segundos.

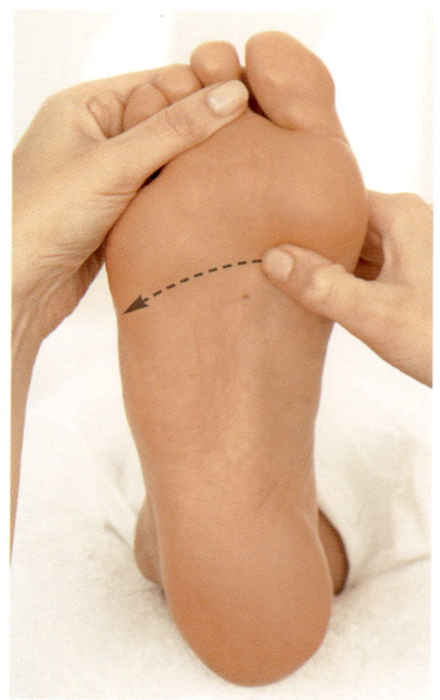

ÁREA REFLEXA DO DIAFRAGMA

Flexione o pé para trás com uma das mãos, a fim de criar tensão na pele. Com o polegar da outra, trabalhe sob as extremidades dos metatarsos, cruzando do aspecto lateral ao medial do pé. Percorra etapas curtas e repita o movimento seis vezes.

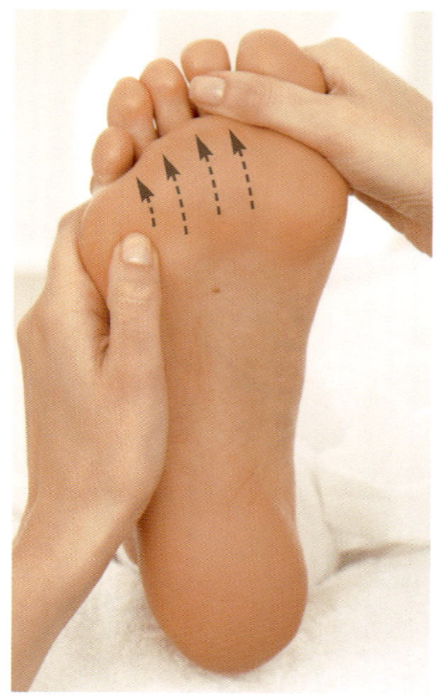

ÁREA REFLEXA DOS PULMÕES

Flexione o pé para trás com uma das mãos, a fim de criar tensão na pele. Com o polegar da outra, suba da linha do diafragma à área geral dos olhos/ouvidos, pelo meio dos metatarsos. Repita o processo sete vezes, assegurando-se de que percorreu todos os trajetos entre os metatarsos.

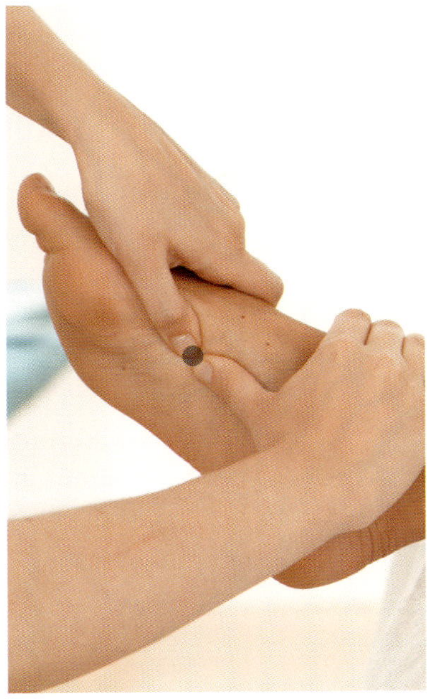

PONTOS REFLEXOS DOS RINS/SUPRARRENAIS

Você encontrará esses pontos reflexos na zona 1, três etapas abaixo da saliência da sola. Pouse aí os dois polegares juntos e pressione suavemente, descrevendo pequenos círculos. Trabalhe assim por quinze segundos.

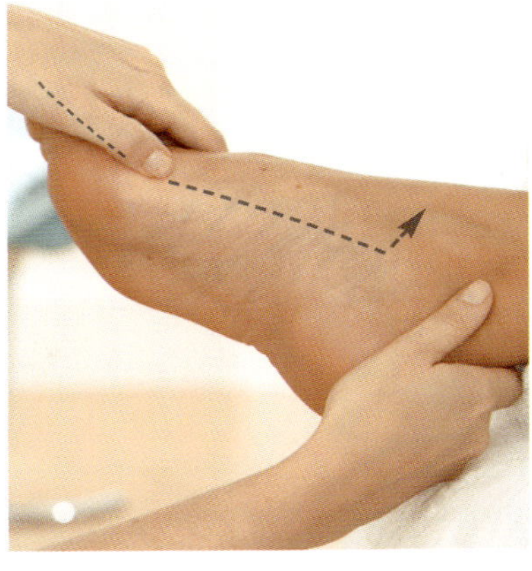

TODA A COLUNA

Trabalhe o aspecto medial do pé. Sustente-o com uma das mãos e, com o polegar da outra, percorra devagar sete etapas por entre as articulações do dedão, tendo em mente que cada etapa corresponde a uma vértebra específica. Avance na direção dos dedos. Em seguida, percorra devagar doze etapas sob o osso, a partir da base da articulação do dedão, a fim de trabalhar as vértebras torácicas. Termine no osso navicular, que lembra um nó de dedo e se situa a meio caminho entre o ponto da bexiga e o calcanhar. Trabalhe em torno desse osso, que corresponde à lombar 1, subindo até a depressão fronteira ao osso do tornozelo, que corresponde à lombar 5. Repita o movimento três vezes, suavemente.

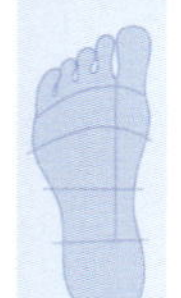

Artrite

A artrite, um dos problemas mais comuns nos idosos, é a inflamação de uma ou mais articulações e caracteriza-se por enrijecimento, dor e inchaço. A artrite não é um distúrbio isolado e designa uma série de problemas cujas causas são inúmeras. Na maioria dos casos, o paciente sente dor quase constante. Para não causar desconforto, a pressão, durante o tratamento reflexológico, deve ser bem leve, pois as articulações dos idosos são frágeis e menos flexíveis que as dos jovens. Caso o paciente se queixe, reduza a pressão a um nível que não o incomode.

ÁREAS E PONTOS REFLEXOS A TRABALHAR

- Glândula pituitária
- Paratireoide
- Rins/suprarrenais
- Cólon ascendente
- Cólon descendente
- Toda a coluna
- Fígado

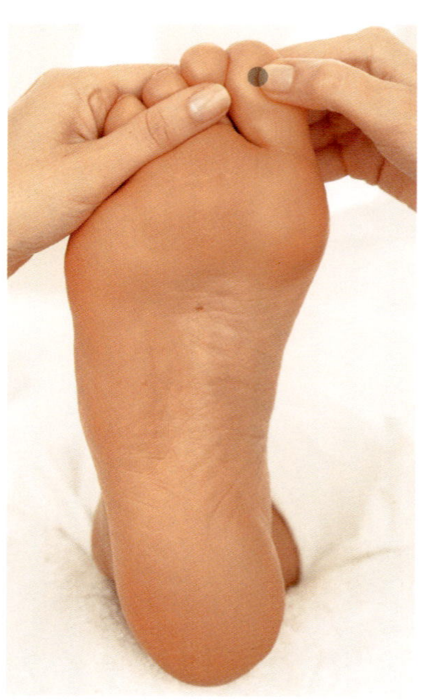

PONTO REFLEXO DA GLÂNDULA PITUITÁRIA

Sustente o dedão com os dedos de uma das mãos e, com o polegar da outra, trace uma cruz para encontrar o centro do dedão. Pouse aí o polegar, pressione e descreva círculos por quinze segundos.

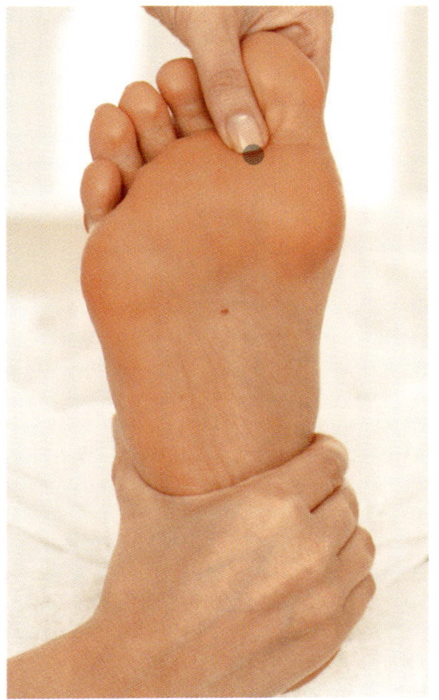

PONTO REFLEXO DA PARATIREOIDE

Você encontrará esse ponto reflexo entre o dedão e o segundo dedo. Com o indicador e o polegar, pince a seção de pele entre o primeiro e o segundo dedos. Mantenha a pressão e, suavemente, descreva círculos por seis segundos.

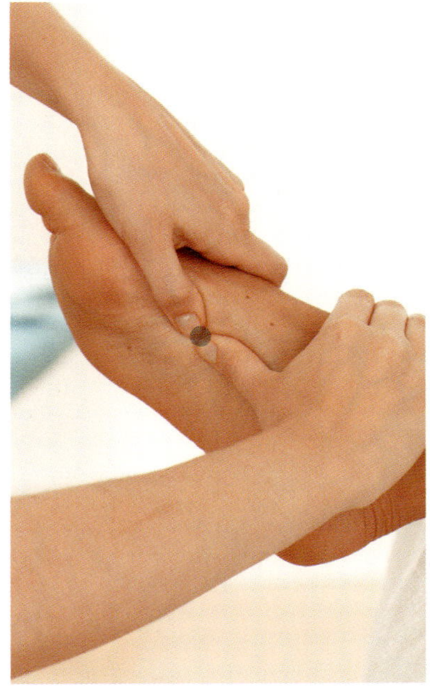

PONTOS REFLEXOS DOS RINS/SUPRARRENAIS

Você encontrará esses pontos reflexos na zona 1, três etapas abaixo da saliência da sola. Pouse aí os dois polegares juntos e, suavemente, pressione os pontos reflexos dos rins/suprarrenais, descrevendo pequenos círculos. Trabalhe assim por quinze segundos.

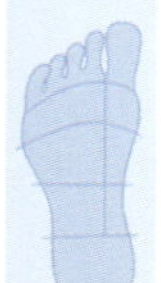

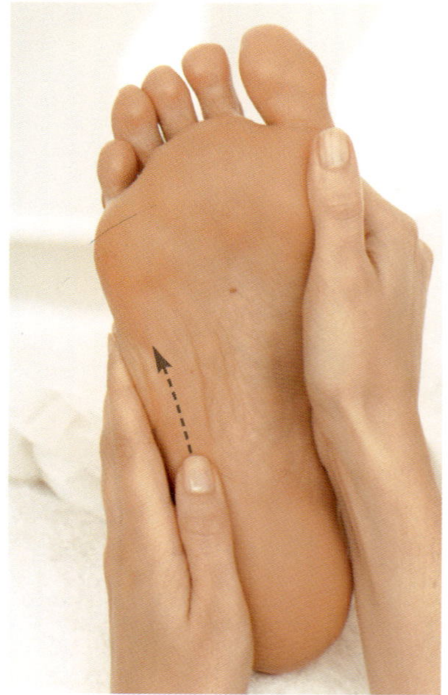

ÁREA REFLEXA DO CÓLON ASCENDENTE

Essa área reflexa só é encontrada no pé direito. Com o polegar esquerdo, suba até a zona 4 a partir da saliência do calcanhar. Continue assim até o meio da sola. Trabalhe a área reflexa do cólon ascendente quatro vezes, em movimentos lentos, para ajudar a limpar o cólon.

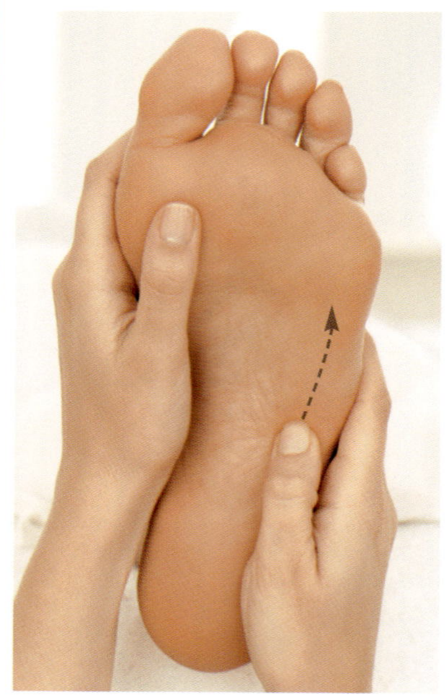

ÁREA REFLEXA DO CÓLON DESCENDENTE

Essa área reflexa só é encontrada no pé esquerdo. Com o polegar direito, suba até a zona 4 a partir da saliência do calcanhar, para cobrir essa parte do cólon. Continue assim até o meio da sola. Trabalhe a área reflexa do cólon descendente seis vezes, em movimentos lentos, para estimular a ação peristáltica dos músculos do cólon.

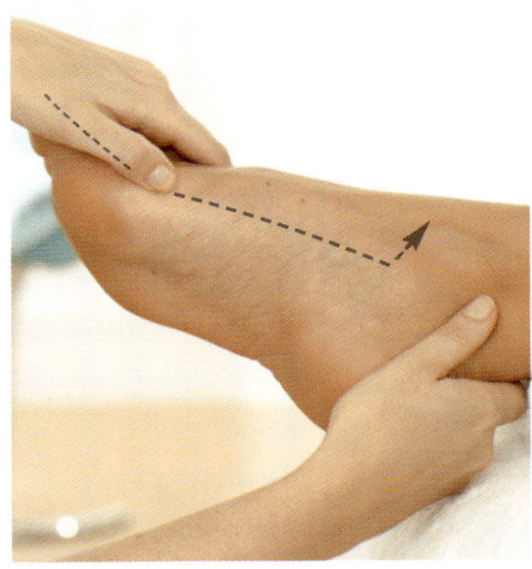

TODA A COLUNA

Trabalhe o aspecto medial do pé. Sustente-o com uma das mãos e, com o polegar da outra, percorra devagar sete etapas entre as articulações do dedão, tendo em mente que cada etapa corresponde a uma vértebra específica. Avance na direção dos dedos. Em seguida, percorra devagar doze etapas sob o osso, a partir da base da articulação do dedão, a fim de trabalhar as vértebras torácicas. Termine no osso navicular, que lembra um nó de dedo e se situa a meio caminho entre o ponto da bexiga e o calcanhar. Trabalhe em torno desse osso, que corresponde à lombar 1, subindo cinco etapas até a depressão fronteira ao osso do tornozelo, que corresponde à lombar 5. Repita o movimento três vezes, suavemente.

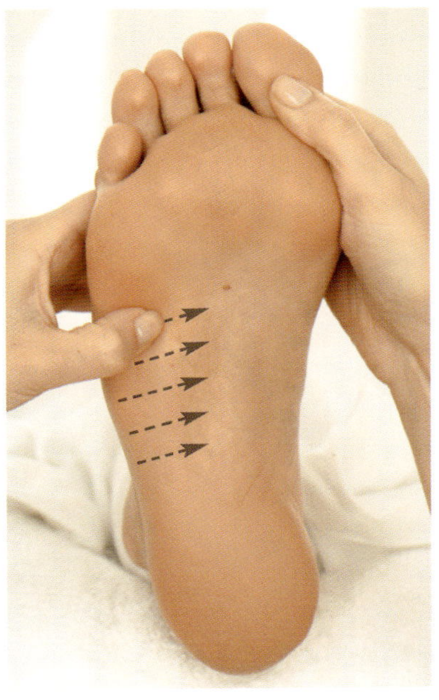

ÁREA REFLEXA DO FÍGADO

Essa área reflexa só é encontrada no pé direito. Sustente-o com a mão direita e pouse o polegar esquerdo logo abaixo da linha do diafragma. Trabalhe devagar e com precisão, horizontalmente ao pé, passando pelas zonas 5 e 4 até a 3. Avance numa única direção. Continue assim até a protuberância do calcanhar. Repita o movimento seis vezes.

REFLEXOLOGIA PARA CASAIS

O toque é uma das melhores maneiras de melhorar um relacionamento íntimo. A intimidade mútua melhora nossa autoestima e propicia uma visão mais favorável de nós mesmos. Abre os canais de energia que percorrem o corpo, permitindo que relaxemos e nos expressemos com mais facilidade tanto verbal quanto fisicamente. A reflexologia regular ajuda a rejuvenescer um relacionamento positivo. Faça com seu parceiro um tratamento reflexológico. Depois que ambos usufruírem os benefícios da sessão, sentem-se um diante do outro e pratiquem as técnicas de relaxamento descontraidamente.

ÁREAS E PONTOS REFLEXOS A TRABALHAR

- Cabeça
- Toda a coluna
- Diafragma
- Tireoide
- Pulmões
- Cólon ascendente
- Cólon descendente

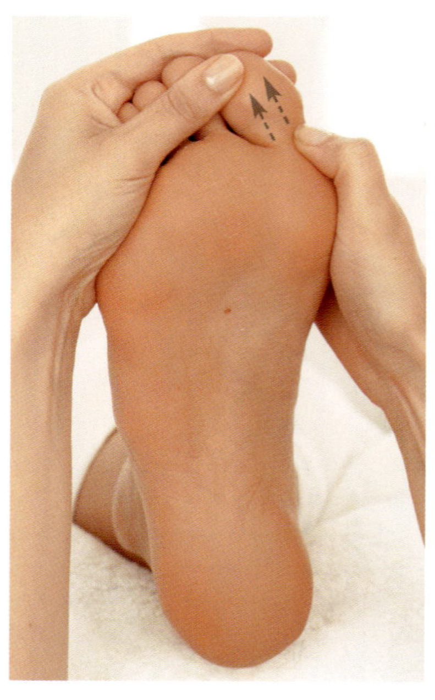

ÁREA REFLEXA DA CABEÇA

Sustente o dedão com os dedos de uma das mãos e, com o polegar da outra, suba da linha do pescoço até a ponta do dedão. Repita o movimento várias vezes, em linhas paralelas.

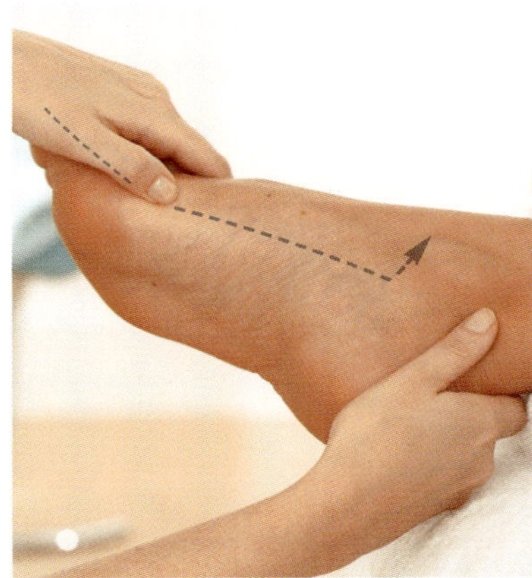

TODA A COLUNA

Trabalhe o aspecto medial do pé. Sustente-o com uma das mãos e, com o polegar da outra, percorra devagar sete etapas entre as articulações do dedão, tendo em mente que cada etapa corresponde a uma vértebra específica. Avance na direção dos dedos. Em seguida, percorra devagar doze etapas sob o osso, a partir da base da articulação do dedão, a fim de trabalhar as vértebras torácicas. Termine no osso navicular, que lembra um nó de dedo e se situa a meio caminho entre o ponto da bexiga e o calcanhar. Trabalhe em torno desse osso, que corresponde à lombar 1, subindo cinco etapas até a depressão fronteira ao osso do tornozelo, que corresponde à lombar 5. Repita o movimento três vezes, suavemente.

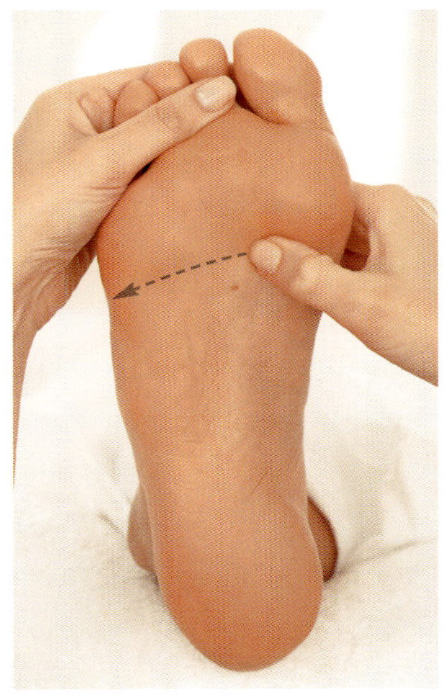

ÁREA REFLEXA DO DIAFRAGMA

Flexione o pé para trás com uma das mãos, a fim de criar tensão na pele. Com o polegar da outra, trabalhe logo abaixo das extremidades dos metatarsos, cruzando do aspecto lateral ao medial do pé, em etapas lentas. Repita o movimento seis vezes.

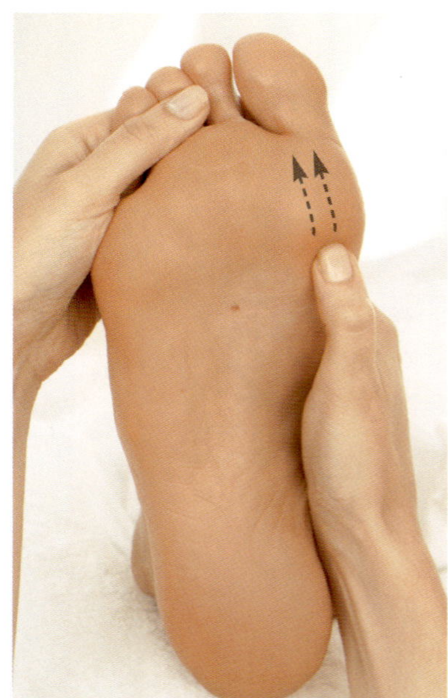

ÁREA REFLEXA DA TIREOIDE

Com um dos polegares, trabalhe a protuberância da sola, indo da linha do diafragma até a do pescoço. Repita o movimento, lentamente, seis vezes por toda a área, a fim de elevar os níveis de energia.

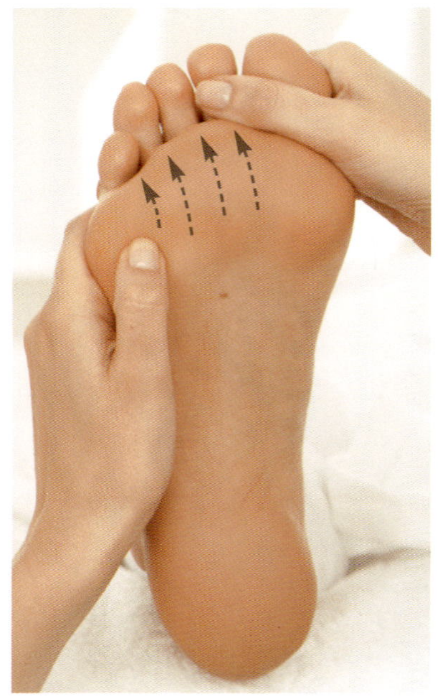

ÁREA REFLEXA DOS PULMÕES

Flexione o pé para trás com uma das mãos, a fim de criar tensão na pele. Com o polegar da outra, suba da linha do diafragma até a área geral dos olhos/ouvidos. Trabalhe entre os metatarsos. Repita o processo sete vezes, assegurando-se de que percorreu todos os trajetos entre os metatarsos.

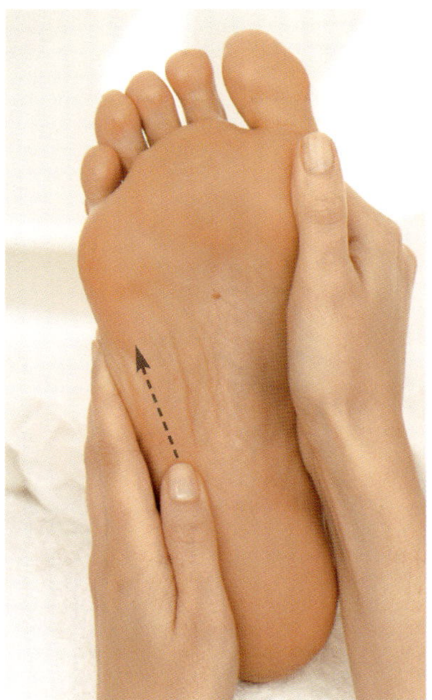

ÁREA REFLEXA DO CÓLON ASCENDENTE

Essa área reflexa só se encontra no pé direito. Com o polegar esquerdo, suba até a zona 4 a partir da saliência do calcanhar. Prossiga até o meio da sola. Trabalhe a área reflexa do cólon ascendente quatro vezes, em movimentos lentos, para ajudar a limpar o cólon.

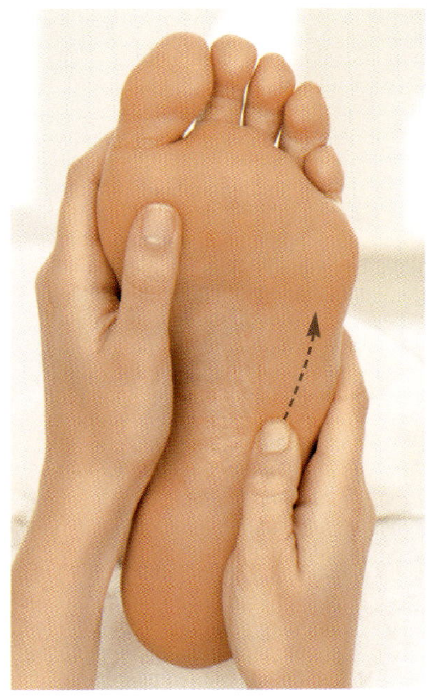

ÁREA REFLEXA DO CÓLON DESCENDENTE

Essa área reflexa só é encontrada no pé esquerdo. Com o polegar direito, suba até a zona 4 a partir da saliência do calcanhar, a fim de cobrir essa parte do cólon. Prossiga até o meio da sola. Trabalhe essa área reflexa seis vezes, em movimentos lentos, para estimular a ação peristáltica dos músculos do cólon.

PARTE 7

Tratamento das mãos

Trabalhando as mãos

A reflexologia das mãos é um tratamento dos mais relaxantes, que dá ao paciente a chance de descontrair-se por completo. O melhor de tudo, na reflexologia das mãos, é que você pode aplicá-la praticamente em qualquer lugar – dentro de um avião, trem ou carro ou num escritório, loja e em casa. É uma arte terapêutica segura e natural com a qual podemos tratar a nós mesmos, a qualquer hora e em qualquer lugar que estejamos.

Trabalhar as próprias mãos, sempre que necessário, pode ser muito gratificante.

A reflexologia das mãos é eficaz porque, quer a pessoa sofra de síndrome do intestino irritável, sinusite e cefaleia ou precise de alívio para o stress, ela pode aju-

SITUAÇÕES EM QUE A REFLEXOLOGIA DAS MÃOS É PREFERÍVEL

- Os pés estão com grave infecção por fungos, como o pé de atleta.
- Os pés estão com inúmeras verrugas que cobrem boa parte de sua superfície.
- Os pés sofreram recentemente torção ou luxação.
- Um osso do pé está fraturado.
- Um pé está engessado.
- Houve amputação de um ou ambos os pés.
- O cliente tem vergonha de expor os pés.
- O cliente sente cócegas demais nos pés para ser tratado.
- Os pés estão sujeitos a fortes dores estruturais (em consequência da artrite, por exemplo).

dar e muito. Usa-se também como alternativa para a reflexologia dos pés; por exemplo, quando a pessoa tem uma lesão no pé, uma perna ou um pé engessado, pés sensíveis a cócegas ou ela não deseja que você trate essa parte de seu corpo por razões pessoais. É, ainda, uma boa opção para quem sofre de infecções como pé de atleta ou para amputados.

Autotratamento

Poucas são as terapias corporais que você pode usar em você mesmo com bons resultados. Embora a reflexologia dos pés seja muito conhecida, não é fácil a própria pessoa se tratar com ela, pois isso é bastante desconfortável. No caso da reflexologia das mãos, você mesmo pode se tratar com resultados surpreendentes. A terapia pode concentrar-se em apenas dois ou três reflexos, permitindo que a pessoa os trabalhe ao longo do dia a fim de estimular os mecanismos de cura de seu próprio corpo.

A força da mente e a ação positiva da reflexologia das mãos ajudam em diversos níveis. Basta pensar no poder que você terá sobre seu próprio corpo. Promoverá o alívio de incômodos corriqueiros como prisão de ventre, síndrome do ombro congelado e crises de ansiedade ao trabalhar os pontos reflexos correspondentes em suas próprias mãos.

Benefícios da reflexologia das mãos

A reflexologia das mãos apresenta inúmeros benefícios, como por exemplo:

- As mãos são mais acessíveis que os pés.
- À falta de tempo, o tratamento pode ser rápido e fácil.
- Os mais velhos geralmente o preferem por ser muito relaxante.
- As mãos estão mais perto da coluna e das raízes nervosas, de modo que o tratamento relaxa bastante o sistema nervoso central.
- Melhora qualquer condição relacionada ao stress.
- Ajuda a aliviar a dor nas mãos e nos braços associada a problemas como esclerose, tenossinovite, ombro congelado, cotovelo de tenista, torcicolo, síndrome do túnel carpal, lesão por esforço repetitivo e artrite reumatoide.
- Pode-se trabalhar as próprias mãos.
- Entre os tratamentos, o próprio cliente pode trabalhar suas mãos.

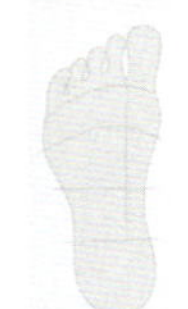

Aspectos das mãos

Há quatro visões diferentes, ou "aspectos", na reflexologia das mãos, tal como na dos pés. Todos os pontos e áreas reflexas estão localizados também em áreas específicas, e conhecer bem os vários aspectos ajudará você a encontrar esses pontos e áreas quando for aplicar o tratamento básico (ver páginas 374-389). Os aspectos são os seguintes:

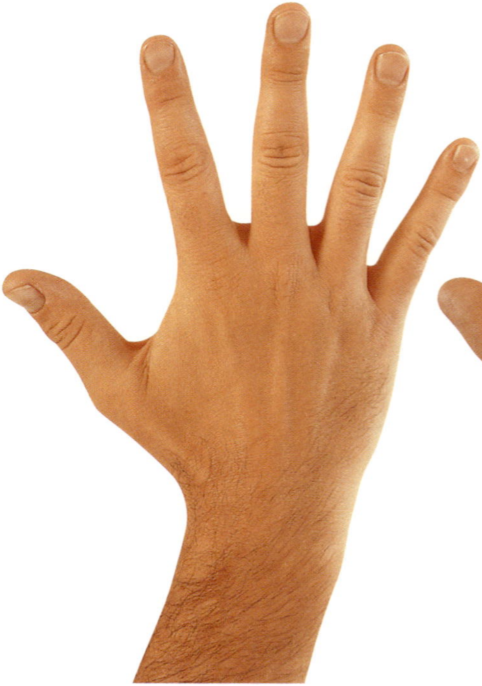

ASPECTO DORSAL

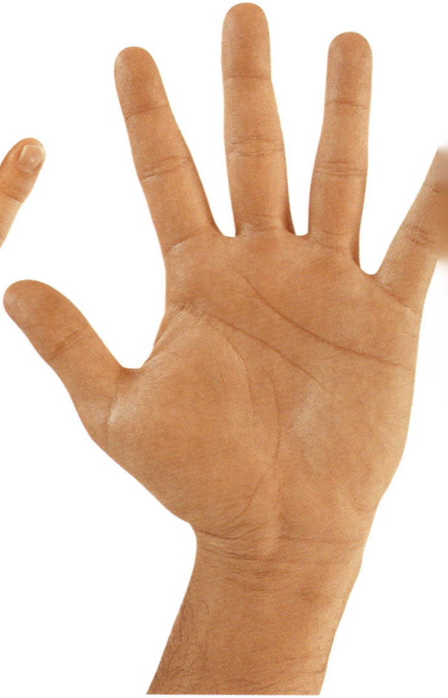

ASPECTO PALMAR

• **Aspecto dorsal:** a visão das costas da mão.

• **Aspecto palmar:** a visão da palma ou lado de baixo da mão.

• **Aspecto medial:** a borda interna da mão, entre o polegar e o pulso.

• **Aspecto lateral:** a borda externa da mão, entre o dedo mínimo e o pulso.

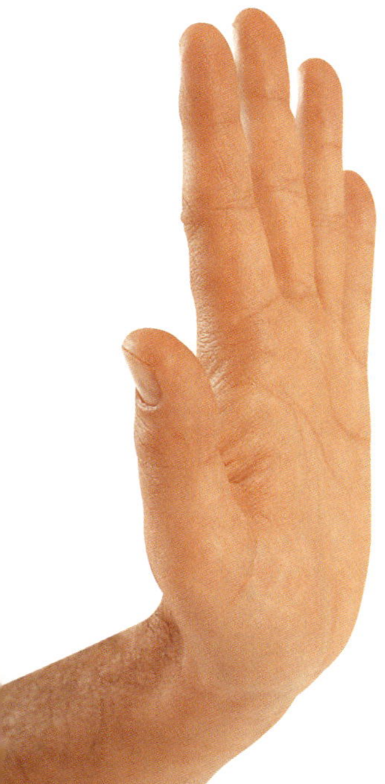

ASPECTO MEDIAL

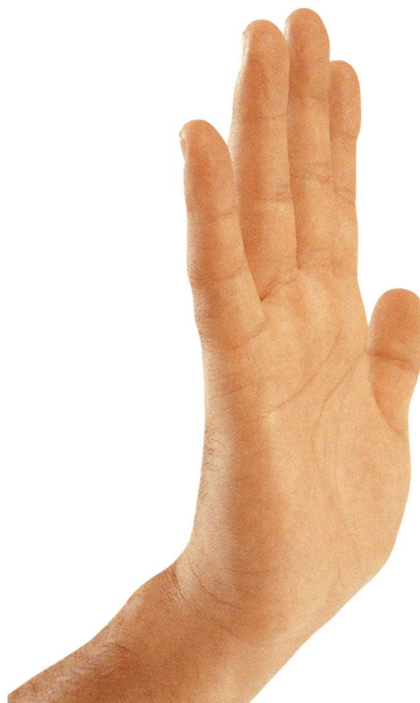

ASPECTO LATERAL

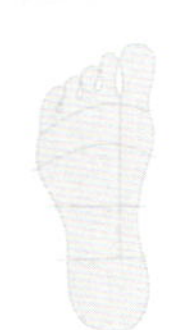

Mapas de reflexologia das mãos

Os mapas de reflexologia das mãos ajudarão você a localizar os pontos reflexos que correspondem às diferentes partes do corpo. Quanto mais você estudá-los, mais fácil achará aplicar o tratamento, pois estará familiarizado com a maioria dos pontos.

ASPECTO DORSAL DA REFLEXOLOGIA DAS MÃOS

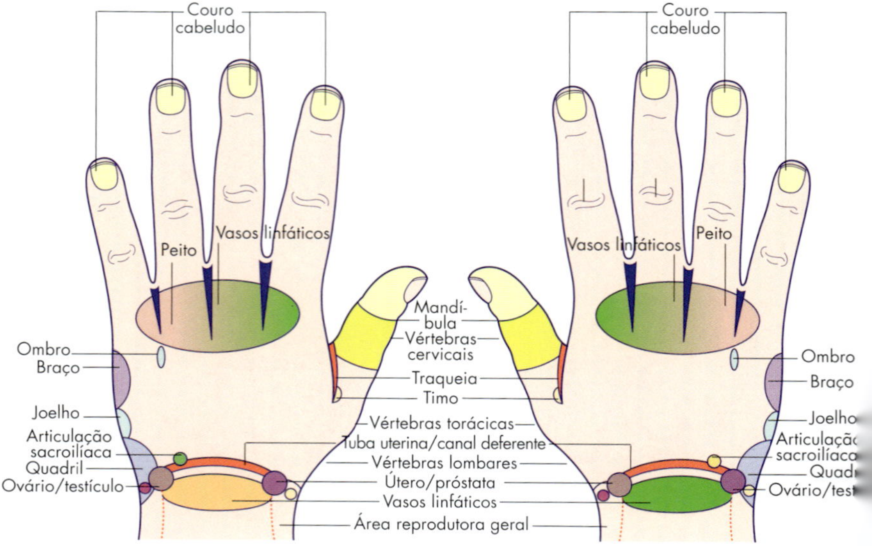

Couro cabeludo
Couro cabeludo
Vasos linfáticos
Peito
Vasos linfáticos
Peito
Mandíbula
Vértebras cervicais
Ombro
Braço
Ombro
Braço
Traqueia
Timo
Joelho
Joelho
Articulação sacroilíaca
Vértebras torácicas
Tuba uterina/canal deferente
Vértebras lombares
Quadril
Ovário/testículo
Útero/próstata
Vasos linfáticos
Área reprodutora geral

MÃO ESQUERDA

MÃO DIREITA

ASPECTO PALMAR DA REFLEXOLOGIA DAS MÃOS

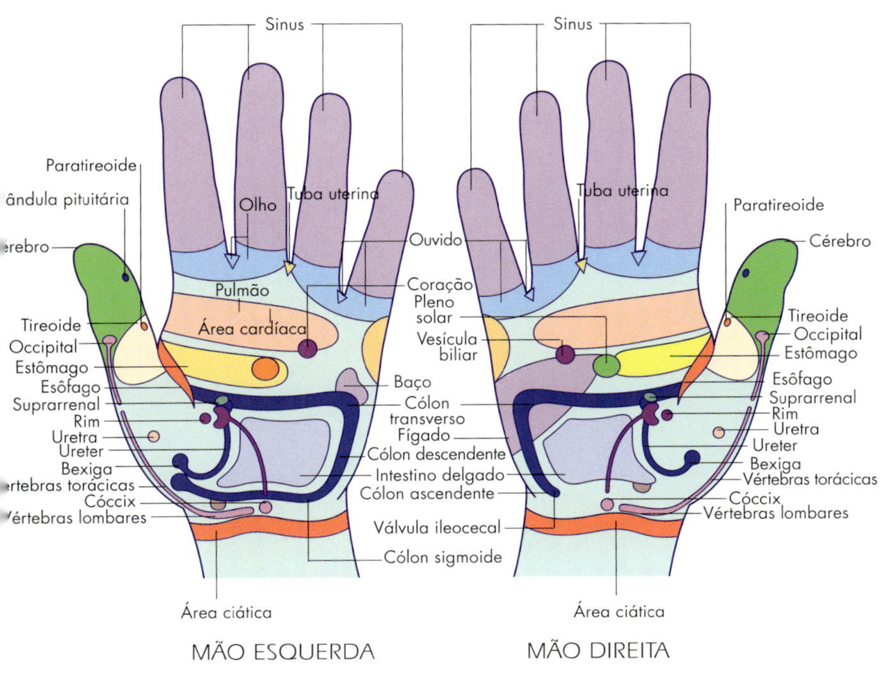

Preparação para o tratamento

Tratar alguém com a reflexologia das mãos significa simplesmente tomar-lhe as mãos e trabalhar os pontos reflexos ali localizados. Pode-se fazer isso de pé ou sentado, em sessões de vinte segundos a dois minutos. Mas o tratamento básico de reflexologia das mãos deve levar cerca de quarenta minutos. Eis alguns pontos a considerar antes do início da terapia:

- Procure ser profissional (ver página 106), pois isso mostra que você respeita o tratamento e o paciente – sendo também a melhor maneira de o paciente respeitar o tratamento.
- Mantenha as unhas limpas e curtas ao aplicar tratamentos reflexológicos.
- Crie um ambiente acolhedor e confortável.
- Cubra uma almofada com toalha antes de pousar nela as mãos do cliente; isso as mantém firmes e conserva quente a mão que não esteja sendo trabalhada.
- Assegure-se de que tanto você quanto o cliente permaneçam à vontade durante a sessão.
- Observe bem o cliente para ajustar a pressão e evitar qualquer incômodo.
- Remova suas joias e peça ao cliente para fazer o mesmo.

Recursos para a massagem

Gosto de usar amido de milho, com o qual criei uma marca registrada e que é uma alternativa segura ao talco. Usando-o, você beneficiará suas próprias mãos também. Como alternativa, poderá empregar um bom óleo básico como o de semente de uva, que o cliente achará relaxante e não ressecará a pele de suas mãos. Clientes mais velhos talvez prefiram o óleo, mas tudo depende de sua sensibilidade para descobrir qual é o gosto deles.

Antes de iniciar a sessão, sugiro que você lave as mãos em água quente: se elas estiverem frias, o tratamento sem dúvida não será nada relaxante para o cliente. É boa ideia não comer alimentos muito condimentados ou alho antes de aplicar a reflexologia das mãos, pois o cliente poderá sentir o cheiro deles em seu hálito. Talvez seja conveniente até usar um antisséptico bucal, pois você ficará muito perto do cliente durante a sessão.

Lembre-se sempre de apoiar bem as mãos do cliente, para que ele possa relaxar e se sentir confortável ao longo de todo o tratamento.

É necessário remover todas as joias antes de iniciar um tratamento e lavar as mãos para deixá-las limpas e quentes.

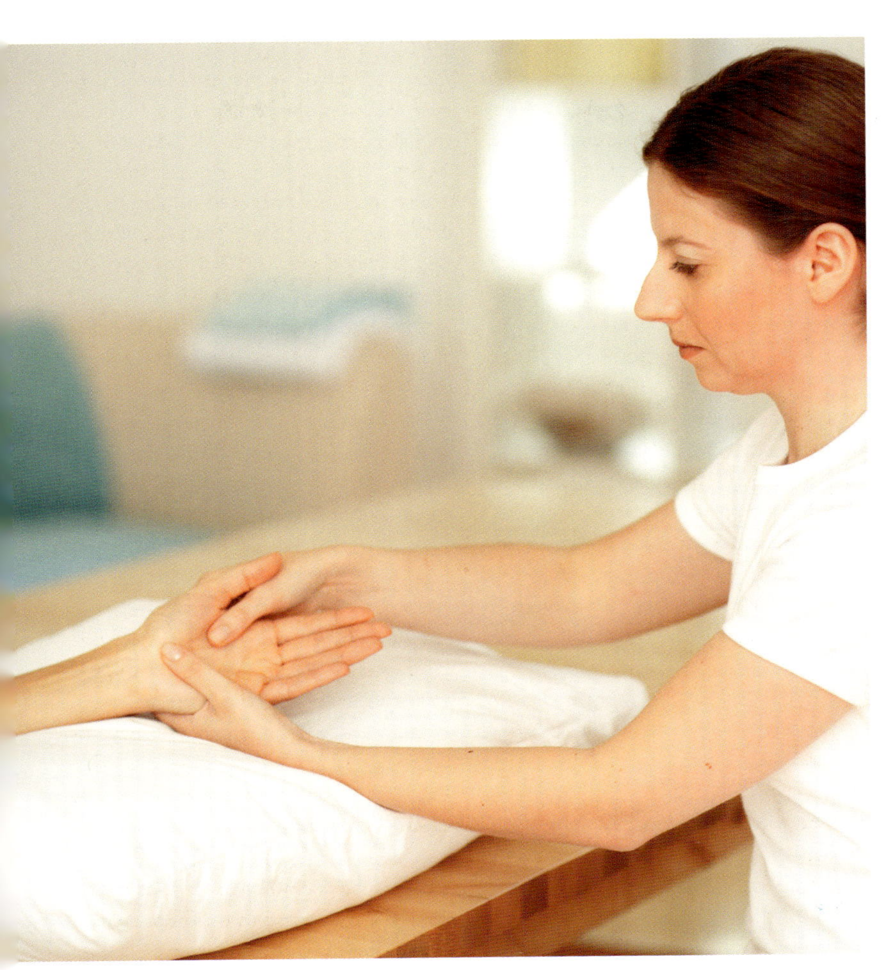

O local de trabalho

Você não precisa de um equipamento sofisticado para aplicar a reflexologia das mãos. Pode simplesmente usar o que estiver à mão e adaptar o ambiente para que tanto você quanto o cliente se sintam à vontade.

Posições de tratamento

Há seis posições diferentes para o tratamento reflexológico, dependendo de onde você esteja. Um dos grandes benefícios da reflexologia das mãos é sua versatilidade. Quanto mais confortáveis estiverem vocês dois, mais a sessão poderá durar, resultando daí um tratamento mais completo.

1 De pé

Fique de pé diante do cliente, também ele na mesma posição e bem perto de você. Se lhe tomar as mãos uma por vez, poderá localizar facilmente os pontos reflexos. Essa não é a melhor posição para aplicar o tratamento completo, mas pode ser adotada com sucesso quando se tenciona trabalhar apenas alguns reflexos.

2 Com o cliente deitado numa cama/sofá

Peça ao cliente para estender-se confortavelmente numa cama ou sofá. Sente-se num banquinho junto à mão direita dele, que deverá estar pousada numa almofada sobre seu colo, para melhor apoio. Observe bem as reações do cliente aos toques. Passe para o outro lado da cama e reinicie o tratamento na mão esquerda.

3 Sentados um diante do outro no chão, perto o bastante para o contato das mãos

Coloque duas almofadas no chão, para que ambos fiquem sentados confortavelmente um diante do outro. Pouse a mão direita do cliente numa almofada sobre seu colo. Depois de tratá-la, passe para a esquerda. Tente manter suas costas retas o tempo todo. Essa é uma boa posição a adotar quando não se tem os móveis adequados.

4 Sentados um diante do outro numa mesa, em cadeiras confortáveis

Arranje uma mesa pequena e ponha no centro uma almofada. Sente-se defronte ao cliente. As mãos de ambos devem se alcançar facilmente, enquanto permanecem sentados em posição confortável.

5 Sentados em cadeiras, um diante do outro

Arranje duas cadeiras e disponha-as uma em frente da outra, mas de modo que, caso tenham braços, estes se toquem.

Caso prefira sentar-se no chão, use almofadas e pouse a mão do cliente em almofadas empilhadas na altura certa.

Sentem-se. Coloque a mão direita do cliente numa almofada em seu colo e inicie a sessão. Passe para o outro lado da cadeira do cliente e reinicie o tratamento na mão esquerda.

6 Sentados num sofá

Peça ao cliente para acomodar-se num sofá. Sente-se bem à vontade numa cadeira, banquinho ou borda do sofá, junto à mão direita do cliente. Coloque essa mão numa almofada sobre seu colo. Findo o tratamento, peça-lhe que mude de posição para que você possa alcançar facilmente sua mão esquerda.

Fortalecimento das mãos

Ter mãos fortes é importante na reflexologia, já que seu uso constante pode provocar a lesão por esforço repetitivo (LER). Assim, aplique pressão de leve a média e use ambas as mãos para dividir o trabalho. De um modo geral, você poderá usar pressão bem mais leve do que na reflexologia dos pés. Uma prática importante para evitar diversos tipos de lesões nas mãos: aquecê-las. Antes de começar, estire palmas e dedos, e faça os exercícios aqui recomendados. Fortalecer as mãos previne dores e lesões em virtude do uso. Os exercícios aumentam a força, a destreza e a mobilidade do pulso. Promovem a coordenação, ampliam o alcance dos movimentos e são um bom recurso para melhorar a função neuromuscular e o equilíbrio.

Você não precisará reservar mais que um minuto ou dois aos exercícios, mas deverá manter as mãos aquecidas ao menos por esse tempo. Feito isso, os músculos da mão e do pulso estarão suficientemente quentes para evitar danos maiores.

Técnicas

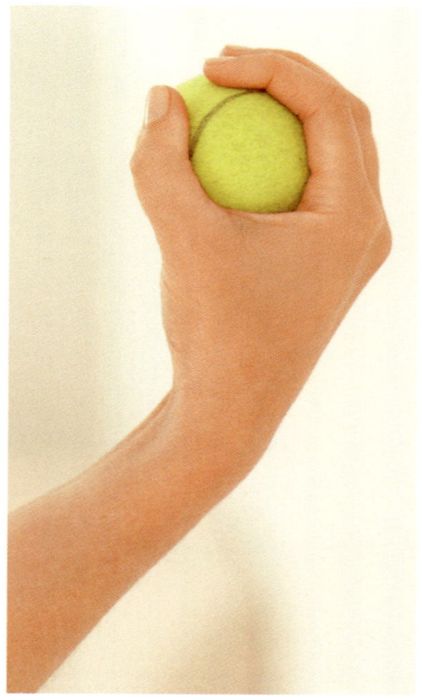

Coloque uma bola de tênis na palma da mão e aperte-a o máximo que puder por dois minutos. Troque de mão. Isso agilizará o fluxo sanguíneo pelas mãos, fortalecendo músculos, nervos e articulações.

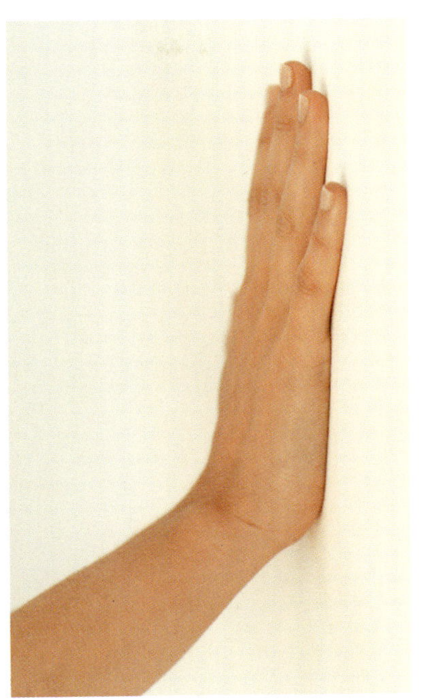

Espalme a mão numa parede lisa. Pressione-a, para dar flexibilidade à mão e ao pulso. Mantenha a pressão por dez segundos e troque de mão. Repita por dois minutos diariamente.

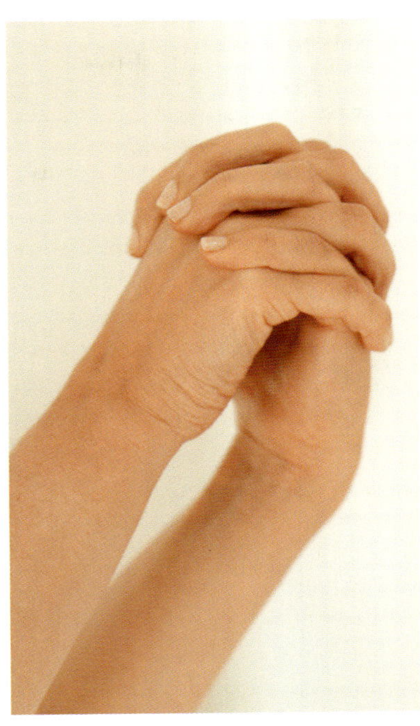

Entrecruze os dedos de ambas as mãos. Devagar, descreva com elas grandes círculos no sentido horário, durante um minuto. Repita o movimento no sentido anti-horário por mais um minuto.

Como aplicar os tratamentos

A sequência básica de reflexologia das mãos pode ser aplicada a qualquer pessoa, da criança ao idoso. A pressão variará de leve a média, conforme a condição do paciente. Procure imprimir um ritmo regular a seus polegares e dedos ao longo de toda a terapia. Você encontrará mais cristais e fará com que o tratamento flua melhor se trabalhar na direção de seu polegar ou unha. As técnicas ilustradas nesta seção incluem setas que indicam a direção do movimento, quando isso for aplicável.

Flexione bem a mão do cliente durante o tratamento, pois isso permitirá a você sentir mais cristais e, ao cliente, perceber melhor as sensações provocadas num ponto reflexo. Será necessário trabalhar um ponto reflexo da mão por mais tempo do que na reflexologia dos pés, pois as mãos são menos sensíveis ao toque. Lembre-se de que um dos principais objetivos é atender às necessidades do cliente com um tratamento relaxante, que lhe proporcione efeitos benéficos duradouros.

Para um bebê, as técnicas serão diferentes. Você continuará seguindo as setas indicativas de direção, mas não usará as técnicas da compressão da cobra (página 371), da toupeira (página 372) ou da mandíbula de caranguejo (página 373) com o polegar ou o outro dedo. Usará, antes, a ponta do indicador para comprimir levemente as áreas reflexas como se fosse um maestro de orquestra. Ao ser tratados pela reflexologia, os bebês precisam de muito menos pressão que os adultos.

Ao tratar de um bebê ou criança pequena, aplique pressão bem leve.

Leitura dos reflexos nas mãos

Durante o tratamento, você estará ajudando a restaurar a energia no corpo do paciente e a estimular a capacidade curativa natural de seu organismo. "Leia" as mãos para identificar áreas frágeis que precisam de tratamento, procurando localizar cristais e pontos que apresentem dor ou desconforto.

Pergunte ao cliente quais são esses pontos ou observe se seus dedos se retraem quando você toca uma área ou ponto reflexo sensível. Há menos cristais acumulados nas mãos que nos pés, mas, quando você os encontrar, use as técnicas da reflexologia das mãos (ver páginas 370-373) para dispersá-los delicadamente. Cristais e dor indicam um desequilíbrio na área correspondente do corpo. Por exemplo, cristais no reflexo do ombro podem denunciar um problema passado, atual ou futuro naquela região.

A principal diferença com relação aos pés é que as mãos são usadas de muitas outras maneiras. Elas suportam também mais pressão, o que naturalmente fragmenta uma quantidade de cristais que de outro modo seriam encontrados. Se o paciente lhe disser que determinada área se mostra sensível, reduza a pressão e continue a trabalhar suavemente essa área por mais dez segundos.

Observe bem o rosto do cliente, mantendo contato visual se possível, para diminuir a pressão caso note algum desconforto.

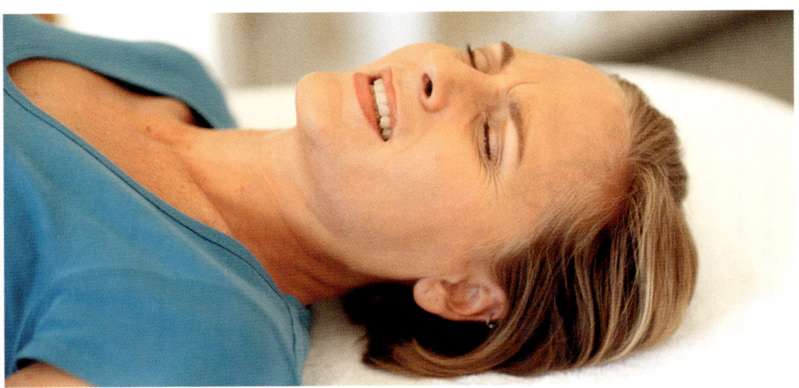

Relaxamento das mãos

Os movimentos de relaxamento que se seguem destinam-se a garantir ao cliente calma, equilíbrio e segurança. Ao trabalhar suas mãos, perceberá que seu rosto se descontrairá, como se ficasse livre de todos os aborrecimentos. A respiração adquirirá um ritmo mais profundo e mais lento. A tensão fluirá dos ombros para os braços. Os músculos das mãos ficarão fáceis de trabalhar, pois o corpo estará explorando seu próprio potencial de cura.

Sempre comece e termine a sessão com esses toques de relaxamento, pelo tempo que achar necessário.

O tratamento reflexológico nas mãos pode ser uma excelente maneira de relaxar e acalmar-se.

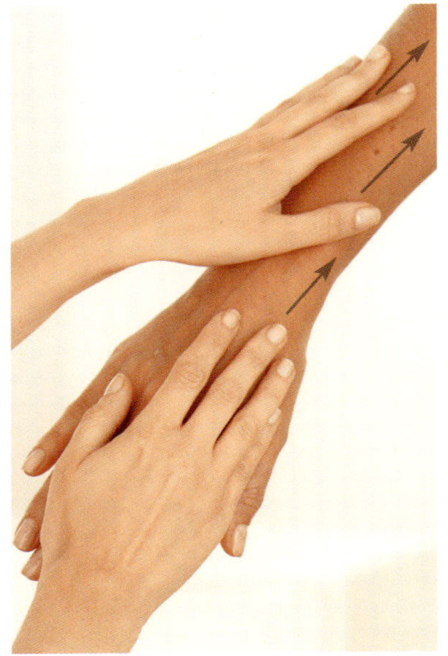

TOQUE DA BORBOLETA

Pouse ambas as palmas na mão direita do cliente e mova-as suavemente para cima, ao longo do braço, e volte. As palmas devem trabalhar juntas, com pressão média. Passe em seguida para a mão esquerda. Execute esse movimento por um minuto em cada mão.

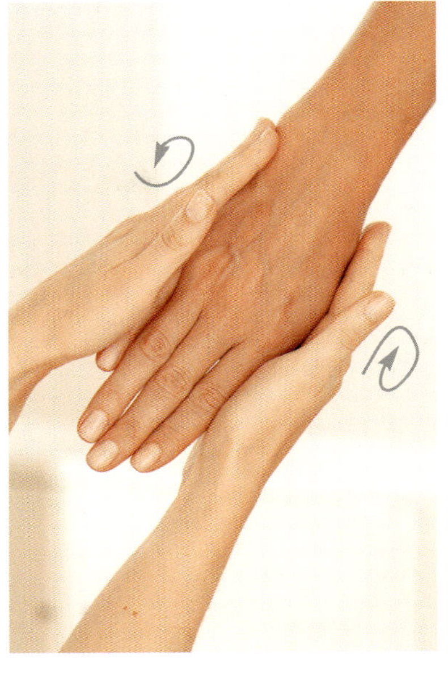

CARÍCIA

Pouse ambas as palmas nas bordas da mão direita do cliente. Esfregue-as para diante e para trás, com pressão leve. Passe em seguida para a mão esquerda. Execute esse movimento por trinta segundos em cada mão.

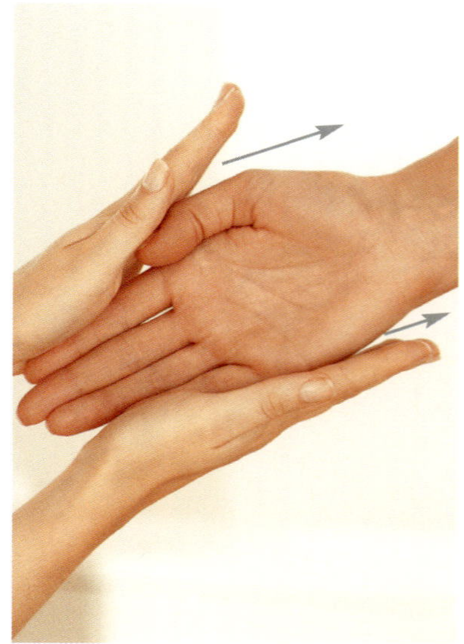

RENASCIMENTO DA FÊNIX

Pouse ambas as palmas de cada lado do pulso da mão direita do cliente. Devagar, deslize-as da base da mão até os dedos. Pressione os dedos suavemente por três segundos e volte à posição inicial. Repita essa técnica, com pressão média, cinco vezes, imaginando que a energia curativa se acumula em suas mãos, deixando-as prontas para o tratamento. Passe em seguida para a mão esquerda.

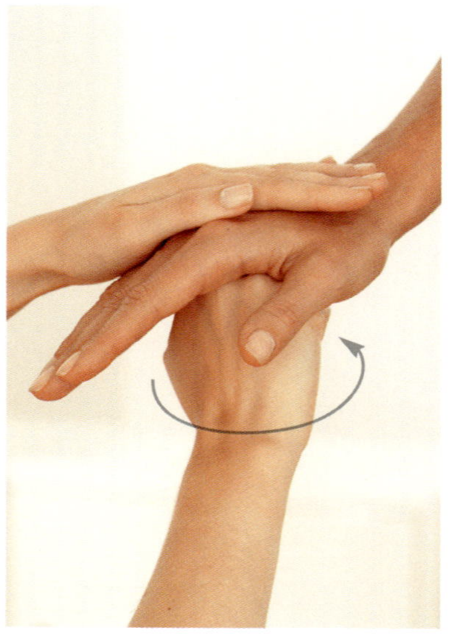

APERTO DO COIOTE

Comprima um punho contra a palma da mão direita do cliente, cobrindo as costas dessa mão com a palma de sua outra mão. Devagar, gire suas mãos com pressão média, cobrindo toda a extensão da palma do cliente. Passe em seguida para a mão esquerda. Execute esse movimento por trinta segundos em cada mão.

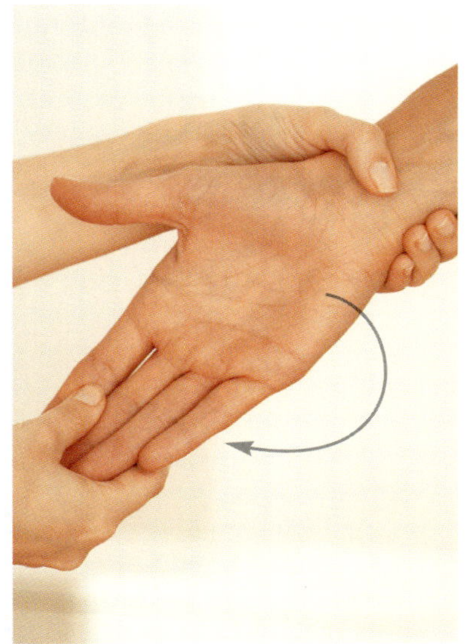

ASA DE ANJO

Segure a mão direita do cliente pelo pulso, com uma das mãos, e com a outra faça-a girar, primeiro no sentido horário, depois no anti-horário, em grandes círculos. Depois, delicadamente, flexione-a para trás e mantenha-a assim por cinco segundos. Passe em seguida para a mão esquerda. Execute esse movimento por trinta segundos em cada mão.

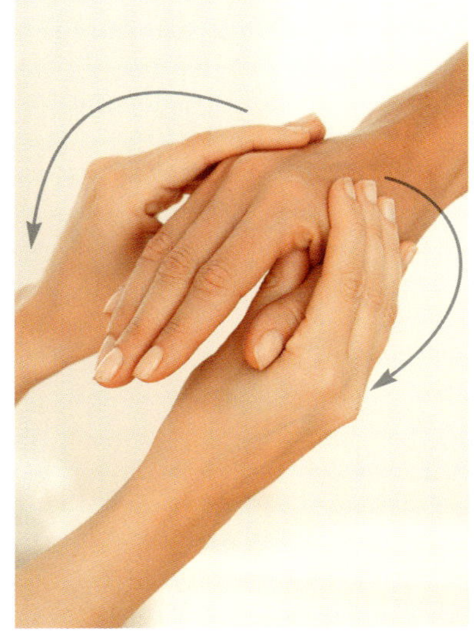

RESPIRAÇÃO DE APOLO

Segure com ambas as mãos a mão direita do cliente, com os dedos por cima e os polegares por baixo. Os polegares devem tocar a área reflexa dos pulmões e ficar separados cerca de 2,5 cm. Puxe os dedos em sua direção, enquanto pressiona um pouco mais com os polegares. Peça ao cliente para imaginar que sua respiração está curando a área afetada. Execute o movimento cinco vezes e passe para a mão esquerda. Repita por trinta segundos em cada mão.

Técnicas básicas

Nas páginas seguintes, ensinamos três técnicas simples de reflexologia das mãos fáceis de lembrar e aplicar, além de muito relaxantes. Você deve usá-las em si mesmo, para ir ganhando confiança desde já. À medida que for lendo as descrições, pratique-as em sua própria mão, atentando para a pressão usada e a velocidade dos movimentos. Geralmente, quanto mais devagar você for, mais chances terá de localizar e dispersar cristais – e mais relaxante o tratamento será para o cliente.

Essas técnicas lhe permitirão prestar um atendimento profissional e ativarão os processos de cura do próprio corpo. Sempre respire fundo enquanto pratica, para se descontrair.

Se você estiver grávida, poderá trabalhar seu próprio reflexo da pituitária a fim de estimular a produção do hormônio oxitocina, que facilita o parto natural.

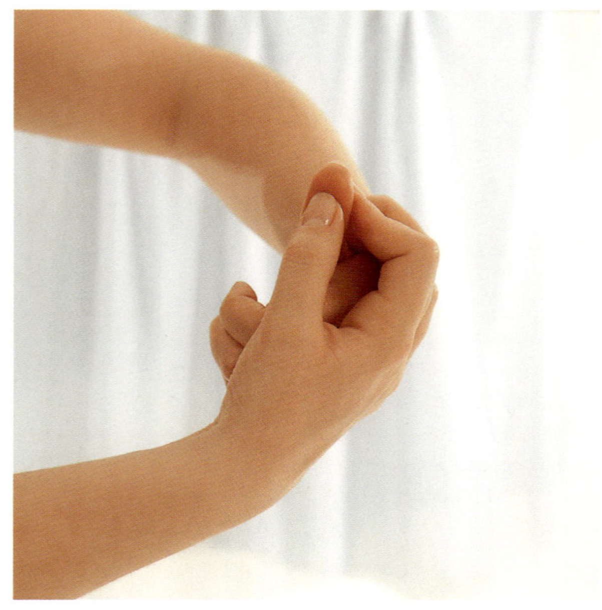

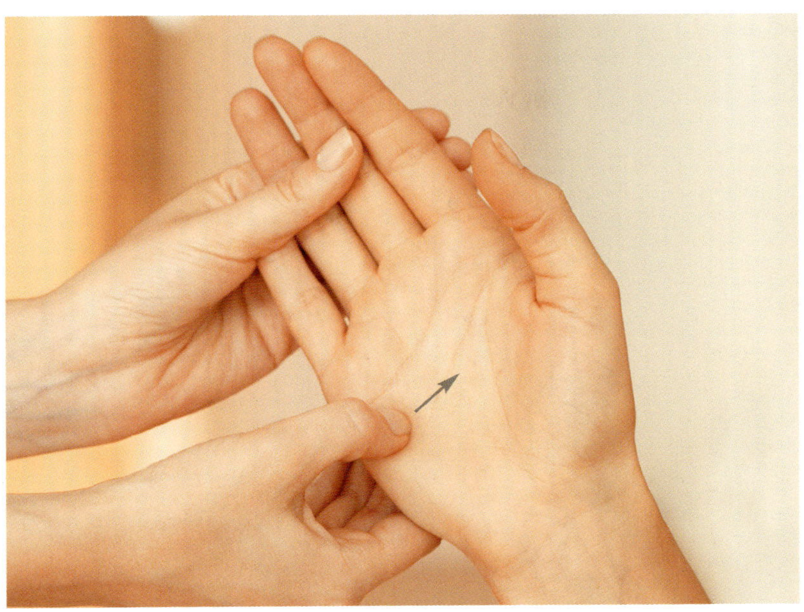

COBRA

Essa é a técnica de compressão mais comumente usada, tanto com o polegar quanto com o indicador. Para aplicá-la, dobre e endireite o polegar ou dedo à medida que avança em pequenas etapas. Use o dorso e não a ponta, para mais conforto seu e do cliente. Essa é uma técnica de pressão alternada, com o polegar ou dedo comprimindo e soltando enquanto se desloca. Ao comprimir, poderá notar os cristais apontando sob a pele ou parecendo grãos de açúcar. Pratique primeiro em sua própria palma, a fim de estabelecer um ritmo agradável. Mantenha-o o tempo todo.

TOUPEIRA

Empregue a técnica da toupeira para trabalhar um ponto ou toda uma área reflexa a fim de dispersar cristais com movimentos circulares. Use o polegar ou qualquer dos outros dedos. Gire-o no sentido horário ou anti-horário, para fragmentar os cristais. Use sempre o dorso e não a ponta, pois, por mais curtas que suas unhas estejam, poderão ainda assim arranhar a pele do cliente, causando-lhe desconforto. Treine o movimento no centro de sua própria palma, com os dedos bem relaxados. Notará que, quanto mais se demorar no toque, mais sensações terá a palma tratada. Essa técnica é eficiente mesmo se as mãos do praticante não forem muito fortes, mas ele insistir em prestar um bom serviço.

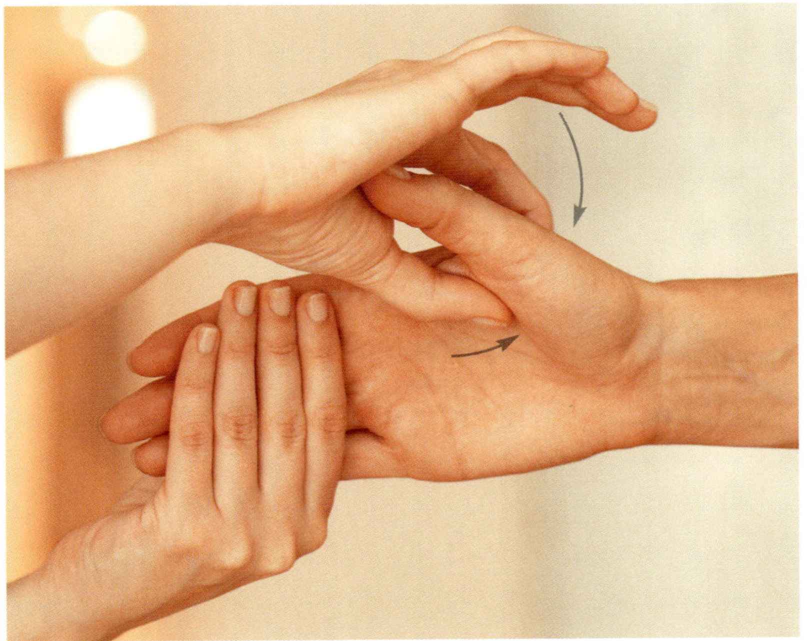

MANDÍBULA DE CARANGUEJO

Use a técnica da mandíbula de caranguejo para mais facilmente ter acesso a um ponto reflexo, trabalhando com desenvoltura a fim de produzir uma pressão de leve a forte. Pouse o indicador nas costas da mão e o polegar na palma. Use sempre o dorso do dedo e não a ponta. Poderá, com essa técnica, atingir um ponto reflexo aplicando uma leve pressão e esfregando o local para a frente e para trás. Notará que seu indicador e polegar começarão a movimentar suavemente a pele da área e esse movimento estimulará o ponto reflexo. Mantenha sempre contato visual com o cliente ao empregar essa técnica vigorosa, para ajustar a pressão e evitar-lhe algum incômodo.

Tratamento geral da mão

A melhor maneira de começar e terminar um tratamento é com o emprego das técnicas de relaxamento descritas nas páginas 366-369. Aplique então a sequência seguinte, primeiro na mão direita, depois na esquerda, em movimentos lentos e seguros. Terminado o tratamento na mão direita, cubra-a com uma toalha para mantê-la aquecida e confortável enquanto trabalha a esquerda.

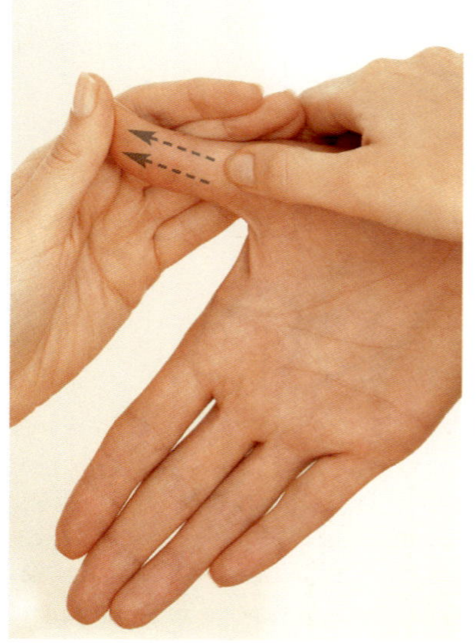

ÁREA REFLEXA DA CABEÇA

Sustente a mão do cliente com uma das mãos e, com o polegar da outra, deslize da base à ponta do polegar. Prossiga durante vinte segundos, com pressão média, até cobrir toda a área.

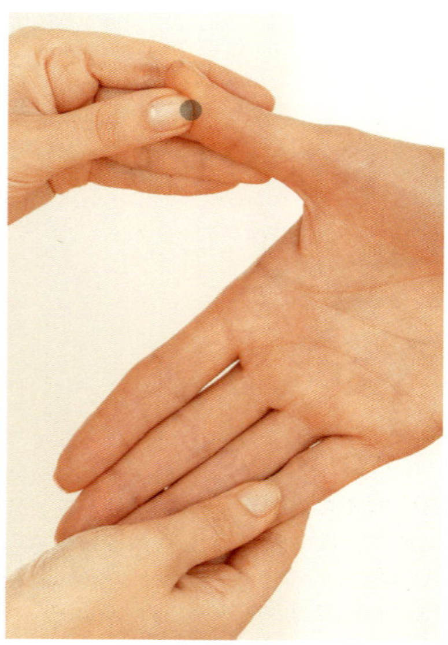

PONTO REFLEXO DA PITUITÁRIA

Com o polegar, pressione o centro do polegar do cliente, usando a técnica da toupeira a fim de "escavar" o ponto reflexo da pituitária. Prossiga durante dez segundos, com pressão média.

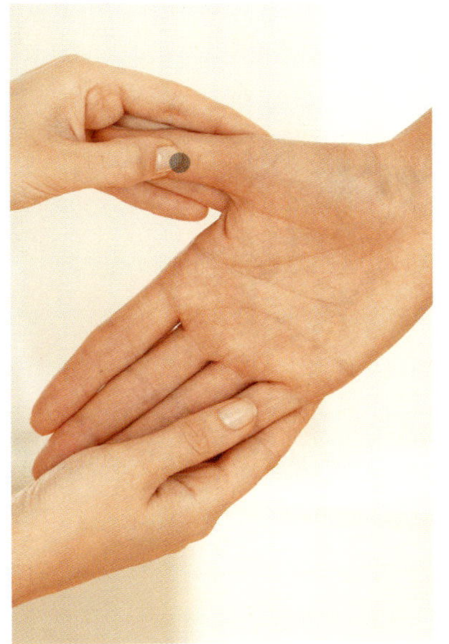

PONTO REFLEXO DO OCCIPITAL

Pouse o polegar no ponto do occipital, na mão do cliente. Esse ponto se encontra na base da falange distal, onde ela se articula com a proximal. Pressione a articulação e use a técnica da toupeira para "escavar" o ponto reflexo do occipital. Aplique pressão média por dez segundos.

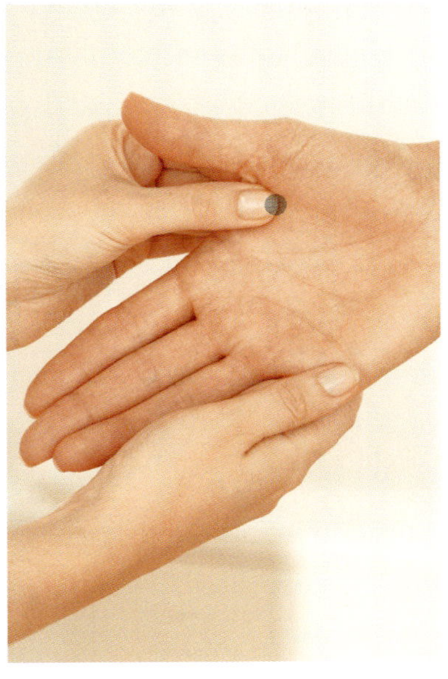

ÁREA REFLEXA DO ESÔFAGO

Com o polegar e o indicador, pince a pele entre o indicador e o polegar do cliente, usando a técnica da mandíbula de caranguejo para descrever grandes círculos. Aplique pressão leve por dez segundos.

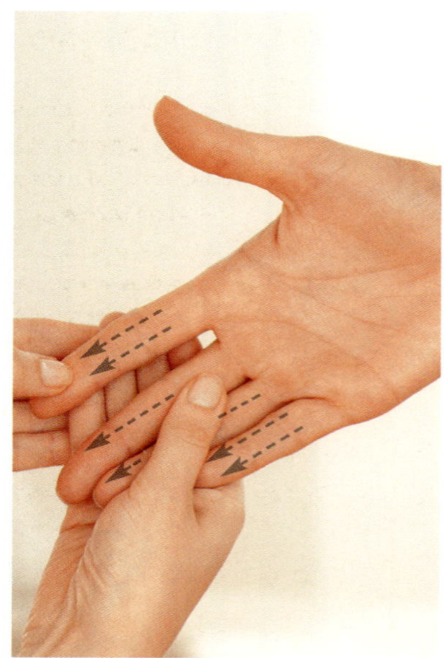

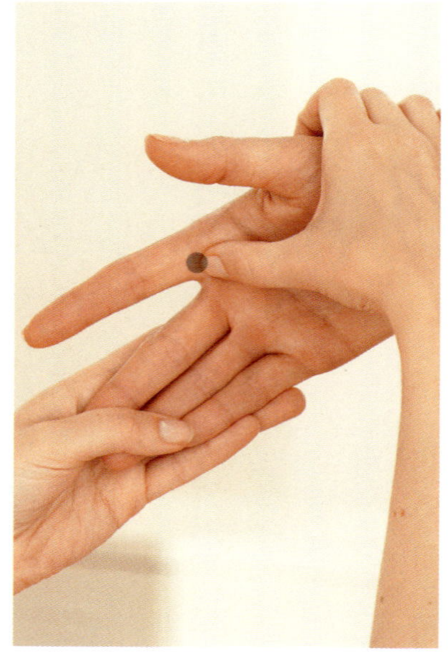

ÁREA REFLEXA DOS SÍNUS

Com o polegar ou outro dedo, suba da base à ponta dos dedos do cliente, percorrendo a área reflexa dos sínus em movimentos lentos e com pressão média, para drenar ou fortalecer os sínus. Continue, sempre com pressão média, por um minuto.

PONTO REFLEXO DOS OLHOS

Pouse o polegar entre o indicador e o dedo médio do cliente. Use a técnica da toupeira para "escavar" o ponto reflexo dos olhos durante cinco segundos, sem pressionar muito e descrevendo grandes círculos.

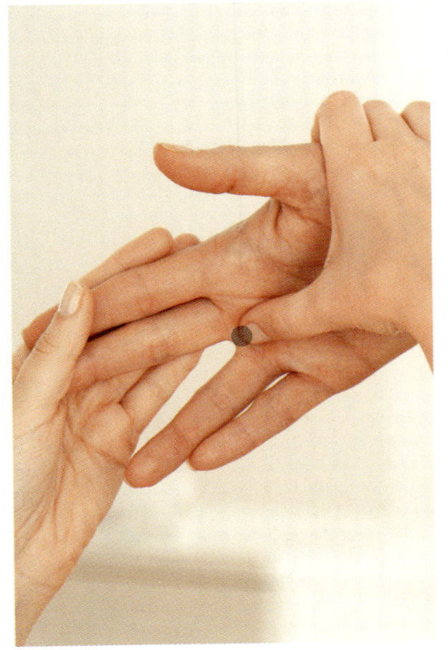

PONTO REFLEXO DA TROMPA DE EUSTÁQUIO

Pouse o polegar entre os dedos médio e anular do cliente. Use a técnica da toupeira para "escavar" o ponto da trompa de Eustáquio por cinco segundos, sem pressionar muito.

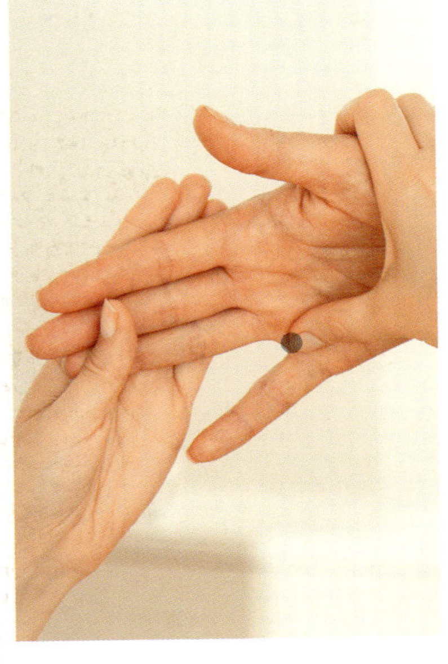

PONTO REFLEXO DOS OUVIDOS

Pouse o polegar entre os dedos anular e mínimo do cliente. Use a técnica da toupeira para "escavar" o ponto dos ouvidos durante cinco segundos, sem pressionar muito.

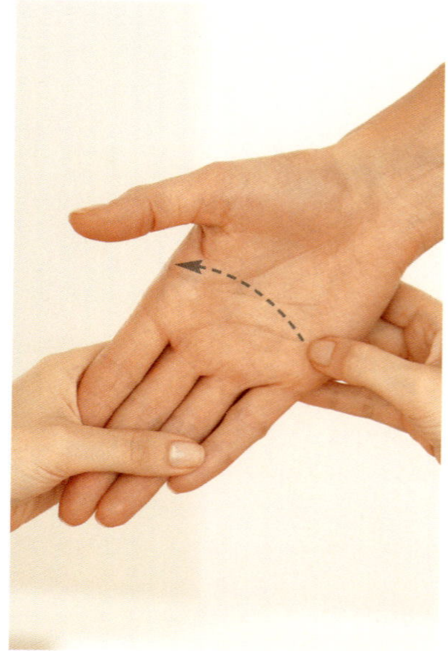

ÁREA REFLEXA DO DIAFRAGMA

Segure a mão do cliente e flexione-a para trás a fim de criar tensão na pele. Pouse o polegar da outra mão no meio da palma do cliente e, devagar, aplique a técnica da cobra cruzando de um lado a outro. Faça esse movimento, com pressão média, por dez segundos, a fim de dispersar os cristais.

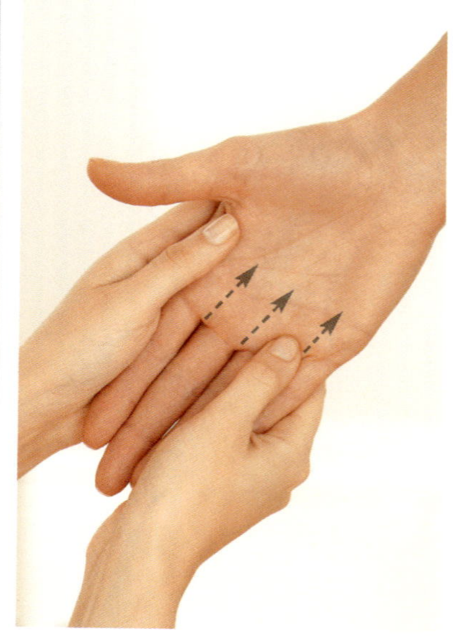

ÁREA REFLEXA DOS PULMÕES

Pouse o polegar entre as bases do anular e do mínimo. Use a técnica da cobra para subir até a linha do diafragma, por entre os ossos. Continue assim por vinte segundos, agora entre as zonas 2 e 3, 3 e 4 e 4 e 5. Trabalhe essa área com pressão média por quinze segundos.

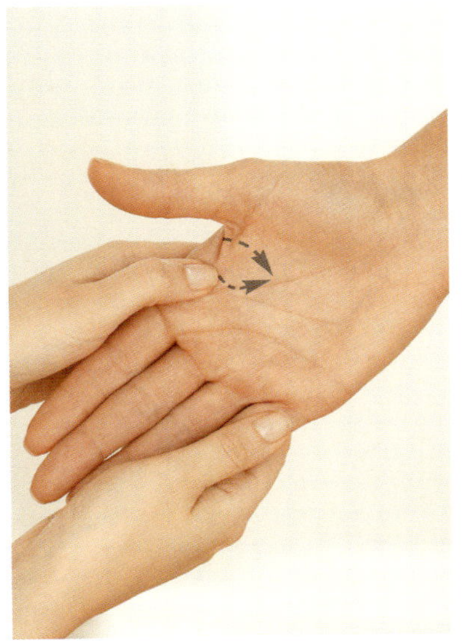

ÁREA REFLEXA DO ESTÔMAGO

Flexione a mão do cliente a fim de criar tensão na pele. Com o polegar de sua outra mão, pressione a membrana entre o indicador e o polegar do cliente. Devagar, empregue a técnica da cobra para avançar a partir da borda da mão e volte à posição inicial. Continue assim, com pressão leve, por dez segundos até cobrir toda a área.

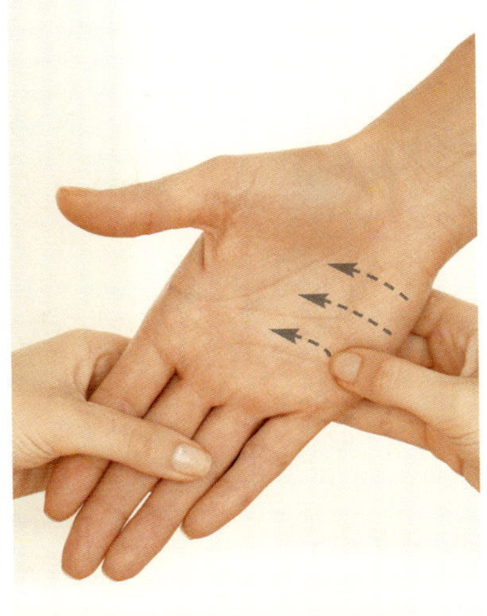

ÁREA REFLEXA DO FÍGADO

Essa área reflexa só é encontrada na mão direita. Pouse o polegar na borda da mão do cliente, logo abaixo da linha do diafragma. Use a técnica da cobra e avance da borda da mão, em linha reta, até a zona 3. Volte e recue uma etapa na direção do pulso; repita essa técnica em linhas paralelas, terminando acima do pulso. Continue assim por dez segundos, com pressão média.

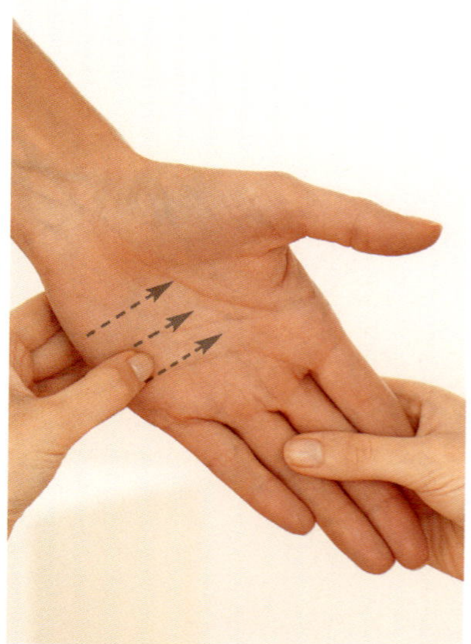

ÁREA REFLEXA DO BAÇO

Essa área reflexa só é encontrada na mão esquerda. Pouse o polegar na borda da mão do cliente, logo abaixo da linha do diafragma. Use a técnica da cobra e avance da borda da mão, em linha reta, até a zona 3. Volte e recue uma etapa na direção do pulso; repita essa técnica em três linhas paralelas. Continue assim por dez segundos, com pressão média.

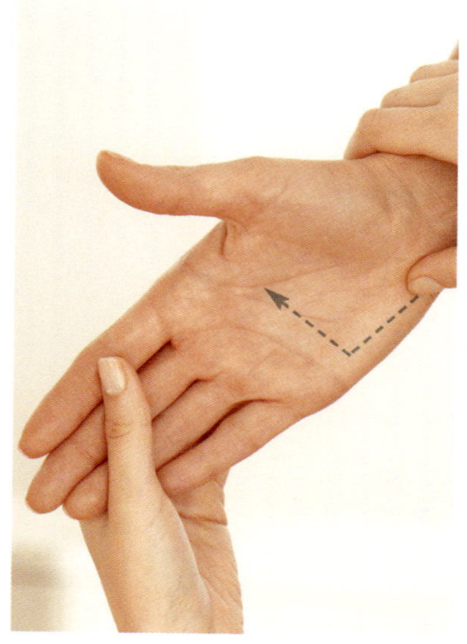

ÁREA REFLEXA DO CÓLON ASCENDENTE/TRANSVERSO

Essa área reflexa só é encontrada na mão direita. Pouse o polegar na base da mão do cliente, na zona 4. Use a técnica da cobra para subir, devagar, até a área do cólon ascendente. Pare no meio da mão e aplique a técnica da toupeira por três segundos. Gire então o polegar e use a técnica da cobra transversalmente à palma, terminando na membrana entre o indicador e o polegar. Continue assim, com pressão média, por trinta segundos, a fim de dispersar os cristais.

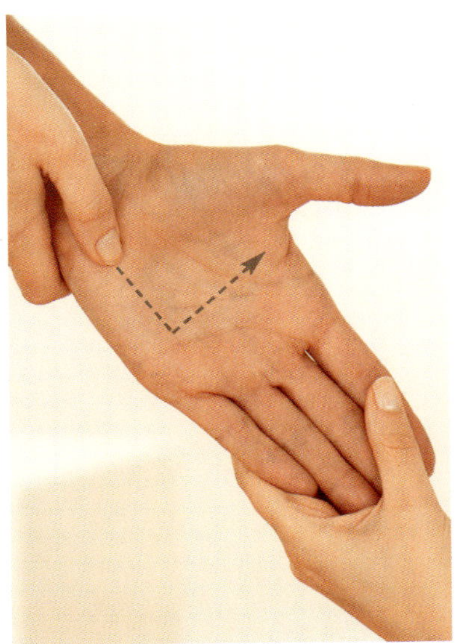

ÁREA REFLEXA DO CÓLON DESCENDENTE/TRANSVERSO

Essa área reflexa só se encontra na mão esquerda. Pouse o polegar na base da mão do cliente, na zona 4. Use a técnica da cobra para subir, devagar, até a área do cólon descendente. Pare no meio da mão e aplique a técnica da toupeira por três segundos. Gire então o polegar e use a técnica da cobra transversalmente à palma, terminando na membrana entre o indicador e o polegar. Continue assim, com pressão média, por trinta segundos, a fim de limpar o cólon.

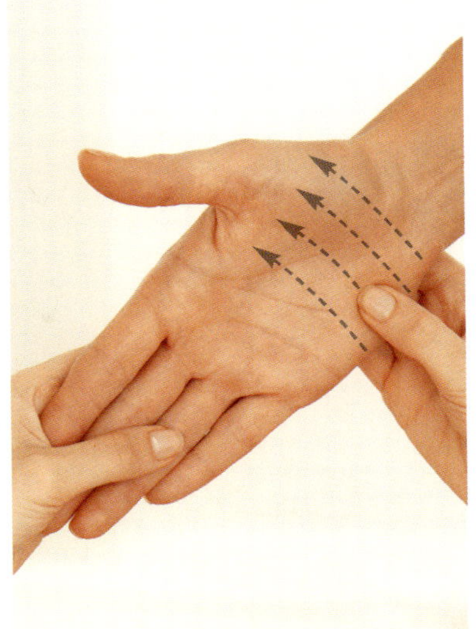

ÁREA REFLEXA DO INTESTINO DELGADO

Pouse o polegar na borda da mão do cliente, logo abaixo da linha do diafragma. Use a técnica da cobra transversalmente à palma, em linha reta. Volte à posição inicial e recue uma etapa; em seguida, repita o trajeto transversal. Continue assim até chegar ao pulso. Trabalhe a área do intestino delgado com pressão leve por dez segundos, a fim de estimular a absorção.

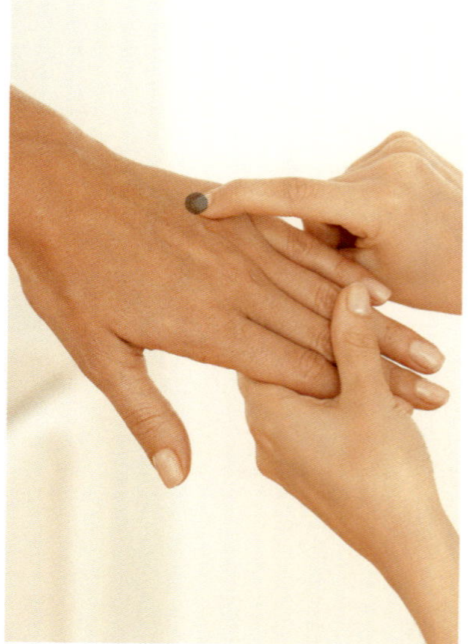

PONTO REFLEXO DO OMBRO

Pouse o indicador e o polegar na base dos dedos médio e mínimo do cliente. Use a técnica da mandíbula de caranguejo para descer três etapas na direção do pulso. Comprima e friccione o local para a frente e para trás, com pressão média, por dez segundos.

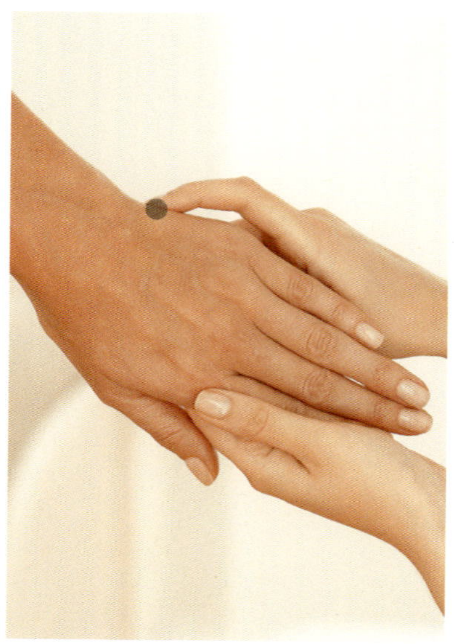

PONTO REFLEXO DO JOELHO

Pouse o indicador no meio da mão do cliente, a partir do dedo mínimo. Pressione e use a técnica da toupeira para "escavar" o ponto reflexo do joelho, descrevendo círculos por dez segundos.

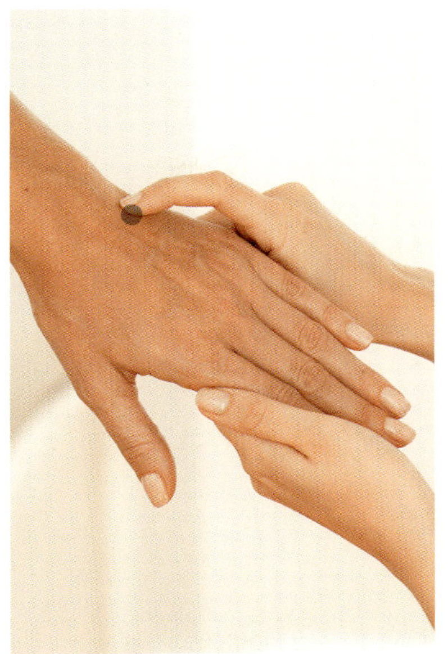

PONTO REFLEXO DO QUADRIL

Pouse o polegar esquerdo no ponto reflexo do quadril, situado na base do quarto metacarpo do cliente, e use a técnica da toupeira para "escavar" o local com pressão média, por dez segundos.

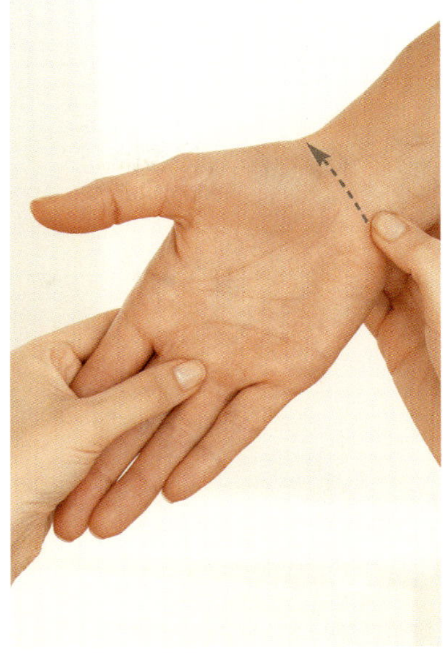

ÁREA REFLEXA DO NERVO CIÁTICO

Use a técnica da cobra para cruzar, com o polegar, a base da mão do cliente, logo acima do pulso, indo do aspecto lateral ao medial. Repita seis vezes com pressão forte.

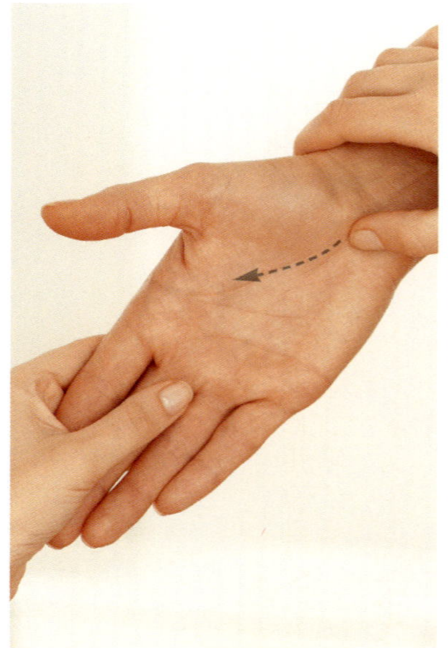

ÁREA REFLEXA DO URETER

Encontre a base da linha da vida do cliente, que começa no centro da palma, logo acima do pulso. Com o polegar, aplique a técnica da cobra para ir da base da mão do cliente até a membrana entre o indicador e o polegar. Repita o movimento, lentamente, três vezes, com pressão média.

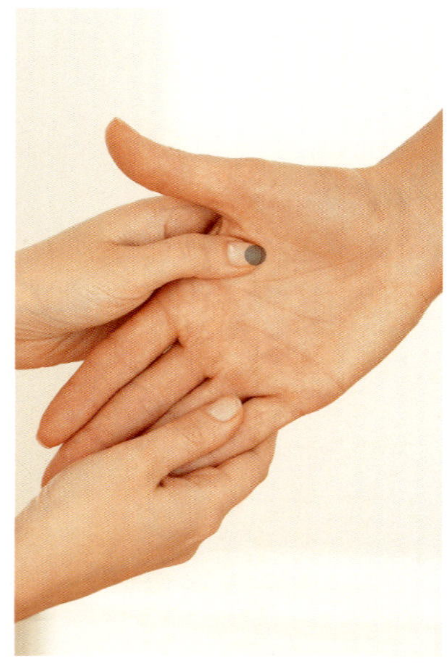

PONTO REFLEXO DOS RINS/SUPRARRENAIS

Você encontrará esse ponto acima da área do ureter. Segure a mão do cliente e pouse o polegar na membrana entre o indicador e o polegar, ficando a meio caminho da mão. Use a técnica da toupeira para "escavar" o ponto reflexo dos rins/suprarrenais com pressão média, por quinze segundos.

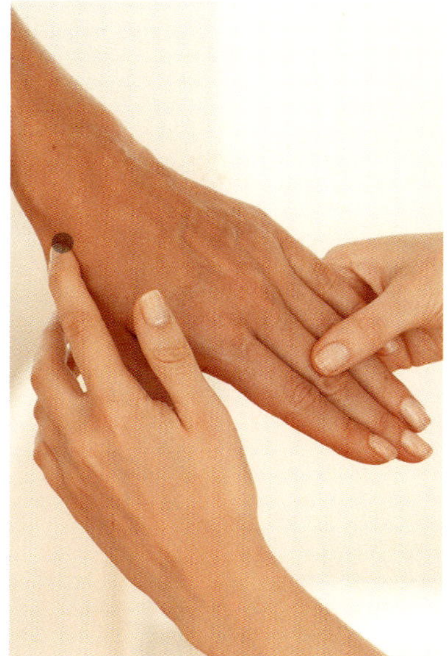

PONTO REFLEXO DO ÚTERO/PRÓSTATA

Pouse o indicador no polegar do cliente e deslize-o para baixo na direção da base, logo acima do pulso. Ali, você encontrará uma pequena depressão, que é o ponto reflexo do útero/próstata. Use a técnica da toupeira com pressão média por dez segundos, descrevendo grandes círculos.

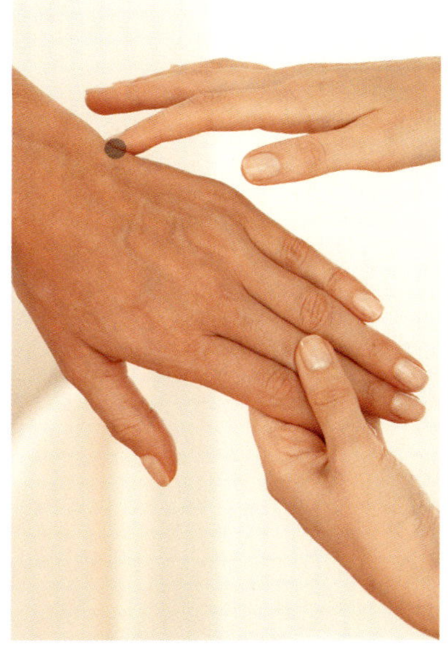

PONTO REFLEXO DOS OVÁRIOS/TESTÍCULOS

Pouse o indicador no dedo mínimo do cliente e deslize-o na direção da base do indicador, logo acima do pulso. Ali, você encontrará uma pequena depressão, que é o ponto reflexo dos ovários/testículos. Use a técnica da toupeira com pressão média por dez segundos, descrevendo grandes círculos.

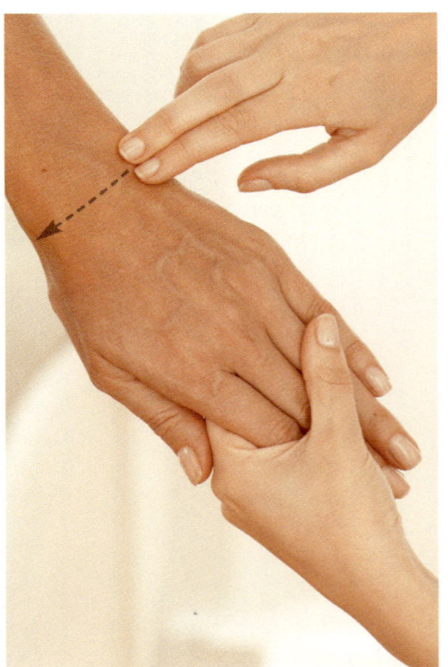

ÁREA REFLEXA DA TUBA UTERINA/CANAL DEFERENTE

Use a técnica da cobra com os dedos indicador e médio, cruzando o alto do pulso do cliente do aspecto lateral ao medial. Repita esse movimento seis vezes com pressão média.

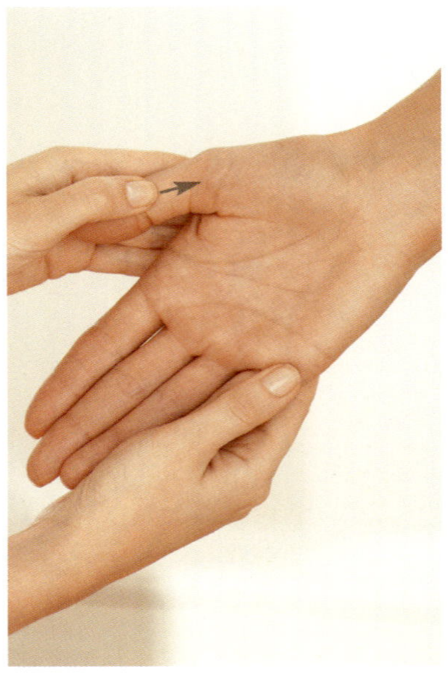

ÁREA REFLEXA DAS VÉRTEBRAS CERVICAIS

Use a técnica da cobra ao longo do osso do polegar do cliente, da primeira até a segunda articulação. Percorra nesse trajeto sete etapas curtas, que correspondem às sete vértebras cervicais do pescoço. Aplique pressão firme e, quando encontrar um reflexo sensível, reduza-a.

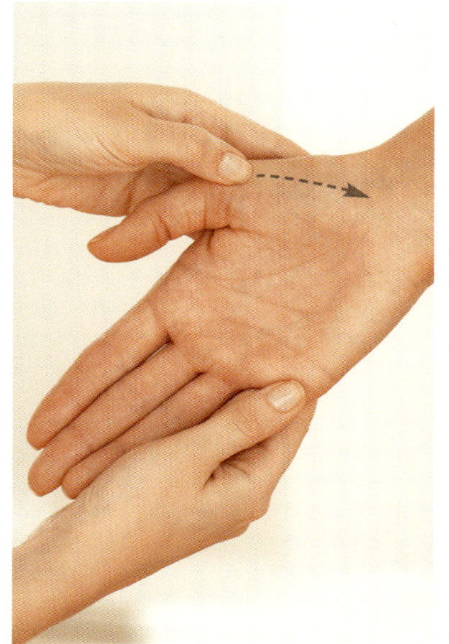

ÁREA REFLEXA DAS VÉRTEBRAS TORÁCICAS

Pouse o polegar na base da mão do cliente, logo acima do pulso. Use a técnica da cobra para ir até a base do polegar em doze etapas, que correspondem às doze vértebras torácicas. Aplique pressão firme e repita o movimento seis vezes, para fortalecer a coluna.

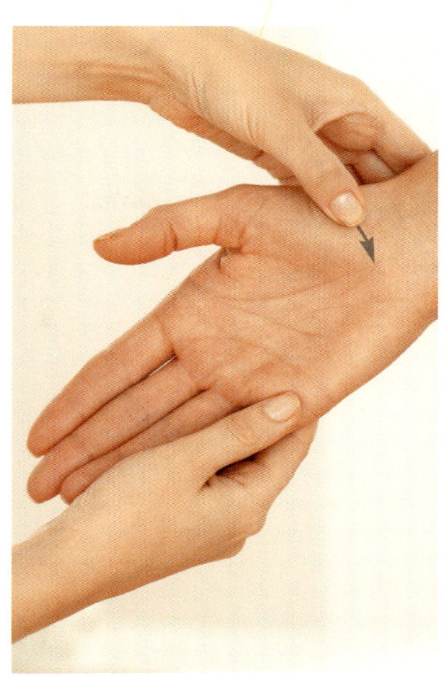

ÁREA REFLEXA DAS VÉRTEBRAS LOMBARES

Pouse o polegar logo acima da base do polegar do cliente. Use a técnica da cobra para percorrer o osso em cinco etapas bem curtas, até o meio da palma. Essas etapas correspondem às cinco vértebras lombares. Aplique pressão firme e repita o movimento seis vezes.

Parte final do tratamento

Encerre essa vigorosa sequência de reflexologia das mãos com todas ou algumas das técnicas de relaxamento descritas nas páginas 366-369.

Cuidados posteriores

Agora que o tratamento está completo, cubra as mãos do cliente com uma toalha e lave as suas. Ofereça-lhe um copo de água, para eliminar possíveis toxinas liberadas durante a sessão. Pergunte-lhe como se sente e mencione os reflexos que, a seu ver, estavam fora de equilíbrio; procure descobrir com ele por que essas áreas se mostraram sensíveis. Lembre-se: é importante encaminhá-lo a um médico ou outro terapeuta complementar caso necessário, sem nunca dar aconselhamento não profissional sobre sua condição.

A parte final do tratamento consiste em dar boas sugestões práticas de estilo de vida holístico, que não contrariam a natureza. A terapia reflexológica exerce poderoso efeito no corpo, bem como nos estados físico e emocional do cliente. Penso que o tratamento sempre dá à pessoa aquilo de que ela necessita para o corpo na ocasião. Estimulando a circulação sanguínea e a linfática ao longo dos pés e das mãos, essa terapia facilita o transporte de nutrientes pelo corpo todo. Às vezes, dou ao cliente um suco de legumes ou frutas frescas, que o supre na hora de vitaminas e sais minerais essenciais. Encerrar o tratamento com algo especial para comer ou beber transforma a terapia numa extensão pessoal e bem-intencionada de sua vontade de curar.

Findo o tratamento, lave bem as mãos antes de ter uma última conversa com o cliente sobre a sessão.

Índice

Os números em *itálico* indicam títulos. As principais referências a áreas e pontos reflexos aparecem em **negrito.**

abacaxi 99, *99, 192*
abdominal, dor 188
abordagem holística à saúde 8, 11, 15, 21, 26-7, *26, 27*, 28, *59*, 80, 116, 305, 388
aborto 29
ácido para-hidroxibenzoico 31
ácidos graxos 69, 232
  essenciais 305, *332*
acne 236-9, *270*
açúcar 26, 28-9, 34, 88, 184, 236, *244*, 255, 264, 288, 323, 332
açúcar no sangue 27, 29, *72, 73*, 269, 305, 323
adaptação de tratamento 94-9
  redução da dor 96
  tratamento de clientes no pré- e pós-operatório 98-9, *99*
  tratamento de clientes sob medicação 97-8, *97, 98*
  tratamento de crianças *94*, 95
  tratamento de doentes terminais 96-7
  tratamento de idosos 95-6, 102
aditivos 26, 323, 332
adoçantes artificiais 255
adrenalina 269
afirmações 35, *35*
afirmações positivas 35, *35*
Agência de Proteção à Saúde (*Health Protection Agency*) 21
água *15, 26, 75*, 78, 89, 92, 104, 107, 116, 167, *167*, 388
  e estrógenos sintéticos 306
  e prisão de ventre *192*
  mineral 255
  retenção *78, 79*, 270
água mineral 255
álcool 196, *196, 220*, 228, 264, 288, 300, 305
alergia a nozes 58-9
alergias 27, 58-9, 104, 111, *220*, 240, 264, 323, 328
alimentação *ver* dieta
alimentos orgânicos 27, 29, 30, 31, *224, 270*, 338
alimentos
  alergia 27, *220*, 264, 323, 332
  com alto teor de colesterol 292, *292*
  e saúde digestiva *200*
  fritos 255, 288, 310
  gordurosos 196, *196*
  industrializados 236, 255, 288, 310, 324
  intolerâncias *188*
  mastigação 196, *196*
  petiscos 255
  processados 255, 264, 323
  ricos 196
  rótulos *28*
  temperados 196, 358
  ver também dieta
alívio 16, *16*, 23
  analgésicos 114
  aspecto palmar *354*, 355, *357*
almofadas 95, 101, 102, 107, 111, 314, 358, 360, 361
alopecia, *ver* perda de cabelos
alumínio 338
alvéolos *77, 77*
Alzheimer, mal de 338-41, *338*
ambiente *220*, 358, 360-61, *361*
amêndoa, óleo de 111
amido de milho 109, 110, 358
Aminoácidos 69
amputados 352, 353
anatomia
  do corpo 58-9
  do pé *54-7, 55, 56*
anemia 89, *278*
anestesia 16
angina 66
anjo, asa de 369
anjo, toque de 124
Ankmahor (médico egípcio) 12, *12*
Anorexia 204
anos dourados 96, 336-45
  artrite 242-5
  dicas de estilo de vida 336
  mal de Alzheimer 338-41, *338*
  ver também idosos, tratamento dos
ansiedade 29, 172, 255, 264-7, *264*, 270, 322, 353
antibióticos 29
antidepressivos 288
Antigo Egito 12, *12*
anti-histamínicos 29, 288
antioxidantes, nutrientes 300
antiperspirantes 31
antisséptico bucal 358
apêndice, ponto reflexo do **149**
apendicular, esqueleto 64
apetite 34, 256, 260
  falta de apetite na criança 324, *324*
Apolo, respiração de
  Mãos 369
  Pés 124
arco longitudinal lateral 56, *56*
arco longitudinal medial 56, *56*
arco transverso 56
artérias 66, *67*
arteriosclerose 33, 286

artigos de toucador 306
artrite *108*, 109, 332-5, 352
asma 51, *76*, 104, 172-5, *172*
aspartamina *224*
aspecto lateral
  mãos 355, *355*
  mapa *48-9*, 135
  pés 41
aspecto medial
  mãos 355, *355*
  mapa *46-7*
  pés 39, 41
aspecto plantar *40*, 41
  mapa *42-3*, *133*
aspectos, *ver* aspecto dorsal; aspecto lateral; aspecto medial; aspecto plantar
Associação de Reflexologia da China: *China Reflexology Symposium Report* 286
astrologia 12
ataques cardíacos 66
aterosclerose 288
atlas 125
atum 310, 338
autônomo, sistema *70*
axial, esqueleto 64
azia 116, 196-200, *196*

baço 74-5, *75*
baço, área reflexa do **148**, 179, 182, 243, 247, 380
bactérias benéficas *188*
balanço 131
banhos nos pés com pedras 108-9, *108*
banhos
  com gengibre *328*
  quentes 116, *117*
bases do tratamento 90-91
bastões 12, 14, *14*
batimento cardíaco 66-7
Beau, linha de 88
bebês: reflexologia das mãos 364, *364*
bem-estar 10, 22, 23, 32, 51, 162, 306, 310, 318, 336
bexiga 78, 79, *79*
bexiga, área reflexa da **160**, 234, 279, 294, 298, 312
bolhas 84
borboleta, toque da *367*
boro 338
Bressler, Harry Bond: *Terapia Zonal* 16
brinquedos 95, *254*
bromelina *99*
bronquíolos *77*, *77*
brônquios *77*, *77*
bronquite 184, 328

cabeça, área reflexa da 10, **137**, *177*, 185, 216, 221, 225, 229, 233, 260, 265, 339, 346, 374
cabelo, análise de 305
cachimbos 12
cadeiras 101-2
café 91
cafeína 29, 228, 256, 264, 270, 305, 323
calcâneo 55, *55*, 56
calcanhares
  deslocados 52
  inchados 84, 97
cálcio 64, 72, 89, 204, 282
  cristais 22, 50
calor 66, *67*
calores 282
calos *57*, 87
calosidades *57*, 84, 86-7
camas *100*, 101
caminhada 95, 130
camomila, chá de 79, 270
canal deferente, área reflexa do 302
  ver também tuba uterina/canal deferente, área reflexa da
cansaço 26, 188, 336
capilares 66
capim-limão 109
caranguejo, mandíbula de 364, *373*
carboidratos 69, 323
cardiovascular, doença 282
carícia *367*
carne
  esteroides na 269, 306
  vermelha 255, 282
carpal, síndrome do túnel 128, 208-11, 353
cartilagem 64, 65, 212
casais, reflexologia para 346-9
cataplasma de cebola 244
caxumba, testículos 300
celoniquia 89
celulares *20*, 21
células 60-61, *60*
  cérebro 224
  densidade 63
  divisão 63
celulite 109
cérebro, área reflexa do **137**, 225
chá de folha de framboesa 314
chá
  de ervas *79*, 255, 270, 314, 328
  preto 338
  verde 338
chás de ervas *79*, 255, 270, 314, 328
chás pretos 338
chás verdes 338
chocolate 255
cigarros 288
  ver também nicotina; tabagismo; fumo
circulação 16, 22, 23, 50, 52, 66-7, *67*, 97-8, 109, 122, 336, 388
  pé 54, 84
circulação sistêmica 66
círculos 130
cistite 33
cisto de ovário 25
clientes no pós-operatório 98

cobertores 107, 111, *176*
cobra 371
cobra, compressão 364
cóccix, ponto reflexo do **165**
coiote, aperto do 368
colesterol 26, 29, 292, *292*, 300
cólon ascendente, área reflexa do **150**, 189, 193, 239, 241, 250, 263, 275, 311, 344, 349
cólon ascendente/transverso, ponto do 326, 334, 380
cólon descendente, área reflexa do **153**, 190, 194, 239, 242, 250, 263, 276, 312, 344, 349
cólon descendente/transverso, área reflexa do 381
cólon sigmoide, área reflexa do **152**, 190, 193
cólon transverso, área reflexa do **151**, **154**, 189
coluna
dolorida *57*
inteira 207, 213, 223, *227*, 233, *247*, 251, 258, 261, 273, 285, 313, 317, 321, 327, 331, 335, 341, 345, 347
lesões/distúrbios espinais 162
trabalhando a 162
coluna inteira, *ver* coluna
comida em excesso 196, *196*
comportamentais, problemas 332
compressão, técnica 10
compulsões 323
computador, tela de *20*, 21
concentração 323, 332, *332*
confidencialidade 112
conjuntivite 18
consentimento dos pais 95
contagiosa, doença 91
contato visual 101, 358, *365*
contraceptivo oral *278*, 306
convívio entre as pessoas 23
corpo
ecologia 136
nível celular 58
nível dos órgãos 58
nível dos sistemas 58
nível dos tecidos 58
nível químico 58
organismo total 58
temperatura 29, *70*, 111, 255
cotovelo de tenista 353
cotovelo, ponto reflexo do **158**, 209,218
cravo *108*, 109
cremes 14, 109
crianças, tratamento *94*, 95, 254, 322-35
dicas de estilo de vida 323
difteria 328-31, *328*
falta de apetite 324-7, *324*
hiperatividade 332-5, *332*
reflexologia das mãos *364*
relação pais-filhos 322-3, *322*
cristais 22, 50-51, 115, 116, 120, 136, 364, 365, 370
cristais de ácido úrico 22, 50
cromossomos 286
cuboide, osso *55*, *55*, 56
cuidados posteriores 116, *117*, 167, 388
cuneiformes *55*, *55*, 56
cura 21, 23

deficiências minerais 255, 304, 305
demência 338
densidade mineral óssea *204*
dente-de-leão, chá *79*
dentes e mandíbula, áreas reflexas dos/garganta, ponto reflexo da **138**
depressão 26, 69, 109, 192, 256, 260-63, 270, 323, 338
pós-parto 318
depressão pós-natal 318
dermatite 91, 240-43
derme 62, *63*
desintoxicação *79*, 98
deslocamentos, torções 52, 109
desodorantes 31
detergentes 306
detritos 22, 23, 33, 61, 66, 68, *78*
dez principais efeitos do 33
derrame 66, 220
diabetes 25, 33, 73, 224, 256, 288
diafragma 200
diafragma, área reflexa do **142**, 174, 197, 201, 257, 266, 291, 325, 329, 340, 347, 378
diafragma (plexo solar), linha do *40*, 41
diarreia 188, 256, 274
dicas de estilo de vida
anos dourados 336
crianças 323
dieta 255
gravidez 305
para homens 286
para mulheres 269
dieta 26, 28-31, 51
baixo teor de gorduras 286, *287*
cuide de sua pele 31
deficiência de ferro 89
e gravidez 310, 314
e idosos 95, 336
e níveis de açúcar no sangue 268
e plano de engravidar *300*
e prisão de ventre 192
e próstata dilatada 292
e síndrome pré-menstrual 270, *270*
evite pesticidas e produtos químicos 30-31

- fibras 31
- fortalecimento do sistema imunológico *75*
- impacto da alimentação 28-9
- melhoria 116
- mudanças na 136
- nutritiva *244*
- orgânica *27*, 29, *30*, 31, 224, *270*, 338
- que há em sua comida? 28
- *ver também* alimento

difteria 328-31, *328*
digestivo, sistema 58, 68-9, *69*, 256, 332
digestivos, problemas 26, 33, 255, 260, 268-9, *278*, 305
digestório, sistema *ver* digestivo, sistema
dióxido de carbono 61, *76*, *77*
dislexia 323
dismenorreia 25
distúrbio do stress pós-traumático 255
distúrbios alimentares 305
divisão sensorial 70
DNA, ADN (ácido desoxirribonucleico) 61
doença celíaca 305
doença de Ménière 228-31, *228*
doença, compreensão da 91
doenças cardíacas 26, 27, 33
doenças sexualmente transmissíveis 288, 306
Dopamina 224
dor
- após sessão reflexológica 112
- durante sessão reflexológica 114-15, 116, 365, *365*
- na artrite 342
- na endometriose 274
- redução 71, 96, 98, 99

dores de cabeça 29, 33, 34, 39, *57*, 90, 91, 109, 116, 176, 184, 188, 192, 256, 352
- relacionadas à tensão pré-menstrual 269, 270

dores nas costas 162, 260, 270, 274
dorsal, aspecto
- mãos *354*, 355, 356
- mapa *44-5*, 134
- pés 41

drogas
- analgésicas 114
- duração das sessões 115
- imunossupressoras 244
- que mascaram sintomas 255
- recreacionais 114, 264
- *ver também* medicação

duração das sessões 14, 15, 115

e altos níveis de colesterol no sangue 292
e crianças 323
e dermatite 240
e doentes terminais 96
e epilepsia *220*
e fertilidade 300
e idosos 95
e impotência 288
e psoríase 248
e reflexologia das mãos 352, 353
e síndrome do intestino irritável *188*
eczema 91, 111
edema *74*, 78
ejaculação precoce 286
ejaculação, deficiência 286
elétricos, postes 21
eletromagnética, sensibilidade 21
eletromagnéticos, campos 20-21, *20*
emoções 255, 269
encaminhamento do cliente a outro profissional 116, 120, 388
endócrino, sistema *70*, *72-3*, *73*, 332
endometriose 25, 269, 274-7, 306
endorfinas 71, 96, 260
energia
- bloqueios 20
- falta de 336
- níveis *72*, 116
- linhas 14
- negativa 20
- trajetos 16
- positiva 20
- restauração 365
- zonas 16, 18, 19, *52*
- fluxo de 18, 20, 21, 61, 346

envelhecimento 336
enxaquecas *24*, 25
epiderme 62, *63*
epilepsia 104, 220-23, *220*
equilíbrio 10-11, 15, 18, 21, *22*, 23, 39, 56, *57*, *78*, 112, 162, *306*, 336, 388
esclerose múltipla 232-5, *232*, 353
escroto 80, *81*
esfíncter muscular 196
esmalte de unha 88
esôfago, área reflexa do **145**, 182, 197, 329, 375
esperma 80, 81, 300, 305, 306
esportes 116
esqueleto 64-5, *65*
essenciais, óleos 111
esteroides 269, 306
estilo de vida 11, 15, 28, 34, 51, 116, *220*, 388
estimulação dos nervos 23
estiramento de Hermes *127*
estômago, área reflexa do **146**, 198, 202, 249, 326, 379

estrógeno 29, *72*, *73*, 81, 204, 269, 282, 318
sintético 269, 306
Eugster, padre Joseph 14
exercício 26, 27, *27*, 34, *73*, *74*, *75*, 116, 136, 192,256, 282, *336*

fadiga 21, *57*, 109, 192, 260
falanges *55*, *55*
febre alta 91, 112
febre do feno 104
felicidade *10*
ferro 89
fertilidade *287*, 305
fertilização 80,81
fibras 31, 192
fibrose 269, 278-81, *278*, 306
fígado 26, 33
fígado, área reflexa do **148**, 213, 222, 226, 231, 237, 242, 249, 262, 284, 294, 303, 311, 320, 335, 245, 379
fígado, reflexo *42*, 98
Fitzgerald, dr. William 12, 14, 16, 52
FIV (fertilização *in vitro*) 80
flatulência 188
flexura esplênica, ponto reflexo da **153**
flexura hepática, ponto da **151**
flexura sigmoide, ponto reflexo da **152**
fluxo sanguíneo 22, 50, *67*, *70*, *74*, 388
força vital 21
fósforo 64
fraturas 204, *204*, 352
frio, sensação 26
frutas 31, *75*, 116, *244*, 255, 270, *287*
fumo 332
ver também cigarros; nicotina; fumo
furacão terapêutico 126
furúnculos 244-7, *244*

gancho 131
gangrena 91, 112
ganho de peso 26, 305
garganta inflamada 180-83, *180*
garganta, ponto reflexo da 181
ver também dentes e mandíbula, áreas reflexas/garganta, ponto reflexo
deslizamento de polegar 14
avanço de polegar 15
tireoide, glândula 26, *72*, *73*
tireoide, área reflexa da **143**, 178, 194, 205, 210, 178, 194, 205, 210, 214, 222, 257, 262, 271, 283, 302, 307, 315, 319, 348
gengibre 109
banho com 328, *328*
glândula pituitária *70*, *72*, *73*, *96*
glândula prostática *79*, 80
dilatada (hipertrofia benigna da próstata) 292-5, *292*
prostatite 296-9
glândulas *72*, *73*, *73*
glândulas sebáceas 63
glicina 270
glicose 33, 34, 69, *73*, 255
gordura, depósitos de 33, 35
gorduras animais 288
gravidez 304-21
concepção 8, 29, 80, 81
depois do parto 318-21, *318*
desenvolvimento completo do bebê 8
dicas de estilo de vida 305
dieta e projeto de ter um bebê *300*
e crescimento das unhas 88
e reflexologia das mãos 370
infertilidade na mulher 306-9
primeiro trimestre 91, 112, *304*
problemas nas costas, joelhos e pés 54
semanas 14-36 310-13
semanas 37-40 314-17, *314*
gripe 176-9, 184

harmonia 1, 18, 310
hemoglobina *76*, 89
hemorroidas 192
hepatites B e C 88
hérnia de hiato 200-203
hérnia de hiato, ponto reflexo da **146**, 201
higiene 106, 111
hiperatividade 332-5, *332*
hipersensitiva, resposta 92-3
hipertensão, *ver* pressão sanguínea
hipertireoidismo 300
hipertrofia benigna da próstata, *ver* dilatação da próstata
Hipócrates 29
hipoglicêmicos, agentes 25
hipotálamo *70*, *72*
hipotálamo, ponto reflexo do **144**, 261, 283
hipotálamo/pituitária, ponto reflexo do 325, 339
hipotireoidismo 300
histerectomia 51
histeromioma 25
histórico médico 112, 116
homens, reflexologia para 286-303
dicas de estilo de vida 286
impotência 288-91, *288*
infertilidade 300-303

próstata dilatada 292-5, *292*
prostatite 296-9
homeostase 20, 23, *70*
hormônios
crescimento 29
definição *72*
e emoções 255
e exercícios 34
e o hipotálamo *70*
e os rins *78*
e pesticidas 31
e suor nos pés 84
equilíbrio/desequilíbrio 29, 30, 33, 236
homens e 300
idosos 26
mulheres e 268, 269, 270, *270*, 304, 314, *318*
níveis flutuantes 88
stress 255
HRT, TRH (terapia de reposição hormonal) 306
humor *73*, 255, 269, *270*, 338

idosos, tratamento 95-6, 102
reflexologia das mãos 353
ver também anos dourados
idosos, *ver* anos dourados; tratamento dos
ilhotas de Langerhans *73*
iluminação 95, 104, *105*, 107
impaciência 260
impotência 286, 288-91, *288*
imunológico, sistema 8, 23, *27*, 29, 33, 69, *75*, 98, 136, 184, 244, *244*, 336, *336*
in vitro, fertilização (FIV) 80
inalação de corpo estranho 328
inchaço 188, 192
indigestão 256
infecciosas, doenças 112
infecções 109
infertilidade 25, 29, 30, 69, 305
masculina 300-303
inflamação 99, *99*
inflamação das articulações 342
inflamações intestinais 204, 305
Ingham, compressão Técnica 15
Ingham, Eunice 15, 38
Stories the Feet Can Tell 15
Stories the Feet Have Told 15
Ingham, método 14-15
insônia 29, 34, 192, 255, 256, 314
ver também sono
insulina *73*
intenção, desejo de curar 120, *120*, 388
intestino delgado, área reflexa do **154**, 381
intestino irritável, síndrome do 8, 34, 91, 188-91, *188*, 352
intestinos, movimentos dos 23, 25, 188, 192
irritabilidade 109

jasmim 109
joanete *57*, 84, 86
joelho, ponto reflexo do **159**, 382
joias 106, 107, 358

laticínios 282, 306
lavagem das mãos 106, 358, 358, 388, *388*
leite 196, 269, 306
LER, *ver* lesão por esforço repetitivo
lesão por esforço repetitivo (LER) 128, 353, 362
lesões nos testículos 300
ligamento, linha *40*, 41
limão-galego 109
limites do tratamento 106, *107*
linfática, circulação 388
linfático, sistema *54*, *74-5*, *75*
linfáticos, nódulos *74*, *74*
linha do peito *40*, 41
"lutar ou fugir", resposta 32, *70*, 162, 264
Lyme, doença de 323

maçã *192*
magnésio 64
Mainguy, dr. Jean-Claude 20-21
mal de Parkinson 224-7, *224*
manganês *228*
mapa dos pés 15, 38-9, *38*
dorsal *44-5*
lateral *48-9*
leitura dos reflexos 39
medial *46-7*
os pés: espelho do corpo 40-41, *40*
plantar *42-3*
posições relativas 38-9
mapas
reflexologia das mãos *356-7*
terapia zonal 18, *19*
margarina 28
massagem, instrumentos 109, 358
mecânico 212
mecanismos práticos de ajuda 34
medicação 39, 116, 192
e impotência 288, *288*
tratamento de clientes sob 97-8, *97*, *98*, 114
ver também drogas
medicação para úlcera 288
medo 255
medula espinal *65*, *70*, *71*, 162
meningite 220
menopausa 81, 204, *256*, 278, 282-5, *282*

menstruação 81, 88, *256*, 269, 270, 274, 278
refluxo 274
menstrual, distúrbio 25
mercúrio 310, 338
metabolismo *72*, 84
metatarsos 55, *55*, 56
mielina, revestimento de 232
minerais 338, 388
e gravidez 310
mitocôndrias 61
morfina 96
mulheres, reflexologia das 268-85
dicas de estilo de vida 269
endometriose 274-7
fibrose 278-81, *278*
menopausa 282-5, *282*
tensão pré-menstrual (TPM) 270-73, *270*
ver também gravidez
músculos
cólicas 270
dores 21
enrijecimento 109
música 95, 104, 107

nativos americanos 12
náuseas 188, 264, 274
navicular, osso 55, *55*, 56
nervo ciático, área reflexa do **149**, 383
nervosismo 256
nervoso, sistema 12, 16, 23, 70-71, *71*, 224, 232, 269, 332
nicotina 228
ver também cigarros; tabagismo; fumo
nutricional, diário 264
nutricional, terapeuta 170
nutrientes *27*, 31, 50, 61, 66, 270
antioxidantes 300
deficiência de 323, 338
essenciais 305
transporte de 388

obesidade *57*
obsessões 323
occipital, ponto reflexo do **138**, *217*, *375*
Okello, dr. Ed 338
óleo de castanha 111
óleos 107, 109, 111, 170, 358
óleos de peixe 323
olho, área reflexa do **140**, *376*
olhos/ouvidos, área geral de reflexo dos **140**, 186
ombro congelado 90, 216-19, 353
ombro, linha do *39*, 40
ombro, ponto reflexo do **142**, 208, 365, 382
ombros, problemas dos 365
ombro congelado 90, 216-19, 353
ossos dos pés *55*, *55*, 132
osteoartrite 212-15, *212*
osteoartrite cervical 212
osteoporose 27, 29, 204-7, *204*, 282
ouvido externo, ponto reflexo do **141**
ouvido interno, ponto reflexo do **139**, 230, 234
ouvido, infecções 176
ouvido, ponto reflexo do *377*
ovários *73*, *73*, 80-81, *81*
ovários, ponto reflexo dos *273*, *275*, 308, 316
ovários/testículos, ponto reflexo dos
ver também ovários, ponto reflexo dos **156**, 237, 385
ovulação 80, 304, 305, 306
óvulo 81
oxigênio 27, 33, 50, 61, 66, 106, 220, 332
oxitocina 314, *370*

pacientes no pós-operatório 98-9, *99*
palmilhas *57*, 87
palpitações 29, 34, 264
palpitações cardíacas 29, 34, 264
pâncreas 73, *73*
pâncreas, ponto reflexo do **147**, 198, 238, 246, 259, 272, 310, 333
pânico, ataques de 264, *264*
panturrilha, massagem **157**
papaia *192*
parassimpático, sistema nervoso *70*, 162
paratireoides, glândulas *72*, *73*
paratireoides, ponto reflexo das **144**, 206, 284, 343
parte inferior das costas/sacro, área reflexa da **160**, **164**
parto 81, 314
parto
duração 304, 314
normal 304, 314
pé cavo *57*
pé de atleta 85, *85*, 352, 353
pedicuro *57*, *87*
pedicuro 88
pedra-pomes 87
peito, área reflexa do **166**
peito, sensibilidade do 270
pele
coceira 109
cuidados 31
divisão celular 63
estrutura 62-3
inflamações 29, 236, 240
oleosa 236
remoção de pele áspera *87*, *87*
pélvica (calcanhar), linha *40*, 41
pélvica, inflamação 25
pensamentos negativos 95, 255
perda de cabelos 59, 88

perda de memória 256, 338
perda de peso 8, *27*
perfume 104, *105*, 358
periférico, sistema nervoso *70*
perna, fratura *52*
pés chatos *57*
pés
anatomia do pé 54-7, *55*, *56*, 132
arcos do pé 56-7
cansaço 109
chatos *57*
circulação 54
com cócegas 352, 353
cuidados posteriores 167
danos aos 352, 353
engessados 352, 353
final do tratamento 167
forte dor estrutural 352
ossos dos 55, *55*, 132
referência rápida 132-5
relaxamento dos 122-7
suados 84
sustentação dos 128
técnicas básicas 128-31
trabalho nos 120
tratamento geral 136-66
ver também mapas dos pés
pesadelos 255
peso em excesso 269
pesticidas 30-31
pílula, contraceptivo oral 278, 306
pituitária, ponto reflexo da 72, 96, **143**, 173, 185, 191, 202, 205, 241, 221, 229, 236, 240, 245, 248, 265, 271, 276, 281, 283, 293, 297, 301, 307, 314, 315, 319, 333, 342, 370, 374
plano de tratamento 107, 113
plásticos macios 269, 306
plexo solar, ponto reflexo do *42*, *97*, 123, 175
pneumonia 176, 184
poltronas 102
poluição 95
ponto reflexo das glândulas suprarrenais 174, 183, 191, 203, 218, 223, 227, 235, 238, 243, 245, 272, 277, 281, 290, 303, 327, 330, 334
ver também pontos reflexos dos rins/suprarrenais
pontos de pressão, terapia dos 12, 16
pontos reflexos 8, 10
pós 15, *15*, 107, 109, 170
pó 110, *110*
reflexologia perfumada
postura 54, *57*, 84, 95, *102*, 106
potássio 338
preocupações 26, 95
preparação do ambiente 104, *105*
preparação
cliente 108-9, *108*
você 106-7, *106*
pressão sanguínea
alta (hipertensão) 33, 66, 78, *79*, 255, 256, 288
e medicação 97
pressão
direção da 134
intensidade certa 50, 113-14, 128, *128*, 358, 362, 364, *364*, 365, *365*
suave *96*, *97*
prímula, óleo de 111
prisão de ventre 188, 192-5, *192*, 256, 270, 274, 353
profissionalismo 106, *106*, 112, 358
progesterona 73, 81, 236, 269, 318
próstata, ponto reflexo da 289, 293, 297
ver também útero/próstata, ponto reflexo do
proteína 69, 305
psoríase 248-51
puberdade 236
pulmão, área reflexa do **145**, 173, 178, 199, 266, 291, 320, 330, 340, 248, 378
pulmões *76-7*, *77*
pulmonar, circulação 66
pulso 67
pulso, ponto reflexo do **158**, 209
quadril, ponto reflexo do **159**, 207, 383
quadros de referência rápida 132-5, 170
queimadura 99, *99*, 109, 112
queratina 88
químicos, produtos 30, *30*, 31
quiropodista 84, 86
radiação 300
raiva 260
reação da crise de cura 92, 92, *95*, 112, 114, 128
reações ao tratamento 91, 92-3, *92*, 95
recuperação pós-operatória 23
redução 116
reflexologia das mãos 10, 11, 264, 350-89
aspectos das mãos 354-5
autotratamento 353
benefícios da 353
como usar os tratamentos 364, *364*
cuidados posteriores 388
final do tratamento 388, *388*
fortalecimento das mãos 170, 362-3
leitura dos reflexos nas mãos 365, *365*

mapas 356, *356-7*
o ambiente de trabalho 360-61, *361*
preparação para o tratamento 358, *358*
relaxamento das mãos 366-9, *366*
situações em que a reflexologia das mãos é preferível 352
técnicas básicas 370-73, *370*
tratamento geral das mãos 374-87
reflexologia de força 170
reflexologia
adaptação do tratamento 94-9
benefícios 23
eficácia da 24-25, *24*
onde tratar 100-102, *100*, *101*, *102*
que é? 8-11
raízes da 12-15
reações à 91, 92-3, *92*
tratamento básico 90-91
reflexologia, sessão 112-15
confidencialidade 112
histórico médico 112, 116
plano de tratamento *107*, 113
prazo recomendado 115
pressão 113-14
sensações táteis 114-15
visualização para cura 115
reflexos 39, 41
espinais 39
fígado 39
leitura dos 39
rins 39
sensíveis 50, 51
reflexos cruzados 52, *53*
refrigerantes, bebidas efervescentes 255
relaxamento 11, 23, 100, 136, 255
das mãos 366-9, *366*
relaxamento, técnicas de 95-6, 115, 122-7, 136, 170, 254, 338, 346, 374
renascimento da Fênix
mãos 368
pés 127
reprodutor, sistema 80-81, *81*
resfriado 184-7, *184*, 328
respiração *77*
energia interna 120, 123, 170, *170*
limitada 33, 264, 328
profunda 21, *74*, *97*, 106, 256, 366
técnicas 34
respiratório, sistema *76-7*, *77*
respiratórios, problemas 109
reto/ânus, área reflexa do **157**
reumatismo, artrite reumatoide 109, 353
rim, ponto reflexo do *42*, 98
rins *78*, *79*
rins/suprarrenais, pontos reflexos dos **161**, 195, 206, 210, 215, 231, 251, 259, 267, 285, 295, 299, 313, 317, 321, 341, 343, 384
rotação dos dedos 126, *167*
Rwo Shur, método de 14, *14*

sacro, área reflexa do 279
ver também parte inferior das costas/sacro, área reflexa da
sal *79*, 228, 270
sapatos 86, *86*, *87*
sebo 63
seio, câncer do 306
sêmen 80, 296
semente de uva, óleo de 111, 358
sensações táteis 114-15
sentar-se confortavelmente 100-102, *100*, 101, 102
sentimento de desvalia 260
serotonina 323
sesamoide 55, *55*
síndrome da fadiga crônica 256
síndrome do ovário policístico 269
sínus, área reflexa dos **139**, 376
sínus, problemas 176
sinusite 16, 352
sistema nervoso central *70*, 162, 353
sódio *78*, *79*
sofás 102
somático, sistema *70*
sono
durante o tratamento 112
perturbações 21, 26, 90, 96, 117, 260
ver também insônia
spina bifida 57
stress 11, 23, 26, 32-5, *32*, 71, *72*, *73*, 109, 128, 136, 256-9, *256*
e acne 236
e ansiedade 264
e asma 172
e níveis de açúcar no sangue 269
sucos de frutas 388
suplementos à base de ervas 170
suprarrenais, glândulas *72-3*, *73*
reflexos 99, *357*

tabaco 305
ver também cigarros; nicotina; fumo
talco 109, 358
talo 55, *55*, 56
tarsos 55, *55*
TDAH (transtorno de déficit de atenção e hiperatividade) 323, 332
técnicas básicas 128-31, 170
técnicas respiratórias 34

tenossinovite *353*
tensão 21, 33, 292
tensão pré-menstrual (TPM) 109, *270-73*, *270*
teoria de 8, 10
terapia de reposição hormonal (TRH) 306
terminais, pacientes 96-7
testículos *73*, *73*, 80, *81*
testículos, ponto reflexo dos 289, 301
ver também ovários/testículos, área reflexa dos
testosterona 30, *72*, 300
toalhas 15, 101, *107*, 108, 111, *111*, 116, *167*, 328, 358, 388
tontura 21, 264
tônus muscular, baixo 84
toupeira 364, 372
toxinas 22, 23, 27, 31, 50, 54, *74*, 92, 95, 104, 116, 167, *167*, 192, 224, 300, 305, 328, 388
TPM, *ver* tensão pré-menstrual
tração de Poseidon 125
trajetos neurais 23
transtorno de déficit de atenção e hiperatividade (TDAH) 323, 332
traqueia *76*, *77*
trato urinário, infecções do 78
trigo 323
tristeza 255
trombose profunda 22, 91
trompa de Eustáquio, ponto reflexo da **141**, 377
tuba uterina, área reflexa da 308
tuba uterina/canal deferente, área reflexa da **156**, 386
ver também canal deferente, área reflexa do
tubas uterinas 81, *81*, 306
tuberculose 112

unha encravada 84, 86
unhas
crescimento 88
cuidados 88, 107
e dieta *88*, 89
Universidade de Newcastle, Medicinal Plant Research Centre 338
ureia *78*
ureter, área reflexa do 161, 299, 384
ureteres *79*, *79*
uretra *79*, *79*
uretrite *79*
urinário, sistema 78-9, *79*
útero 81
útero, ponto reflexo do 274, 280, 316
útero/próstata, ponto reflexo do **155**, 385

válvula ileocecal, ponto reflexo da **150**
vasos linfáticos e área da virilha **155**
vasos linfáticos superiores, área reflexa dos **166**, 177, 183, 187, 215, 226, 235, 241, 246, 296, 309, 331
vegetais 31, *75*, 116, 255, 270, *270*, 287
vegetais, sucos de 388
vegetarianos rígidos 89
veias 66, *67*
veias varicosas 91, 109
verrugas 85-6, 107, 352
vértebras *57*, 65, 65, 162, *163*
vértebras cervicais, área reflexa das **163**, 181, 186, 211, 219, 230, 386
vértebras lombares, área reflexa das **165**, 195, 280, 387
vértebras torácicas e lombares, área reflexa das 277, 290, 295, 298, 309
vértebras torácicas, área reflexa das **164**, 175, 179, 187, 199, 203, 211, 219, 267, 387
vertigem 228, 232
vesícula, ponto reflexo da **147**
vinho *196*
virais, infecções 88
visualização de cura 115
vitaminas 338, 388
A 89, 338
B (complexo) 28, 314
B12 89, 338
C 29, 305
D 64
Deficiências 69, 255, 304, 305, 323
E 300, 338
e gravidez 310
suplementos de 170

zinco 296, 305, 338
zonal, terapia 10, 14, 16, *16*, 20, 52
mapa 18, *19*
zonas transversais *40*, 41
zonas
zona 1 (dedão) *19*, 132, *132*
zona 2 (segundo dedo) *19*, *132*
zona 3 (terceiro dedo) *19*, 132
zona 4 (quarto dedo) *19*, *132*
zona 5 (dedo mínimo) *19*, 132, *132*
zumbido nos ouvidos 33, *57*

Agradecimentos

Sobre a autora

Louise Keet é diretora da London School of Reflexology (www.learnreflexology.com), a principal escola de reflexologia de Londres.

As técnicas de reflexologia Keet usadas neste livro foram desenvolvidas para assegurar os mais eficientes resultados ao tratamento. Esse poderoso método, concebido por Louise e Michael Keet, é praticado no mundo inteiro. É usado por profissionais egressos de suas respectivas escolas, London School of Reflexology e Central London College of Reflexology, que oferecem três diplomas em reflexologia em seu nível vocacional.

Agradecimentos da autora

Este livro é dedicado a Ziggie e Phoenix Bergman, o epicentro de minha vida.

Agradeço a Irene Lemos pelo estreito convívio que tivemos durante anos, St. John Wright pelo amor e paciência, Deborah Dor e M. J. Low pelo afeto, compreensão e apoio, Beatrice McClennan pela maravilhosa amizade e o tempo que passamos juntas, Fanny Aubertin pela amizade e por me fazer sorrir sempre que eu precisava muito disso, e sr. e sra. Charles Longbotton pela gentileza. Sou grata a Sue Rickards, excelente professora em Gabrielle Roth's 5Rhythms®, e a todos quantos dividiram o espaço e me ajudaram a curar pela dança.

Agradecimentos especiais a Jessica Cowie e Jane McIntosh, que me deu a oportunidade de escrever este livro, Camilla Davis, Mandy Greenfield, Kerenza Swift e Leigh Jones pela confiança, conhecimento e orientação. Agradecimentos também a Association of Reflexologists pelo ótimo trabalho em transformar a reflexologia na terapia complementar confiável que hoje é.

Um agradecimento especial a meus alunos e ex-alunos da London School of Reflexology, que vêm fazendo a diferença nas vidas de tantas pessoas.

Editora executiva: Jessica Cowie
Editoras: Camilla Davis; Kerenza Swift
Editora executiva de arte: Leigh Jones
Ilustradora: Julie Francis
Fotógrafa: Ruth Jenkinson
Diretora de produção: Simone Nauerth
Modelos: Samantha Whyman da ModelPlan, Poppy Gillioz e Beatrice Sims
Fotografias especiais: Octopus Publishing Group Ltd/Ruth Jenkinson
Outras fotografias: Corbis UK Ltd Allen Bell 204; Alessandra Schellnegger/zefa 14; Booke Fasani 232; David Raymer 192; Flint 264; Image Source 252; Image 100 228; Imagemore Co. Ltd. 188; Leslie Richard Jacobs 300; Martin Harvey 200; Norbert Schaefer 224; Pinnacle Pictures 116; Pixland 212; Tim Pannell 324; Timothy Tadder 58; **Getty Images** 3D4Medical.com 38; Altrendo Images 32; Ariel Skelley 282; STOCK4B 184; Kent Mathews 268; **istockphoto.com** George Peters 105; Jovan Nikolic 99; Sheryl Griffin 220; Will Johnson 196; **Octopus Publishing Group Limited** Clive Streeter 292; Peter Myers 244; Peter Pugh-Cook 26,354, 370; Russell Sadur 90, 254, 332; Ruth Jenkinson 288, 336; William Reavell 28, 270, 328; **Royalty-Free Images** 304, 318; PhotoDisc 287; **Science Photo Library** Aj Photo 278; BSIP Laurent 180; Ian Hootan 172; **Shutterstock** Graham S. Klotz 98; Rene Jansa 30.